IN VERTROUWEN

Van Karen Rose verschenen bij De Fontein:

Sterf voor mij (2008)
Schreeuw voor mij (2009)
Moord voor mij (2010)
De dood in haar ogen (2011)
De mond gesnoerd (2012)
Van mij alleen (2013)

ROSE

Karen

In vertrouwen

De Fontein

MIX
Papier van
verantwoorde herkomst
FSC
www.fsc.org FSC® C110751

Eerste druk 2014

© 2012 Karen Rose Hafer
© 2014 voor deze uitgave: Uitgeverij De Fontein, Utrecht

Oorspronkelijke uitgever: Signet, een imprint van New American Library,
onderdeel van Penguin Group (USA) Inc.
Oorspronkelijke titel: *No One Left to Tell*
Uit het Engels vertaald door: Hans Verbeek
Omslag: Studio Jan de Boer, Amsterdam
Omslagfoto: © Mohamad Itani / Trevillion Images
Opmaak binnenwerk: Text & Image, Eexterveen
ISBN 978 90 261 3389 3
ISBN e-book 978 90 261 3390 9
NUR 332

www.uitgeverijdefontein.nl
www.karenrosebooks.com

Voor mijn lieve moeder,
die gedurende een buitengewoon moeilijk jaar
kracht, goedheid en vertrouwen heeft getoond.

Voor mijn sensei Sonie Lasker.
Ik mis je, meid, maar ik ben ook zo vreselijk trots op je!

En voor Martin.
Ik zal altijd van je houden.

Proloog

Hij was vlakbij. Crystal kon zijn zware ademhaling horen, kon voelen dat hij naar haar keek. Als ze naar rechts keek, over de onberispelijk geschoren heg, dan zou ze hem zien. Zijn blik zou hongerig zijn en zijn lichaam in staat van opwinding. Maar ze keek niet naar hem. Gunde hem dat plezier niet.

In plaats daarvan keek ze achterom. De deur van de tuinschuur stond op een kier, precies zoals hij had gezegd.

De tuinschuur. Ze keek op. Hij had overal op het uitgestrekte landgoed met haar kunnen afspreken, maar hij had voor het tuinschuurtje gekozen. Dat zou ze hem betaald zetten. Ze zou hem alles wat hij had gedaan betaald zetten.

Ze duwde zachtjes tegen de deur van de schuur terwijl ze nog een laatste keer achteromkeek. Het feest bij het zwembad was in volle gang en de muziek stond zo hard dat het kilometers in de omtrek te horen moest zijn. Gelukkig was het landgoed kilometers groot, anders zou de politie allang op de stoep hebben gestaan om bekeuringen uit te delen. Ze glimlachte wrang. Het idee alleen al was belachelijk.

De politie zou hier nooit bekeuringen komen uitdelen.

En dat was voor de dansers maar goed ook, dacht ze. *En voor mij.* Iedereen had het zo druk met plezier maken dat niemand haar had zien wegglippen. De feestgangers bij het zwembad gingen helemaal uit hun dak – coke en seks waren veruit favoriet. Maar niet iedereen was in het zwembad. Op de dansvloer onder de bungelende lampions krioelde het van de kronkelende lichamen. Elke vrouw die haar kleren nog aanhad was tot in de puntjes verzorgd en Crystal was blij dat ze zo verstandig was geweest haar minuscule, peperdure jurk en de nog duurdere schoenen te dragen. Haar creditcard zat aan zijn maximum.

Maar ik pas er helemaal bij. In ieder geval voldoende om bij hét feest van het jaar te zijn – en dat was het belangrijkste. Ze wilde – nee, ze móést – hier zijn. Ze moest zijn gezicht zien wanneer ze hem vertelde wie ze werkelijk was. Dat ze bewijsmateriaal had dat hem te gronde zou richten.

Dat ze hem nu in haar zak had.

Hij zou geschokt zijn. Verbijsterd. Misschien zou hij zelfs smeken.

Crystal glimlachte. Ze hoopte echt dat hij zou smeken.

Ze wierp een laatste blik op het huis dat groot en machtig op de heuvel opdoemde boven de feestende menigte. *Hij had me daar kunnen hebben, in een van de slaapkamers.* Daar waren er tenslotte tien van, elk ingericht als een plaatje uit een tijdschrift.

Maar ze was hier, in de tuinschuur. Maakte niet uit. *Op een dag zal dit allemaal van mij zijn.*

Ze deed de deur achter zich dicht en fronste haar voorhoofd. Dit was echt een tuinschuur. Hij stond vol met gereedschap en rook naar benzine. Aan de muren hing keurig gerangschikt alles wat een tuinman maar nodig kon hebben om een landgoed zo groot als dit te onderhouden. Twee tractormaaiers namen het grootste deel van de betonnen vloer in beslag. Er stond niet voor het gemak een bed in de hoek zoals ze had verwacht. Er was niet echt ruimte om iets te doen.

Crystal sloeg haar ogen ten hemel. *Behalve knielen misschien.* Dat sprak voor zich.

De deur achter haar ging open en weer dicht. 'Amber,' zei hij.

Crystal nam een ogenblik de tijd om haar hart tot bedaren te brengen. *Amber.* Zo had ze zichzelf voorgesteld. Als hij haar echte naam had gekend, zou hij nooit hier met haar hebben afgesproken. Dan zou hij haar genegeerd hebben, net zoals hij de telefonische boodschappen had genegeerd die ze bij die verrekte butler in het grote huis had achtergelaten. Dat was het lastige van chantage. Je moest eerst de aandacht van je doelwit zien te trekken voor je voorwaarden kon stellen. Nu had ze zijn aandacht.

Tijd voor actie, meid. Doe het goed. Je toekomst hangt af van de komende vijf minuten.

'Je bent gekomen,' zei ze zacht op verleidelijke toon. 'Ik wist niet zeker of je dat wel zou doen.'

Hij grinnikte en het geluid klonk allesbehalve vriendelijk. 'Je wist dat ik naar je stond te kijken.'

Ze hield haar stem poeslief. 'Ja. Ik had gehoopt op een plek die wat... comfortabeler zou zijn. Waar we zouden kunnen... praten.'

Hij maakte een neuriënd, nadenkend geluid. 'Praten? Ik dacht het niet. Crýstal,' voegde hij eraan toe en haar hart klopte in haar keel.

'Je wist het,' fluisterde ze.

'Natuurlijk wist ik het. Ik heb je laten volgen. Een knappe meid zoals jij die achter me aan zit. Ik moet voorzichtig zijn. Er lopen allerlei slechte mensen rond, Crystal. Je weet nooit wie er een stomme streek probeert uit te halen. Chantage bijvoorbeeld. Ga je me chanteren, Crystal?'

Ze onderdrukte haar paniek en hief langzaam haar arm om het busje pepperspray uit haar minuscule handtasje te halen, blij dat ze voorbereid was. In gedachten telde ze het aantal passen naar de deur. Zes stappen. Zes stappen kon ze wel aan. Ze zou langs hem kunnen glippen.

Ze moest wel.

Pak voorzichtig die spray. Geen plotselinge bewegingen. Laat hem niet merken dat je bang bent. Hij is dol op je angst.

Hij kwam dichterbij en ze voelde de warmte van zijn lichaam. 'Je had nooit moeten komen.' Zijn stem had een spottende ondertoon die haar tot op haar botten verkilde.

'Ik heb be–' Er kwam iets zijdezachts tegen haar kin. Een fractie van een seconde later gleed het naar haar keel en werd strakgetrokken. *Bewijzen. Ik heb bewijzen.* Maar de woorden kwamen niet.

Ik krijg geen adem. Ze maaide instinctief met haar armen en ze klauwde met haar nagels aan haar keel. Ze schopte naar achteren, probeerde zijn knieën te raken, zijn kruis, alles waar ze maar bij kon, maar hij trok haar omhoog tot haar voeten niet langer de grond raakten.

Nee. Alsjeblieft. Nee. Haar longen stonden in brand. Ze graaide naar haar tasje, greep de pepperspray en probeerde onhandig het dopje eraf te krijgen. *Wegwezen. Je moet hier gewoon weg.*

Ze rukte de dop van het busje. *Ik wil niet dood. Laat me alsjeblieft niet doodgaan.*

'Trut,' zei hij binnensmonds. 'Je komt hierheen en bedreigt me. Dacht je dat dat zou lukken? Dacht je nou echt dat dat zou lukken?'

Ze richtte de spuitbus, maar zijn hand sloot zich om haar pols, draaide die om en dwong het busje omlaag. Duwde haar vinger op het knopje. Nieuwe pijn drong in haar ogen, brandde en verblindde haar.

Ze schreeuwde, maar haar stem zat gevangen. Ze zat in de val. Ze liet de spuitbus vallen en wreef wanhopig in haar ogen.

Laat het ophouden. Laat het alsjeblieft op–

Hij deed een stap achteruit en haalde diep adem. Haar armen hingen slap langs haar lichaam. Hij liet haar op de grond vallen. Ze was dood. Hij had haar vermoord.

Het is me gelukt. Hij had zich lange tijd afgevraagd hoe het zou voelen om iemand het leven te benemen. Nu wist hij het. Hij had het eindelijk gedaan.

De trut. *Ze dacht dat ze hierheen kon komen. Me de baas kon zijn.* Ze had haar lesje geleerd. Een dure les. *Niemand kan mij de baas.* Hij frommelde de zijden sjaal waarmee hij haar had gewurgd tot een bal en propte die in zijn zak. Hij boog zich voorover om haar tasje van de grond te rapen en verborg het onder zijn jasje. Hij deed de deur een stukje open.

Er kwam niemand aan. Niemand keek. Iedereen was aan het feesten en had het geweldig naar zijn zin. De muziek van de band zou elk geluid dat ze hadden gemaakt hebben overstemd. Hij glipte de schuur uit en verdween achter de heg. Het was volbracht.

I

Baltimore, Maryland,
dinsdag 5 april, 06.00 uur

Paige Holden zette met een boze blik haar pick-up op de laatste vrije plek op de parkeerplaats. Uiteraard was het het vak dat het verst van haar appartement was. Uiteraard regende het.

Als je thuis was geweest, dan was je op dit moment je eigen garage binnen gereden en zou je lekker warm en droog blijven. Je had nooit uit Minneapolis weg moeten gaan. Wat haalde je in je hoofd?

Het was de spottende stem. Ze had de pest aan de spottende stem. Die leek haar hoofd binnen te glippen op het moment dat ze daar het minst op was voorbereid, meestal wanneer ze volkomen uitgeput was. Zoals nu.

'Sodemieter op,' mompelde ze, en de rottweiler op de passagiersstoel liet een zacht gegrom horen, wat Paige als instemming beschouwde. 'Als we thuis waren geweest, dan zou dat kleine kind nog steeds bij die slet van een zogenaamde moeder zijn.' Haar kaken klemden op elkaar bij de herinnering die nog maar enkele uren oud was. Ze wist niet zeker of ze ooit in staat zou zijn om de aanblik van het doodsbange gezichtje uit haar geheugen te wissen. Dat wilde ze ook niet.

Ze had vanavond iets bereikt. Er was iemand in veiligheid gebracht die dat anders niet zou zijn geweest. Daar moest ze zich aan vastklampen op de momenten dat de spottende stem zich liet horen. Waar ze aan moest denken wanneer ze wakker werd uit haar nachtmerrie en het schuldgevoel haar bij de keel greep en haar dreigde te verstikken, waren de gezichten van de slachtoffers die ze had weten te beschermen.

Het zou goed komen met Zachary Davis. Uiteindelijk. *Omdat ik er vanavond was.*

'We hebben het goed gedaan, Peabody,' verklaarde ze vastbesloten. 'Jij en ik.'

De hond klauwde aan het portier van de pick-up. Hij had uren met haar opgesloten gezeten in de cabine en geduldig gewacht tot de nacht voorbij zou zijn. Had zijn plicht gedaan. *Mij beschermen.*

Dat hij dat deed, gaf haar een veilig gevoel. Dat ze nog steeds een waakhond nodig had om zich in het holst van de nacht veilig te voelen, irriteerde haar. Dat ze nog steeds schrok wanneer iemand onverhoeds een beweging maakte, maakte haar pissig. Maar zo stonden de zaken er op het ogenblik voor en ze leerde ermee leven. Haar vrienden thuis hadden gezegd dat ze zichzelf meer tijd moest gunnen, dat het nog maar negen maanden geleden was, dat herstellen van een aanval jaren in beslag kon nemen.

Jaren. Paige was niet van plan zo lang te wachten. Met een kordaat gebaar trok ze haar capuchon over haar hoofd en maakte Peabody's riem vast aan zijn halsband. Ze zou hem uitlaten en vervolgens even koffie drinken en een douche nemen voor ze naar haar volgende afspraak ging.

En dan zou ze een paar uurtjes gaan slapen. Als ze maar moe genoeg werd, had ze geen last van dromen. Een paar uur slaap zonder dromen klonk hemels.

Peabody ging als een speer naar zijn favoriete plekje, de lantaarnpaal waar alle honden uit de buurt tegenaan piesten. Hij stond te snuffelen toen haar mobiele telefoon overging. Ze worstelde met de paraplu en keek op het display van het mobieltje voor ze dat tussen haar oor en schouder klemde. Het was haar partner. Dat was hij nu sinds drie maanden. Hoewel, tot ze haar vergunning voor privédetective kreeg, was hij strikt genomen haar baas.

'Waar zit je?' wilde Clay Maynard weten; zoals gebruikelijk vergat hij iedere vorm van begroeting. Hij was kortaf, misschien zelfs een beetje grof, maar hij was heel intelligent. En hij treurde nog steeds om een zwaar verlies. Omdat Paige dat verdriet heel goed begreep, pikte ze veel van hem.

Onder die ruwe bolster ging een goede vent schuil die in de drie maanden sinds ze naar Baltimore was verhuisd eerder een grote broer dan haar baas was geworden. Ze had in de vijftien jaar dat ze haar oude karatedojo had met tientallen overbezorgde 'grote broers' getraind die net zo waren als hij en ze wist hoe ze zijn geprikkeldheid moest aanpakken. Blijf kalm, maak hem aan het lachen.

'Ik sta bij een lantaarnpaal te kijken hoe Peabody staat te piesen.

Ik kan je wel een foto sturen als je daar prijs op stelt,' zei ze droog. 'Peabody vindt een inbreuk op zijn privacy niet erg als dat jou geruststelt.'

Het bleef even stil en toen moest hij ondanks zichzelf grinniken. 'Sorry. Ik heb je vaste telefoon gebeld, maar je nam niet op. Ik nam aan dat je inmiddels thuis zou zijn.'

Paige wilde hem eraan herinneren dat ze vierendertig was en geen vier, dat hij haar partner was en niet haar oppasser, maar dat deed ze niet. Hij had zijn vorige partner op een gruwelijke manier vermoord aangetroffen. Hij wilde zich niet verantwoordelijk voelen voor iemands dood en Paige begreep dat heel goed, misschien wel beter dan Clay dat zelf deed.

Thea's gezicht, altijd ergens aan de rand van haar bewustzijn aanwezig, drong zich nu op de voorgrond. Doodsbang, met dat pistool tegen haar hoofd. En toen dood.

En het maakt niet uit hoeveel Zachary Davissen je nog redt, zij blijft dood.

'Ik moest nog een verklaring afleggen bij de politie.' Het gezicht van Thea trok zich weer terug en de plek werd ingenomen door datgene waar ze nog maar een paar uur geleden door een raam getuige van was geweest.

'Had je zoiets wel eens eerder gezien?' vroeg hij.

'Een moeder die coke snuift, nou en of.' Het was een van haar vroegste herinneringen, een die ze maar zelden met iemand deelde. 'Een moeder die haar verslaafde vriendje aan haar zoon laat zitten, nee.'

De zes jaar oude Zachary Davis was de inzet van een harde strijd om de voogdij. Zijn moeder was verslaafd geraakt aan cocaïne. Zijn vader vroeg echtscheiding aan en wilde de voogdij voor zich alleen. De moeder zette in op gedeelde voogdij en beweerde dat ze was afgekickt. John Davis was bang dat de rechter de kant van de moeder zou kiezen en had Clay in de arm genomen om het bewijs te leveren dat de moeder nog steeds drugs gebruikte.

Dat was de reden dat Paige, als jongste medewerker van Clays detectiveagentschap, de hele nacht bij Sylvia's appartement had rondgehangen en foto's had gemaakt. Ze hadden verwacht dat Sylvia coke zou snuiven. Maar dat ze haar vriendje met zijn tengels aan haar zoontje zou laten zitten... dat had Paige niet verwacht.

'Hij stond op het punt een klein jongetje te verkrachten,' zei Clay kalm. 'Jij hebt dat weten te voorkomen. Nu krijgt Sylvia een strafblad – wegens drugsbezit en voor het laten misbruiken van haar zoontje.'

'Ik had mazzel. Toen ik het alarmnummer belde was er net een politieauto in de buurt. Als het langer had geduurd was ik zelf naar binnen gegaan, dan had ik de deur ingetrapt als dat nodig was geweest. Ik had niet kunnen blijven toekijken terwijl dat kind werd aangerand.'

'Dat zou ik ook niet hebben gekund, maar dat vriendje had een wapen. Je zwarte band had een kogel niet tegen kunnen houden.'

Paige merkte dat ze onbewust haar schouder masseerde, waar een lelijk rafelig litteken haar huid ontsierde. Clay was nog vriendelijk. Hij had er makkelijk aan toe kunnen voegen: *net als afgelopen zomer.*

Haar handpalmen waren plotseling klam, ze veegde ze af aan haar spijkerbroek en rechtte haar rug. 'Ik had mijn pistool bij me.' En dat was die nacht niet het geval geweest. *Die fout bega ik nooit meer.*

'Hij zou jou het eerst hebben geraakt.'

'Leer me dan die commandotrucjes van je zodat ik ergens kan binnenvallen zonder dat ik voor mijn kop geschoten word.' Haar stem klonk nu hard en kortaf.

Voor Clay privédetective werd, zat hij bij de politie in D.C. Daarvoor was hij marinier geweest, hij leidde rekruten op, en dat was precies wat ze in wezen was – een detective met de witte band. De jaren dat ze zich had bekwaamd in vechtsporten hadden haar een diep respect voor haar leermeesters bijgebracht, dus matigde ze haar toon. 'Alsjeblieft,' voegde ze er zacht aan toe.

'Dat zal ik doen. Morgen. Je hebt een zware nacht gehad en ik wil dat je scherp bent. Neem de rest van vandaag maar vrij.'

'Dat doe ik misschien wel. Of misschien werk ik thuis verder. Ik heb een en ander te doen aan de zaak van Maria.'

'De zaak die je pro Deo doet,' zei hij enigszins misprijzend.

'Dat zou jij ook hebben gedaan, Clay.'

Hij zuchtte. 'Paige, elke veroordeelde in de bak heeft een moeder die denkt dat haar zoon onschuldig is.'

'Ik weet dat je me naïef vindt,' antwoordde ze. 'Alles lijkt erop te wijzen dat Ramon Muñoz schuldig is, maar er zijn een paar dingen die niet kloppen. In het slechtste geval spit ik alle rechtbankverslagen door en leer ik hoe ik zelf een zaak moet opbouwen.' Ze dacht aan de tranen in Maria's ogen toen ze om hulp smeekte. 'In het beste geval bezorg ik mama wat rust.'

'Steek er gewoon niet te veel tijd in, oké? We moeten de rekeningen betalen.'

'Maria komt vanmorgen langs met wat nieuwe informatie. Als het helemaal niets is, kap ik ermee. Als er wel wat in zit, laat ik het jou zien. Ik moet ervandoor. Ik moet koffie hebben.'

Het gepiep van banden deed haar met een ruk omdraaien naar de straat. Ze zag een busje op zich af stormen. Ze sprong opzij en sleurde Peabody aan zijn riem mee. Paige kwam hard op haar knieën in de modder terecht terwijl achter haar het geluid van scheurend metaal klonk. Ze bleef even zo zitten en haalde moeizaam adem.

Peabody's geblaf klonk in haar oren en ze keek op, nog steeds verdwaasd. 'Zit,' snauwde ze en hij ging zitten, maar wachtte trillend op haar volgende commando.

'Paige? Paige?' Clays kreten kwamen blikkerig uit haar mobieltje, dat een paar meter verderop lag. Ze kroop naar haar telefoon terwijl ze met wild kloppend hart omkeek naar het busje.

'Niets aan de hand. Niets aan de hand.' Ze dwong zichzelf tot kalmte. *Haal adem.*

'Wat was dat in vredesnaam?'

'Een busje.' Dat nu om de lantaarnpaal gevouwen was waar ze nog geen minuut eerder had gestaan. De vijfde deur en de voorruit waren doorzeefd met kogels en de portierramen lagen aan diggelen. 'Het is aan stukken geschoten.'

'Ik bel het alarmnummer,' zei Clay kortaf. 'Breng jezelf in veiligheid.'

Ze sprong overeind en bleef plotseling staan toen haar blik van de kogelgaten naar de schuifdeur aan de bestuurderskant ging. Die was roestbruin terwijl de rest van het busje blauw was. 'Het is het busje van Maria.' Paige rende naar de auto en haar hart sloeg over. Een vrouw lag voorover op het stuur. Haar bovenlichaam en de airbag die tevoorschijn was gekomen zaten onder het bloed. 'Clay, zeg tegen de hulpdiensten dat een vrouw hier ligt dood te bloeden. *Schiet op.*'

'Blijf aan de lijn, Paige,' beval hij. 'Ik bel vanaf een andere telefoon.'

Paige schoof haar telefoon zonder de verbinding te verbreken in haar zak. *Déjà vu,* klonk het in haar hoofd en ze dwong de afschuwelijke herinnering terzijde. 'Maria? O nee!' Ze wrong het portier open en deed haar best haar paniek te onderdrukken.

Er zaten gaten in Maria's versleten jas. Kogelgaten. Ze legde haar vingers tegen Maria's hals. Een hartslag. Zwak, maar hij was er. *Ze leeft nog. Godzijdank.*

Paige duwde Maria zachtjes achterover en snakte plotseling naar adem. Dit was Maria niet, maar Elena, haar schoondochter – de vrouw van Ramon. Wie zou haar nou willen doodsch–

'O, god.' Angst daalde als een donkere wolk over haar neer. Ze hadden informatie. Haar angst werd groter en Paige keek om zich heen, op zoek naar een andere auto. Elena kon in deze toestand niet ver hebben gereden. Degene die dit gedaan had, moest nog in de buurt zijn.

Ze knooptc Elena's jas los in een poging een wond te vinden die ze zou kunnen behandelen, maar er was te veel bloed. *Ik heb geen idee waar ik moet beginnen.* 'Wat is er gebeurd? Wie heeft dit gedaan?'

'Geen politie.' Elena's gefluister was te zwak, haar ademhaling te oppervlakkig. 'Alsjeblieft.'

'Waag het niet om dood te gaan,' zei Paige verbeten. Ze maakte met trillende handen Elena's blouse los. 'Verdomme. Ik zie niet waar je geraakt bent.'

Ze schrok toen Elena's hand plotseling haar pols omklemde. Elena knipperde verwoed met haar ogen in een poging ze open te krijgen. 'Geen politie,' fluisterde ze moeizaam. 'Alleen jij. Belóóf het.'

'Prima,' zei Paige wanhopig. 'Wie heeft dit gedaan?'

'Agenten. Achtervolgden me,' bracht Elena uit. 'Beha.'

Paige hoorde sirenes dichterbij komen. *Bedankt, Clay.* Dat zou in ieder geval de schutter verjagen mocht die nog in de buurt zijn. Ze trok haar sjaal van haar nek en duwde die tegen wat eruitzag als Elena's zwaarste verwonding. 'Er is hulp onderweg.'

'Geheugen. Stick.' Elena vocht naar adem terwijl ze aan haar eigen borst klauwde en aan de rand van haar beha trok, die nu zwart zag, doordrenkt van het bloed. Ze pakte Paige's hand en hield die stevig vast. 'Zeg tegen Ramon dat ik van hem hou.'

'Dat kun je hem zelf vertellen. Je overleeft het wel.'

Maar Paige geloofde daar niets van, en te oordelen naar de wanhoop in haar ogen, Elena ook niet. 'Zeg tegen hem dat ik hem altijd ben blijven geloven,' smeekte Elena nauwelijks hoorbaar. 'Zég het hem.'

'Dat doe ik. Beloofd. Maar jij moet me beloven dat je volhoudt.' Achter haar kwam de ambulance met piepende banden tot stilstand en ze hoorde deuren slaan en rennende voetstappen.

'Mevrouw, u moet aan de kant,' beval iemand achter haar. 'Houd uw hond in bedwang.'

Ze keek achterom en zag Peabody met ontblote tanden tussen haar en de groeiende menigte staan. Maar voor ze in beweging kon komen hoorde ze een gezoem als van een mug en Elena's greep verslapte. Paige deed vol afschuw een stap achteruit.

Er zat een gat in Elena's voorhoofd dat er eerder niet was geweest.

Verdoofd als ze was kon ze alleen maar staren met haar handen tot machteloze vuisten gebald. En terwijl haar hart weer langzaam op gang kwam besefte ze dat een van die vuisten iets hards omklemde. Iets kleins. Een geheugenstick. Elena had hem in haar beha verstopt. Ze had hem haar in de hand gedrukt.

Agenten. Achtervolgden me.

Maria was ervan overtuigd dat de politie haar zoon erin had geluisd. Dat had op zijn minst vergezocht geklonken. Nu was haar schoondochter doodgeschoten en ze had gezegd dat de politie het had gedaan

Wat het ook mocht zijn dat Paige in haar hand hield was de reden dat Elena nu dood was.

Dinsdag 5 april, 06.04 uur

Silas liet zijn geweer zakken. Zijn handen waren vast, maar zijn hart klopte in zijn keel. Verdómme. Hij had haar niet willen doden.

De vrouw met het lange zwarte haar deed een stap terug van het autowrak en haar tred was heel wat minder zeker dan die een paar minuten eerder was geweest. Hij dacht dat de vrouw er was geweest toen ze in het pad van het busje had gestaan, maar toen was ze weggesprongen als een of andere verrekte ninja en ze had dat monster van een hond meegesleurd.

Wie was ze in vredesnaam? Had Elena iets tegen haar gezegd? Hij hoopte van niet. Hij zou ervan balen als hij haar ook moest vermoorden. Dat had hij al bijna gedaan.

Gelukkig had ze zich omgedraaid toen de ambulancebroeders opdoken, want anders zou hij gedwongen zijn geweest haar ook neer te schieten, alleen maar om haar uit zijn schootsveld te krijgen. Dat zou hij niet prettig hebben gevonden. Hij had er een hekel aan om te doden als het niet nodig was. Jammer genoeg had Elena haar eigen dood-vonnis getekend.

Hij deed het deksel van zijn geweerkoffer dicht, pakte de uitgeworpen huls en liet die in zijn zak glijden. Mensen begonnen te gillen nu tot hen doordrong wat hij had gedaan. Dat Elena dood was. De paramedici doken, precies volgens hun instructies, weg achter hun voertuig.

En... daar kwam de politieauto met gillende banden tot stilstand. Twee agenten sprongen eruit met hun wapen in de hand. De mensen in de menigte die niet waren gevlucht wezen vaag, maar accuraat genoeg in zijn richting.

Trek aan je stutten, maat. Het zou niet lang duren voor de politie het hele gebied onder surveillance had. Hij bukte zich diep en liep naar de rand van het dak, liet zich op de brandtrap zakken en ging met twee treden tegelijk naar beneden.

Hij had maar een paar seconden gehad om een plek te vinden vanwaar hij Elena kon tegenhouden. Gelukkig bood het kleine kantorenpark dat hij had uitgekozen een goed uitzicht en toegang tot een ontsnappingsroute naar de plek waar hij zijn auto had achtergelaten.

Hij voegde in het verkeer in. Toen koos hij uit het hoofd een nummer op zijn mobieltje. 'Het is voor elkaar.'

'Is ze dood?'

'Ja,' mompelde hij. 'En dat is niet te danken aan die idioot van een Sandoval. Hij kon niet wachten tot ik het karwei af zou maken. Hij schoot haar busje aan diggelen voor ik haar van de weg kon drukken. Ik zou haar wat discreter hebben doodgeschoten.'

Er viel een boze stilte. 'Waarom?'

'Ik weet het niet,' zei hij. 'Dat moet je hem vragen. Misschien moet je hem ook vragen waarom hij haar überhaupt zo bij hem in de buurt heeft laten komen.' *Dan had ik haar niet hoeven vermoorden.*

'Misschien heb ik geen zin om hem dat te vragen.'

Silas haalde zijn schouders op. Hij wist wat dat kon betekenen. Denny Sandoval verdiende niet beter. Gegevens bewaren die Elena kon vinden. De idioot. 'Ik zou het op zelfmoord laten lijken.' Hij hield het bij een suggestie, in de wetenschap dat een bevel niet getolereerd zou worden. 'Wat zij te weten is gekomen zou sowieso zijn einde hebben betekend.'

Het bleef opnieuw even stil. 'Wat is ze te weten gekomen?'

'Dat hij is betaald om te liegen tijdens de rechtszitting en dat het alibi van Muñoz toch echt was.'

'Het zou haar woord tegen het zijne zijn geweest.'

'Tenzij ze bewijzen had. Hij zat zo in de rats dat hij mij om hulp vroeg.'

'Hij was blijkbaar bang genoeg om haar te volgen en op de auto te schieten.'

'Hij was slordig. Hij schoot op de ramen, niet op de banden.'

'Waarom?'

'Waarschijnlijk omdat hij niet goed genoeg kan schieten om onder het rijden de banden te raken.' Omdat de idioot waarschijnlijk dronken was. Alweer. 'Ze is nog zo'n honderdvijftig meter doorgereden, is toen een woonwijk in gedraaid en tegen een lantaarnpaal geknald. Ik was net dichtbij genoeg. Als hij haar een minuut eerder had beschoten, dan had ik haar nooit kunnen raken.'

'Maar ze ís dood?'

'Ja.' Hij had op genoeg mensen geschoten om te weten wanneer een schot dodelijk was.

'In dat geval mijn dank. Je wordt op de gebruikelijke manier beloond.'

Hetgeen betekende dat er snel en efficiënt een aanzienlijke som geld op zijn buitenlandse rekening zou worden gestort. Het had tijd gekost om te wennen aan deze beleefde bespreking van zo'n gruwelijke daad. Zelfs na al die tijd kreeg hij nog steeds de kriebels. 'Dank je.'

'Nog een vraag. Wie wordt er nog meer genoemd in wat het ook was dat hij bijhield?'

'Ik heb geen idee. Ik was niet degene die hem betaalde. Dat was jij als ik me niet vergis. Ben je als jezelf gegaan of heb je er een verkleedpartijtje van gemaakt?' Zodra hij de woorden had uitgesproken wenste hij dat hij ze weer kon inslikken. *Hou je sarcasme onder controle of je wordt zelf een 'zelfmoordgeval'.*

Opnieuw een ogenblik stilte. 'Ik was vermomd.'

'Dan is er niets om je zorgen over te maken,' zei hij vriendelijk.

'Opnieuw, mijn dank. Je hoort nog van me.'

Ja, dat zal best. Hij had geen medelijden met die idioot van een Denny. Die had zijn eigen doodvonnis getekend door belastend materiaal te bewaren. En waarvoor? Chantage zou gelijkstaan aan zelfmoord en als verzekering was het overbodig als hij zijn grote mond had gehouden.

Hij had wel medelijden met Elena Muñoz. Ze had haar echtgenoot moeten vergeten en verder moeten gaan met haar leven. Dan had ze nu nog geleefd. *En dan zou ik een kras minder op mijn ziel hebben.*

Dinsdag 5 april, 06.20 uur

Drie en twee en een. Grayson Smith legde met een kreun de stang met de gewichten in het rek. *Honderddertig kilo ging vroeger een stuk makkelijker.* Aan de andere kant, hij was vroeger ook een stuk jonger. Hij was officieel hard op weg naar de veertig en dat zat hem veel meer dwars dan hij had verwacht.

Hij ontspande zijn schouders op de bank en knikte zijn helper toe. Ben ging zonder aarzelen verder met het verhaal dat hij aan het vertellen was voor Grayson aan de set begon.

'Dus die lul gaat ervandoor en gooit dat verrekte pistool in een put.' Ben trok een vies gezicht. 'Ik krijg die lucht nooit meer uit mijn schoenen. Klootzak.'

'Heb je het gevonden?' vroeg Grayson.

'Nou en of. Dit is de derde keer voor die vent. Nu kun je hem voorgoed opbergen.'

Dat had Grayson al zo vaak gehoord van rechercheurs. Helaas was 'opbergen' niet altijd zo eenvoudig als het leek. Toch was zijn gemiddelde aan veroordelingen een van de hoogste van het kantoor van de openbaar aanklager. De wetenschap dat hij klootzakken zoals degene die Ben net te pakken had achter de tralies kreeg, stelde hem in staat 's nachts te slapen. Meestal.

'Het zal me een waar genoegen zijn.' Grayson pakte de stang beet en maakte zich klaar voor zijn laatste set. Hij had de gewichten net drie keer opgedrukt toen overal in de sportzaal telefoons overgingen en het geklets verstomde.

In een sportzaal vol politiemensen was dat een heel slecht teken.

Grayson legde de gewichten in het rek, kwam overeind en keek om zich heen. Het had er de schijn van dat de agenten die werden gebeld van het oostelijke district waren. 'Wat is er aan de hand?'

'Ik weet het niet,' zei Ben zacht. Hij wachtte tot degene die het dichtst bij hem stond zijn mobieltje wegstopte. 'Nou? Wat is er gaande, Profacci?'

Profacci maakte aanstalten om naar de douches te gaan. 'Sluipschutter. Een vrouw in een busje is getroffen. De brigadier heeft iedereen opgeroepen om de schutter op te sporen. Lekkere manier om de dag te beginnen.'

Grayson deed er een ogenblik het zwijgen toe. Zijn gedachten sprongen onmiddellijk naar tien jaar geleden, toen een sluipschutter huishield in de streek rond D.C. Het slachtoffer dat het dichtst bij Baltimore viel, was altijd nog een paar gemeentes verderop, maar het hele gebied had drie weken lang in angst gezeten. Tegen de tijd dat de sluipschutters waren gepakt, waren er tien doden gevallen en nog eens drie mensen ernstig gewond geraakt.

Hij keek Ben aan. 'Ik hoop dat dit niet is wat we allemaal denken dat het is.' Hij wendde zich tot de vrouw die achter de receptiebalie stond. 'Sandi, wil je de tv op het nieuws zetten?'

Sandi voldeed aan zijn verzoek en het grote plasmascherm aan de muur boven hen schakelde over van een herhaling van de ijshockeywedstrijd van de avond ervoor naar een plaatselijke zender, waar een verslaggever voor een groot bord stond met daarop BRAE BROOKE VILLAGE APARTMENTS.

Toen hij zag wie de verslaggever was, moest Grayson zijn ergernis wegslikken. Phin Radcliffe hield hem iedere keer dat hij de rechtszaal verliet een microfoon onder zijn neus. Dat deden heel veel verslaggevers, maar Radcliffe ging altijd een stap verder. En liet zich door niets en niemand van een verhaal af houden.

'... gedood door de kogel van een sluipschutter,' zei Radcliffe. 'De politie heeft nog niet het sein veilig gegeven en bewoners hebben te horen gekregen dat ze binnen moeten blijven. We weten dat het slachtoffer dood is. We weten op dit moment niet hoe het met de schutter staat, maar we hebben exclusieve beelden van de gebeurtenissen zoals ze zich hebben afgespeeld. Wees gewaarschuwd. De volgende opnamen bevatten schokkende beelden.'

Nu verscheen het beeld van een vrouw die in het pad stond van een op hol geslagen busje en Grayson betrapte zich erop dat hij vol ongeloof toekeek. De vrouw hurkte en sprong. Ze vloog minstens tweeënhalve meter door de lucht, een rottweiler aan een riem met zich meesleurend, en kwam op haar knieën terecht.

Een duizendste van een seconde later klapte het voertuig tegen een lantaarnpaal. Er zat geen geluid bij de video, maar het was duidelijk dat de hond als een dolle blafte. *En wie kon hem dat kwalijk nemen?*

'Zag je dat?' vroeg Ben. 'Verdomme net een gazelle.'

Grayson had het gezien en hij wist nog steeds niet of hij het kon geloven. De camera negeerde het busje en zoomde in op het gezicht van de vrouw. Grayson liet langzaam zijn adem ontsnappen. Haar ogen waren zo zwart als de nacht en staken groot en donker af tegen haar bleke gezicht. Haar haar was ook zwart en zat in een paardenstaart die tot halverwege haar rug kwam.

Grayson kon zijn blik niet van dat gezicht losmaken en dat kon degene die de camera vasthield al evenmin. De camera bleef vreemd genoeg gericht op de vrouw en niet op de vernielde auto.

In plaats van weg te rennen kwam de vrouw overeind en rende naar het busje, op de voet gevolgd door de rottweiler. De camera bewoog en stelde door het raampje aan de passagierskant scherp op een vrouwelijk slachtoffer dat bekneld zat op de bestuurdersstoel. De camerahoek bleef constant omlaag gericht.

'De camera bevindt zich op het balkon van een van de appartementen,' zei Grayson terwijl zijn borst samenkneep van ontzetting. Een vrouw in een busje was omgekomen, had Profacci gezegd. Maar niet zíj, hoopte Grayson en hij voelde zich ogenblikkelijk schuldig. Maar hij kon de afloop niet veranderen en een van hen was dood. En hij kon ook niet voorkomen dat hij dacht: *Als zij het maar niet is. Laat zij het alsjeblieft niet zijn.*

'En de cameraman heeft alleen maar oog voor de gazelle,' voegde Sandi eraan toe.

Het beeld versprong dankzij slordige montage. In de volgende scène was de vrouw met de donkere ogen verwoed bezig het bloeden te stelpen. Als gevolg van de camerahoek was het gezicht van het slachtoffer niet te zien. *Een zegen voor de familie*, dacht Grayson.

Hij wist wat er komen ging, maar was niet in staat zijn blik af te wenden. Een van de vrouwen zou binnen enkele ogenblikken dood zijn. De vrouw met de donkere ogen werkte koortsachtig en haar lippen bewogen toen ze iets tegen het slachtoffer zei.

Op de achtergrond was de enorme hond zichtbaar, die zich tussen het autowrak en de groeiende menigte had opgesteld. Niemand durfde dichterbij te komen, al waren er verschillende toeschouwers die een mobieltje omhooghielden. Nog meer foto's. Nog meer filmpjes. *Adders*, dacht Grayson woedend.

Maar jij staat ook te kijken. Wat zegt dat over jou?

Er stopte een ambulance en verpleegkundigen sprongen eruit. De vrouw keek achterom naar haar hond en toen... Grayson kromp ineen toen een deel van het beeld opzettelijk onherkenbaar werd gemaakt zodat het busje, het slachtoffer en de donkerharige vrouw aan het zicht werden onttrokken.

De camera bewoog wild, bleef toen weer stabiel, en de hoek waaronder werd gefilmd veranderde. 'Degene die filmt heeft zich net op zijn buik laten vallen,' mompelde Ben.

'Hij is nog steeds aan het filmen,' zei Sandi vol ongeloof. 'Taaie rakker. Of een enorme stomkop.'

De vrouw met de donkere ogen strompelde het onzichtbaar gemaakte stuk van het beeld uit, bij het busje vandaan. Haar gezicht stond strak van de shock. Graysons schouders ontspanden ogenblikkelijk. *Zij was het niet.* Een ogenblik lang stond de vrouw alleen maar vol afschuw voor zich uit te staren terwijl er om haar heen geschreeuwd werd. Een agent in uniform rende op haar af en trok zijn wapen toen de hond met ontblote tanden op hem af sprong.

Omstanders gilden en renden rond en de vrouw bleef daar maar staan staren, bewegingloos in een oceaan van chaos. Plotseling knipperde ze met haar ogen en keek naar de agent die zijn wapen op haar hond richtte. Ze greep de riem, boog zich voorover en zocht dekking aan de passagierskant van het busje, waar ze zich op de grond liet zakken met de hond naast zich. Ze sloeg een arm om de hond heen en deed haar ogen dicht. De camera zoomde opnieuw in op haar gezicht.

Grayson kon niet zien of de spetters op haar gezicht tranen waren of regendruppels. Waarschijnlijk allebei. Maar er was geen tijd om het beter te bekijken, want het beeld veranderde en liet zowel Radcliffe als de presentatrice zien, die nog steeds geschokt was. Haar reactie was niet gemaakt.

'Verbazingwekkende beelden,' zei de nieuwslezeres alleen maar. 'Die arme vrouw. Hebben we nadere informatie, Phin? Hoe gaat het met de barmhartige samaritaan die haar wilde helpen?'

'Ze is zo te zien ongedeerd,' antwoordde Radcliffe. 'De politie heeft het sein veilig nog niet gegeven, maar voor zover we weten zijn er geen schoten meer afgevuurd. Zodra we kunnen zullen we de getuigen interviewen en natuurlijk ook de barmhartige samaritaan die haar leven heeft gewaagd.'

'En dat zullen we u live laten zien,' zei de presentatrice tegen de kijkers. 'Terwijl we daarop wachten hebben we nog een andere video om u te tonen. Deze is nog maar enkele ogenblikken geleden op YouTube gezet door een van de omstanders en laat de gebeurtenissen vanuit een andere hoek zien. We moeten u opnieuw waarschuwen dat het schokkende beelden betreft.'

Deze video was aanmerkelijk korreliger en duidelijk gemaakt met een mobiele telefoon. Degene die het mobieltje hanteerde, focuste op de grauwende rottweiler en mopperde dat de hond het hem onmogelijk maakte beter zicht te krijgen. Het beeld ging naar het slachtoffer. Het televisiestation had opnieuw haar gezicht en bovenlichaam onzichtbaar gemaakt, maar de overmatige hoeveelheid bloed was meer dan duidelijk terwijl de samaritaan met de donkere ogen wanhopig probeerde het bloeden te stoppen.

'Krijg nou wat,' zei Ben geschokt. 'Kijk eens naar dat busje. De zijkant zit vol kogelgaten. Ze is al beschoten voor ze verongelukte. Iemand wilde die vrouw dood hebben.'

Maar Grayson hoorde hem nauwelijks. *Nee.* Zijn verstand probeerde te verwerpen wat zijn ogen zagen en zijn hart begon hard en snel te kloppen. *Dat kan niet.* Maar het was wel zo. Het slachtoffer had de arm van de donkerharige vrouw beetgepakt. Haar hand was nog net zichtbaar onder het vaag gemaakte deel van het beeld. Ondanks al het bloed was de ring om de middelvinger van de vrouw duidelijk herkenbaar. Uniek. Het was een kruis dat aan de vier uiteinden breed uitliep met een steen in het midden.

Het is niet dezelfde ring. Het kan niet dezelfde ring zijn.

'Ik moet ervandoor,' zei Grayson. Hij liet Ben en Sandi, die naar het scherm stonden te staren, alleen en liep naar de kleedruimte waar hij YouTube op zijn mobieltje opriep.

Sluipschutter in Baltimore, typte hij in het zoekveld. De video was al duizenden keren bekeken. Zoals hij wel had verwacht had de filmer met het mobieltje helemaal niets van het beeld onherkenbaar gemaakt. Het gezicht van het slachtoffer was, zowel voor de familie als voor de hele wereld, duidelijk te zien.

'O god,' fluisterde hij.

Hij kende die vrouw. Hij had haar nog geen week geleden gezien – toen ze naar zijn kantoor was gekomen en hem om een nieuw proces voor haar veroordeelde echtgenoot had gesmeekt.

Terwijl hij de video bekeek kromp Grayson opnieuw ineen toen het schot van de sluipschutter viel.

Elena Muñoz was dood.

Dinsdag 5 april, 06.20 uur

'Mevrouw? Mevrouw! Bent u geraakt? Heeft u medische hulp nodig?'

Paige kon de man horen, maar ze hield haar ogen stijf gesloten. Haar schouder brandde terwijl de herinneringen door haar hoofd kolkten en de beelden door de tijd tuimelden. Maar elk beeld was haarscherp.

Ze hield haar kaken op elkaar geklemd om te voorkomen dat ze zou antwoorden. *Ja, ik ben geraakt. Alleen niet vandaag.* Niemand hoefde te weten wat zich negen maanden eerder had afgespeeld, dat er dagen waren dat ze twijfelde aan haar gezonde verstand. *Want dit gaat niet om mij.* Dit ging om Elena.

Paige bleef bewegingloos tegen het wiel van de auto zitten en klampte zich vast aan Peabody. Haar pistool drukte pijnlijk in haar rug, maar ze raakte hem niet aan. De politie had nog niet het sein veilig gegeven en tot die tijd verroerden Peabody en zij geen vin.

Die agent had op het punt gestaan Peabody neer te schieten. *Omdat jij in gevaar verkeerde.* Paige hoorde in haar hoofd de logica in die woorden en dwong zichzelf zich daaraan vast te klampen terwijl ze overvallen werd door huiveringen. Ze had daar als een hert in het licht van koplampen gestaan terwijl een sluipschutter haar in het vizier had. *Maar ik was niet zijn doelwit.* Maar toch, de kogel was akelig dichtbij gekomen.

Op weg naar Elena's slaap. De kogel had een klein gaatje gemaakt. De uittredewond was niet zo klein. De achterkant van Elena's hoofd was gewoon verdwenen en haar hersenen zaten overal.

'Is ze geraakt?' wilde een vrouw weten.

'Ik geloof van niet,' antwoordde de mannelijke stem. 'Burke. Burke! Verdomme, blijf hier.'

'Als ze geraakt is, wil ik niet op mijn geweten hebben dat ze doodbloedt,' zei de vrouw.

'Verdomme, Burke.' De man was woedend. 'Je wordt geschorst.'

Paige vertrok haar gezicht toen ze een geluid vlak bij haar oor hoorde. Wie Burke ook was, ze was hier. Ze voelde iets trillen. Peabody die zat te grommen. *Hij beschermt me.* Ze liet zich vermoeid tegen hem aan zakken.

'Bent u gewond?' vroeg Burke zacht.

'Nee,' mompelde Paige. 'Ik ben niet geraakt.' *Vandaag niet.*

'Rustig maar.' Burke sprak op geruststellende toon. 'Ik doe haar niets, jongen. Hoe heet je?'

'Peabody,' zei Paige dof. 'Hij heet Peabody.'

'Hoe heet ú?' vroeg Burke.

Paige moest even nadenken. 'Paige. Paige Holden.'

'Oké, dat is goed. Ik ben dokter Burke. Ik moet zeker weten dat alles in orde is met u.'

'Hoezo?'

'U ziet eruit alsof u gewond bent.'

Paige's wenkbrauwen trokken samen terwijl ze probeerde te denken. 'Nee, dat bedoel ik niet. Als u een dokter bent, waarom bent u dan hier?'

'O.' De vrouw leek een beetje verrast door de vraag. 'Omdat ik arts-assistent ben en praktijkervaring moet opdoen. Ben je gewond, Paige?'

Paige haalde bevend adem. 'Nee. Alles is in orde.'

'Waarom houd je dan je schouder vast?' vroeg Burke vriendelijk.

Omdat hij brandt, wilde Paige snauwen. Alleen... was dat niet waar. Ze deed voorzichtig haar ogen open en zag hoe haar rechterhand haar linkerschouder omklemde. Haar schouder brandde niet. Niet meer. Niet zoals hij brandde als ze badend in het koude zweet uit de nachtmerrie ontwaakte, en de pijn onmiddellijk wegtrok wanneer ze besefte waar ze was. *Niet in Minneapolis.* Ze lag niet op de grond dood te bloeden terwijl ze in Thea's dode ogen keek.

Dit was *Baltimore.* En vandaag behoorden de dode ogen toe aan Elena Muñoz. *Déjà vu, meisje,* spotte de stem. *Als je de boel verkloot, dan doe je het ook goed.*

Paige dwong zichzelf tot kalmte. Ze liet haar hand van haar schouder zakken en ging ermee over haar jas voor ze hem op haar knie legde. De geheugenstick zat nog steeds verstopt in haar zak. En daar zou hij blijven. Geen politie. Elena had het haar laten beloven.

Tot ik weet wat er werkelijk aan de hand is. Paige haalde diep adem en bereidde zich voor op wat ze eigenlijk al wist. 'Is ze dood?' vroeg ze.

'Ja,' zei Burke zacht. 'Het spijt me.' Ze was jong, misschien een paar jaar jonger dan Paige. Haar blik was kalm. Ze droeg een kogelvrij vest over haar bodywarmer.

Daar had je lekker veel aan als je een kogel in je hoofd kreeg.

'Je had niet naar me toe moeten komen. Die man zei dat je geschorst wordt.'

'Voor die arme vrouw kon ik niets meer doen, maar ik was niet van plan nog iemand kwijt te raken.'

'Wat doen we nu?'

Burke haalde haar schouders op. 'We wachten tot het veilig is.'

2

Paige slaakte een zucht van opluchting toen het sein veilig werd gegeven.

'Godzijdank,' mompelde Burke. 'Nu moeten we eerst jou eens onderzoeken.'

'Nee.' Paige voelde een golf van paniek. 'Niet naar het ziekenhuis.'

'Alleen de noodzakelijke dingen,' suste Burke. 'Laten we je even schoonpoetsen, dan kunnen we zien of alles in orde is.'

'Alles is goed met me. Ik wil alleen maar naar huis.' Paige pakte Peabody's riem en probeerde te gaan staan, maar haar knieën leken wel van rubber. 'Het gaat wel. Echt, alles is in orde.'

'Dat zeg je steeds,' zei Burke. 'En over een paar uur is dat misschien ook waar.' Ze begeleidde Paige naar de ambulance en Peabody liep rustig met hen mee.

Het was in ieder geval opgehouden met regenen. Toen ze voorbij de auto kwamen, draaide Burke een beetje zodat Paige niets kon zien, maar dat maakte niet uit. Het beeld stond op haar netvlies gebrand.

Burke leidde haar aandacht af van het busje. 'Je loopt mank. Wat doet er pijn?'

'Ik ben op mijn knieën terechtgekomen toen ik aan de kant sprong.'

Burke gebaarde dat ze op de achterklep van de wagen van de reddingsdienst moest gaan zitten. 'Er moet een röntgenfoto gemaakt worden.'

'Geen ziekenhuizen.' Paige kon zelf haar wanhoop horen. *Rustig ademhalen.* 'Alsjeblieft,' voegde ze eraan toe.

Burke bekeek haar pupillen en voelde toen aan haar schouder. 'Wat is hier aan de hand?' Ze keek scherp op. 'En zeg nou niet "niets".'

'Ik ben neergeschoten. Afgelopen zomer.' Ze liet haar blik over de verzamelde menigte glijden. Een op de drie hield een mobieltje omhoog. Ze waren Elena aan het filmen, klootzakken.

'Daar word ik zo pissig van,' zei Burke. Ze schermde Paige af met haar lichaam. Ze trok Paige's arm uit de mouw van haar jasje om haar bloeddruk te meten. 'Zo kunnen ze jou in ieder geval niet zien.'

'Dank je,' mompelde Paige. 'Wanneer komt de lijkschouwer haar ophalen? Ik wil niet dat die hufters foto's van haar maken. Dit is vreselijk voor haar familie.'

'De technische recherche zal een scherm neerzetten om de camera's weg te houden. Het zal waarschijnlijk wel even duren voor de lijkschouwer haar meeneemt. Het spijt me. Dat rustige ademhalen dat je hebt gedaan terwijl we zaten te wachten heeft goed geholpen. Je bloeddruk is bijna normaal. Maar je zou naar je knieën moeten laten kijken.'

'Ik ken mijn lichaam. Er hoeven geen foto's gemaakt te worden. Als ik een formulier moet tekenen om jou te vrijwaren, geef het dan.' Ze duwde zich overeind en Peabody naast haar ging ook staan. Ze boog zich voorover en krabde hem achter de oren terwijl ze wachtte tot de golf van misselijkheid wegtrok. 'Ik ga naar huis.'

'Nog niet, mevrouw.' Er kwam een man aangelopen. Zijn gezicht stond ernstig. Hij droeg een pak en een stropdas en had een penning aan zijn borstzak geklemd. 'Ik ben rechercheur Perkins. Ik moet even met u praten.'

Paige liet zich weer zakken. Ze wist dat dit onvermijdelijk was, maar ze had gehoopt een paar minuten voor zichzelf te hebben. 'Ik voel me op dit moment niet heel erg geweldig.'

'Ik zal het kort houden. Allereerst, naam en adres.'

'Paige Holden en dat gebouw daar.' Ze wees over haar schouder. 'Drie A.'

'Kende u het slachtoffer?' vroeg hij.

'Alleen van gezicht. Ik –' Ze zweeg en keek langs Perkins naar een lange man die zich door de menigte drong. Clay was er. Ze kwam een beetje tot rust.

De politieman zag hem ook. 'Wacht daar,' zei Perkins scherp, wijzend. Clay keek woedend naar hem terug.

'Laat hem alsjeblieft blijven.' Ze stak haar hand uit en vertrok haar gezicht toen Clay hem stevig beetpakte.

'Gaat het?' vroeg Clay zacht.

Ze zag kans haar mondhoeken omhoog te laten krullen. 'Geschokt én ondersteboven, maar verder gaat het wel.' Ze wendde zich tot Perkins. 'Ik ben zover.'

'Kende u het slachtoffer?' vroeg Perkins opnieuw.

'Elena Muñoz. Haar familie en zij doen het onderhoud hier in het appartementencomplex. Gooien de vuilnisbakken leeg, dweilen de vloeren, ruimen sneeuw als dat nodig is, maaien het gras. Maria is hun moeder. Zij leidt de zaak.' Ze was na Ramons arrestatie gedwongen te gaan werken. *Ze zal hier kapot van zijn.* 'De conciërge zal haar telefoonnummer wel hebben.'

'Dat zal ik hem zeker vragen,' zei Perkins. 'Wat is er precies gebeurd?'

'Ik was mijn hond aan het uitlaten toen dat busje op me af gestormd kwam. Ik sprong aan de kant, de auto knalde op de lantaarnpaal en ik probeerde hulp te bieden. De reddingsdiensten waren net gearriveerd toen het laatste schot werd gelost.'

Perkins keek haar aan met een onderzoekende blik waar ze de kriebels van kreeg. Dankzij het geruststellende gevoel dat Clays hand haar gaf wist ze zich te beheersen. 'Heeft ze iets gezegd?' vroeg Perkins.

Paige had hier al over nagedacht terwijl ze wachtten tot alles veilig was. Er had op het laatst een kleine menigte achter haar gestaan, maar die stonden dankzij Peabody waarschijnlijk niet dichtbij genoeg om iets te hebben gehoord. 'Ze smeekte me om haar te helpen, maar dat is alles.'

Perkins knikte met een ondoorgrondelijke uitdrukking op zijn gezicht. 'De meeste mensen zouden ervandoor zijn gegaan.'

Paige haalde haar schouders op. 'Dat is niet bij me opgekomen.' En dat was de waarheid.

'Wat doe je voor de kost, Paige?' vroeg Perkins.

'Een heleboel verschillende dingen. Ik werk parttime in een sportschool. Ik ben personal trainer. Ik werk ook voor een privédetective.'

Perkins' wenkbrauwen schoten omhoog. 'Wat doe je precies voor die privédetective?'

'Voornamelijk foto's maken van vreemdgaande echtgenoten.'

'Kan het zijn dat de sluipschutter het vanmorgen op jóú gemunt had? Misschien dat het iemand was die het niet leuk vond dat je foto's van hem nam.'

Paige knipperde verrast met haar ogen. 'Nee. Iemand had al op haar geschoten voor ze hier was. Ik nam aan dat degene die het laatste schot afvuurde... afmaakte wat hij was begonnen.'

Clay schraapte zijn keel. 'Mag ze gaan, rechercheur? Ze ziet zo wit als een doek.'

Perkins haalde een notitieboekje uit zijn zak. 'En u bent, meneer?'

'Clay Maynard,' antwoordde Clay.

'En wat is uw relatie met mevrouw Holden?' vroeg hij.

'We zijn bevriend.' Clay kneep opnieuw in Paige's hand. 'Als dat alles is...?'

'Voorlopig wel. Houd u alstublieft beschikbaar. We zullen meer vragen hebben naarmate het onderzoek vordert.'

'Dank je,' zei Paige tegen Burke. 'Ik hoop niet dat je vanwege mij geschorst wordt.'

'Beloof me alleen dat je naar het ziekenhuis komt als je later alsnog klachten krijgt.'

'Doe ik.' *Als Pasen en Pinksteren op één dag vallen.* 'Nogmaals bedankt.'

'Ik zal een agent vragen met u mee naar uw appartement te lopen,' zei Perkins. 'Er lopen heel wat verslaggevers die uw verhaal willen horen. Ik hoop dat u ze niet te woord zult staan.'

'Dat zal ik niet doen. Daar kunt u op rekenen.' Paige hield Peabody stevig aan de lijn en liep in de richting van haar flat. De verslaggevers begonnen luidkeels haar aandacht te trekken en ze negeerde hen.

Tot een van hen riep: 'Hé, Paige. Waar heb je zo leren springen?'

'Wat heeft dat te betekenen?' vroeg ze Clay. 'Waar hebben ze het over?'

Clay duwde haar vooruit. 'Doorlopen, Paige.'

Ze deed er het zwijgen toe tot ze bij de deur van haar appartementengebouw waren. 'Wat bedoelden ze met mijn sprong? Het ongeluk is nog maar net gebeurd. Er was verder niemand behalve ik.'

'Iemand was bezig je te filmen toen het ongeluk gebeurde,' zei de agent met plaatsvervangende schaamte. 'Het was een paar minuten later al op het nieuws. U bent een ster op internet.'

Paige deed haar ogen dicht; ze vroeg zich af wat de video nog meer toonde. 'Shit.'

'Schat, wat is er?'

Adele Shaffer keek toe terwijl haar echtgenoot hun dochter uit de kinderstoel tilde voor een stevige knuffel waar Allie gelukzalig van begon te kraaien. Adele glimlachte ondanks de knoop die ze in haar maag voelde. 'Ik raak het nooit beu om haar te horen lachen.'

Met de baby in zijn armen plantte Darren een stevige kus op Adeles mond. 'Ik ook niet. Maar je hebt geen antwoord gegeven op mijn vraag. Wat is er?'

Adele wees naar de tv die op het aanrecht in de keuken stond en gaf een antwoord dat hem tevreden zou stellen. 'Er is vanochtend een schietpartij geweest. Ze zeggen dat het een sluipschutter was.'

Darren fronste zijn voorhoofd. 'Echt waar? Alweer?'

'Dat zeiden ze. Je komt daar op weg naar je werk in de buurt.'

Hij kuste haar opnieuw en gaf Allie aan haar. 'Maak je geen zorgen. Het komt wel goed.'

'Dat zeg je altijd,' mompelde Adele.

'En het komt ook altijd goed,' zei Darren met een glimlach. 'Wat ga je doen vandaag?'

'Ik heb vanmiddag een afspraak met een klant. Ik heb haar eindelijk zover dat ze de mogelijkheden voor de vloerbedekking heeft teruggebracht van een paar duizend naar vijf.' Het was om precies te zijn een lunchafspraak. Daarna had ze een afspraak met iemand die ze in jaren niet had gezien. Niet had willen zien.

Ze wilde ook niet dat Darren wist dat ze diegene in het verleden ooit had gekend, nu minder dan ooit.

Ze had dit zo lang ze kon uitgesteld. Hopelijk zou één keer volstaan.

Darren tilde haar kin op. 'Maak je om mij geen zorgen, oké? Ik bel je zodra ik op kantoor ben. Je hoeft onderweg nergens te stoppen. Ik heb je auto gisteravond volgetankt.'

Ze werd overspoeld door schuldgevoel. Hij deed altijd dergelijke aardige dingen voor haar. Maar ze dacht niet dat ze de blik in zijn ogen zou kunnen verdragen als hij de waarheid wist. 'Dank je. Ik zal uitkijken als jij dat ook doet.'

'Afgesproken.' Hij gaf haar een kus op het puntje van haar neus. 'Wat eten we vanavond?'

'Kip en couscous, precies zoals je lekker vindt.'

Hij wiebelde met zijn wenkbrauwen. 'Ik kan een paar dingen bedenken die ik nog veel lekkerder vind.'

Ze hield haar adem in en forceerde een glimlach. 'Naar je werk, wellusteling. Tot vanavond.'

Ze wachtte tot ze de voordeur hoorde dichtslaan voor ze haar tranen de vrije loop liet. Ze drukte de baby tegen zich aan en wiegde hen beiden. *Alstublieft*, bad ze, *laat het ophouden. Alstublieft. Ik zal alles doen, dat beloof ik. Maar laat het niet zo worden als vroeger.*

Adele beheerste zich en zette het geluid van de televisie harder. Ze hoorde de woorden 'vrouw van de veroordeelde moordenaar Ramon Muñoz', 'executie', en 'waarschijnlijk niet een dolgedraaide sluipschutter' en liet opgelucht haar adem ontsnappen. De stad was in ieder geval veilig.

Zijzelf niet zo.

Dinsdag 5 april, 07.30 uur

Silas had gelijk, dacht de man terwijl hij het slot van de achterdeur van Denny Sandoval forceerde. De houdbaarheidsdatum van Sandoval was allang verstreken. Denny moest uit de weg. Zeker als hij bewijs had waarvoor Elena bereid was te sterven.

Hij ging de bar binnen door de achterdeur en dacht terug aan de avond dat hij hier voor het laatst was geweest. De zes jaar hadden kansen gebracht, zowel voor de bar als voor hemzelf. Sandoval had zijn bar opgeknapt. *En ik ben nu heel erg rijk.*

Hij was van plan dat ook te blijven. Hij moest het bewijs dat Sandoval hier ergens bewaarde terug hebben. Hij bleef staan en luisterde. Sandoval was in zijn appartement boven de bar. Hij sloop de trap op en bleef bij Sandovals geopende slaapkamerdeur staan.

De televisie stond aan. Het nieuws. De schietpartij natuurlijk. Er draaide een video. Hij kneep zijn ogen samen terwijl hij de beelden bekeek. *Wel verdomme.*

Elena had met de vrouw gesproken die had geprobeerd haar te redden. De hemel mocht weten wat ze de barmhartige samaritaan had verteld. *Silas moest dit gezien hebben. Hij had allebei de vrouwen moeten uitschakelen.* Maar het meest verontrustend van alles was dat Silas had

gelogen over wat er werkelijk was gebeurd. Misschien liep de houd-
baarheid van Silas ook ten einde.

Sandoval kwam achteruit uit een kast zijn slaapkamer in met een
koffer in zijn hand.

Dacht het niet, mannetje. Ik wil inlichtingen. Hij wilde weten wat
Elena had gezien. Hij wilde weten of hij er op enigerlei wijze mee in
verband kon worden gebracht. *En ik krijg altijd wat ik hebben wil.*

Dinsdag 5 april, 07.30 uur

'Hier, drink op.'

Paige maakte haar blik los van het raam in haar woonkamer en nam
de beker thee uit Clays handen. Dat was al de derde die hij haar op-
drong terwijl zij door de jaloezieën toekeek hoe de politie de plaats
delict onderzocht en aan de geheugenstick dacht die ze in haar zak
had. Ze vroeg zich af wat ze in vredesnaam moest doen.

Ze had de video's gezien. Ze wist precies wie haar sprong had gefilmd. Die knul van boven was smoorverliefd op haar en had altijd een
videocamera bij zich. Ze had hem een keer betrapt terwijl hij haar
's avonds laat aan het filmen was toen ze Peabody uitliet. Ze dacht dat
ze Logan Booker bang genoeg had gemaakt door hem te dreigen alles
tegen zijn moeder te zeggen. *Blijkbaar niet.*

In Logans video was niets te zien van het moment dat Elena haar
de stick gaf en ook niet in de andere filmpjes die anderen achter haar
hadden gemaakt met hun mobieltjes. *De Heer zij geloofd voor Peabody.*
Hij had de aasgieren voldoende op afstand gehouden, zodat niets van
wat Elena zei was opgenomen.

Maar ze toonden wel de moord op Elena en haar hersenen die tegen
de raampjes van haar busje spatten. De video's stonden op internet en
iedereen kon ze bekijken. Inclusief de familie Muñoz. Paige's hart brak
bij de gedachte dat ze getuige waren van de dood van Elena.

Clay gaf haar een duwtje tegen haar schouder. 'Drink op,' beval hij.

Ze nipte gehoorzaam van haar thee. 'Ik drijf straks nog weg,' mompelde ze.

'Je had die dokter even naar je moeten laten kijken,'

'Ik was niet gewond. Alleen van mijn stuk. Dat zou iedereen geweest
zijn.'

'Je had wel dood kunnen zijn.' Zijn stem klonk ruw en ze wist dat hij weer voor zich zag hoe hij het lichaam van zijn voormalige partner had gevonden.

'Maar dat is niet zo. En ik geloof ook niet dat dat gebeurd zou zijn. Ik draaide me net om om naar Peabody te kijken toen die moordenaar de trekker overhaalde. Een seconde daarvoor stond ik nog over Elena gebogen.'

Zijn ogen werden groot. 'Alsof hij wachtte tot je niet meer in de weg zou staan?'

'Precies.' Ze liet de warmte van de mok doordringen in haar vingers en keek weer naar de plaats delict. 'De lijkschouwer haalt haar eindelijk weg. Dat werd tijd.'

'Het was een smerige plaats delict,' zei Clay. 'Ze moesten voorzichtig zijn.'

'Dat kun je wel zeggen, ja.'

'Als je je zorgen maakt om die video, dan is dat nergens voor nodig. Je zult een, hooguit twee dagen een internetsensatie zijn. Dan gaat een of ander sterretje naar een afkickkliniek en is alles weer voorbij.'

'Dat is niet waar ik me zorgen om maak,' zei ze zachtjes.

'Zoiets vermoedde ik al.' Hij bestudeerde haar aandachtig. 'Laten we het daar dan eens over hebben. Je zei tegen die rechercheur dat ze niets tegen je had gezegd. Dat was niet waar. Waarom loog je?'

Paige haalde haar telefoon uit haar zak en legde die op de vensterbank. Op een bepaald moment was haar gesprek met Clay beëindigd. Ze had geen idee wanneer. 'Wat heb je precies gehoord?'

'Alleen jou. Haar stem was te zwak. Je vroeg wie het had gedaan. Wat zei ze?'

Paige ging met haar vingers over haar zak en voelde de omtrek van de geheugenstick. Ze deed abrupt een stap bij het raam vandaan en keek hem aan. '"Agenten. Achtervolgden me."'

Hij trok onmiddellijk een ernstig gezicht. 'Is ze neergeschoten door een politieman?'

'Nee. Ze zei dat een politieman haar achtervólgde. Ik nam aan dat de achtervolger en de schutter een en dezelfde waren. Toen arriveerde de ambulance en kwam uit het niets dat andere schot.'

'Dezelfde schutter?' vroeg Clay.

Ze haalde haar schouders op. 'Ik weet het niet. Mijn eerste gedachte was dat de schutter in de buurt moest zitten, dat Elena nooit ver had kunnen rijden met zulke verwondingen.' Ze zweeg even en dacht na. 'Misschien gaat het om dezelfde schutter, maar niet om hetzelfde wapen. De ingangswonden in haar lichaam waren groter dan die van dat laatste schot in haar hoofd. De uitgangswonden in haar lichaam waren... kleiner.'

'Ik denk dat het laatste schot is afgevuurd met een krachtig geweer. De politie zat overal op de daken op zoek naar sporen van de schutter. Ze zijn ongerust. Ik hoorde een paar agenten zich afvragen of ze weer met een serieschutter van doen hadden.'

Paige keek niet-begrijpend, toen herinnerde ze zich de sluipschutter in D.C. 'Dat is jaren geleden.'

'Tien jaar,' zei Clay ruw, 'maar voor degenen onder ons die het hebben overleefd is het alsof het gisteren is gebeurd. Je kunt er donder op zeggen dat dit een hoop angst en onrust zal veroorzaken in de gemeenschap.'

'Elena was geen toevallig slachtoffer zoals bij die eerdere sluipschutter.' Paige ging aan haar bureau zitten, trok een rubberhandschoen uit een la en trok hem aan. Ze haalde de stick uit haar broekzak en hield hem op haar vlakke hand. Elena's bloed was opgedroogd op het apparaatje.

'Verdomme, Paige,' fluisterde Clay met grote ogen. 'Wat is dat?'

'Elena's geheugenstick,' fluisterde ze terug. 'Ze stopte hem een paar seconden voor ze stierf in mijn hand. Ze liet me beloven dat ik het niet tegen de politie zou zeggen.'

'Nou en. Dit is bewijs. Dat kun je niet achterhouden.'

Ze keek hem ongelovig aan. 'Alsof jij altijd meteen naar de politie rent als je iets hebt gevonden. Jij vertrouwt de politie niet meer dan Elena deed.'

Hij bloosde ongemakkelijk en Paige wist dat ze de vinger precies op de zere plek had gelegd. Clay had geweten wie zijn partner had vermoord en had om een heleboel redenen – niet in de laatste plaats zijn eigen behoefte aan wraak – informatie achtergehouden terwijl hij zelf op onderzoek uitging.

'Verdomme,' mompelde hij. 'Dat betekent nog niet dat we dat nu ook moeten doen.'

'Hallo, ze zei dat de politie achter haar aan zat! Ik bedoel, aan wie zou ik hem kúnnen geven? De rechercheur die me ondervroeg? Stel dat híj de politieman was die haar achtervolgde.'

'Verdomme,' verzuchtte hij opnieuw. 'Wat staat er eigenlijk op dat ding?'

'Ik weet het niet. Ze stierf voor ze me iets kon vertellen. Maar wat het ook is, iemand heeft haar erom vermoord.' Paige hield de stick onder het licht van de bureaulamp. 'Ik hoop dat wat erop staat leesbaar is.'

'Ga je dat ding in je computer steken?' vroeg hij, en zijn ogen werden nog groter.

'Hoezo, ben je bang voor virussen?'

'En nog een paar duizend andere dingen. Luister, ik heb inderdaad informatie achtergehouden voor de politie toen ik Nicki's lichaam had gevonden en ik zat fout. Er zijn mensen gestorven, Paige.'

Paige keek hem doordringend aan. 'Elena geloofde dat de politie bewijsmateriaal tegen Ramon had vervalst. Stel dat dit daar het bewijs van is. De man zit in de bak wegens moord, Clay. Nu is zijn vrouw dood. Je kunt hier blijven of je kunt weggaan, maar ik moet weten wat er op die verrekte stick staat.'

'En als de politie daar op de een of andere manier achter komt?'

'Dan zal ik zeggen dat ik verdoofd was. Dat ik in shock verkeerde. Dat ik me niet herinnerde dat ik hem had gekregen en dat ik pas later voelde dat hij in mijn zak zat. Dus blijf hier of ga weg. Maak een keuze en doe het snel.'

Hij sloeg zijn ogen ten hemel. 'Je weet dat ik niet wegga. Verdomme.'

'Oké.' Ze maakte een doos naast haar bureau open en Clay floot zachtjes.

'Hoeveel laptops zitten daarin?'

'Zes.' Ze pakte er een uit. 'Rijke kinderen op de universiteit in Minneapolis gooien ze weg zodra ze een nieuwe hebben. Deze oude dingen zijn prima geschikt voor als je een file wil bekijken dat een risico zou kunnen inhouden. Als er een virus op zit kun je de harde schijf wissen zonder dat je eigen computer gevaar loopt.'

'Hoe kom je eraan?' vroeg hij achterdochtig.

'Van vrienden die studeren. Ze duiken zo af en toe in afvalcontainers. Het zijn mafkezen.'

'En hackers?' vroeg hij droog.

'Uiteraard.' Ze stak de stick in een usb-poort en hij opende automatisch. 'Bingo,' fluisterde ze.

Clay keek over haar schouder mee. 'Dat zijn een hoop bestanden.'

'De meeste zijn oud, behalve deze drie fotobestanden – die zijn drie uur geleden opgeslagen.' Ze opende er een en staarde naar een foto van twee mannen die in een bar bier zaten te drinken. 'Bingo,' zei ze opnieuw.

'Het is een bar,' zei Clay.

'Het is dé bar,' verbeterde Paige, 'waar Ramon beweerde dat hij die avond van de moord was. Ramon zit daar links en het tijdstip daar in de hoek komt overeen met het tijdstip waarop hij aan de andere kant van de stad zogenaamd bezig was een studente te vermoorden.'

'Tijdmeldingen kunnen worden vervalst.'

'Ja, dat kan. Maar deze foto is nooit opgenomen in het bewijsmateriaal voor de rechtszitting.'

'Weet je dat zeker?'

'Ik heb elke pagina van de verslagen zorgvuldig bestudeerd. Ramon zei dat hij daar met een vriend was.'

'Die knul naast hem?'

'Ja. De vriend ontkende dat hij hem die avond had gezien, net als de bareigenaar. Onder ede.' Paige opende de twee andere fotobestanden. De eerste toonde twee mannen die een stuk papier overhandigden. 'Die knaap die het papier aanneemt is de bareigenaar, Denny Sandoval. Hij kijkt naar de camera, bijna alsof hij staat te poseren.'

'Zijn verzekeringspolis,' zei Clay zacht. 'Wie is die vent met de valse snor die de bareigenaar dat papier geeft?'

'Dat weet ik niet. Die snor is een goedkoop ding, maar hij verbergt zijn gezicht prima.'

'Keurige handen,' merkte Clay op. 'Gaat regelmatig naar de manicure.'

Paige zoomde in op de handen van de man. 'En hij draagt een pinkring. Misschien een diamant, maar de foto is te korrelig om het goed te kunnen zien.' Het derde bestand was een reçu. 'Geldstorting. Een heleboel nullen.'

'Met vijftigduizend krijg je genoeg mensen zover dat ze meineed willen plegen.'

'En ook genoeg om een vrouw te vermoorden die erachter is gekomen?' vroeg ze.

'Ik ken moordenaars die het voor heel wat minder doen. Luister, ik weet wel dat je me over deze zaak hebt verteld toen je er een maand geleden aan begon, maar het enige wat ik me echt herinner is dat Ramon in de gevangenis zit voor moord en dat zijn mammie gelooft dat hij onschuldig is. Vertel me de bijzonderheden nog eens. Wie zou Ramon hebben vermoord?'

'Een studente genaamd Crystal Jones. Ze was op een feestje op een groot landgoed waar Ramon als hoofdtuinman werkte. Ze werd de volgende ochtend dood gevonden in de tuinschuur, gewurgd en doodgestoken. Een van de snoeischaren was weg. De politie vond de schaar in de kast in de slaapkamer van Ramon en Elena. Ze beweerden dat het meeste bloed eraf was geveegd, maar dat er nog genoeg was om het DNA vast te stellen en de schaar in verband te brengen met de dode vrouw. Ze vonden ook een haar van Ramon op haar jurk.'

'Dat is nogal overtuigend.'

'Ik weet het. Bovendien werd er op het lichaam een briefje aangetroffen met "Tuinschuur, middernacht." Getekend "RM". Ramon zei dat het niet van hem was. Analyse van het handschrift was niet sluitend. Ramon beweerde dat hij onschuldig was, dat hij een alibi had, maar niemand wilde dat bevestigen.'

'Het DNA op het wapen was voor het Openbaar Ministerie een schot voor open doel.'

'Precies. Ramon was de tuinman, hij had toegang tot de schuur en de snoeischaar.'

'Woonde hij op het landgoed?'

'Nee, de baan was niet met inbegrip van kost en inwoning. Elena en hij hadden een appartement op zo'n anderhalve kilometer van het huis van Maria. Maar hij had een sleutel van de achterpoort, dus hij had altijd toegang. De aanklager schilderde Ramon af als een versierder en beweerde dat hij de vrouw had vermoord toen ze hem opgeilde en vervolgens weigerde seks met hem te hebben. De jury was al na een paar uur terug. Op alle punten schuldig. Ik leerde Maria kennen toen ik hier kwam wonen. Ze was op een ochtend bezig met schoonmaken en we raakten aan de praat. Toen ze erachter kwam dat ik privédetective was –'

'In opleiding,' onderbrak Clay.

'In opleiding,' gaf Paige toe. 'Elena en zij smeekten me om hulp. Ze waren er zo van overtuigd dat iemand een smerig spel speelde. Dat de politie erbij betrokken was. Elena zei dat ze voor bewijs zou zorgen. Dat heeft ze gedaan.'

'Waarom dachten ze dat de politie erbij betrokken was? Wat heeft de politie gedaan?'

'Maria zei dat mensen in de buurt hen na Ramons arrestatie uit de weg gingen. Het gerucht ging dat ze waren geïntimideerd door de politie die met de zaak bezig was en dat ze hun mond moesten houden, maar er was niemand die haar de waarheid wilde vertellen. Elena was ervan overtuigd dat de bebloede snoeischaar en het briefje op het lichaam daar waren neergelegd.'

'Wie waren de rechercheurs die met de zaak belast waren?'

'Gillespie en Morton. Dit is allemaal zes jaar geleden gebeurd. Morton zit nog steeds bij Moordzaken, maar Gillespie is een paar jaar geleden met pensioen gegaan.'

Zijn ogen lichtten heel even op. 'Wie was de aanklager?'

'Assistent-hoofdofficier van justitie Grayson Smith.'

'Ik heb wel eens van hem gehoord, maar ik heb hem nooit ontmoet.'

'Ik ook niet. Maar ik heb hem wel nagetrokken. Smith heeft de meeste veroordelingen op zijn naam staan van zijn kantoor. Maar hij hoefde in dit geval niet zo heel erg zijn best te doen. Alle bewijzen wezen op Ramons schuld.'

'Wat nu?'

Paige zette de drie fotobestanden van Elena's geheugenstick op de harde schijf van haar oude computer. Vervolgens verwijderde ze Elena's stick en liet die weer in haar zak glijden. 'Ik ga deze laptop in mijn kluis leggen en dan stop ik deze jas in een plastic zak. Mocht ik later besluiten om de stick aan de politie te geven, dan kan ik altijd zeggen dat ik de jas in een zak heb gestopt tot ik hem kon laten stomen en dat ik de stick heb gevonden toen ik mijn zakken leegmaakte.'

Ze beet op haar lip terwijl ze de jas in de zak stopte. 'Ik wil het allemaal correct doen. Ik weet alleen niet wie ik kan vertrouwen. Als ik iets tegen de verkeerde persoon zeg, loopt het met mij misschien net zo af als met Elena.'

'Was rechercheur Perkins betrokken bij het onderzoek naar Ramon?'

'Zijn naam komt niet voor in de rechtbankverslagen, maar dat zegt helemaal niets. Wie weet wie hij allemaal kent? Aan wie hij iets verschuldigd is? Je woont hier al jaren. Ken jij politiemensen die je kunt vertrouwen? Ik bedoel, met je leven? Want we hebben het nu wel over mijn leven.'

Hij zweeg een hele tijd en dat zei op zichzelf een heleboel. 'Zo lang woon ik nou ook weer niet in Baltimore. Ik ken politiemensen die ik met mijn leven zou vertrouwen, maar die zitten ergens anders. Hier in Baltimore ken ik er misschien één. Maar dat weet ik niet zeker.'

'Dan houden we onze mond.' Paige koppelde de oude laptop los en stopte hem in de kluis die op de bodem in haar servieskast zat vastgemaakt. Ze hoorde opnieuw Elena's stem. *Agenten. Achtervolgden me.* Met een diepe zucht schoof ze de zak ook in de kluis.

Ze had de kluis nog niet gesloten en de deur van de kast dichtgedaan, toen er hard op de voordeur werd geklopt. Peabody kwam overeind en gromde zachtjes. Paige en Clay wisselden een snelle blik. 'Wie is daar?' riep ze luid.

'De politie.' Het was een vrouwenstem. 'We zouden u graag even willen spreken.'

Met Peabody naast zich opende Paige de deur op een kier, maar liet de ketting zitten. Voor haar deur stonden een man en een vrouw, allebei in burger.

'Ja?'

'Ik ben rechercheur Morton en dit is mijn partner, rechercheur Bashears. We zouden u graag even willen spreken over wat zich vanmorgen heeft afgespeeld.'

Morton? Dezelfde die Ramon had gearresteerd. *Shit.*

Het kostte moeite om een nietszeggend gezicht te blijven trekken en ze kon alleen maar hopen dat ze daarin was geslaagd. Er was maar een beperkt aantal rechercheurs bij de afdeling Moordzaken van het korps van Baltimore, maar dit was allemaal wel erg toevallig. 'Ik heb die andere rechercheur al alles verteld wat ik wist.'

Morton deed een poging tot een glimlach. 'Deze zaak is overgedragen aan mijn partner en mij.'

Paige leunde tegen de deurpost, oprecht vermoeid. 'Uitstekend.' Ze sloot de deur en keek naar Clay, die net zo ongelukkig keek als zij zich voelde. 'Wat nu?' mimede ze.

Hij wees naar zichzelf en vervolgens naar haar slaapkamer. 'Zeg niks,' zei hij geluidloos. Vervolgens verdween hij met onhoorbare passen in haar slaapkamer.

'Grayson, Anderson is naar je op zoek.' Assistent-openbaar aanklager Daphne Montgomery hield een krabbeltje omhoog in het handschrift van hun baas toen Grayson langs haar kantoorhokje rende. 'Hij is chagrijnig. Je kunt hem maar beter even bellen, voor hij een hartaanval krijgt.'

Zijn baas was altijd chagrijnig, dacht Grayson. Bovendien wist hij precies wat Anderson wilde en hij mocht doodvallen voor hij hem zijn zin gaf. Anderson kon wel even wachten.

Hij propte het briefje in zijn zak en keek naar het bord muffins op Daphnes bureau. 'Hoe kom je hier zo vroeg? Het heeft me een eeuwigheid gekost voor ik langs de bewaking was.'

De mensen hadden tot om de hoek in de rij gestaan en ze waren begrijpelijkerwijs nerveus, ondanks een nieuw verslag van Phin Radcliffe, die, moest Grayson tot zijn spijt toegeven, de zaak redelijk goed aanpakte. Radcliffe had de connectie van het slachtoffer met een veroordeelde moordenaar onthuld zonder haar naam bekend te maken. Hij had verklaard dat gezien het feit dat ze al beschoten was voor ze op de plaats van het ongeluk kwam, ze niet het slachtoffer kon zijn van een toevallige beschieting door een sluipschutter.

Maar toch waren de mensen gespannen. *Dat geldt ook voor mij.* Hij kon het beeld van Elena Muñoz' gezicht niet uit zijn gedachten krijgen. Hij moest informatie hebben en wel nu.

'Ik was hier om zes uur,' zei Daphne. 'Ik verwachtte een telefoontje van Ford.'

Grayson was in de richting van zijn kantoor gelopen, maar bleef staan toen hij de zorgelijke klank in haar stem hoorde. Ford, de zoon van Daphne, was met school op reis door Europa. 'Alles goed met hem?'

Ze knikte en Grayson ontspande. 'Hij heeft het geweldig naar zijn zin in Italië.'

'Mooi. Ik dacht dat er iets aan de hand was. Je klinkt niet zoals anders.'

Ze aarzelde. 'Toen Ford belde was hij ongerust. Hij had al over die sluipschutter gehoord. Hij maakte zich zorgen, want hij weet dat ik soms die route neem als ik naar mijn werk ga.'

Grayson knipperde met zijn ogen. 'Had hij er al over gehoord? In Europa?'

'Een van zijn vrienden had het op Twitter gezet. Er waren al video's gepost.' Haar stem beefde. 'Die zak die de video heeft gemaakt maakte ook haar naam bekend. Nog voordat de familie was ingelicht. Het was Elena Muñoz.' Ze keek hem aan en zuchtte. 'Je weet dit allemaal al?'

'Ja. Ik weet niet veel meer dan dat, maar daar kom ik nog wel achter.'

'Ze was hier. Vorige week. Ik heb haar jouw kantoor binnen zien gaan. Waarom was ze hier?'

'Ze wilde een nieuw proces voor haar echtgenoot. Hij is veroordeeld wegens moord.'

'Ik kan me herinneren dat ik over die zaak gelezen heb toen ik rechten studeerde. Wat heb je tegen haar gezegd?'

'Ik zei dat er geen enkele aanleiding was voor een nieuw proces. Er was geen nieuw bewijsmateriaal.' Hij liet zijn adem ontsnappen. 'En nu is ze dood. Ik moet een paar dingen weten. Als Anderson weer langskomt, kun je hem dan aan het lijntje houden? Hij wil alleen maar dat ik een deal sluit met Willis.'

Daphnes wenkbrauwen gingen omhoog. 'Franklin Willis heeft twee vrouwen doodgeschoten om de honderd dollar in hun kassa. We hebben hem op video. Waarom zou je in vredesnaam een deal met hem sluiten?'

'Omdat de verdediging aanvoert dat de politie het wapen heeft gevonden tijdens een onzorgvuldige huiszoeking en dat het beeld onscherp is. Ik probeer al een tijdje iets te verzinnen om onder een deal uit te komen. Geef me wat tijd als je kunt. Ik moet eerst meer weten over Elena Muñoz. Ik zal een verklaring moeten opstellen.'

'Wacht even. Ford was niet de enige die me vreselijk ongerust heeft gebeld.'

Iets in de manier waarop ze dat zei maakte hem duidelijk wie dat was geweest. 'Mijn moeder? Waarom?'

'Ze wilde weten of het goed met je ging, want je nam niet op. Ze vroeg of ik je eraan wilde herinneren dat je morgenavond bij haar gaat eten. Ik heb gezegd dat ik aan je kop zou zeuren dat je haar moet bellen. Dus bel je moeder, Grayson.' Ze glimlachte vriendelijk als tegenwicht voor de bestraffende toon. 'En pak een muffin.'

'Met maanzaad?' vroeg hij, en ze knikte.

Hij vond het vroeger altijd irritant wanneer Daphne baksels meenam naar kantoor, maar dat was omdat ze er perzik in verwerkte en daar kreeg hij uitslag van. Vanaf het moment dat hij zijn allergie had opgebiecht had ze alleen nog maar zijn favoriete lekkernijen gemaakt.

Grayson schatte haar ergens in de veertig, brutaal en doortastend, ze droeg haar haar veel te hoog opgestoken en haar kostuums glommen te veel. Ze moederde over het hele kantoor, met inbegrip van hem. Maar ze was slim en vindingrijk en geweldig strijdvaardig in de rechtszaal. Ze was rechten gaan studeren toen haar zoon op de middelbare school zat en dat kon niet gemakkelijk zijn geweest. Gedurende het jaar dat ze nu samenwerkten was Grayson haar heel erg gaan waarderen. Hij was ook veel meer op haar gesteld geraakt dan hij ooit zou toegeven.

'Ik zal Anderson zo lang mogelijk afhouden, maar bel hem alsjeblieft snel, dan houdt hij zich in ieder geval een tijdje gedeisd.'

Grayson graaide een muffin mee. 'Heel gauw,' beloofde hij. Hij deed de deur van zijn kantoor dicht en belde degene van wie hij wist dat die hem de waarheid zou vertellen. Terwijl de telefoon overging zocht hij de video op de website van de nieuwszender. Tegen de tijd dat hij 'Hallo' hoorde zat hij opnieuw naar de vrouw met de donkere ogen te staren.

'Stevie, met Grayson.'

'Grayson?' De stem van rechercheur Moordzaken Stevie Mazzetti klonk onmiddellijk bezorgd. 'Wat is er loos?'

Hij fronste zijn voorhoofd. 'Waarom vraag je me dat steeds wanneer ik bel?'

'Omdat je alleen maar belt als er iets aan de hand is.'

Hij dacht erover na. 'Misschien is dat wel zo. Maar jij belt me alleen maar als je een huiszoekingsbevel nodig hebt.'

Ze gniffelde. 'Je hebt gelijk. Wat is er?'

'De sluipschutter. Ik moet alles weten wat je hebt.'

'Hallo hé.' Alle humor verdween uit haar stem. 'Ik heb niet veel. Het slachtoffer is op twee verschillende locaties beschoten. Het ballistisch rapport is nog niet binnen, maar het gaat om twee verschillende wapens. Een vrouw die haar hond uitliet heeft haar geholpen en is maar ternauwernood niet zelf ook neergeschoten.'

Op zijn scherm was de vrouw net uit de baan van het busje gesprongen en schoot nu het slachtoffer te hulp. 'Ik weet het. Ik zit naar die video te kijken.'

'Jij en de rest van de wereld,' mopperde Stevie. 'Het lijkt erop dat hij vanaf het kantorenpark heeft geschoten, één afslag verder. Maar dat weten we nog steeds niet zeker.'

'Zo veel camera's en niemand die een beeld heeft van de schutter?'

'Alle camera's waren op het slachtoffer in de auto gericht.'

'Waar zijn de eerste schoten gelost? Voor ze verongelukte?'

'Dat weten we nog niet. Op dit moment is zo'n beetje iedereen op zoek naar de schutter. Ik hoef jou niet te vertellen dat de spanning hier om te snijden is. Omdat het nu tien jaar geleden is en zo.'

'Hier ook.' Hij aarzelde. 'Is het slachtoffer al geïdentificeerd?'

'Elena Muñoz. Grayson, wat is er aan de hand? Vanwaar al die vragen?'

Grayson had zijn blik op het scherm gericht en deinsde opnieuw achteruit toen het schot werd afgevuurd en wachtte tot de donkerharige vrouw uit het vaag gemaakte deel van het beeld wankelde. 'Ik heb Elena's echtgenoot aangeklaagd. Wie was er als eerste?'

'Perkins was als eerste ter plaatse, maar zodra Hyatt het woord "sluipschutter" hoorde, heeft hij hem van de zaak gehaald. Perkins' partner was nog niet eens gearriveerd. Hyatt heeft Bashears en Morton de zaak gegeven. Dat was gewoon een kwestie van ervaring. Perkins heeft nog nooit zo'n belangrijke zaak gedaan en Bashears en Morton wel.'

Grayson raadpleegde het archief in zijn hoofd. 'Morton deed ook de zaak van de echtgenoot.'

'Echt waar? Wanneer was dat?' vroeg Stevie. 'Ik kan me de zaak-Muñoz niet herinneren.'

'Zes jaar geleden.'

Stevie liet haar adem ontsnappen. 'O, nou, dat verklaart een hoop.'

Stevies echtgenoot en zoon waren zes jaar geleden omgekomen en Stevie was, zeven maanden zwanger, volledig gebroken achtergebleven. Ze had een tijd verlof genomen toen Cordelia werd geboren. Er was een periode van enkele maanden waar Stevie zich niets van herinnerde en er was niemand die haar dat kwalijk nam en Grayson al helemaal niet. Stevies echtgenoot was zijn vriend geweest.

'Waarom hebben Fitzpatrick en jij de zaak niet toegewezen gekregen?'

'Waarschijnlijk omdat we nog niet op het bureau waren toen dit zich allemaal afspeelde. We zullen er nog wel bij betrokken worden voor het allemaal achter de rug is, maar op dit moment zijn we met een eigen zaak bezig. Bendes die elkaar een paar uur terug hebben beschoten. We gaan zo op pad om de ouders van een zeventienjarige jongen op de hoogte te brengen. En dat,' voegde ze er droog aan toe, 'is wat het ik het liefst van alles doe.'

'Het spijt me voor je. Wees voorzichtig.'

'Doen we.' Ze aarzelde. 'Bel me als je me nodig hebt, Gray. Dat meen ik.'

'Dank je.' Grayson hing op en bekeek de video nog een keer. De rechter had Ramon Muñoz niet op borgtocht vrijgelaten, dus hij zat al sinds zijn arrestatie zes jaar geleden achter de tralies. *Waarom is Elena vorige week naar me toe gekomen? Waarom nu?*

Hij vroeg zich af naar wie ze toe was gegaan nadat ze bij hem was geweest en het kantoor vechtend tegen tranen van wanhoop had verlaten. Hij vroeg zich af bij wie ze verder nog hulp had gezocht. Hij vroeg zich af wie ze zo tegen de haren had ingestreken dat ze uiteindelijk vol lood gepompt werd.

Hij pakte zijn telefoon. 'Daphne, kun je een nummer van de rechercheurs Bashears en Morton voor me vinden? Ze zijn belast met de moord op Muñoz.'

'Wil je dat ik ze bel om te zeggen dat ze vorige week hier is geweest?'

'Nee, vraag alleen of ze me willen bellen. Ik vertel het ze wel. Bedankt.'

'Verder nog iets? Nog een muffin?'

'Nee, maar bedankt. Hebben we al iets gehoord van de jury in het Samson-proces?' Ze overlegden nu al vier dagen over een van zijn andere moordzaken. Hij wou dat ze verdomme eens een beetje opschoten.

'Ze zijn net teruggegaan naar de jurykamer om de beraadslagingen voort te zetten. Maar het lijkt alsof ze gauw een beslissing zullen nemen. Hopelijk vanmorgen nog. Hé, Anderson heeft weer gebeld. Hij weet dat je in het gebouw bent. Hij zei dat als jij hem niet belt hij zelf wel een deal sluit met Willis.'

'Die man heeft overal spionnen zitten,' mopperde Grayson. Hij hing op, sloot de video van Elena en de donkerharige vrouw en belde zijn baas, klaar voor een meningsverschil.

Rechercheur Stevie Mazzetti liet met een frons op haar voorhoofd haar mobieltje in haar zak glijden.

JD Fitzpatrick wendde zijn blik even van de weg om haar gezicht te kunnen bestuderen. 'En? Vertel op.'

'Niks. Grayson doet gewoon een beetje vreemd.'

'Grayson is niet vreemd. Hij is altijd boos.'

'Hij is niet altijd boos. Alleen als hij aan het werk is.'

JD keek haar veelbetekenend aan. 'Hij is altijd aan het werk. Dus is hij altijd boos.'

'Bijna altijd. Dus je hebt bijna gelijk. Wat dan nog?'

'Ik heb altijd gelijk,' zei JD zelfingenomen en Stevie moest ondanks zichzelf grinniken.

'Je hebt het vandaag nogal getroffen met jezelf. Hoe komt dat zo?'

Hij grijnsde terug met de blik van een zeer tevreden man. *En terecht.* De man die sinds een jaar haar partner was, zou over een maand gaan trouwen en ze had hem nog nooit zo gelukkig gezien. Maar ze had, zoals haar zesjarige dochter zou zeggen, de bokkenpruik op.

'Ik hoop dat jullie wel voorbehoedsmiddelen gebruiken. Anders planten jullie je voort als een stel konijnen.'

Hij zei niets en Stevies humeur klaarde op slag op.

'Lucy is zwanger!' Ze klapte in haar handen. 'Sinds wanneer weet je dat?'

'Sinds vanmorgen,' bekende hij. 'Niet tegen Lucy zeggen dat ik het tegen je heb gezegd. En vertel het alsjeblieft niet verder. We willen het nog een paar maanden geheimhouden.'

Ze lachte luidkeels. 'Daar wens ik je veel succes mee.'

'Ik weet het. Vertel eens op wat voor manier Smith zich vandaag vreemd gedraagt. Dan kan ik mijn serieuze gezicht oefenen.'

'Hij vroeg naar het slachtoffer van de sluipschutter. Zei dat hij haar meende te herkennen. Dat hij haar echtgenoot heeft aangeklaagd.'

Hij werd ogenblikkelijk weer ernstig. 'Dan vraag je je af wie meneer Muñoz kwaad heeft gemaakt in de gevangenis. Maar het is wel raar dat Grayson zich de echtgenote na al die tijd nog herinnerde.'

'Herinner jij je de gezichten van de echtgenotes nog die je op de hoogte hebt gebracht van een moord?'

'Stuk voor stuk,' antwoordde JD.

'Grayson heeft eens een keer tegen me gezegd dat een veroordeling net zoiets is als een sterfgeval in de familie. Als de jury het schuldig uitspreekt is het net of een stukje van hen ook doodgaat.'

'Behalve dat hun dierbare voor altijd de dierbare van iemand anders heeft weggenomen.'

'Dat weet hij wel en hij is er meer op gebrand om gerechtigheid voor die slachtoffers te krijgen dan elke andere aanklager die ik ken. Maar hij herinnert zich de tranen van de moeders wanneer hun kinderen in de bak gesmeten worden. Dat is de prijs die slechte jongens betalen. Helaas moeten hun families ook boeten.'

'Zoals Elena Muñoz.'

'Misschien wel,' zei Stevie. 'We zien wel wat Bashears en Morton boven water halen. Ach, verdomme. Dat is onze afslag, hier. Wie is er aan de beurt om de ouders het nieuws te brengen?'

'Jij,' zei JD ernstig.

Stevie zuchtte. 'Daar was ik al bang voor. Laten we dit maar snel achter de rug zien te krijgen.'

3

Met Clay veilig uit het zicht deed Paige de deur open en liet rechercheur Morton en haar partner binnen. Ze beval Peabody met een handgebaar naast haar te gaan liggen.

Bashears leek onder de indruk. 'Wat een hond.' Hij maakte aanstalten om naar Peabody te gaan, maar Paige stak waarschuwend haar hand op.

'De hond is er om me te beschermen. Hij voelt dat ik op dit moment erg gespannen ben, dus is hij ook gespannen.'

Bashears bestudeerde haar voordeur met de drie splinternieuwe sloten en knikte. 'Dat begrijp ik. Je bent niet iedere dag getuige van een moord.'

Als je eens wist, dacht ze. En toen besefte ze dat hij dat waarschijnlijk wel degelijk wist. Het zou niet zo heel moeilijk zijn om achter haar 'ongeluk' te komen. Google was maar één mobiel telefoontje ver weg.

'Niet elke dag,' gaf ze nuchter toe. 'Luister, ik wil graag helpen, maar ik ben echt heel erg moe en ik stond op het punt om onder de douche te gaan. Wilt u alstublieft de vragen stellen waarvoor u bent gekomen?'

'Uiteraard,' zei Morton. 'Mogen we gaan zitten?'

'Ik wil dit graag snel achter de rug hebben. Ik blijf liever staan,' antwoordde ze, en Morton fronste haar voorhoofd.

'Natuurlijk.' Morton begon dezelfde vragen te stellen als Perkins had gedaan.

Paige zuchtte. 'Met alle respect, rechercheur Morton, maar ik heb al deze vragen al een keer beantwoord. Ik ben zo moe dat ik niet meer kan nadenken. Kunnen we hier snel een einde aan maken?'

'Als u gaat zitten, dan zult u niet zich niet zo moe voelen,' zei Morton bijdehand.

Paige moest zich inhouden om niet te snauwen. 'Als ik ga zitten, kom ik niet meer overeind.' Ze liep naar de voordeur om hen uit te laten en Morton maakte een snuivend geluid, duidelijk geïrriteerd.

'Mevrouw Holden, wat doet u voor de kost?'

'Ik werk in een sportschool. En ik werk ook voor een detective-agentschap.'

'Heeft u een vergunning?' vroeg Bashears. Aan de blik in zijn ogen zag ze dat hij precies wist wat ze voor de kost deed, net zo goed als hij wist van haar 'incident'.

'Nog niet.'

Morton deed een kleine stap naar voren, maar bleef staan toen Peabody begon te grommen. 'Waarom denkt u dat Elena Muñoz in haar auto is beschoten en daarna nog eens door een sluipschutter?'

'Ik heb geen idee.' Zelfs Paige zou zichzelf geloofd hebben.

'U bent privédetective,' zei Bashears. 'Werkte u voor haar?'

'Nee.' Dat was de waarheid. Strikt genomen was het Maria die haar had benaderd en haar had gesmeekt te helpen. Er liep een koude rilling over haar rug toen ze besefte dat Maria ook in gevaar zou kunnen verkeren. 'Zijn we klaar?'

'Bijna,' antwoordde Morton. 'Voor wie werkt u, mevrouw Holden?'

'De Silver Gym. Ik ben daar instructeur.'

Morton wierp haar een blik toe die in een oogwenk vijandig was geworden. 'Ik heb het over uw werk als privédetective. Voor wie werkt u?'

Bashears kwam gladjes tussenbeide. 'We zouden graag willen weten in welke hoedanigheid u Clay Maynard kent. Hij stond bij u toen u met rechercheur Perkins sprak.'

'We zijn partners. En vrienden.'

Morton trok een wenkbrauw op. 'En hij had niets te maken met het feit dat Elena Muñoz tegen een lantaarnpaal pal naast uw appartement vloog?'

Paige gaf geen krimp. 'Nee. Luister, ik ben moe en ik heb meegewerkt. Wilt u nu alstublieft vertrekken?'

'U heeft ons niet de waarheid verteld,' zei Morton kortaf. 'Maar ik ga, voorlopig. Tussen twee haakjes, als u meneer Maynard ziet, wilt u dan tegen hem zeggen dat rechercheur Skinner na maanden in de ziektewet weer aan het werk is? Maar hij zal nooit meer voor Moordzaken werken. Hij blijft aan zijn bureau gekluisterd tot hij oud genoeg is voor zijn pensioen en zijn gouden horloge.' Ze boog zich naar voren en deze keer negeerde ze het dreigende gegrom van Peabody. 'En zeg tegen uw partner en vríénd dat ik jullie twee in de gaten houd. Want er stinkt hier iets en het stinkt naar hém.'

Morton rukte de voordeur open en draaide zich toen om voor een laatste opmerking. 'Als u iets weet wat u me niet vertelt, dan bent u nog niet klaar met me. En dan kan het me geen moer schelen hoeveel hits u op YouTube hebt of hoeveel verslaggevers u de barmhartige samaritaan noemen.'

Paige keek de beide rechercheurs met grote ogen na terwijl zij de trap af liepen. Bashears keek geërgerd, maar vanwege zijn partner, niet vanwege Paige. *Dat is tenminste iets*, dacht ze terwijl ze de deur dichtdeed en alle drie de sloten dichtdraaide. Ze draaide zich om, niet verbaasd dat Clay achter haar stond, ook al had hij geen geluid gemaakt. Hij had zijn kaken stijf op elkaar geklemd, maar zijn blik was onstuimig. En vol schuldgevoel.

Paige liet zich vermoeid in de stoel achter haar bureau zakken. 'Wie mag rechercheur Skinner wel zijn?'

Clay ging op haar bank zitten en staarde naar de vloerbedekking. 'Mortons voormalige partner. Skinner werd neergeschoten door Nicki's moordenaar nadat ik haar lichaam had ontdekt. Skinner legde bijna het loodje omdat ik de politie niet meteen had verteld wat ik wist. Toen ik Morton zichzelf net bij de deur bekend hoorde maken, dacht ik wel dat er problemen zouden ontstaan. Ze mag me niet zo erg.'

'Ja,' zei Paige droog. 'Dat had ik wel begrepen. Ik moet het iemand vertellen. Ik wil geen Skinner op mijn geweten hebben. Maar ik ga het Morton niet vertellen. Ik doe het in m'n broek voor dat mens.'

Hij hief zijn hoofd en keek haar aan. 'Ik ook.'

Paige zuchtte. 'Dus Ramons alibi klopte. Het is gewoon onmogelijk dat hij Crystal zes jaar geleden in de tuinschuur heeft vermoord. Toch werd het moordwapen in de kast in zijn slaapkamer aangetroffen, gewikkeld in een canvas schort en verstopt in een van Elena's laarzen. Het is daar neergelegd. Misschien wel door de politie. O god, we klinken nu net zoals OJ Simpson.'

'Het is vaker voorgekomen,' zei Clay. 'Dat politie ergens bewijsmateriaal neerlegt.'

Ze keek hem scherp aan. 'En ooit op een dag ga je me daarover vertellen?'

'Waarschijnlijk niet,' mompelde hij. 'Het is niet een van mijn mooiste herinneringen.'

'Jij hebt toch niet...' Paige liet haar zin onafgemaakt en zag dat hij zijn hoofd schudde.

'Nooit. En ik heb geprobeerd het te voorkomen, maar het was te groot.'

'Daarom ben je bij de politie weggegaan.'

'Ja. Als de politie erbij betrokken is, dan is deze zaak nu al groter dan jij en ik, Paige.'

'Nou, de politie ís erbij betrokken, op wat voor manier dan ook – aangenomen dat ze Elena vanmorgen inderdaad achternazaten. En vervolgens duikt Morton op, die ook al aan de moord op Crystal Jones werkte. Dat voorspelt weinig goeds. Ik heb geen idee wat ik moet doen.'

'Ik kan de agent bellen over wie ik het eerder had. Ik ben ervan overtuigd dat we haar kunnen vertrouwen.'

'Hoe ken je haar?'

'Ze werkte aan de moord op Nicki.'

'Dan werkt ze dus ook samen met Morton. Luister, zelfs als Morton niet degene was geweest die de moordzaak van Ramon heeft onderzocht, dan nog heeft ze een appeltje met jou te schillen, Clay. En ik heb Elena beloofd dat ik hier niet mee naar de politie zou gaan. Noem het bijgeloof, maar ik kom niet graag terug op een belofte aan iemand die op zijn sterfbed ligt.' Paige wreef over haar kloppende voorhoofd. 'Dus hoe pak ik het aan om het toch volgens de regels te doen?'

Clay haalde zijn schouders op. 'Wat dacht je van een advocaat?'

'Elena had contact opgenomen met een van die organisaties die mensen helpen die ten onrechte veroordeeld zijn. Ze zeiden dat er zo'n lange wachtlijst was dat het wel tien jaar kon duren voor ze zelfs maar aan Ramons zaak toekwamen. Ze vertelden haar dat ze nieuw bewijs moest zien te vinden. En dat heb ik ook gezegd.'

'Je hebt jezelf niets te verwijten, Paige. Bovendien heb je nu dat bewijs. Een advocaat zal nu wel naar je luisteren. Misschien dat die organisatie Ramons zaak naar voren wil halen zodat je geen tien jaar hoeft te wachten.'

'Tien minuten in de gevangenis is al te lang voor Ramon.' Peabody legde zijn kop op de knie van Paige en ze krabde hem achter de oren. 'Ik zou met de advocaten van de verdediging kunnen praten, maar als er corrupte agenten bij betrokken zijn... Iemand bij justitie moet ervan op de hoogte worden gebracht.'

'We zouden het Openbaar Ministerie kunnen proberen.'

'Assistent hoofdofficier van justitie Grayson Smith.' Paige dacht na over de rechtbankverslagen waar ze zich de afgelopen weken in had verdiept. 'Hij heeft een vlekkeloos proces gevoerd. Geen speld tussen te krijgen.'

'Is er iets wat erop wijst dat hij was omgekocht?'

'Voor zover ik weet niet. Hij heeft alleen het bewijs gebruikt dat Morton en haar vorige partner hadden verzameld. Maria zei dat hij geprobeerd had Ramon zover te krijgen dat hij een deal sloot, maar Ramon weigerde. Toen de zaak voorkwam pakte Smith Ramon hard aan, maar hij was vriendelijk en respectvol ten opzichte van Maria. Betrokken zelfs. Elena en zij wilden graag een hekel aan hem hebben, maar dat lukte niet. Elena heeft zelfs overwogen bij hem langs te gaan om zijn hulp te vragen.' Ze beet op haar lip. 'Ik zal iémand moeten vertrouwen. Er spookt al genoeg door mijn hoofd. Ik moet er niet aan denken dat er iemand doodgaat omdat ik mijn mond heb gehouden.' Ze draaide haar stoel om en klapte haar laptop voor dagelijks gebruik open.

'Wat doe je?'

'Mijn dossier over Grayson Smith oproepen.' De recentste foto die ze had weten te vinden was de vorige winter genomen op de trappen van het gerechtsgebouw. Hij was een bijzonder knappe man, lang en breedgeschouderd. Zijn wollen pak met dubbele knopen leek op maat gemaakt. Zijn haar was donker en zijn huid gebronsd. 'Hij ziet er niet uit als een Grayson of als een Smith.'

Clay keek mee over haar schouder. 'Wat doet dat ertoe?'

Ze haalde een schouder op. 'Niets. Het is een spelletje van me. Ik probeer gewoon uit te vogelen wat de achtergrond is van mensen. Dat heeft waarschijnlijk te maken met het feit dat ik de enige met zwart haar en donkere ogen was in een familie die verder uitsluitend uit blauwogige, blonde Noren bestond.'

'Ben je geadopteerd?' vroeg Clay geïnteresseerd.

'Nee.' Al waren er in haar jeugd heel wat dagen geweest dat ze wenste dat dat wel het geval was. 'Maar ik heb mijn vader nooit gekend en ik moet ervan uitgaan dat hij geen blonde Noor met blauwe ogen was. Ik denk dat ik ga douchen en dan eens op bezoek ga bij meneer Smith.'

'Wat, ga je hem diep in zijn ogen kijken om te zien of je hem kunt vertrouwen?'

'Zoiets ja.'

'Heeft dat al eens eerder gewerkt?'

Paige dacht aan de mislukte relaties waar haar verleden mee bezaaid was. 'Ik wou dat het waar was. Dan zou ik bij zo'n negentig procent van mijn vriendjes zijn weggelopen.'

'Waarom zou je het dan doen?'

Ze dacht even na over haar antwoord. 'Omdat ik geen idee heb wat ik anders moet.'

'Wil je dat ik met je meega?'

'Het zou beter zijn als jij even langsgaat bij Maria. Ik maak me zorgen om haar. Als iemand vermoedt dat ze wist wat Elena bij zich had, dan loopt haar leven gevaar.'

'Als ze erachter komen dat jij hebt wat ze bij zich had, dan loopt jouw leven misschien ook gevaar.'

Er liep een koude rilling over haar rug. 'Ja, dat weet ik.'

Dinsdag 5 april, 08.55 uur

Silas slikte toen hij op het display zag wie hem op zijn mobieltje belde. 'Ja?' antwoordde hij met vlakke stem. Hij had geleerd uitstekend toneel te spelen.

'Je hebt tegen me gelogen.'

Silas klemde zijn kaken op elkaar. 'Nee, dat is niet waar.'

'Je hebt me niet verteld dat Elena met iemand heeft gepraat. Maar op het internet wemelt het van de filmpjes waarop te zien is dat ze dat wel heeft gedaan.'

Het bloed stolde in zijn aderen. *Filmpjes?* 'Vanwaar ik zat kon ik niet zien dat er gesproken werd.'

'Je hebt het ook niet gehad over de barmhartige samaritaan die geprobeerd heeft haar te helpen.'

'Als ik geweten had dat ze iets tegen elkaar hadden gezegd, dan zou ik haar ook hebben vermoord.'

'Ik moet weten wat er is gezegd. Ik moet weten wat Elena wist.'

'Heb je Denny gesproken? Heb je hem gevraagd wat de vrouw had gezien?'

'Uiteraard, maar ik heb nog geen duidelijk antwoord gekregen.' Er klonk een zekere geamuseerdheid in zijn stem, die nog geaccentueerd werd door schor gekreun op de achtergrond. 'Maar meneer Sandoval heeft me, na enig aandringen, verteld dat Elena jou heeft gezien. Dat jij net bij de bar aankwam toen zij ervandoor ging. Dat klopt ook al niet met wat je mij hebt verteld. Dus je hebt tegen me gelogen.'

'Ik heb niet tegen je gezegd dat ze me niet had gezien. Tegen de tijd dat ik daar kwam, reed ze al weg. Ik stond op het punt haar van de weg te rijden toen Denny begon te schieten. Ik zag haar naar dat appartementencomplex gaan en ik heb toen het gebouw gekozen bij de volgende afslag. Dat is de waarheid. Ik was een paar seconden voor ze verongelukte op het dak.'

Net toen die vrouw opzij sprong.

Er kwam geen antwoord, er hing alleen een zware, boze stilte. Silas deed zijn ogen dicht. Dit kon hij niet winnen. Hij moest zien te overleven. 'Wat wil je dat ik doe?'

'Dat klinkt al een stuk beter. Luister en gehoorzaam, anders word je geen gelukkig mens.'

Hij luisterde met klamme handen. Hij zou doen wat hem gezegd werd. Het risico van ongehoorzaamheid was te groot. Toen hij alle instructies had ontvangen, verbrak hij de verbinding. Net op tijd.

Hij dwong zijn lippen tot een glimlach terwijl hij zijn armen spreidde voor de kleine wervelwind die hem uit zijn as had doen herrijzen. 'Hé, schat.'

'Papa.' Ze omhelsde hem stevig, legde toen haar zevenjarige handjes plat tegen de zijkant van zijn gezicht en keek hem ernstig aan. 'Je zag er verdrietig uit toen je aan de telefoon zat. Waarom?'

Hij gaf haar een kus op haar voorhoofd. 'Omdat jouw Fluffy de taart heeft opgegeten die mama voor me gemaakt had als toetje voor vanavond.' Hij loog nooit, tenzij hij niet anders kon, maar hij zou alles zeggen, alles doen om te voorkomen dat ze de echte wereld leerde kennen. *Te voorkomen dat ze de waarheid over mij leert kennen.*

Ze lachte, een tinkelend geluid dat hem troostte. 'Mama zal wel een nieuwe maken.'

Hij drukte haar tegen zich aan en wenste dat hij haar met alle emotie die hij in zijn hart voelde kon knuffelen. Hij zou haar kunnen verpletteren als hij niet voorzichtig was. Maar hij was altijd voorzichtig. 'Lief zijn vandaag.'

'Ik zal mijn best doen.'

'Je best doen is niet genoeg,' zei hij quasi-ernstig.

'Je moet het gewoon doen,' antwoordde ze, zoals ze altijd deed.

'Ik hou van je, schat.'

Ze verborg haar gezicht in zijn hals. 'Ik hou ook van jou. Ik moet weg. De bel gaat zo.'

Hij zette haar op de grond en de glimlach lag nog om zijn lippen toen ze wegschoot, ondertussen over haar schouder naar hem zwaaiend. Hij draaide zich om naar zijn bestelbus en wachtte tot hij erin zat voor hij de adem die hij had ingehouden liet ontsnappen. Maar er volgde geen opluchting. Hij hield zijn adem al zevenenhalf jaar in.

Zevenenhalf jaar geleden had hij die vreselijke keuze gemaakt. Hij keek toe hoe ze zich weer bij de overige kinderen voegde, blij, veilig. Geliefd. En hij wist dat als hij het allemaal over zou moeten doen, hij diezelfde afschuwelijke keuze zou maken.

Dinsdag 5 april, 11.15 uur

'Heb je Anderson gebeld?' fluisterde Daphne terwijl ze in afwachting van de jury in de zaak-Samson aan de tafel van de aanklager gingen zitten. 'Zeg alsjeblieft dat je hebt gebeld.'

'Ja, ik heb gebeld,' fluisterde Grayson terug. 'Ik moest met die zak van een Willis een deal sluiten over strafvermindering.' En dat zat hem heel erg dwars. Met goed gedrag zou de man die in koelen bloede twee medewerksters van een supermarkt had vermoord over een jaar of drie vrijkomen. Dat was waardeloos. Hij keek op toen de deur van de jurykamer openging en het eerste jurylid de rechtszaal binnen stapte.

Anderson had in deze zaak ook gewild dat hij een deal zou sluiten. De jury in de Samson-zaak was al veel te lang aan het beraadslagen en Anderson geloofde niet dat ze tot een schuldigverklaring zouden komen.

Grayson zette zijn geld op de jury. *Ik denk dat we over een paar minuten weten wie het bij het rechte eind had.*

'Verdomme, dat spijt me.' Daphne tuitte haar lippen. 'Heb je Bashears over Elena verteld?'

Hij knikte. 'Ze proberen erachter te komen met wie ze nog meer over haar man heeft gepraat.'

'Heb je je moeder gebeld?'

Hij vertrok zijn gezicht. 'Shit.'

'Grayson,' zei ze bestraffend.

'Ik had het te druk.' Hij had zijn dossiers over de zaak-Muñoz doorgenomen terwijl hij eigenlijk andere dingen had behoren te doen. Zoals zijn moeder bellen. 'Ik zal haar bellen zodra we hier klaar zijn. Ha, eindelijk,' voegde hij eraan toe toen het laatste jurylid binnen was. 'Duim voor ons.'

'Dubbel hard,' mompelde Daphne. 'De verdediging kijkt nogal zelfingenomen.'

De rechter kwam binnen en de spanning in de rechtszaal werd bijna tastbaar. 'Is de jury tot een uitspraak gekomen?' vroeg de rechter.

Grayson hield zijn adem in. Dat hij een moordenaar strafvermindering had moeten bezorgen deed nog steeds pijn. Grayson wilde niet nog een verlies op zijn geweten hebben. *De moord op Elena is een tragedie, maar niet jouw schuld.* Dat hield hij zichzelf de hele ochtend al voor, maar helpen deed het niet. Toen hij het dossier herlas had hem het akelige gevoel bekropen dat hij iets over het hoofd had gezien.

'Op het punt van moord met voorbedachten rade acht de jury de verdachte schuldig.'

'*Yes,*' zei Grayson bijna onhoorbaar en hij gunde zichzelf het genoegen van een klap met zijn vuist op de tafel.

Overal in de rechtszaal klonken stemmen, juichkreten van de families van het slachtoffer en kreten van wanhoop van de familie van de verdachte. Een kreet vol pijn deed Grayson naar links draaien, waar de moeder van Donald Samson haar armen om haar zoon had geslagen.

De moeder van Ramon Muñoz had hetzelfde gedaan, net als zijn vrouw.

Maar uiteraard had elke veroordeelde in de gevangenis een moeder of vrouw die bij hoog en bij laag zou volhouden dat hij onschuldig was. Muñoz was schuldig. Er was DNA aangetroffen op het wapen dat ze in zijn kast hadden gevonden. En hij had geen alibi. *Dus zet het nou maar uit je hoofd.*

Grayson knikte naar Daphne. Ze had hard aan deze zaak gewerkt. Dat hadden ze allebei. Hij draaide zich om om familieleden van het slachtoffer die achter hem zaten de hand te drukken.

Toen verstijfde hij. Zij was het. Zíj. De vrouw uit de video. Ze stond op de achterste rij toe te kijken. *Naar mij. Ze staat naar mij te kijken. Waarom? Wat moet ze hier?*

Zijn hart begon als een razende te kloppen terwijl hij terugstaarde. Ze was in levenden lijve verbluffend mooi, nog veel mooier dan op het televisiescherm, langer dan hij had gedacht, en ook haar zwarte haar was langer. Haar gezicht zag niet meer doodsbleek van schrik, maar had een prachtige bronskleur. Of die het restant was van een zomerkleurtje of een genetische erfenis kon hij niet zeggen.

Ze ging gekleed op een manier die tegelijkertijd professioneel en sensueel was. De gedistingeerde broek kon niet verbergen dat ze lange benen en welvende heupen had. Het zwarte truitje viel om de stevige borsten zonder dat er echt iets van te zien was.

Haar ogen waren net zo donker als hij zich herinnerde. En ze keken doordringend en kritisch. Ze observeerde hem, zo veel was zeker. Hij had geen idee waarom.

'Dank u, meneer Smith.' De bevende stem zorgde dat Graysons blik zich losmaakte van de vrouw. Hij keek in het gezicht van de oudere vrouw die zijn hand had vastgepakt. Ze was de grootmoeder van het slachtoffer van de zojuist veroordeelde moordenaar. Er blonken tranen in haar ogen terwijl ze hem de hand schudde. 'Dank u,' zei ze nogmaals.

'Tot uw dienst,' zei hij zacht. Hij legde zijn hand op de hare. 'Gaat het wel met u?'

Ze hief haar gezicht naar hem. 'Jazeker. Mijn kleindochter kan nu rust vinden. En dat geldt ook voor mij.'

De overige familieleden kwam erbij staan. Dit was een afsluiting. Hoewel hij nooit in staat zou zijn hun geliefden terug te geven, was dit iets wat hij wel kon doen. Toen hij de laatste hand geschud had, keek hij op. De vrouw was er nog steeds, stond hem nog steeds te observeren. Ze had een rode jas keurig over haar arm gedrapeerd.

Je hoefde geen meester in de rechten te zijn om te weten dat dit allemaal om Elena Muñoz ging. Toen hij aanstalten maakte om naar haar toe te lopen, glipte ze door de deuren achter in de rechtszaal. Tegen de tijd dat hij de hal had bereikt was ze nergens meer te zien.

'Die vrouw van de video,' vroeg Daphne. 'Ken je haar?'

'Nee,' zei Grayson bezorgd. 'Jij wel?'

'Nee. Maar ik durf er een lief ding onder te verwedden dat je haar nog wel zult leren kennen. Ga je Bashears en Morton vertellen dat ze hier was?'

'Nee,' antwoordde hij zacht en hij was blij dat ze niet vroeg waarom niet, want daar had hij zelf geen idee van. 'Oké, showtime.' Ze liepen samen in de richting van de wachtende massa verslaggevers.

'Meneer Smith! Meneer Smith!'

Grayson verdrong de vrouw uit zijn gedachten en concentreerde zich op de journalisten. 'Dit was een overwinning voor het slachtoffer,' zei hij. 'En de familie kan aan de verwerking beginnen. We zijn blij met de beslissing van de jury. Er is hier vandaag gerechtigheid geschied.'

Vanuit zijn ooghoek zag hij een rode flits en hij keek naar links. Ondanks alle mensen die om haar heen drongen, stond ze alleen. Ze knikte hem nauwelijks zichtbaar toe voor ze haar gezicht verborg onder de bloedrode capuchon van haar jas en wegliep.

Hij liep bij de camera's vandaan. 'Voor meer commentaar moet u bij de persvoorlichter van het Openbaar Ministerie zijn.' Hij ging met twee treden tegelijk de trappen van het gerechtsgebouw af en liep in de richting waarin zij was verdwenen.

'Ga je met haar praten?' vroeg Daphne, wier hoge hakken driftig op de stoep tikten terwijl ze haar best deed om hem bij te houden.

'Als ik haar kan inhalen,' zei Grayson vastberaden. *Ze moet de hoek al om zijn.*

'En als dat niet lukt?'

Grayson dacht aan het bord achter Phin Radcliffe toen hij die ochtend verslag deed van de gebeurtenissen. BRAE BROOKE VILLAGE APARTMENTS. 'Dan weet ik wel waar ze woont.'

'Dat geldt voor iedereen in de vrije wereld met een internetverbinding.'

Hij dacht aan Elena en aan het kogelgat in haar hoofd. 'Ik weet het. Doe me een plezier. Ga naar kantoor en zoek alles op wat je van haar kunt vinden.'

'Om te beginnen haar naam?' vroeg Daphne.

'Ja. Dat is een goed begin. Bedankt, Daphne.'

De vrouw woonde aan de rand van de stad. Als ze met de auto was gekomen, dan had ze ergens moeten parkeren. Een straat verderop was een parkeergarage.

Wees daar, alsjeblieft. Laat me je inhalen.

Nou, dat had lekker veel nut. Paige liep zo kwiek als haar stijve knieën toestonden terug naar haar pick-up. *Ik kan vast wel zien of ik hem kan vertrouwen,* dacht ze schamper. *Ik ben een idioot.*

Ze kwam, zag en ging erger in de war weg dan ze was gekomen. Het enige wat ze in alle oprechtheid kon zeggen, was dat de foto's Grayson Smith geen recht deden. Hij was op de krantenfoto's op een broeierige manier knap, maar in het echt was hij een... indrukwekkende verschijning. Dat kwam door zijn omvang, zeker. De man zou verdediger in een footballteam kunnen zijn, maar er was meer. Hij had persoonlijkheid. Alsof hij uitstraalde... *Maak je geen zorgen. Ik ben er. Ik zorg dat het allemaal goed komt.*

De mensen die zich om hem heen hadden verzameld om hem de hand te schudden, voelden dat ook. Dat stond te lezen op hun dankbare gezichten terwijl ze hem bedankten omdat hij gerechtigheid voor hun vermoorde verwant had weten te krijgen.

Ze kon zien dat hij een succesvolle aanklager was met een passie voor zijn werk, maar dat wist ze al. Door hem gade te slaan had ze het idee gekregen dat hij een passie had voor nog veel meer dingen, dingen waar zij zich al veel te lang niet mee bezig had gehouden.

Ze zou misschien, op een zwak moment, toegeven dat hij haar fascineerde. En dat ze zich veel sterker tot hem aangetrokken voelde dan goed voor haar was.

Wat ze nog steeds niet wist, was of ze hem kon vertrouwen. Maar ze mocht doodvallen als dat niet precies was wat ze graag wilde. Maar ze was in het verleden al te vaak voor een leuke kop gevallen om daar nu nog aan toe te geven.

Ze had iedere man willen vertrouwen die in haar leven kwam. Veel te vaak. Veel te veel mannen. Maar 'in het verleden' waren de sleutelwoorden. Er was een tijd geweest dat ze nog geen week voorbij had laten gaan tussen het moment dat ze de ene teleurstelling afdankte en in de armen van de volgende viel.

Ik was op zoek naar liefde op alle verkeerde plekken en haatte mezelf erom.

Maar nu niet meer. Het was al anderhalf jaar geleden dat ze zichzelf had toegestaan toe te geven. Achttien maanden waarin ze haar beste vriendin de ware had zien vinden. Bij wat Olivia en David hadden, verbleekte alles wat Paige ooit aan relaties had gehad.

Zij wilde ook wat Olivia en David hadden. Ze wilde degene vinden met wie ze lang en gelukkig zou leven. Dus was ze afgekickt van haar mannenverslaving en wachtte ze nu tot ze de ware had gevonden.

Dat betekende dat ze ook was afgekickt van seks. Achttien klotenmaanden.

Of... geen-klotenmaanden, zoals Olivia zou zeggen.

Olivia. Verdomme. Ik had haar moeten bellen. Ze zal vreselijk ongerust zijn.

Al haar vrienden zouden ongerust zijn. Het voetgangerslicht sprong op rood en Paige bleef op de hoek staan. Ze keek op haar telefoon en zag tot haar chagrijn dat haar voicemail vol stond, voornamelijk met nummers die ze niet herkende. De pers had blijkbaar haar nummer te pakken gekregen. Dat was niet zo heel moeilijk als ze tenminste een knip voor de neus waard waren.

De nummers van Minneapolis herkende ze wel. Olivia had zes keer gebeld. Paige drukte de snelkeuzetoets in en bereidde zich voor op een tirade. Ze werd niet teleurgesteld.

'O. Mijn. God. David en ik waren zo bezorgd.'

'Er is niets aan de hand, Olivia,' zei Paige op kalme toon. 'Ik ben niet gewond geraakt en alles is in orde.'

'Je bent bijna néérgeschoten. Wat haalde je je in vredesnaam in je hoofd?'

'Dat iemand hulp nodig had? Hallo? De pot verwijt de ketel? Alsof jullie niet hetzelfde zouden hebben gedaan?'

Olivia was rechercheur bij Moordzaken en haar echtgenoot was brandweerman. Ze verdienden de kost door met gevaar voor eigen leven anderen te helpen.

'Ja, nou ja,' gaf Olivia mopperend toe. 'Maar je had ons moeten bellen. Ik moest het nieuws van David horen, die het weer van iemand op de kazerne moest horen die je op YouTube had gezien.'

'Het is een... interessante ochtend geweest.'

'Dat kun je wel zeggen. Gaat het echt wel met je? Het zag eruit alsof je hard terechtkwam.'

'Het gaat echt goed met me. Een beetje geschrokken, maar verder oké.'

Het bleef even stil en toen zuchtte Olivia. 'Dat is niet waar ik me het meeste zorgen om maak,' gaf ze toe. 'Paige, je hebt binnen een jaar twee keer een vrouw voor je ogen zien doodschieten. Het kan niet goed met je gaan. Ik zat net te denken dat je misschien eens met iemand zou moeten praten.'

'Een psych bijvoorbeeld?'

'Ja.'

'Ik heb geen behoefte aan een psychiater,' zei Paige vastbesloten.

'Ik dacht ook dat ik er nooit een nodig zou hebben. Maar al die doden gaan aan je vreten, weet je. Ik heb gemerkt dat het echt helpt om met iemand te praten. Ik slaap tenminste goed. Hoe zit dat met jou?'

'Niet goed,' mompelde Paige.

'Steeds dezelfde droom?'

Paige slikte moeizaam. 'Ja.'

'Wat er vandaag is gebeurd zal het allemaal niet beter maken. Beloof me dat je erover na zult denken om een therapeut in te schakelen. Doe het voor mij. Alsjeblieft.'

'Dat beloof ik.'

'Wat? Dat je erover na zult denken of dat je het doet?'

'In ieder geval het eerste,' zei Paige ontwijkend.

Olivia zuchtte weer. 'Meer had ik eerlijk gezegd ook niet verwacht.' Op de achtergrond klonk een gedempt gesprek. 'David zegt dat ik tegen je moet zeggen dat hij foto's op Facebook heeft gezet van de uitreiking van zijn band. Hij heeft je gisteravond gemist. We hebben je allemaal gemist.'

Paige staarde naar het voetgangerslicht en probeerde het te dwingen op groen te springen. 'Ik wilde er graag voor hem zijn. Tweede dan zwarte band.' Het was een eer. Een prestatie. Ze had erbij moeten zijn. Maar ze was bezig geweest met iets belangrijks – het redden van Zachary Davis. 'Zeg tegen hem dat ik trots op hem ben.'

'Heb je al een dojo gevonden?' vroeg Olivia op een manier die verried dat ze het antwoord al wist.

'Nee, nog niet. Ik heb getraind op de sportschool. Ik heb in m'n eentje geoefend.'

'Dat zei je de laatste keer dat ik ernaar vroeg ook al.'

En dat zal ik de volgende keer weer zeggen. Haar karatedojo was ooit haar tweede thuis geweest, haar familie. Maar na wat er afgelopen zomer was gebeurd, was Paige niet meer in staat geweest een dojo binnen te stappen.

Er zaten bloedvlekken in haar karatepak die er nooit meer uit zouden gaan. Een paar maanden na de aanval had ze een nieuwe *gi* gekocht, oogverblindend wit, maar ze had hem nooit gedragen. Dat kon ze gewoon niet. Ze had het geprobeerd. Vaak. Uiteindelijk had ze de pakken weggeborgen.

Op een dag zou ze er klaar voor zijn om terug te gaan. Ze hield haar lichaam in vorm en haar vaardigheden op peil. Maar de dojo met zijn familiegevoel... Ja, op een dag zou ze teruggaan. *Binnenkort.*

Het licht sprong eindelijk op groen en Paige ging er als een speer vandoor. Ze hoorde gezoem uit haar andere jaszak komen en ze schrok, tot ze zich realiseerde dat het haar prepaid mobieltje was. Clay was de enige die haar op die telefoon belde. 'Ik moet ophangen, Liv. Liefs aan iedereen. Ik bel later nog wel.' Ze verbrak de verbinding voor Olivia een woord van protest kon laten horen en klapte het andere mobieltje open. 'Wat is er?'

'Waar zit je?' vroeg Clay kortaf.

'Nog in de stad. Hoezo? Wat is er aan de hand?'

'Maria Muñoz ligt op de spoedeisende hulp,' zei Clay.

'Wát? Waarom?'

'Hartaanval. Haar jongste zoon zei dat het niet de eerste keer was. Ze stortte in toen de politie kwam om te vertellen wat er met Elena was gebeurd. Ze is nu weer bij bewustzijn en haar zoon vertelde dat ze tegen de politie niets over jou of over de zaak heeft gezegd. Niemand van hen heeft iets gezegd.'

'Lieve god. Heb je ze over de geheugenstick verteld?'

'Nee. Ik ging ervan uit dat hoe minder mensen ervan afweten, hoe beter het is. Voor zover ik weet heeft Elena niemand van haar familie verteld dat ze hem had. Ze wisten dat ze naar de bar zou gaan en ze hadden haar allemaal gesmeekt om dat niet te doen, maar ze was vastbesloten bewijzen te vinden.'

'We moeten erachter zien te komen hoe ze überhaupt die stick te pakken heeft gekregen. Ze heeft hem niet per ongeluk in een bakje pinda's gevonden toen ze die bar binnen wandelde.'

'Ik denk dat ik dat wel kan raden.' Clay zuchtte. 'Elena zag er zes jaar geleden heel anders uit.'

'Dat weet ik. Ze zei dat ze bijna veertig kilo is kwijtgeraakt sinds Ramon in de bak zit.' Het familiebedrijf was lichamelijk inspannend. 'Waarom is dat belangrijk?'

'Omdat Ramons jongere broer zei dat Elena iedereen in hun kennissenkring vertelde dat ze het beu was om wc's schoon te maken en vloeren te vegen, alleen omdat Ramon hem zes jaar geleden niet in zijn broek kon houden. Ze wilde uit het bedrijf stappen. De broer zei dat de familie wist dat het flauwekul was, maar ze speelden het spelletje mee. Elena kreeg een baantje in de bar.'

'Ramons alibi-bar? Ik had gezegd dat ze daar weg moest blijven. Dat ik erachteraan zou gaan.'

'Ja, nou, ze heeft niet geluisterd.'

'Hoelang werkte ze daar al?'

'Sinds een week of twee. Ze wilde bevriend raken met de eigenaar. Ze wilde erachter komen waarom hij heeft gelogen toen hij in het getuigenbankje zat. Ze heeft het er blijkbaar dik bovenop gelegd en, eh... de dáád bij het woord gevoegd.'

Paige vertrok haar gezicht. 'O god. Vertel me nou niet dat ze seks heeft gehad met die slijmbal.'

'Blijkbaar wel. Dat is in ieder geval het verhaal dat Ramon in de gevangenis te horen heeft gekregen. Denny Sandoval was nogal ingenomen met zichzelf dat hij Ramons vrouw in bed had gekregen. Zulk nieuws gaat als een lopend vuurtje. Ramon ging uit zijn dak. Zijn broer zei dat hij tijdens het luchten een paar grote kerels is aangevlogen die hem erover zaten op te jutten.'

Paige voelde zich misselijk worden. 'Leeft Ramon nog?'

'Hij ligt in de kliniek. Hij overleeft het wel, maar een van die gasten die hij te lijf is gegaan redt het misschien niet.'

'En dan is hij echt een moordenaar. Dat is zo oneerlijk,' siste ze venijnig.

'Niets van dit alles is eerlijk. Toen Elena hem zaterdag in de kliniek bezocht, heeft Ramon gezegd dat hij wilde scheiden.'

'Dat kun je hem niet kwalijk nemen. Ik bedoel, gezien wat hij heeft gehoord. Ik vind het nu wel logisch dat Elena zo'n groot risico heeft genomen om die foto's te pakken te krijgen. Ik denk dat ze het gevoel had dat ze niets meer te verliezen had.' Paige liep de parkeergarage binnen waar ze haar pick-up had geparkeerd.

'Zo kijk ik er ook tegenaan. Wat heb je besloten wat betreft die officier van justitie?'

'Dat weet ik nog niet. Ik heb hem niet persoonlijk gesproken.'

'Waarom niet?'

'In de eerste plaats omdat hij omringd was door verslaggevers en ik niet in nog een video wil figureren. Hij was al in de rechtszaal tegen de tijd dat ik hier kwam.' Ze fronste haar voorhoofd. 'Ik ben nog steeds niet zeker genoeg van hem om het te wagen. Hij was in de rechtszaal voor een juryuitspraak – ze bevonden die vent schuldig aan moord. Hij leek daar oprecht blij om.'

'Dat is meestal zo als ze er een veroordeling uit slepen. De meeste van de figuren die hij aanklaagt zijn vermoedelijk zo schuldig als wat, Paige.'

'Dat weet ik, dat weet ik. Ik maak me alleen zorgen dat de foto's waarvoor Elena is gestorven "zoekraken" of nog erger. Met een advocaat in zee gaan is misschien toch veiliger. Ik wilde met Ramons oude raadsman spreken, maar die is een paar jaar geleden overleden. Ken jij nog andere?'

'Een paar. Waar ben je nu?'

Ze haalde haar sleutels uit haar zak. 'In een parkeergarage. Ik sta op het punt om naar huis te gaan.'

'Néé.' Hij gooide dat er zo krachtig uit dat ze schrok. 'Nog niet,' voegde hij eraan toe.

'Wat is er verdomme met je aan de hand?' snauwde ze. 'Je bezorgt míj bijna een hartaanval.'

'Controleer of er een zendertje aan je auto is vastgemaakt. Kijk goed onder de bumper.'

'Verrekte journalisten.' Paige bukte zich en deed wat haar was opgedragen. 'Waarom daar?'

'Ten eerste omdat het een makkelijk plekje is en ten tweede omdat dat de plek is waar ik de mijne heb gevonden.'

Ze verstijfde met haar hand onder de grille. 'Voor of nadat je bij Maria's familie op bezoek was geweest?'

'Ervoor. Ik ben naar kantoor gereden en heb met Alyssa van auto geruild. Ik heb tegen haar gezegd dat ze de rest van de dag maar vrij moest nemen en lekker moest gaan toeren.'

Paige grinnikte. 'Ze zullen heel wat tijd kwijt zijn met wachten bij de nagelstudio als ze Alyssa schaduwen.'

'Precies.'

Paige's vingers sloten zich om een klein apparaatje en ze haalde het tevoorschijn. 'Gevonden. Die klootzakken van verslaggevers.' Haar knieën, die nog pijn deden van de onzachte landing, begonnen te protesteren en ze kwam stijf overeind. 'Ik moet mijn benen stre–'

Ze maakte haar zin niet af. De voetstap achter haar was de enige waarschuwing die ze kreeg voor een staalharde arm zich om haar keel wikkelde. Vanuit haar ooghoek zag ze de schittering van een mes en ze draaide zich om, plantte haar elleboog in een keiharde maag en wierp haar lichaam met alle kracht die ze had naar rechts.

Weg hier.

Ze draaide zich opnieuw om en wist zich los te maken. Door haar vaart viel ze op de betonnen vloer. Ze rolde instinctief op haar rug en trapte keihard naar de knieën van de man.

Hij was enorm, zo groot als een huis, en haar schop had net zo goed van een kind kunnen komen. Hoewel ze razendsnel was, zag hij toch kans zich voorover te buigen en haar haar beet te pakken. Het mes blonk in zijn hand en kwam op haar af.

Ik ga dood. Ik ga dood. Vecht. Vecht.

Kijk naar het mes. Ze worstelde om hem opnieuw een trap te geven en hield haar blik op het mes gericht.

En toen stortte het huis in. De man zakte op zijn knieën met een bonk die de vloer deed trillen. Paige trapte en het mes vloog door de lucht en belandde onder haar truck. Het geluid van het mes dat over de betonnen vloer kletterde klonk na in haar oren.

De man viel voorover, als in slow motion, en Paige rolde uit zijn baan.

Ze lag op haar zij en keek omhoog. Haar hart ging zo tekeer dat ze bang was dat er een gat in haar borstkas zou ontstaan.

Hij.

Hij was het. Grayson Smith. Hij stond over de messentrekker gebogen. Zijn gezicht zag donker van woede en hij hield zijn hand met daarin een diplomatenkoffer geklemd nog steeds gestrekt.

Een krijger in een driedelig pak.

De tijd begon weer te lopen en Smith stak zijn hand uit om de man te pakken, maar die sprong overeind en zette het op een rennen. Smith maakte aanstalten om hem te achtervolgen, vloekte toen en liet zich op zijn knieën naast haar vallen. Zijn koffertje raakte de vloer met een bonk, waardoor ze opnieuw schrok. 'Hij heeft je te pakken gekregen.'

Paige's hand ging naar haar keel. Warm en kleverig. Ze staarde naar haar hand, die voor de tweede keer die dag onder het bloed zat. 'Shit.'

Smith trok een zakdoek uit zijn borstzak en drukte die tegen haar keel. Toen tilde hij haar kin op en dwong haar hem aan te kijken. 'Wie ben jij, verdomme?' gromde hij.

4

Godverdomme. Ze zag zo wit als een doek. Er kwam een constante stroom bloed uit de snee in haar keel, die haar rode jas donker kleurde. Grayson draaide voorzichtig haar hoofd naar het licht en deed zijn uiterste best om ervoor te zorgen dat de hand waarmee hij een zakdoek tegen de wond drukte niet beefde. Twee centimeter lager en ze zou dood zijn geweest. Haar pols ging als een razende tekeer.

Hij waagde een blik in de richting waarin de man was gevlucht. De klootzak was ervandoor. Hij zag kans zijn mobieltje te pakken en het alarmnummer te bellen terwijl hij druk bleef uitoefenen op de wond.

'Dit is het alarmnummer. Wat is de aard van uw spoedgeval?' vroeg de centraliste.

'Een vrouw is in haar keel gestoken. Er moet een ambulance komen naar de parkeergarage vier straten ten westen van het gerechtsgebouw. Eerste verdieping, vlak bij het trappenhuis.'

'Ik heb de reddingsdienst gewaarschuwd. Is ze bij bewustzijn?'

'Ja.' *Godzijdank.*

Ze had haar ogen dichtgedaan. Haar vingers balden zich tot vuisten, ontspanden en balden zich opnieuw. Hij maakte de bovenste knopen van haar jas los en voelde haar hartslag. Die was al aanzienlijk zwakker.

'Is uw situatie veilig?' vroeg de centraliste.

'Ik geloof van wel.' Graysons adem ging nog steeds met horten en stoten terwijl de vrouw de hare gelijkmatig hield. 'De man met het mes is ervandoor.'

'Kunt u hem beschrijven?'

'Hij was ongeveer 1 meter 95, rond de honderd kilo. Hij droeg een zwarte honkbalpet dus ik heb niet gezien wat voor kleur haar hij heeft.

Hij droeg een zwart nylon jack en een zwarte cargobroek. Ik heb hem alleen op zijn rug gezien.'

'Prima. Blijf aan de lijn. Er is hulp onderweg.'

'Ik ga de telefoon neerleggen zodat ik mijn handen vrij heb om de wond dicht te drukken,' zei Grayson. 'Ik zet hem op de speaker.' Hij legde zijn mobieltje op de grond, nam het hoofd van de vrouw in zijn armen en tilde haar zo ver op dat haar hoofd op zijn dijbeen kon rusten. Zijn zakdoek was helemaal doorweekt, dus trok hij zijn stropdas los om daar het bloeden mee te stelpen.

'Het gaat wel,' mompelde ze en hij ademde scherp uit. Ze deed haar ogen open en keek hem strak aan, hem dwingend antwoord te geven.

Behalve dat hij geen idee had wat ze wilde. 'Hoe heet u?' vroeg hij.

'Paige. Paige Holden. Dank u. U hebt waarschijnlijk mijn leven gered.'

Zijn mond vertrok licht terwijl hij overspoeld werd door opluchting bij het horen van de licht schalkse toon waarop ze sprak. 'Waarschijnlijk?'

Een van haar mondhoeken ging omhoog. 'Ik moet een beetje van mijn waardigheid zien te behouden.'

'Ik zou zeggen dat dat meer dan gelukt is, mevrouw Holden.' Nu het allemaal achter de rug was, stond hij verstomd dat ze had gevochten met een man die bijna twee keer zo veel woog als zij. 'Dat was nogal een trap die u daar uitdeelde.'

'En dat is nogal een diplomatenkoffer.' Ze worstelde om overeind te komen, maar hij hield haar met zachte hand tegen.

'Blijf liggen. Als u overeind komt begint het misschien weer harder te bloeden. En dat zou een slechte zaak zijn, want mijn stropdassen en zakdoeken zijn op. Er is een ambulance onderweg.'

Ze knipperde met haar ogen. 'Ik ben mijn telefoon kwijt. Ik was met iemand in gesprek. Hij zal vreselijk ongerust zijn.'

Hij? Het gevoel dat zo plotseling bij hem opkwam verbijsterde hem. Ergernis, woede. Jaloezie? *Ja, dat allemaal.* En dat was belachelijk. 'Met wie was u aan het bellen?' Hij deed zijn best om niet te grommen.

'Mijn zakenpartner. Hij zal zich geen raad weten. Kunt u mijn telefoon zoeken?'

Haar mobieltje lag tegen een wiel van de auto in het volgende parkeervak. Hij strekte zich zo ver mogelijk en kon er met zijn vingertoppen net bij. Hij bekeek het apparaat en fronste zijn voorhoofd.

Het was het soort dat in supermarkten werd verkocht. 'Wat voor werk doet u precies?'

Ze bestudeerde hem langdurig. 'Privédetective. Ik ben nog maar net nieuw in het vak.'

O. Elena Muñoz had een privédetective in de arm genomen om de onschuld van haar echtgenoot aan te tonen. Dat verklaarde veel. *Eindelijk eens iets wat logisch was.* Hij belde het nummer van het laatste gesprek en gaf haar de telefoon.

Haar blik liet hem niet los terwijl ze wachtte tot er werd opgenomen. Ze was op haar hoede.

'Alles in orde,' zei ze zonder verdere begroeting in de telefoon, toen vertrok ze haar gezicht. 'Niet tegen me schreeuwen. Ik zei dat alles in orde is met me.' Ze vertrok haar gezicht opnieuw. 'Een vent viel me aan met een mes, maar alles is in orde met me. Grayson Smith is hier.' Ze keek ongemakkelijk op naar Grayson. 'Natuurlijk niet. Hij was degene die die vent met het mes heeft weggejaagd.'

Grayson nam het mobieltje uit haar hand. 'Met Smith. Met wie spreek ik?'

'Haar partner, Clay Maynard.' De man klonk buiten zichzelf. 'Is echt alles goed met haar?'

'Nee. Die vent heeft haar in de keel gesneden. Er is een ambulance onderweg. Ze zal een paar hechtingen nodig hebben. Ik laat wel weten naar welk ziekenhuis ze gaat.'

'Bedankt,' antwoordde Clay nors. 'Ze zal het verdommen om in de ambulance te stappen. Zorg dat ze meegaat. Alstublieft. O, en Smith? Laat haar niet alleen tot ik er ben, oké?'

Grayson fronste zijn voorhoofd. Hij herkende Maynards naam, maar kon zich niet herinneren waarvan. 'Natuurlijk.' Hij pakte zijn eigen mobieltje. 'Ik verbreek nu de verbinding,' zei hij tegen de centraliste. 'De ziekenwagen komt zo. Bedankt.' Hij liet beide mobieltjes in zijn jaszak glijden.

Paige deed opnieuw pogingen om overeind te komen en stak haar hand uit naar haar telefoon. 'Wilt u hem alstublieft teruggeven?'

'Als u klaar bent op de spoedeisende hulp.'

'Chantage.'

'Maakt niet uit, als het maar helpt.' Hij boog zich voorover, zo ver dat hij haar adem op zijn wang kon voelen. Ze had iets te maken met Elena, en hij moest weten hoe dat zat. Als ze eenmaal in het ziekenhuis waren, zou hij misschien niet meer de gelegenheid krijgen om dat onder vier ogen te vragen. 'Werkte u voor Elena Muñoz?'

Ze aarzelde. Vervolgens knikte ze hem kort toe, net zoals ze gedaan had op de trap van het gerechtsgebouw.

'In welke hoedanigheid?' vroeg hij.

'Ik probeerde te bewijzen dat haar man onschuldig is. Ze heeft nieuwe bewijzen gevonden. Het is heel overtuigend. Het heeft ook haar dood veroorzaakt.'

Als hij een dubbeltje kreeg voor elke keer dat er beweerd werd dat er nieuwe bewijzen waren... Maar toch, gezien de gebeurtenissen van die ochtend moest hij haar het voordeel van de twijfel gunnen. Voorlopig. 'Waarom komt u naar mij? De politie zal onderzoek...' Zijn stem stierf weg toen haar ogen woest opflakkerden. 'U heeft niets tegen de politie gezegd over dit nieuwe bewijs?'

'Nee, en dat ben ik niet van plan ook.'

Er borrelde woede in hem op. 'Waarom niet?' Ze aarzelde opnieuw, langer dit keer. 'Vlug,' siste hij. 'De ambulance komt eraan.'

'Elena heeft vlak voor ze de laatste keer werd beschoten tegen me gezegd dat de politie dit allemaal heeft gedaan.'

Hij was even sprakeloos. Dat was nogal een beschuldiging en een die hij niet geloofde. Maar zij duidelijk wel en ze wás aangevallen. 'Waarom benadert u mij?'

'Ik wil het volgens de regels doen. Ik ben in het bezit van informatie en ik heb iemand nodig die ik kan vertrouwen. Ik moest weten of u een eerlijk man bent. Is dat zo?'

Haar vraag gaf hem een beetje een ongemakkelijk gevoel. 'Ik heb uw leven gered.'

'Daar ben ik me heel goed van bewust. En nu heb ik u nodig om iemand anders het leven te redden. Bent u een eerlijk man?'

Meestal wel, dacht hij. 'Ja.'

'Mooi. Help me nu overeind. Ze mogen me hier onderzoeken, maar ik ga niet met die verrekte ambulance mee.' Ze worstelde om te gaan zitten en hij hield haar tegen. Dat was nog niet zo eenvoudig, merkte hij. Ze had het eerder duidelijk niet echt geprobeerd. 'Laat me gaan zitten,' siste ze terwijl haar pogingen wanhopiger werden. *'Alstublieft.'*

Er verscheen een panische blik in haar ogen en hij besefte dat deze vrouw, die zo onverschrokken leek, bang was voor ambulances. Hij had geleerd dat er meestal een reden was voor dergelijke angsten. Hij wilde erachter komen wat die reden was.

Ze was dapper, maar op dit moment ook kwetsbaar. 'U wilt mijn hulp?' vroeg hij kil. 'Dan stapt u keurig in die mooie ambulance.'

'Dat is chantage,' zei ze opnieuw, maar deze keer met op elkaar geklemde kaken. Ze beefde en hij kwam in de verleiding om haar te laten gaan. Maar hij hield haar stevig vast. Voor haar eigen bestwil.

'Zoals ik al zei,' zei hij terwijl hij haar bij haar schouders vasthield, 'als het maar helpt.'

'Hou me niet tegen.' Ze haalde moeizaam adem terwijl ze zich verzette en haar paniek verhevigde naarmate de ambulance dichterbij kwam. Ze zette haar voeten stevig op het beton en probeerde overeind te komen. 'Laat me gaan, alstublieft.'

Hij werd vervuld van een andersoortige angst. Hij had genoeg slachtoffers van aanranding gezien om de tekenen te herkennen. De wond in haar keel kon worden gehecht. Maar deze angst zat veel dieper. Hij liet zijn greep verslappen. 'Het spijt me. Ik had geen idee.'

Ze liet zich tegen hem aan vallen terwijl het zweet op haar voorhoofd parelde. 'Ik ga wel. Ik beloof het, ik stap wel in die ambulance. Hou... hou me... hou me alleen niet vast.'

'Het spijt me,' zei hij opnieuw, zo vriendelijk als hij kon. 'Ik wilde je niet bang maken.'

Ze keek hem met gejaagde blik aan. 'Laat me niet alleen. Alsjeblieft.'

Grayson streelde haar haar toen de ambulance tot stilstand kwam. 'Ik laat je niet alleen. Doe je ogen dicht en probeer rustig adem te halen.' Ze gehoorzaamde terwijl ze zich zichtbaar weer in de hand probeerde te krijgen. Hij merkte dat hij hetzelfde deed, want zijn hart ging als een wilde tekeer, de adrenaline joeg door zijn lichaam, samen met een gevoel van afschuw en... bewondering.

Ze was vanochtend bang geweest, maar toch had ze het juiste gedaan. *Ze is naar mij toe gekomen.*

Ze had zich verweerd tegen een aanvaller, maar nu lag ze tegen hem aan. Nog steeds bang. *Maar ze heeft vertrouwen in me.*

Hij aarzelde en ging toen met de achterkant van zijn vingers over haar wang. Haar huid voelde nog warm aan. En zacht. 'Het komt goed met je,' zei Grayson zacht. 'Ik laat je niet alleen.'

Hij bekeek het resultaat van zijn handwerk. Het lichaam bungelde keurig, de knopen in het beddenlaken hielden goed. Zelfs voor het best getrainde oog was dit een zelfmoord. Hij kon het weten. Hij had aardig wat ervaring met een moord eruit te laten zien of het dat niet was.

Opruimen was zijn specialiteit geworden en Denny Sandoval was al een hele tijd een zorgwekkend los eindje. Maar die tijd was nu voorbij.

Denny had eindelijk zijn geheimen prijsgegeven. *Althans, de geheimen die me iets kunnen schelen.*

Hij maakte een rondje door de slaapkamer om te zien of alles was zoals het hoorde te zijn. Het briefje dat Denny zo vriendelijk was geweest om te schrijven lag op zijn dressoir. Zijn koffer was opgeborgen en zijn kleren lagen weer in de laden van zijn kast. Er zou niets zijn wat erop wees dat hij van plan was geweest op de vlucht te slaan.

Hij had het mobieltje van Denny al gecontroleerd. Er waren geen inkomende of uitgaande gesprekken die problemen konden veroorzaken. Behalve dan het telefoontje naar Silas. Gelukkig had Denny naar de 'zakelijke' telefoon van Silas gebeld. De politie zou misschien aandacht hebben voor het nummer omdat hij het kort voordat Elena werd doodgeschoten had gebeld, maar dat zou ze niet verder helpen.

Maar Elena Muñoz was een heel ander geval. Haar list had haar eigen dood veroorzaakt. *En mij een berg ellende bezorgd.* Ze was uiteindelijk veel vindingrijker gebleken dan hij had verwacht. Niet dat er zo veel voor nodig was om Denny te slim af te zijn.

Ik had hem zes jaar geleden al moeten vermoorden. Maar dat zou bij te veel verkeerde figuren de wenkbrauwen hebben doen fronsen en daarom had hij de bareigenaar in leven gelaten. Hij keek vol minachting naar Denny's bungelende lichaam. Die lul moest zo nodig de vrouw van Muñoz neuken.

Die stommiteit werd nog overtroffen door het feit dat hij foto's had bewaard van de uitbetaling. Foto's maar liefst.

Denny had het ontkend. Eerst nog in alle toonaarden. Maar na een paar rondjes 'aanmoediging' al wat minder heftig. En toen had hij alles eruit gegooid. Hij had die avond een beveiligingscamera achter de bar verborgen. *De avond dat ik hem betaalde om hem zijn verdomde bek te laten houden.*

Denny had echt gedacht dat hij gebruik kon maken van de foto's. *Tegen mij.* Als verzekering. *Idioot.*

En had Elena de foto's gezien? O nee, had Denny gejammerd. Maar natuurlijk had ze ze wel gezien. Je hoefde geen genie te zijn om te kunnen bedenken dat ze iets belangrijks had gezien. Denny had op haar geschoten, maar niet goed genoeg. Hij was gedwongen geweest Silas te bellen om hem te helpen.

Hij wist nog steeds niet goed wat hij met Silas aan moest. Silas had tegen hem gelogen. Dat kon hij niet laten passeren. Maar... Silas had zijn vaardigheden.

Daar moet ik eens een tijdje goed over nadenken.

Maar nu had hij belangrijkere zaken aan zijn hoofd. Elena had niet alleen de foto's gezien, ze had ze ook gedownload. Blijkbaar had Denny zich niet gerealiseerd dat zijn computer elke keer dat er een file geopend of opgeslagen werd registreerde. Want Denny was een verrekte idioot.

Elena was weggewandeld met gevaarlijke foto's.

Van mij. Van het moment dat ik hem geld overhandigde.

Hij keek woedend naar Denny's heen en weer zwaaiende lichaam.

Gelukkig was ik die avond snugger genoeg om mezelf te vermommen, want anders had Denny een heel wat wreder lot te wachten gestaan.

Hij ging naar de bar beneden en forceerde de kassa. Het geld dat erin zat was nog niet genoeg om een week benzine te betalen, maar het zou er op deze manier wel uitzien als een overval. Hij bekeek de puinhoop achter de bar, gebroken flessen en plassen drank. Hij was op zoek geweest naar nog meer camera's en hij had ze gevonden ook. De beelden gingen allemaal rechtstreeks naar Denny's laptop, die hij ook meenam. *Sukkel. Je tegen mij verzekeren.*

Als laatste zette hij de voordeur op een kier en hij verliet het pand via de achterdeur. Tieners zouden erop afkomen als hyena's op een karkas. Ze zouden de tent nog verder vernielen en alles stelen wat niet vastzat. Na verloop van tijd zou iemand Denny's bungelende lichaam vinden. Mocht de politie vermoeden dat er rottigheid in het spel was, dan hadden ze een heleboel rommel om te doorzoeken.

Opgeruimd staat netjes, Denny. Hij liet Denny's laptop in zijn rugzak glijden. De politie zou die foto's niet aantreffen bij een huiszoeking. Maar de foto's waren wel in omloop. Hij moest ervan uitgaan dat ze zouden worden gevonden. Het zou bekend worden dat Sandoval en die vriend van Muñoz meineed hadden gepleegd. Muñoz zou uiteindelijk waarschijnlijk op vrije voeten komen.

Gelukkig had hij altijd een plan B. De veroordeling van Ramon Muñoz was nooit het einde van alles geweest.

Zijn mobieltje ging over op het moment dat hij zijn auto startte. Het display vertoonde het enige nummer dat hij altijd onmiddellijk opnam. 'Goedemiddag,' zei hij.

'Ik heb het nieuws gezien. Wat wist die vrouw van Muñoz?'

Hij stond op het punt scherp te reageren op de verwijtende toon, maar deed het niet. 'Ik heb het opgelost. Maak je geen zorgen.'

'Dat zeg je altijd. Hoe heb je dit opgelost?'

'De bareigenaar is dood.'

'En hoe zit het met die vriend van Ramon?'

'Daar wordt voor gezorgd.'

'Geen losse eindjes?'

'Natuurlijk niet.'

'Mooi. En over losse eindjes gesproken, ik heb het laatste gevonden.'

De haren in zijn nek gingen overeind staan. 'Wat bedoel je? Waar?'

'Ze was jaren uit het zicht verdwenen. Ze was het land uit gegaan. Maar nu is ze terug.'

Hij slikte moeizaam. Hier kon niets goeds uit voortkomen. 'Wat ben je van plan?'

'Haar vermoorden, net als die anderen. En dan zijn er geen losse eindjes meer. Niemand om het na te vertellen.'

'Luister,' zei hij aarzelend. 'Misschien is het beter om dat nog even te laten rusten. In ieder geval tot dit gedoe rond Elena Muñoz een beetje is weggestorven.'

'Maar ik ben al begonnen, ik kan niet meer terug.'

'Natuurlijk kan dat wel,' snauwde hij, maar hij had daar onmiddellijk spijt van.

De stem aan de andere kant werd ijskoud. 'Jij werkt jouw losse eindjes weg en ik de mijne. Bel me wanneer je alles geregeld hebt.'

De verbinding werd verbroken. 'Verdomme,' bromde hij. Maar hij kon er op dit moment niets aan doen. Voorlopig zou hij doen wat hem gezegd was en ervoor zorgen dat zijn losse eindjes weggewerkt waren.

Grayson Smith had haar niet in de steek gelaten. Hij had de hele weg naar het ziekenhuis haar hand vastgehouden. Hij was bij haar gebleven toen een politieagent haar verklaring opnam en opnieuw toen rechercheur Perkins opdook om haar verklaring voor de tweede keer op te nemen.

Nu stond hij in de deuropening van het kamertje van de eerste hulp waar ze haar hadden ondergebracht. Hij had zijn armen over elkaar geslagen en blokkeerde de doorgang.

Hij bewaakt me.

'Net als Peabody,' zei ze binnensmonds.

Er was haar gezegd dat ze stil moest blijven liggen tot de wond in haar keel gehecht kon worden. Maar zelfs op haar rug kon ze hem makkelijk zien staan. Hij was een grote kerel, lang en breed.

De man die haar had aangevallen was zelfs nog groter. *Wat had ik kunnen doen als Grayson Smith niet op het juiste moment was komen opdagen? Dan zou ik dood zijn.* Alleen was hij niet zomaar 'komen opdagen'. Hij had haar gevolgd en ze wist niet goed wat ze daarvan moest denken. Nog niet.

'Wie is Peabody?' vroeg Grayson.

'Mijn hond.'

Zijn wenkbrauwen gingen omhoog. 'Hoezo ben ik net als je hond?'

'Hij staat tussen mij en de wereld.'

Zijn gezicht ontspande, tevreden over haar antwoord. *Hij heeft mijn haar gestreeld. Mijn gezicht. Heeft mijn hoofd in zijn armen genomen. Mijn hand vastgehouden. Me gekalmeerd.* Ze wilde hem dolgraag vertrouwen.

Nou, hij heeft wel je leven gered. Dat leverde aardig wat punten op.

'Waarom beschermt jouw hond je?' vroeg hij.

'Dat is een lang verhaal.' Een verhaal dat ze niet opnieuw wilde vertellen.

Zijn ogen vernauwden zich terwijl hij nadacht. 'Oké. Vertel dan eens waarom je zo'n hekel hebt aan ziekenhuizen.'

'Zelfde reden,' zei ze zacht, maar vastberaden.

'Neem me niet kwalijk.' Het was een vrouwenstem, ongehaast en bekend. Grayson deed een stap opzij om dokter Burke langs te laten. Burke keek Paige scheef aan. 'Je hebt het maar druk vandaag.'

Paige trok een gezicht. 'Het enige wat ik vanmorgen wilde was mijn hond uitlaten en een dutje gaan doen.'

Burke ging op een lage kruk zitten en rolde ermee naar het bed alvorens ze achteromkeek. 'Dat is niet dezelfde vent met wie je vanochtend was. Wie is dit?'

'Grayson Smith,' zei Paige en ze zag dat Graysons gezicht verstrakte. 'Hij is officier van justitie.'

'Hij ziet er leuk uit.' Burke knipoogde. 'Ben je van plan ze allebei aan te houden?'

Paine lachte en snakte vervolgens even naar adem toen Burke het noodverband weghaalde. 'Au. Dat deed je expres.'

'Je kunt niet tegelijk lachen en huilen. Ik zal je een plaatselijke verdoving geven, maar het wordt toch pijnlijk.'

Paige deed haar uiterste best om haar angst onder controle te houden. Tot Burke een injectiespuit tevoorschijn haalde met een naald die wel dertig centimeter lang leek. 'Ik wil niet... Ik... ik moet weg.' Ze probeerde overeind te komen.

Burke drukte haar met zachte hand weer op het kussen. 'Blijf liggen, ninjameisje. Dit doet even pijn.'

'Kijk me aan,' zei Grayson. Hij ging op zijn hurken bij het bed zitten en stak zijn hand uit. Zijn blik was rustig en zijn gezicht stond kalm. 'Knijp maar zo hard je wilt.'

Paige concentreerde zich op zijn ogen, die onder het fluorescerende licht van de eerste hulp groener leken dan in de garage toen hij zich vooroverboog om naar Elena Muñoz te vragen. Er was iets wat haar dwarszat, maar dat verdween op het moment dat Burke de naald door haar huid prikte. Ze pakte Graysons hand en probeerde niet te huilen. Het ging niet om de pijn. Echt niet.

Het was angst. Ze haatte het om bang te zijn. Ze onderdrukte een jammerkreet. *Niet huilen.*

'Stil maar,' zei hij zacht. 'Het is zo voorbij. Hou mijn hand maar vast. En haal diep adem.'

Paige gehoorzaamde. Ze deed haar ogen dicht en kneep zo hard ze kon in Graysons hand. 'En, ben je geschorst?' vroeg ze aan Burke terwijl ze haar tanden op elkaar zette.

'Ja,' zei Burke. 'Als deze dienst erop zit, lig ik er tot donderdagochtend uit.' Haar stem klonk opgewekt, maar Paige voelde zich verschrikkelijk.

'Het spijt me. Ik had vanmorgen moeten reageren toen die andere ziekenverzorger me riep.'

'Je verkeerde in shock, dus wees niet zo streng voor jezelf, ninjameisje.'

'Noem me niet zo.' Paige klemde haar kaken opeen. 'Aú. Ben je bijna klaar?'

'Nee,' antwoordde Burke opgewekt. 'Ik ben pas halverwege.'

'Paige,' zei Grayson troostend. 'Kijk me aan. Waar kom je vandaan?'

'Minnesota.' Paige perste het woord eruit. Ze wist dat hij probeerde haar af te leiden van de pijn en tegelijkertijd probeerde meer te weten te komen. Dat moest ze hem nageven. Hij was goed. Echt goed. Ze moest zijn hand inmiddels zo'n beetje hebben fijngeknepen, maar hij gaf geen krimp.

'Peabody ook?' vroeg hij.

'Ja. Hij was een cadeau van mijn vriendin. Ze is hondentrainster. Noemt ze allemaal naar –' Ze kreunde toen Burke iets te hard trok. 'Verdomme. Dat doet pijn.'

'Sorry,' verontschuldigde Burke zich vriendelijk. 'Dat had ik toch gezegd?'

'Dus,' zei Grayson soepel, 'je vriendin noemt de honden naar...?'

'Naar tekenfilmfiguren. Peabody komt uit *Mr. Peabody & Sherman*.'

'Daar ben ik dol op,' zei Burke. 'Bullwinkle en Rocky en Boris en Natasja.'

'Waarom heeft je vriendin je een hond gegeven?' hield Grayson aan.

Paige dacht even na over een antwoord dat hen tevreden zou stellen. 'Ze vond dat ik wel gezelschap kon gebruiken.'

'Vanwege afgelopen zomer?' vroeg Burke en Paige zag uit haar ooghoek dat de dokter op haar lip beet van spijt dat ze die vraag had gesteld. 'Sorry.'

'Hoe weet je dat?' vroeg Paige.

'Ik heb je gegoogeld na wat er vanmorgen is gebeurd. Het was niet moeilijk te vinden. Dat je onder de gegeven omstandigheden een waakhond wilt, is volkomen begrijpelijk.'

'Vertel me dan het verhaal maar,' zei Grayson. 'Aangezien het zo gemakkelijk te vinden is.'

Paige slaakte een gedempte vloek. 'Ik ben afgelopen zomer neergeschoten, oké?'

Het bleef lange tijd stil terwijl Burke verderging met hechten.

'En?' vroeg Grayson ten slotte, heel zacht.

'Haar vriendin werd gedood,' antwoordde Burke net zo zacht. Paige sloot opnieuw haar ogen en de pijn van de naald werd volledig overschaduwd door de beklemming die ze in haar borst voelde.

Grayson streek een lok haar uit haar gezicht en Paige voelde hoe haar keel weer samenkneep. Ze kon wel omgaan met angst en ze kon omgaan met fysieke pijn. Maar tederheid kon ze niet zo goed aan.

'Dat spijt me,' zei hij zacht. 'Hoe heette ze?'

'Thea,' zei Paige ruw. 'Ik kan dit nu niet. Ik krijg geen adem.'

'Het is al goed,' suste Burke. 'Ik ben klaar. Ik heb gelezen over je werk in Minnesota en over je vriendin. Ik bewonder je om wat je hebt gedaan, afgelopen zomer en vanmorgen.'

Paige verdrong het beeld van Thea naar een hoekje in haar hoofd. Ze zou later weer aan haar vriendin denken. *Nu niet. Niet hier.* Ze was gevaarlijk dicht bij een huilbui. *Ik mag niet instorten.* 'Ik heb vanmorgen niets gedaan.' *En afgelopen zomer ook niet. Dat was nou precies het probleem.*

'Natuurlijk wel,' zei Grayson kortaf. 'De meeste mensen zouden zijn weggerend bij het zien van een met kogels doorzeefde auto. Jij bent er juist naartoe gerend om iemand te helpen. Dat is heel veel.'

'Dat is zo.' Burke legde een verband om de hechtingen. 'Maar kijk uit dat je niet nog een keer aangevallen wordt vandaag.'

'Ik zal mijn best doen,' zei Paige droog. 'Mag ik nu gaan zitten?'

'Jazeker. Ik zal instructies voor de verzorging bij de verpleegster achterlaten.' Burke maakte aanstalten om weg te gaan, maar bedacht zich. 'Als je weer les zou willen geven, dan moet je me maar bellen. Ik ken hier wat mensen die interesse hebben om met je te werken.' Met een zwaai was ze verdwenen en Paige en Grayson bleven alleen achter.

'Waar had ze het over?' vroeg hij.

Hij had nog steeds haar hand vast en Paige kneep nog steeds veel te hard in de zijne. Ze verslapte haar greep, maar hij liet haar niet los. 'Burke werkt waarschijnlijk met misbruikte vrouwen,' zei ze.

'En dat betekent dat jij dat ook doet.'

Ze haalde haar schouders op. 'Samen met anderen.' Ze ging zitten en slikte om een plotselinge aanval van duizeligheid te onderdrukken. Vervolgens dempte ze haar stem zodat alleen hij haar kon horen. 'Je bent me gevolgd. Waarom?'

Hij sloot even zijn ogen en liet langzaam haar hand los. 'Je wilde dat ik je zag, zowel in de rechtszaal als daarbuiten. Je had net zo goed broodkruimels kunnen strooien.'

'Ga je achter elke vrouw aan die je in de rechtszaal gadeslaat?'

'Alleen degenen die een paar uur eerder getuige waren van een moord.' Zijn nu al stoppelige wang schuurde de hare toen hij zich vooroverboog om in haar oor te fluisteren. 'Wat beweerde Elena dat ze had gevonden?'

'Ze bewéérde het niet,' fluisterde ze heftig. 'Ze hád het. Ik heb het gezien. Ramon kan Crystal Jones niet hebben vermoord. Zijn vriend heeft gelogen. De bareigenaar heeft gelogen. Iemand wilde niet dat Elena dat doorvertelde. Maar ze heeft het mij verteld.' Ze raakte even haar keel aan. 'En daar zitten we dan.'

Hij wendde met een ernstige uitdrukking zijn gezicht af. 'Ik breng je naar huis. Dan kunnen we praten.'

Dinsdag 5 april, 14.05 uur

Grayson en Paige waren net de hal van het ziekenhuis binnen gestapt toen ze buiten twee mannen en een vrouw zagen staan. De vrouw trok van leer tegen een van de mannen.

Paige bleef abrupt staan. 'O, verdomme. Het wordt vandaag alleen maar erger.'

'Dat zijn Morton en Bashears. Ken je die andere vent?'

'Dat is mijn partner, Clay Maynard.'

'Morton lijkt niet zo heel erg blij te zijn met die partner van je.'

'Ze hebben in het verleden met elkaar te maken gehad. De partner van Morton is vorig jaar neergeschoten. Ene Skinner.'

Er viel een stukje van de puzzel op zijn plaats. 'Ik dacht al dat ik Maynards naam eerder had gehoord. Hij was vorig jaar betrokken bij een zaak – een moordenaar liet overal lichamen achter voor de lijkschouwer. De partner van Maynard was een van de slachtoffers. Hoe heette ze ook alweer?'

'Nicki Fields. Clay heeft de recherche geholpen de moordenaar te vinden, maar pas nadat de partner van rechercheur Morton was neergeschoten en bijna overleden is. Ik denk dat Morton iets van het hart moet.'

'De rechercheur die die zaak heeft behandeld is een vriendin van me.' Hij dacht aan de afschuw die Stevie had gevoeld toen Cordelia het doelwit werd. 'Toen haar dochter gevaar liep heeft Maynard haar alles verteld wat hij wist.'

Paige keek hem even schuin aan. 'Morton en Bashears kwamen me vanmorgen opzoeken. Ze vertrouwt me niet omdat ik Clays partner ben. En omdat zij de leiding had over het onderzoek naar Ramon Muñoz vertrouw ik haar niet.'

De woorden die ze in de parkeergarage had gefluisterd spookten de hele tijd al door zijn hoofd. *Elena zei dat de politie het gedaan had.* Grayson schudde heftig zijn hoofd. 'Echt niet. Ik ken Liz Morton al jaren. Ze is een goede politievrouw. En Bashears heeft zo'n beetje elke onderscheiding die er maar is.'

'Maar ik ken ze niet. En ik praat niet met ze.'

'Dan frustreer je de rechtsgang,' zei Grayson ernstig, maar ze leek niet onder de indruk.

'Vanochtend ben ik ondervraagd door rechercheur Perkins. En een paar uur later duikt Morton op, degene die het moordwapen dat zo handig in Elena's winterlaarzen was verstopt heeft gevonden op het moment dat haar partner Ramon aan het ondervragen was, en zegt dat Perkins een "andere zaak heeft toegewezen gekregen". Vervolgens dreigde ze dat "ze nog niet klaar met me was" als ze erachter kwam dat ik iets achterhield. Waarom zou ze denken dat ik informatie achterhield als ze niet eens wist dat het bestond?'

'Ze kwam erachter dat je privédetective bent. Jij was de laatste die contact had met de vrouw voor ze werd vermoord. Dat is toch niet zo moeilijk te begrijpen, Paige?'

'Prima. Laten we zeggen dat ze die voorbarige conclusie heeft getrokken omdat ik met Clay samenwerk. Een paar uur later probeert iemand me te vermoorden. Jij mag er dan anders over denken, maar ik neem geen enkel risico. Ik wil het volgens de regels spelen, maar ik wil ook graag mijn volgende verjaardag nog meemaken.'

'Het enige wat je weet is dat een sluipschutter Elena Muñoz dood wilde hebben. Misschien was hij op de hoogte van dat zogenaamde bewijs. Misschien is hij teruggekomen om ervoor te zorgen dat je het niemand zou vertellen.'

Haar ogen werden spleetjes. 'Als die sluipschutter mij dood had willen hebben, dan had hij me wel daarbuiten bij mijn flat vermoord. Ik heb daar nadat hij Elena had doodgeschoten een paar seconden als een standbeeld gestaan. Hij had me neer kunnen schieten toen ik het gerechtsgebouw uit kwam of vanaf willekeurig welke plek in die garage. Een mes op mijn keel is heel erg persoonlijk. Dat risico hoefde hij niet te nemen.'

Daar had ze een punt. 'Je hebt er duidelijk goed over nagedacht. Maar ik geloof er nog steeds helemaal niets van dat Liz Morton er op een of andere manier mee te maken heeft. En dat geldt dubbel voor Bashears.'

'Fijn voor je. Maar ik ga haar hoe dan ook niet vertellen wat ik jou heb verteld. Ik heb het tegen jou gezegd omdat ik het iemand moest vertellen. Omdat ik iemand in vertrouwen moest nemen. Ik neem aan dat ze hier is omdat ik ben aangevallen en ik zal haar met alle plezier antwoord geven op vragen die ze daarover heeft. Maar alleen daarover.'

'En als ik het haar vertel?'

Haar ogen fonkelden. 'Dan scheiden zich hier onze wegen. Dan bedank ik je omdat je mijn leven hebt gered en ga jij terug naar je kantoor. En ik zal in de boeien worden geslagen omdat ik het onderzoek heb belemmerd, maar ik vertel ze helemaal niets.' Ze begon in de richting van de deur en Morton en Bashears te lopen.

'Wacht,' zei Grayson, en ze bleef staan met haar handen tot vuisten gebald langs haar lichaam. 'Je zei dat je naar de rechtszaal was gekomen om te zien of je me kon vertrouwen. Tot welke conclusie was je gekomen?'

'Ik weet het nog steeds niet. Dat je mijn leven hebt gered heeft de balans in jouw voordeel doen doorslaan.'

'En als je niet was aangevallen? Waar was je dan naartoe gegaan?'

'Terug naar mijn appartement om een advocaat te zoeken die deze informatie op de juiste manier zou gebruiken en Ramon zou willen vertegenwoordigen,' gaf ze toe. 'Ik denk dat ik er nog steeds een moet zien te vinden. Voor mezelf.'

Paige had gelijk, dit deugde niet. Hij dacht aan Elena's hardnekkige bewering dat haar echtgenoot erin was geluisd. Haar enorme vastberadenheid om bewijs te vinden dat hij het bij het verkeerde eind had.

En toen dacht hij aan haar hersenen die door het hele busje waren geblazen.

Iemand had de vrouw het zwijgen willen opleggen. Iemand had Paige het zwijgen willen opleggen.

Paige was naar hem toe gekomen omdat ze het juiste wilde doen, maar Grayson wist plotseling niet meer wat nu eigenlijk het juiste was. 'Ik wil die bewijzen zien die volgens jou de dood van Elena hebben veroorzaakt,' zei hij.

Ze verblikte of verbloosde niet. 'Ik zal ze met alle plezier aan je overdragen.'

'Ik zal ze waarschijnlijk uiteindelijk aan de politie overhandigen.'

'Dat weet ik. En ik hoop dat degenen aan wie je ze geeft te vertrouwen zijn. Luister, ik wil graag dat Elena het bij het verkeerde eind heeft, maar ik moet er voorlopig van uitgaan dat ze gelijk heeft.'

Hij keek achterom. Morton ging niet langer tekeer tegen Clay Maynard, maar de spanning aan de andere kant van de dubbele deuren was voelbaar. 'Ook al hou ik mijn mond, Morton en Bashears zijn niet stom. Ze zullen vermoeden dat er iets aan de hand is als ze ons samen zien.'

'Laat ze maar speculeren. Of vertel het hun. Dat is aan jou.' Ze wandelde weg.

Mortons ogen werden spleetjes toen ze Paige zag. Ze kwam door de dubbele deuren de hal in, op de voet gevolgd door Bashears en Maynard. 'Mevrouw Holden.' Haar blik schoot naar het verband om haar hals. 'Ik neem aan dat alles in orde is met u.'

'Ik heb rechercheur Perkins mijn verklaring al gegeven.'

'Dat weet ik,' zei Morton. 'Ik zit met nog een paar vragen. Laten we een plekje zoeken waar we rustig kunnen praten.'

'Rechercheur,' begon Paige met een gemaakt geduldige glimlach, 'ik ben nog steeds moe en nu doet mijn keel ook nog vreselijk pijn. Stel alstublieft uw vragen, dan zijn we er maar vanaf.'

Mortons gezicht verstrakte. 'Ik kan u meenemen naar het bureau. Dan kunnen we daar praten.'

'Laten we dit buiten bespreken,' zei Grayson rustig. Hij legde zijn hand op Paiges onderrug en duwde haar zonder dat iemand het merkte naar voren. 'Daar zijn niet zo veel mobieltjes met camera's.'

Toen ze eenmaal buiten stonden, boog Paige haar lichaam zo dat ze zonder haar hoofd te draaien Bashears en Morton kon zien. Die beweging bracht haar dichter bij Grayson, die niet kon voorkomen dat hij even naar adem snakte. Ondanks alles wat ze die dag had meegemaakt rook haar haar nog steeds verrassend lekker. En ondanks het feit dat ze lang en slank was, voelde ze heel zacht aan. Zijn hersenen worstelden met de complicaties, maar zijn lichaam kwam meteen ter zake.

Hij verlangde naar haar. Hij verlangde al naar haar vanaf het moment dat hij haar op televisie had gezien. Hij wilde haar nu nog meer. Dit was gevaarlijk. Zíj was gevaarlijk. *Ik moet het hoofd koel houden. Ik moet in staat zijn de juiste beslissing te nemen, ook als dat betekent dat ze wegloopt.*

En als het haar leven in gevaar zou brengen? Dat mocht hij niet laten gebeuren. Er moest een manier zijn. Hij keek op en zag dat Liz Morton hem een woedende en wantrouwende blik toewierp.

'Ik wist niet dat jullie elkaar kenden, meneer Smith,' zei Morton. 'Ik was erg verbaasd toen ik uw naam tegenkwam in het verslag van de agent die als eerste ter plaatse was.'

'Rechercheur,' zei Grayson, 'mevrouw Holden is ternauwernood aan de dood ontsnapt. Ze wil graag naar huis en ik wil weer aan het werk. Kunnen we dit nu afhandelen?'

Morton knikte stijf. 'Natuurlijk. Vertel me eens precies wat er is gebeurd, mevrouw Holden.'

Paige zuchtte en herhaalde toen het verhaal dat ze rechercheur Perkins al had verteld.

'En u kunt geen beschrijving geven van zijn gezicht?' vroeg Morton met duidelijke scepsis. 'Echt niet?'

Paige deed geen enkele poging haar irritatie te verbergen. 'Echt niet, rechercheur. Ik heb de zwarte band, derde dan. Ik doe al jaren mee aan wedstrijden. Ik heb op de mat met tientallen tegenstanders gevochten en van de meesten zou ik het gezicht ook niet kunnen beschrijven. Ik kan u wel vertellen of het om een man of een vrouw gaat, of die lang is of kort. Bruin haar of blond. Maar de kleur van de ogen? Nee. Kenmerken? Nee.'

'Dus wat kunt u wél beschrijven, mevrouw Holden?' vroeg Morton

'Hun handen. Hun voeten. Wat het ook is dat als een bliksemschicht op mijn gezicht afkomt. Ik kan u precies vertellen wat voor mes die man vandaag gebruikte, tot aan het patroon op het gevest aan toe. Maar ik kan geen beschrijving geven van zijn gezicht en ik vind het beledigend dat u doet alsof ik lieg.'

Ze is geweldig, dacht Grayson. *Echt geweldig.* Mortons wangen waren rood geworden.

'Waarom heeft hij u aangevallen, denkt u?' vroeg Bashears vriendelijk. Grayson hoopte dat Morton en hij deze good cop/bad cop-methode hadden afgesproken. Als dat niet zo was, dan was Morton echt een trut. Het was waar dat ze bijna haar voormalige partner had verloren en daar Maynard de schuld van gaf. En dus automatisch Paige ook. Grayson besloot Morton een beetje de ruimte te geven.

'Dat weet ik niet,' zei Paige en hij zag haar zichtbaar ontspannen. Ze leek er goed in te zijn zichzelf te beheersen. Dat ze afgelopen zomer was neergeschoten had haar daarin blijkbaar veel ervaring bezorgd.

'Heeft hij iets gezegd toen hij u vastgreep?' vroeg Bashears.

'Nee, geen woord. Hij droeg handschoenen, dus ik betwijfel of u vingerafdrukken op het mes zult aantreffen.' Paige beet op haar lip terwijl ze nadacht. 'Maar hij was wel een geoefende vechter.'

'Hoe weet u dat?' informeerde Bashears verbaasd.

'Hij zag mijn eerste actie niet aankomen. Ik verraste hem net genoeg om gedurende die eerste vijf seconden te voorkomen dat mijn keel werd doorgesneden. Maar daarna was het alsof ik tegen een stalen paal stond te beuken. Ik kon niet loskomen.' Ze slikte. 'Het mes was maar een paar centimeter van mijn buik en hij had het stevig vast.'

'Maar u heeft het weggetrapt,' zei Bashears. 'Het kwam onder uw pick-up terecht.'

'Alleen maar omdat meneer Smith hem verdoofde. Als hij dat niet had gedaan...' Er ging een rilling door haar heen en Grayson streek geruststellend met zijn hand over haar rug.

Maynard zag de beweging en keek fronsend. Grayson negeerde hem en hield zijn blik gevestigd op Morton, die hem als een havik in de gaten hield. Hij geloofde er niets van dat Morton corrupt was. Maar ze was wel een lastpak. Ze had het bad cop-spelletje te ver doorgevoerd.

'En zo komen we op u, meneer Smith,' zei Morton, die haar driftbui weliswaar onder controle had, maar er nog niet vanaf was. 'Wat moest u daar, in die garage met mevrouw Holden?'

'Juiste plek op het juiste moment.' Dat was niet onwaar, hield hij zichzelf voor. 'Het was misschien voorbestemd. Mevrouw Holden hielp het slachtoffer van de schietpartij vanochtend en ik was vanmiddag in de gelegenheid haar hulp te bieden.'

'Had u elkaar al ontmoet voor de gebeurtenissen in de garage?' vroeg Morton.

'Nee. Ik zag haar op tv, dus toen ik haar in levenden lijve zag, wist ik meteen wie ze was.'

Morton leek niet overtuigd. 'U wilt ons doen geloven dat u zomaar werd aangevallen, mevrouw Holden? Dat het niets van doen had met uw actie als barmhartige samaritaan van vanochtend of met uw relatie met Elena Muñoz?'

'Ik heb nooit beweerd dat die zaken niets met elkaar te maken hebben, rechercheur.' Paige's geduld begon op te raken. 'Mijn gezicht is overal op dat verrekte internet te zien. De mensen weten dankzij de verslaggevers en mensen met camera's precies waar ik woon. Het is logisch dat daar allerlei mafketels op afkomen.'

Morton glimlachte. 'U zei dat hij een geoefende vechter was, geen mafketel.'

'Dat klopt, want hij wist hoe je moet vechten. Maar dat betekent nog niet dat hij goed bij zijn hoofd is. Of rationeel denkt. Als mensen erachter komen dat je de zwarte band hebt, dan willen ze zich tegen je bewijzen.'

'Is dat eerder voorgekomen?' vroeg Bashears niet onvriendelijk.

Paige klemde haar kaken op elkaar. 'Ja. Dat weet u heel goed. Ik weet dat u me heeft nagetrokken. Want als dat niet zo is, dan doet u uw werk niet goed.'

Het lijkt erop dat iedereen haar verhaal kent, behalve ik. Grayson deed zijn mond open om iets te zeggen, toen zijn mobieltje in zijn jaszak overging. 'Ben zo terug,' mompelde hij en hij deed een paar stappen opzij om het gesprek aan te nemen, terwijl Bashears hetzelfde deed.

Maynard nam Paige bij de arm en leidde haar naar een bankje, waar hij plaatsnam tussen Morton en haar in terwijl hij de rechercheur zonder iets te zeggen tartte haar mond open te doen

'Met Smith,' zei Grayson zonder zijn blik van Paige af te wenden om te kijken wie er belde. Alleen familie en een paar goede vrienden en medewerkers kenden dit nummer.

'Met Stevie.' Ze klonk bezorgd. 'JD en ik waren de enigen die niet op jacht waren naar de sluipschutter, dus kregen wij een nieuw geval toegewezen. Het slachtoffer heet Denny Sandoval. Hij is eigenaar van een bar in de latinowijk. Hij hing in zijn slaapkamer.'

Grayson voelde een rilling langs zijn rug lopen. Hij was die naam die ochtend nog tegengekomen toen hij het Muñoz-dossier doorpluisde. Sandoval was eigenaar van de bar die Ramon als alibi had opgegeven, maar hij had onder ede verklaard dat Ramon er niet was geweest.

De bareigenaar heeft gelogen, had Paige gezegd.

Grayson schraapte zijn keel. 'Waarom bel je me over een zelfmoord?'

'Omdat hij een bekentenis heeft achtergelaten,' zei Stevie. 'Hij schrijft dat hij Elena Muñoz heeft vermoord omdat ze hem had belazerd, waarna hij haar blind van woede had aangevallen. Hij beweert dat hij haar neerschoot toen ze langzamer ging rijden voor een verkeerslicht. Hij zegt dat hij bang werd en het karwei heeft afgemaakt met zijn geweer. Daar kon hij niet mee leven en daarom heeft hij zich verhangen.'

Elena had vermoedelijk nieuw bewijs en een van de belangrijkste getuigen van de aanklager had nu bekend haar te hebben vermoord.

En nu was die getuige ook dood. 'Heb je de wapens gevonden?' vroeg hij.

'Niet allemaal. We hebben een .22 onder een stoel in zijn auto gevonden. Dat is hetzelfde kaliber als waarmee Elena in haar lichaam is geschoten. Het pistool is onderweg naar de afdeling Ballistiek. Geen spoor van het geweer. Je vroeg me vanmorgen naar Elena. Je vraagt nooit zoiets tenzij het belangrijk is. Ik vond dat je het moest weten.'

Je hebt geen idee. 'Onderzoek jij deze zaak?'

'We dragen hem over aan Bashears en Morton. Dan kunnen ze hun zaak sluiten. De korpsleiding is zo verdomde opgelucht dat het hier om een moord-zelfmoord gaat en niet om een seriemoordende sluipschutter dat ze allemaal halsoverkop een persconferentie willen geven.'

Grayson keek in de richting van Bashears, die helemaal opging in zijn eigen telefoongesprek. Hij kreeg waarschijnlijk hetzelfde nieuws te horen. 'Wanneer is het slachtoffer overleden?'

Stevie aarzelde. 'Hoezo, Grayson?'

'Ik moet het weten.'

'De lijkschouwer schat dat de dood tussen halftwaalf en een uur is ingetreden. Die vent is nog warm.'

Niet veel tijd om Paige aan te vallen en terug naar zijn bar te gaan, maar het was net mogelijk. 'Hoe lang was hij?'

'1 meter 78. Grayson?'

Zeker niet de aanvaller van Paige. 'Is de technische recherche ter plaatse?'

'Moet dat dan?' reageerde ze.

Godver, nou en of. 'Ja. Ik moet ophangen.'

'Waag het niet om op te hangen,' snauwde ze. 'Wat is er verdomme gaande?'

'Dat zal ik je zo snel mogelijk vertellen. Ik ben nu niet in een situatie dat dat kan. Ik bel je gauw.' Hij hing op en hoorde nog net dat Bashears tegen Morton zei dat ze weg moesten.

Morton keek hen allemaal met een ernstige blik aan. 'U weet dat toeval niet bestaat. Mevrouw Holden weet iets. Ik hoop alleen dat het de volgende keer niet haar dood wordt.'

'Dank u voor uw bezorgdheid,' antwoordde Paige beleefd.

Bashears gaf haar zijn kaartje. 'Voor het geval u vragen heeft of als u zich iets herinnert wat bruikbaar kan zijn.' En met die woorden waren Bashears en Morton verdwenen.

'Waar ging jouw telefoontje over?' vroeg Maynard. Hij had hen met scherpe blik gadegeslagen.

Grayson overlegde in zichzelf en haalde toen zijn schouders op. 'Denny Sandoval is dood.'

Paige zoog verrast lucht naar binnen. 'O mijn god. Hoe?'

'Zelfmoord. Hij heeft zich verhangen.'

Ze draaide zo dat ze Maynard aankeek. 'Dat is de bareigenaar.'

Maynard leek de zaak te overwegen. 'Interessant.'

Nee, dacht Grayson. *Niet interessant. Kwalijk, heel erg kwalijk.*

Kon het waar zijn? Kon het zijn dat Muñoz onschuldig was? Als dat het geval was, dan moest dat wapen zijn verstopt. Wie kon dat hebben gedaan? De politie, zoals Paige dacht?

Ramon Muñoz is misschien wel onschuldig. Wat heb ik gedaan?

Niets. Je hebt hem niet veroordeeld, hield hij zichzelf voor. *Dat heeft een jury van zijn gelijken gedaan.* Op basis van het beschikbare bewijs. En dat zou wel eens vals kunnen zijn. *O god, wat heb ik gedaan?*

Je moet niets voetstoots aannemen. Bekijk het nieuwe bewijs. Zoek daarna uit wat je kunt doen.

'Degene die Ramons alibi heeft verziekt is dood,' zei Grayson zacht. 'De vrouw van Ramon is dood, Paige wordt aangevallen, en dat allemaal op dezelfde dag. We moeten echt eens even praten.'

Stevie verbrak de verbinding en liep naar JD, die naast het busje van de TR stond, die ze hadden opgeroepen zodra ze ter plaatse waren gekomen.

'We hadden gelijk, hè?' JD sprak met gedempte stem.

'Ik denk het wel,' zei Stevie. De leiding kon niet wachten om het publiek gerust te stellen, maar er voelde iets niet goed. Jaren ervaring bij Moordzaken hadden Stevie geleerd op haar instinct te vertrouwen.

'Het is allemaal te perfect,' ging JD verder.

Hij had gelijk. De bar was zo'n beetje gesloopt, overal lagen flessen, de kassa was leeggehaald terwijl in een appartement op de eerste verdieping het lichaam van het slachtoffer aan de balken bungelde. Maar de flessen met de duurste drank waren niet gestolen, maar kapotgesmeten.

'De drank alleen al was duizenden dollars waard,' stemde Stevie in. 'Elk zichzelf respecterend stuk tuig zou het hebben meegenomen, niet kapotgegooid.'

'Maar toch gaat het niet om een sluipschutter die willekeurige mensen neerschiet. Wat dat betreft kunnen we allemaal opgelucht ademhalen.'

'Iedereen, behalve Elena Muñoz en Denny Sandoval.'

5

'Je maakt een geintje zeker?' zei Grayson toen hij de VW Kever zag waarvan Clay de deuren van het slot deed. 'Als we ons daar met zijn drieën in persen zullen ze ons later weer moeten oprekken.'

'Het is de auto van mijn assistente,' antwoordde Clay. 'De mijne was besmet.'

'Met zendertjes,' vulde Paige aan. Het overvloedige vertoon van testosteron van de twee mannen begon haar op de zenuwen te werken. 'We denken dat journalisten die in onze auto's hebben verstopt.'

'Dus daar was je naar op zoek,' begreep Grayson. 'Toen je onder je pick-up keek daar in die garage. Zendertjes.'

'Ja, ik had er net een gevonden toen die vent me aanviel.'

Clays mond trok samen toen hij naar het verband om haar hals keek. 'Je hebt geluk gehad.'

'Ik weet het,' zei Paige.

'Het was niet alleen maar geluk,' zei Grayson. 'Je hebt je goed verzet.'

'Nee maar.' Een stem achter hen deed hen alle drie abrupt omdraaien. En in woede ontsteken. Het was Phin Radcliffe en hij had een microfoon in zijn hand. Er stond een cameraman achter hem en het lichtje op de camera knipperde rood.

Dat kon ook worden gezegd van Paige's woede. 'Je hebt zonder mijn toestemming beelden van me op tv vertoond.'

'Daar had ik geen toestemming voor nodig. Het trottoir en de straat zijn openbaar. Net als de parkeergarage waar u vandaag maar net bent ontsnapt aan de dood door de hand van een aanvaller die gewapend was met een mes. Kunt u ons vertellen wat er is gebeurd?'

Zijn toon werd anders vanaf het moment dat hij het woord 'parkeergarage' uitsprak en veranderde van koel verstandig in het bombastische van 'dit mag u niet missen'.

Hij gaat weer beelden van me uitzenden, de zak. Echt niet.

Paige deed een stap naar voren, maar Grayson hield haar tegen. 'Kijk uit,' mompelde hij.

Ze wist dat Grayson gelijk had en haalde diep adem. 'Geen commentaar.'

'We brengen dit verhaal, mevrouw Holden. We zouden graag uw kant van het verhaal laten horen.'

'Mijn kant?' Ze tuitte haar lippen toen Grayson opnieuw in haar arm kneep. 'Geen commentaar.'

Grayson hielp haar bij het instappen. 'Ik hoop dat uw dag vanaf nu wat beter wordt, mevrouw Holden.' Hij keek haar met zijn rug naar Radcliffes camera indringend aan toen ze verrast haar mond open wilde doen. 'Later,' zei hij geluidloos en ze begreep wat hij wilde dat ze zou doen.

'Dank u. Ik zou me geen raad hebben geweten als u niet in de buurt was geweest.'

Hij schudde haar formeel de hand. 'Ik ben blij dat ik heb kunnen helpen.' Hij schreef iets op de achterkant van een van zijn visitekaartjes en gaf dat aan Clay. 'Mijn directe nummer. Aarzel niet om me te bellen als de politie aanvullende informatie van me nodig heeft voor hun proces-verbaal.'

'Dank u,' zei Clay. 'Dat waarderen we zeer. Kunnen we u een lift geven?'

'Nee. Zoals ik al zei, dan moet ik weer worden opgerekt. Maar dank u voor het aanbod. Ik neem een taxi.'

'Meneer Smith,' drong Radcliffe nog steeds glimlachend aan, 'toen u het leven van Paige redde, bent u de barmhartige samaritaan geworden voor onze barmhartige samaritaan. Wat voor gevoel geeft u dat?'

'Ik was toevallig op de juiste plek op het juiste tijdstip,' zei Grayson. 'Ik heb gewoon gedaan wat iedereen zou doen.' Hij draaide zich om en riep een taxi aan.

Clay reed weg. Toen ze de hoek om waren gaf hij het kaartje aan Paige. Achterop stond een adres geschreven. 'Smith wil dat we naar hem toe komen op dit adres.'

'Chique buurt,' mompelde ze. 'Is dit zijn huisadres?'

'Nee. Hij heeft een huis in Fell's Point.'

'Ook chic. Dat zal niet meevallen met het salaris van een openbaar aanklager. Wat ben je verder nog te weten gekomen?'

'Niet veel,' gaf hij toe. 'Hij is een keer verloofd geweest. De aankon-
diging heeft in de krant gestaan, maar er is nooit een huwelijk aange-
kondigd en het staat ook nergens geregistreerd.'

'Societymeisje? Zijn verloofde, bedoel ik.'

'Ja. Hoezo?'

Omdat hij mijn hand heeft vastgehouden en mijn haar heeft gestreeld.
'Ik zit aan zijn financiën te denken en dat had ik eigenlijk al moeten
doen voor ik aan het kijk-eens-in-de-poppetjes-van-zijn-ogen begon.
Als hij ver boven zijn stand leeft zou het wel eens kunnen dat hij corrupt is.'

Maar zelfs op het moment dat ze die woorden uitsprak, wist ze,
wíst ze dat ze niet waar waren.

'Maar dat geloof je niet,' zei Clay.

'Nee. Ik heb geen enkele reden om dat te geloven en ik heb me al
eerder in mannen vergist.' Vaker dan ze bereid was om toe te geven.

'Maar je vertrouwt hem. Soms is het niet verkeerd om op je gevoel
af te gaan. Bovendien kost het heel veel tijd om echt diep te graven
in zijn financiën en hoe hij aan zijn geld komt en waar hij het aan uit-
geeft. Veel meer tijd dan we ons kunnen veroorloven. Wat ik zou willen
weten is waarom hij precies op tijd in die garage was. Ik ben blij dat
hij er was, maar wat moest hij daar?'

'Hij volgde me.'

Clay sloeg zijn ogen ten hemel. 'Dat had ik nou nooit kunnen raden.
Wáárom volgde hij je?'

'Hij zag me in de rechtszaal en herkende me van die televisiebeelden,
maar hij wist niet wie ik was.' En nu wist ze weer wat haar al sinds de
spoedeisende hulp dwarszat. 'Hij fluisterde.'

'Wat? Wat bedoel je daarmee?'

'Toen we in de garage waren zag hij dat ik een wegwerpmobieltje
gebruikte. Hij vroeg wat ik deed voor de kost. Ik vertelde het hem, en
toen fluisterde hij in mijn oor. Hij vroeg of ik voor Elena werkte. Hoe
kon hij hebben geweten dat Elena een privédetective wilde?'

'Goeie vraag. En waarom fluisterde hij?'

'Misschien omdat hij verwachtte dat ik precies zo zou antwoorden
als ik heb gedaan.'

'En dat was?'

'Ik heb toegegeven dat ik voor Elena werkte. Toen vroeg hij me in
welke hoedanigheid.' Ze zuchtte. 'En dat heb ik hem verteld.'

Clay fronste zijn voorhoofd. 'Wat heb je hem precies verteld?'

'Dat Elena bewijzen had ontdekt. Dat het geloofwaardig was. Dat ik niets tegen de politie heb gezegd en dat ook niet van plan was omdat Elena zei dat de politie het had gedaan.'

'Geloofde hij je?'

Ze beet op haar lip. 'Ik denk dat hij geloofde dat ik niet loog. Hij geloofde niet dat de politie erbij betrokken was en dat doet hij nog niet. Maar hij zei dat hij begreep hoe het kwam dat ik dat wel geloofde. Ik geloof niet dat hij er echt van overtuigd was dat er nieuw bewijsmateriaal was tot hij dat telefoontje kreeg.'

'Over Denny Sandoval. Ik stond Smith te observeren en hij leek verbijsterd.'

'Ik weet het. Dat zijn zelfs voor hem te veel toevalligheden.'

'Heb je hem verteld wat Elena had gevonden?'

'Ja.'

'Ga je hem de bestanden geven?'

'Ik zal wel moeten,' zei ze bedachtzaam. 'Want Denny Sandoval is ook al dood.'

'Smith zei dat hij zich verhangen had.'

'Als hij dacht dat Elena bewijzen had waardoor hij in de gevangenis zou belanden, dan hééft hij misschien ook wel zelfmoord gepleegd. Al leek hij me daar niet het type voor. Bovendien zei Elena dat de politie haar achternazat. Denny Sandoval was geen politieman. Dat betekent dat de politie nog steeds een van de betrokken partijen is. En die vent die me heeft aangevallen. Laten we die niet vergeten.'

'Geloof me maar, die vergeet ik niet. Wat bedoel je met dat hij het type niet leek? Heb je Sandoval ontmoet?'

'Weken geleden, toen ik ermee instemde om de zaak op me te nemen. Ik ben naar zijn bar gegaan. Echt een vieze gluiperd. Elena moet wanhopig zijn geweest dat ze hem met zijn vingers aan haar heeft laten zitten.' Ze dacht aan Ramon, die in het gevangenisziekenhuis lag. *Op dit moment waarschijnlijk de veiligste plek voor hem.* 'Ik moet Ramon spreken. Maar ik ga eerst naar Maria. Zelfs Morton kan er niets op tegen hebben dat ik mijn deelneming betuig. Waar hebben ze haar naartoe gebracht?'

'Saint Agnes, maar...' Clay klemde zijn lippen op elkaar en Paige's hart sloeg over.

'Nee,' fluisterde ze, het ergste vrezend.

Clay slaakte een diepe zucht. 'Het spijt me. Echt waar. Dat was de reden dat ik pas zo laat bij je was. Ik stond op het punt om weg te gaan toen ik zag dat een dokter Maria's zoon terzijde nam. De arme knul viel bijna flauw. Ik ben toen gebleven. Ik heb de eerste hulp gebeld waar jij lag om te horen hoe het met je ging. Ze zeiden dat je was binnengebracht en dat je stabiel was. Dus toen ben ik bij Rafe gebleven tot de rest van de familie er was.'

'Ze is dood? Maria is dood?'

'Ja. Ze had al twee hartaanvallen achter de rug. Een keer toen Ramon die vechtpartij in de gevangenis had en de tweede toen de politie het nieuws over Elena kwam vertellen. De derde is haar fataal geworden.'

'O, god.' De tranen brandden in haar ogen. 'Het wordt steeds erger.'

'Ik weet het. Ik wist niet goed hoe ik het je moest vertellen. Wat kan ik voor je doen?'

Paige veegde met haar vingertoppen langs haar ogen en ging toen met haar handen over haar gezicht. *Word kwaad. Word woedend.* Als ze kwaad was kon ze beter nadenken dan wanneer ze huilde. 'Breng me naar de parkeergarage. Als de technische recherche klaar is met mijn pick-up, dan neem ik hem mee.'

'Moet je wel achter het stuur?'

'Ik heb geen pijnstillers geslikt.' En het deed pijn. Veel pijn. Maar sinds ze de vorige zomer was neergeschoten had ze leren omgaan met pijn. 'Als die vent met dat mes me weer te pakken neemt, dan wil ik niet te versuft zijn om terug te vechten. Dat is ook de reden dat ik mijn pick-up terug wil. Mijn wapens zitten in een kluis onder de achterbank. Ik kon niet gewapend het gerechtsgebouw binnen stappen.' Ze raakte even voorzichtig haar keel aan. 'Als hij weer opduikt wil ik niet ongewapend zijn.'

Clay maakte een grimas. 'Heb je je vergunning om een verborgen wapen te dragen bij je? Morton zou helemaal uit haar dak gaan als ze je zonder zou betrappen.'

'Ik ga nooit de deur uit zonder mijn vergunning.' Het was verdomd moeilijk geweest om die vergunning te krijgen in Maryland. Geen schijn van kans dat ze ooit met een wapen zou worden betrapt terwijl ze haar vergunning niet bij zich had.

'Mooi. Waar zijn die bestanden van Elena?'

'Toen jij weg was werd ik nerveus en toen heb ik onderweg naar de stad de originele geheugenstick in mijn kluis in de bank gestopt. Ik heb een kopie gemaakt op een andere stick, die ik in mijn kluis thuis bewaar. En ik heb kopieën uitgeprint en die naar mijn oude advocaat in Minneapolis gestuurd voor het geval me iets overkomt.'

'Laten we daar zelfs niet aan denken,' zei hij. 'Maar je hebt je hoofd gebruikt.'

'Ik doe mijn best.'

Dinsdag 5 april, 15.00 uur

'Kom erin, Adele, kom erin.'

Adele Shaffer kwam het kantoor binnen. De geur was bekend en verrassend verwelkomend. Ze had gehoopt hier nooit meer een voet te zetten. Ze hoopte dat ze Darren nooit zou hoeven vertellen dat ze hier vandaag was geweest.

Dokter Theopolis wachtte tot zij een stoel had gekozen om in te gaan zitten voor hij zelf plaatsnam. Een heer. Dat was hij altijd geweest. Hij was misschien wel de eerste echte heer die ze ooit had gekend.

Hij glimlachte en deed zijn best haar op haar gemak te stellen. 'Dat is lang geleden.'

'Ik wou dat het nog langer had kunnen duren. Dat bedoel ik niet verkeerd.'

'Dat begrijp ik. Vertel eens... je hebt een andere naam?'

'Ik ben getrouwd.' Haar kin kwam omhoog, net als haar oude verdedigingsmechanismen.

'Rustig maar. Ik zit hier niet om je aan te geven. Dat is nooit het geval geweest.'

Je aan te geven. Ze kwam abrupt overeind. 'Ik had niet moeten komen.'

'Adele, ga zitten.' Hij wachtte tot ze gehoorzaamde. 'Dus je bent getrouwd. Vertel me eens iets over hem.'

'Hij heet Darren. Hij is een goede echtgenoot.'

Theopolis glimlachte warm. 'In dat geval ben ik blij voor je.'

Ze haalde diep adem. 'Hij... hij weet het niet.'

'Hm.' Hij leek niet geschokt. 'Waarom niet?'

'Ik... ik weet niet goed hoe ik het hem moet vertellen.' Haar ogen vulden zich met tranen. 'Ik kan het hem niet vertellen.'

'Is dat de reden dat je hier bent?'

'Niet helemaal.'

'Oké. Heb je je school afgemaakt?'

'Ja. Ik ben nu binnenhuisarchitect. Ik heb mijn eigen bedrijf. Mijn klanten zijn voornamelijk oude dametjes.'

Hij gniffelde. 'Heel veel paisley en chintz.'

'Precies.' Ze slikte moeizaam. 'Ik heb een kind,' smeet ze eruit. 'Een dochter.'

'O, dat is geweldig.'

Opnieuw kwamen er tranen en deze keer kon ze niet anders dan ze te laten stromen. Het waren er te veel om tegen te kunnen houden. 'Ze is fantastisch. Ze is mijn alles.' Adele sloeg haar handen voor haar gezicht, niet in staat om haar snikken tot bedaren te brengen. 'Ik mag haar niet kwijtraken. Dat mag gewoon niet.'

'Waarom zou je haar kwijtraken, Adele? Ben je bang dat je haar op de een of andere manier iets zult aandoen?'

'Nee.' Adele trok met een woedende blik in haar ogen haar handen weg van haar gezicht. 'Ik zou mijn kind nooit iets aandoen.'

'Dat dacht ik ook. Waarom ben je dan bang dat je haar kwijtraakt?'

Adele sprong overeind en liep naar het raam. Ze had uren voor dit raam doorgebracht. Beneden was een tuin. Narcissen. Ze concentreerde zich op de heldergele bloemen die wiegden in de wind. De pijn in haar borst werd minder.

'Het gebeurt weer,' fluisterde ze. 'De paniek. Paranoia. Ik kan het niet tegenhouden.'

'Waar raak je van in paniek?'

Ze voelde hoe de paniek opkwam en haar bij de keel greep. 'Ze zullen me opsluiten. Mijn kind afpakken.'

'Laten we het daar pas over hebben als we eraan toe zijn. Praat met me. Zoals je vroeger deed.'

Ze richtte haar blik op de dappere gele bloemen. 'Iemand wil me vermoorden.'

Dinsdag 5 april, 15.00 uur

'Waar heb je gezeten?' wilde Daphne weten toen Grayson bij haar bureau bleef staan. 'Ik probeer al twee uur lang je mobieltje te bellen. Wat doe je met een tas van het ziekenhuis?'

Hij legde de tas op haar bureau. 'Dossiers van de rechtszaak van vandaag. Kun je die voor me opbergen?'

'Waarom zitten ze niet in je koffertje?'

'Omdat de politie mijn koffertje heeft.' Hij stak zijn hand op toen ze een stortvloed van vragen op hem dreigde af te vuren. 'Ik ben de vrouw gevolgd.'

'Ze heet Paige Holden,' zei Daphne. Ze tikte met een vinger op een dikke map. 'Dit gaat allemaal over haar.'

'Ik weet hoe ze heet. Vertel me eens wat je van haar denkt.'

Daphne trok haar schouders op en liet ze weer zakken. 'Ze leidde een uitzonderlijk leven.'

'Leidde?'

'Ze streed voor de rechten van slachtoffers, ze gaf les in zelfverdediging, deed mee aan internationale vechtsporttoernooien. Tot afgelopen zomer.'

'Toen ze werd neergeschoten.'

Daphnes ogen werden groot. 'Hoe weet je dat?'

'Ik heb kennis met haar gemaakt, in de parkeergarage. Ze werd op dat moment aangevallen.'

'O mijn god.'

'Ja. Grote kerel, heel erg groot mes. Ze vocht als een tijgerin.'

Daphne kromp ineen en bereidde zich voor op het ergste. 'Maar?'

'Ze leeft en is vrijwel ongedeerd. Ik heb die vent een optater verkocht met mijn koffertje.'

Daphne kwam met een brede grijns weer overeind. 'Grayson Smith, je bent een held. Een echte held.' Ze sprak erger door haar neus dan normaal en hij moest ondanks zichzelf glimlachen.

'Ja hoor. Hoe dan ook, die kerel wist te ontsnappen en de politie heeft mijn koffertje in beslag genomen omdat het bewijsmateriaal is. Misschien is er haar of bloed van hem op komen te zitten. Ik ben met mevrouw Holden naar de spoedeisende hulp gegaan.'

Daphnes glimlach verflauwde. 'Ben je erachter gekomen waarom ze je observeerde?'

'Ja en nee. En veel meer kan ik je niet vertellen omdat ik het gewoon niet weet.'

'Maar het heeft allemaal te maken met die vrouw die vanmorgen is vermoord. Elena Muñoz.'

'Daar lijkt het wel op. Wil je al mijn afspraken voor de rest van de dag afzeggen? Er zijn een paar dingen die ik moet doen.'

Grayson deed de deur van zijn kantoor dicht en trok zijn bureaula open. Het Muñoz-dossier lag boven op de stapel. Lange tijd zat hij alleen maar naar de map te staren terwijl hij zijn hartslagen telde. Stel dat Paige gelijk had. Stel dat het 'zogenaamde' nieuwe bewijs dat Elena in haar bezit had helemaal niet zo zogenaamd was. Stel dat het écht was, wat dan?

En als het moordwapen daar écht opzettelijk was verstopt?

Wie kon dat hebben gedaan en waarom? En de hamvraag was: zat een man al zes jaar onschuldig in de bak?

En wat is mijn aandeel daarin?

Hij herinnerde zich de zaak als de dag van gister. Hij herinnerde zich met name Ramon Muñoz. Herinnerde zich hoe oprecht die man zijn onschuld had betuigd.

Maar dat deden ze allemaal. Alle moordenaars beweerden dat ze onschuldig waren. Grayson voelde minachting voor elk van hen. En hier, in de veilige beslotenheid van zijn kantoor, wist hij precies waarom hij die minachting voelde. Op dat moment had het er niet toe gedaan. Maar nu wel. Nu deed het er een heleboel toe.

Hij wendde zich af van het dossier zonder het aan te raken. Merkte dat hij naar zijn spiegelbeeld keek in de kleine spiegel die een van de vorige gebruikers van het kantoor had laten hangen. Groene ogen keken hem aan. De ogen van zijn moeder.

Zijn groene ogen knepen tot spleetjes. Hij had de brede schouders en het donkere haar van zijn vader geërfd. Maar verder niets. *Godzijdank.*

Zijn andere trekken kwamen van zijn moeders kant, gelukkig. Dat had het voor haar zo veel makkelijker gemaakt om hem door te laten gaan voor 'Grayson Smith' toen ze eenmaal aan hun oude leven ontsnapt waren met weinig meer dan de kleren die ze op dat moment droegen. Ze hadden zelfs hun naam achtergelaten en hadden niemand verteld wie ze werkelijk waren. Niemand, zelfs de familie Carter niet, die hen had opgenomen en hun een thuis had bezorgd. Grayson hield van de Carters alsof ze familie waren, maar hij kon hun de waarheid niet vertellen. Hij wilde niet dat ze het wisten. Hij wilde niet dat iemand het wist.

Het was hun grootste geheim, van hem en zijn moeder. Hun grootste schande. Zijn grootste angst was dat iemand achter de waarheid zou komen.

Hij was pas zeven jaar geweest toen hij zijn vader voor het laatst had gezien, maar hij had geen foto nodig om zich zijn gezicht te herinneren. Of het gezicht van zijn vaders laatste slachtoffer.

Hij moest zichzelf dwingen adem te halen. Zelfs nu nog, dertig jaar later, was de herinnering aan die jonge vrouw voldoende om hem misselijk te maken.

Ze was een blonde studente geweest. Net als Crystal Jones. Ze was knap geweest. *Tot mijn vader haar vermoordde.* Net zoals Ramon Muñoz Crystal had vermoord.

Dat geloofde hij tenminste. Het bewijs was overtuigend geweest en Ramons alibi niet te controleren.

Maar zou hij het proces met minder fanatisme hebben gevoerd als zijn eigen vader geen moordenaar was geweest? Dat zou hij nooit weten. Want zijn vader wás veroordeeld wegens moord en Grayson was de laatste achtentwintig jaar van zijn leven bezig geweest met bewijzen dat hij op geen enkele manier die ertoe deed de zoon van zijn vader was.

Bent u een eerlijk mens? Hij hoorde Paige's stem terwijl ze die vraag stelde. Hij wilde graag een eerlijk man zijn. Hij had zijn hele leven geprobeerd er een te zijn. *En als Ramon onschuldig is? Wat doe je dan?*

Dan zou hij het goedmaken. Koste wat het kost. *Ik wil het juiste doen.*

Paige had hetzelfde gezegd toen hij verwoede pogingen deed het bloeden te stelpen. *Ze had zich aan hem vastgeklampt. Ze had me vertrouwd op een moment dat ze op haar kwetsbaarst was.* Ze had niets gedaan om hierin meegezogen te worden. Ze had alleen maar haar werk gedaan.

Net als jij hebt gedaan. Muñoz aanklagen was zijn werk geweest. Zijn plicht.

Maar als de man niet schuldig was, dan was het ook zijn plicht om hem vrij te krijgen.

Hij wendde zijn blik vastberaden af van de spiegel en keek omlaag naar zijn pak. Er zat bloed van Paige aan zijn kleren. Hij pakte het pak dat schoon aan een haak aan zijn deur hing. Hij had altijd een reservekostuum in zijn kantoor voor het geval hij een hele nacht doorwerkte en 's morgens vroeg in de rechtszaal moest zijn. Hij kleedde zich om en sloeg vervolgens het dossier over Muñoz open. Het kostte hem weinig tijd om in de getuigenprofielen de pagina te vinden waarnaar hij op zoek was.

Grayson was er gedurende het proces van overtuigd geweest dat Muñoz schuldig was. Elke getuige was zeker van zichzelf, niet van zijn stuk te krijgen. Behalve één. Die ene was zenuwachtig geweest. De beste vriend van Ramon.

Jorge Delgado had er bleek uitgezien en had toen hij Ramons alibi ontkrachtte herhaaldelijk het zweet van zijn voorhoofd geveegd met een keurig gevouwen zakdoek. Maar hij was bij zijn verhaal gebleven, ook toen de verdediging hem aan een stevig kruisverhoor onderwierp. Op dat moment had Grayson gedacht dat de nervositeit van Delgado werd veroorzaakt door het feit dat hij heel goed begreep dat zijn verklaring een nagel was aan de doodskist van zijn beste vriend.

Zowel Ramons beste vriend als de bareigenaar had gelogen, beweerde Paige. De bareigenaar was dood. *Ik moet eens een babbeltje gaan maken met Jorge Delgado.*

Hij schakelde zijn eigen nummerblokkering in en belde het nummer dat in het dossier vermeld stond als dat van de vaste telefoon van Delgado. Toen fronste hij zijn voorhoofd. De stem op het bandje zei dat het nummer niet meer in gebruik was. Er was geen nieuw telefoonnummer beschikbaar.

Dat was niet ongewoon. Getuigen in aandachttrekkende zaken veranderden heel vaak hun telefoonnummer om de pers te ontlopen. Dat had zijn eigen moeder ook gedaan voordat ze op de vlucht sloegen.

Grayson krabbelde Delgado's laatst bekende contactgegevens op een stukje papier en stopte het dossier vervolgens in zijn sporttas.

'Ik heb alle afspraken omgegooid,' zei Daphne toen hij tevoorschijn kwam. 'Zal ik je pak naar de stomerij brengen?'

'Dat hoef je niet te doen. Dat weet je toch?'

'Dat weet ik wel, maar ik moet er toch heen.' Ze hield het dossier dat ze over Paige had samengesteld omhoog. 'Je zult haar fascinerend vinden.'

Dat doe ik al. Hij schoof de map in zijn tas. 'Dank je, Daphne. Er is nog iets wat je voor me zou kunnen doen, als je het niet erg vindt.' Hij gaf haar het papiertje met Delgado's gegevens. 'Ik moet deze man spreken. Dit was vijf jaar geleden zijn adres. Kun je nagaan of hij daar nog steeds woont en kun je zijn huidige telefoonnummer achterhalen en me dat sms'en?'

Daphne liet haar blik over het papier glijden en keek toen vragend op. 'Oké. Natuurlijk. Wees voorzichtig.'

'Altijd.'

Dinsdag 5 april, 16.15 uur

Grayson liet zich binnen in het gebouw waar hij had afgesproken Paige en Clay te zullen ontmoeten en was blij dat hij er eerder was dan zij. Het was het huis van zijn zus Lisa en hij moest haar erop voorbereiden dat ze bezoek kreeg. De woonkamer was verlaten, maar er was iemand achter in de keuken.

Hij snoof waarderend. Er rook iets absoluut verrukkelijk. Zijn maag rommelde en dat herinnerde hem eraan dat hij niets meer had gegeten sinds de muffin van Daphne van die ochtend. Hier zou meer dan genoeg te eten zijn.

Lisa Carter-Winston was eigenaar van Party Palace, een cateringbedrijf dat ook feesten organiseerde. Lisa was de partyplanner en haar echtgenoot Brian was de kok. Ze deden goede zaken en pakten alles aan, van trouwpartijen tot bar mitswa's en verjaardagen. Lisa was de oudste van de kinderen Carter en had een talent voor het fraai dekken van tafels en mensen zich welkom doen voelen. Ze had een fantastisch voorbeeld in haar ouders, Jack en Katherine.

Hij had Lisa, haar ouders en de drie overige kinderen leren kennen toen hij zeven was en bang en beschadigd door de arrestatie en veroordeling van zijn vader en alles wat zich daarna had afgespeeld. Hij was in zijn schulp gekropen, doodsbang dat hij iets verkeerds zou zeggen of zijn nieuwe naam zou vergeten, waardoor hij zijn moeder en zichzelf opnieuw in gevaar zou brengen.

Mevrouw Carter had Graysons moeder in dienst genomen als kindermeisje. Die baan hield ook het gebruik van een klein appartement boven de garage in. Dat was een zegen, want omdat het geld van zijn moeder vrijwel op was, woonden ze in een sjofel hotel. De eerste die hij op het landgoed ontmoette, was Lisa. Ze was toen veertien en zelfverzekerd. En zo bazig als de pest. Maar ze had een groot hart en ze had gemerkt hoe bang hij was. Ze had hem onder haar hoede genomen, gewoon nog een broertje om voor te zorgen.

De vier kinderen Carter werden er vijf en mevrouw Carter behandelde Graysons moeder eerder als een zus dan als een werkneemster. De Carters hadden hen opgenomen in hun gezin.

Langzaam maar zeker begon hij zich na verloop van maanden weer veilig te voelen. De Carters hadden hun leven gered en Grayson was hun daar altijd dankbaar voor gebleven.

'Lisa,' riep hij. 'Ben je daar?'

Achterin ging een deur open en Lisa kwam tevoorschijn. Ze veegde haar handen af aan een schort dat ooit blauw was geweest, maar nu voornamelijk wit was. Er zat meel op haar neus en op een wang. Maar toen ze hem zag begon ze te glimlachen. 'Grayson. Wat doe jij hier?'

'Ik heb gebeld, maar er nam niemand op.'

'We hadden de muziek hard aanstaan. We zijn bezig met de catering voor een groot bedrijfsfeest in de stad. Druk, druk, druk.'

Grayson boog zich voorover om een kus op haar wang te drukken. 'Dat ben je altijd. Waar zijn de kinderen? Ik dacht dat ze deze week voorjaarsvakantie hadden.'

Lisa en Brian waren tot nu toe de enigen die kleinkinderen hadden geproduceerd – vier stuks, allemaal onder de tien. Katherine en Jack en Graysons eigen moeder lieten nooit na de anderen erop te wijzen dat ze achterliepen.

'Onze moeders hebben ze meegenomen naar het museum, want ik werd stapelgek van ze.'

'Het spijt me,' zei hij berouwvol. 'Ik heb een slechte dag uitgekozen om even langs te wippen.'

'Er bestaat geen slechte dag voor jou om langs te komen. Maar waarom kom je eigenlijk langs?' Lisa stak haar hand uit en streek met haar duim zijn voorhoofd glad. 'Je krijgt altijd een rimpel hier in je voorhoofd als je je zorgen maakt. Hij gaat er al bijna niet meer uit. Waarom ben je hier, schat?'

Hij slaakte een zucht. 'Ik heb ruimte nodig,' zei hij en Lisa deed onmiddellijk een stap achteruit.

'Het spijt me,' zei ze en keek nog bezorgder. 'Ik zal je met rust laten.'

'Nee,' zei hij. 'Geen persoonlijke ruimte. Een vergaderruimte.'

Ze kneep haar ogen samen. 'Waarom? Wat mankeert er aan je kantoor?'

'Ik heb een plek nodig waarvan ik zeker weet dat niemand voor luistervink speelt. Geen journalisten.'

'Zit je in moeilijkheden, Grayson?' vroeg ze zacht.

Misschien. 'Er is iets wat ik moet regelen. Ik verwacht nog twee mensen. Die kunnen ieder ogenblik komen. Kunnen we een van de feestzaaltjes gebruiken?'

'Natuurlijk. Wil je dat ik Joseph bel?'

Hun broer – Lisa's broer – zat bij de FBI. 'Nog niet. Als het nodig is, dan bel ik hem. Dat beloof ik.' Hij hoopte dat dat niet nodig zou zijn. Hij was op weg hierheen even bij zijn huis langsgegaan en voelde zich heel wat zekerder nu hij een pistool in zijn rechterlaars had zitten. 'Op dit moment heb ik zo'n honger dat ik de hele keuken leeg kan eten.'

'Ik breng wel iets...' Haar woorden stierven weg toen de voordeur openging en twee mensen binnenkwamen, vergezeld van een heel grote hond.

'Jullie zijn er,' zei Grayson opgelucht. Hij was er niet helemaal zeker van geweest of Paige wel zou komen. Dat ze haar hond had meegenomen was verrassend, maar dat zou het eigenlijk niet moeten zijn, als hij dacht aan wat hij van de dokter op de eerste hulp had opgevangen. Hij had nog niets gelezen van het dossier dat Daphne had samengesteld. Dat zou hij later wel doen, maar hij zou liever hebben dat Paige het hem zelf vertelde.

'Het spijt me dat we aan de late kant zijn,' zei Paige. 'Ik moest iets anders aantrekken.'

Dat had ze zeker. Ze ging opnieuw in het zwart gekleed, maar dat was de enige overeenkomst met haar vorige outfit. Ze droeg niet langer een op maat gemaakte pantalon en een trui die los viel en tegelijkertijd haar vormen accentueerde. Hij moest even rustig ademhalen en zijn uiterste best doen om niet te staren, want nu accentueerde haar broek ook haar vormen.

Ze had geweldige benen. De trui was vervangen door een strak zittende coltrui die bijna de wond in haar hals bedekte. Er was net een halve centimeter van het witte verband te zien. Maar geen mens zou acht slaan op het verband, dacht hij duister. Hun ogen zouden nooit zo hoog komen. Het jasje dat ze over de coltrui droeg sloot nauw over een paar borsten die voor elke man meer dan een handvol waren.

Of een mondvol, als die man echt heel, heel veel geluk had.

Haar schoenen veranderden haar van een schoonheid in iets dodelijks. Het waren soldatenkistjes waarmee je goed kon rennen. En iemand helemaal lens trappen als die te dichtbij kwam. Zijn blik gleed omhoog en bleef bij haar jasje hangen. Er zat een bult bij haar linkeroksel.

Hallo. Ze was gewapend. Hij wist niet goed of hij ontzet was, opgelucht of geïntrigeerd. Misschien alle drie tegelijk. Daar kwam dan nog een dosis gezonde opwinding bij.

Grayson schraapte zijn keel, zich bewust van het feit dat Clay hem met een mengeling van achterdocht en wrang begrip stond op te nemen. 'Ik hoop dat het niet moeilijk te vinden was?'

'Helemaal niet,' zei Paige. 'Maar ik verwachtte niet dat... nou ja, dat het zo zou zijn. Mag Peabody blijven?'

Lisa stond te staren. 'Grayson? Misschien wordt het tijd om ons voor te stellen?'

'Sorry. Lisa Carter-Wilson, Paige Holden en haar partner Clay Maynard.'

Clay boog licht zijn hoofd. 'Mevrouw.'

'En dat is Peabody,' zei Grayson terwijl hij naar de hond wees.

'Het spijt me zo.' Paige begon te blozen. 'Ik had mijn hond niet mee moeten nemen.'

Lisa herpakte zich en stak haar hand uit naar Paige. 'Ik ben de zus van Grayson. Jij bent die vrouw van de tv, nietwaar? De samaritaan.'

Paige's blos werd dieper. 'Ja, dat ben ik.'

Lisa bestudeerde het verband om haar hals. 'Ze hadden niet gezegd dat je gewond was.'

Paige raakte even verlegen haar keel aan. 'Dit is van... later.'

Lisa's blik flitste naar Grayson. 'Weet je zeker dat ik Joseph niet moet bellen?'

Grayson keek Maynard aan. 'Zijn jullie gevolgd?'

'Niet dat ik heb gezien.'

'Dan zit het wel goed,' zei Grayson tegen Lisa. 'Kunnen we de voordeur op slot doen?'

'Ja. Ga maar naar het Huis van Peperkoek. Ik zal wat te eten brengen.'

'En mijn hond?' vroeg Paige.

Lisa glimlachte haar vriendelijk toe. 'Het Huis van Peperkoek wordt gebruikt voor kinderfeestjes en soms zijn er hulphonden bij. Voor vandaag kan hij hulphond zijn, oké?'

Uit Paige's blik sprak opluchting. 'Dank je. Ik zal zorgen dat hij zich gedraagt.'

'Geen probleem,' zei Lisa. 'Hij kan niet erger zijn dan een stelletje verwende vierjarigen. Doe alsof je thuis bent. Niemand zal jullie daar lastigvallen.'

Paige liep achter Grayson en Clay de kamer in, bleef midden in het Huis van Peperkoek staan en draaide langzaam om haar as.

'Wauw.' Het was net alsof ze in een echt huis van peperkoek was. De muren zagen eruit alsof ze van koekjes waren gemaakt en enorme lollies staken her en der uit de wanden. 'Hier worden kinderfeestjes gehouden?'

'In deze kamer,' legde Grayson uit. 'Er zijn acht feestruimtes, plus een zaal voor recepties. Lisa's man is een cateringbedrijf begonnen en Lisa heeft het omgevormd tot een alles-in-één partyshop.' Hij wees naar een tafel van volwassen afmetingen. 'We kunnen daar gaan zitten.'

'Dit is een tamelijk griezelig plekje,' mompelde Clay terwijl hij op een stoel in de vorm van een speculaaspop ging zitten.

Paige kon een lach niet onderdrukken. 'Als je vrienden je nu eens konden zien.'

'Daar gaat het nu juist om,' zei Grayson ernstig. 'Niemand weet dat jullie hier zijn. Niemand kan meeluisteren. We kunnen de hele toestand bespreken en zien uit te vogelen wat we moeten doen.'

Paige pakte een stoel en Peabody ging gehoorzaam naast haar zitten. Ze keek Grayson aan en kwam ter zake. 'Waarom ben je me gevolgd terwijl je nog niet wist dat ik als privédetective voor Elena werkte?'

Hij trommelde nadenkend zachtjes op de tafel. 'Ze kwam vorige week bij me langs. Ze wilde een nieuw proces voor haar echtgenoot.'

'Ze zei dat ze dat zou proberen. Wat heb je tegen haar gezegd?' vroeg ze.

'Ik zei dat er uit het oogpunt van de bewijsvoering geen reden was voor een nieuw proces. Als ze deze bewijzen had, waarom heeft ze dat dan niet tegen me gezegd?'

'Ze had ze toen nog niet,' zei Paige. 'Ze heeft ze pas gisteravond in handen gekregen, van Denny Sandoval.'

Grayson leunde achterover en zijn twijfel was duidelijk zichtbaar. 'Elena heeft tegen jou gezegd dat de politie het had gedaan.'

'Ik vroeg haar wie haar dit had aangedaan. Haar exacte antwoord was: "Agenten. Achtervolgden me." Als het een wettige achtervolging was geweest waarbij schoten waren gelost, dan zou er een proces-verbaal zijn, of niet soms?'

'Ja,' gaf Grayson toe.

'Heeft de politie allebei de wapens gevonden waarmee Elena is neergeschoten?' vroeg Clay.

Grayson aarzelde langdurig. 'Nee,' antwoordde hij ten slotte. 'Eén maar. Het geweer hebben ze niet gevonden. Luister, we komen nergens als ik niet weet wat het bewijs is.'

'Het zijn bestanden op een geheugenstick. Drie foto's.' Paige haalde de pagina's die ze had geprint toen ze thuis was om zich te verkleden uit haar rugzak. Ze schoof de eerste foto over tafel naar Grayson en zag Graysons ogen oplichten. 'Herken je die man?'

'Dat is de beste vriend van Ramon Muñoz, Jorge Delgado.'

'Lekkere vriend,' zei ze. 'Ramon bezwoer dat ze samen in de bar naar een wedstrijd op tv hebben gekeken. Tijd en datum op deze foto zijn van zes jaar terug, hetzelfde tijdstip en dezelfde datum als waarop de moord op de studente gaande was. Volgens de rechtbankverslagen heeft zowel Sandoval als de "beste vriend" verklaard dat Ramon er niet was. Sandoval verklaarde onder ede dat er geen camera's op de klanten van de bar gericht waren, maar alleen op de kassa. Hij loog.'

'Een foto kan gemanipuleerd zijn. Tijd en datumvermelding kunnen gemakkelijk worden vervalst,' zei Grayson nuchter. 'Is dat alles wat je hebt?'

'Er waren drie bestanden,' herhaalde Paige. Ze overhandigde hem de tweede foto. 'Dit is Denny Sandoval met een man die ik niet ken. De echt lelijke valse snor en wenkbrauwen zijn duidelijk bedoeld als vermomming. Het enige wat aan de man te zien is, is dat hij mooie handen heeft en een pinkring draagt met wat een diamant zou kunnen zijn. De man geeft Sandoval een vel papier.'

Grayson bestudeerde de afbeelding. 'Je kunt niet zien wat er op het papier staat.'

'De derde foto is van een reçu van een overboeking,' zei Clay. 'Vijftigduizend voor een bedrijf dat Larabella Inc heet.'

'Ik heb nog wat informatie opgeduikeld voor we hierheen kwamen,' zei Paige. 'De moeder van Sandoval heette Lara. Ik weet dat Sandoval een paar jaar geleden de bar een uitgebreide opknapbeurt heeft gegeven. Hij heeft toen grote tv-schermen laten installeren, nieuwe biljarttafels neergezet, nieuwe houten boxen laten maken en de tafels en stoelen vervangen.'

'Dure dingen,' zei Grayson. 'Hoe weet je dit allemaal?'

'Maria...' Ze slikte moeizaam. *Arme Maria. Arme Ramon.* 'Maria en Elena wisten allebei dat Sandoval loog tijdens het proces. Ze hebben hem heel lang in de gaten gehouden om te zien of hij veel geld uitgaf. Maar dat deed hij niet en de vrouwen moesten uiteindelijk zo hard werken om de eindjes aan elkaar te knopen dat ze de tijd niet meer hadden om Denny te observeren. Toen ging Elena een maand geleden naar de bar en zag dat er een nieuwe voordeur in zat. Ze ging naar binnen en zag al die vernieuwingen. Ze zag ook dat Denny een nieuwe auto had gekocht.'

'Heeft ze Sandoval daarmee geconfronteerd?'

'Nee.' Ze keek even naar Clay. 'Dat moet het moment zijn geweest dat ze haar plan ten uitvoer bracht.'

'Dat ze Sandoval begon te versieren,' mompelde Clay.

'Ja. Toen Maria weken geleden naar me toe kwam, zei ze dat ze bang was dat Elena "een wanhoopsdaad" zou plegen. Ik dacht toen dat ze bedoelde dat Elena Sandoval zou neerschieten. Maar Elena was heel dik met hem. Dat wist ik niet toen ik naar de bar ging.'

'Je bent daar geweest?' vroeg Grayson.

'Natuurlijk. Ik wilde Sandoval wel eens ontmoeten. Ik wilde zien of ik iets over hem te weten kon komen.' Ze keek hem veelbetekenend aan. 'Om te zien of hij een eerlijk man was.'

'En was hij dat?' vroeg Grayson.

'Nee. Ik zei tegen hem dat ik hier pas was komen wonen en een stamkroeg zocht. Sandoval gaf me een rondleiding, die eindigde in zijn appartement boven de zaak. En zijn bed. Hij is een vreselijke glad-janus.'

Graysons ogen flikkerden van woede. 'Heeft hij iets geprobeerd?'

'Ja. Ik zei nee. Hij... drong aan. Toen heb ik hem in een wurggreep genomen.' Ze zag het vuur in Graysons ogen grotendeels doven. Zijn woede over Sandovals versierpogingen gaven haar een goed gevoel. Zijn instemming met het feit dat ze voor zichzelf was opgekomen gaf haar vreemd genoeg een nog beter gevoel. 'Hij liet me met rust en ik ben niet meer terug geweest. Nu even vooruitspoelen naar vandaag, de dag dat Elena de bestanden ontdekt. Ze wordt neergeschoten, zegt dat de politie achter haar aan zat, en ze wordt vermoord. Ik, de laatste persoon die haar nog levend heeft gezien, word aangevallen en de man van wie ze de bestanden heeft gestolen "pleegt zelfmoord".'

Ze boog voorover. 'Als we ervan uitgaan dat deze foto's echt zijn, dan moet het moordwapen dat in Ramons huis is gevonden daar zijn neergelegd.'

Grayson drukte zijn vingertoppen tegen zijn slapen. 'Verdomme.'

Er gingen enkele seconden gespannen stilte voorbij. Toen begon Peabody, die aan Paige's voeten lag, te grommen. De deur ging een klein stukje open en Lisa stak haar hoofd naar binnen. 'Eten?'

Grayson vloog overeind. 'Ja,' zei hij duidelijk opgelucht. Hij nam het dienblad over van Lisa en zette het op tafel. Toen keek hij de gang in en er verscheen zo'n warme glimlach op zijn gezicht dat Paige haar ogen niet van hem af kon houden. 'Holly! Jij bent er ook.'

Achter Lisa kwam een jonge vrouw binnen die een serveerwagentje voor zich uit duwde dat afgeladen was met eten. Ze was nog kleiner dan de toch al frêle Lisa, maar haar haar had dezelfde mahoniehouten kleur. Zusters, vermoedde Paige.

Toen de jonge vrouw opkeek naar Grayson brak er een glimlach door op haar gezicht die nog stralender was dan die van hem. Ze was ergens in de twintig en ze had het downsyndroom.

'Natuurlijk, gekkie,' zei ze terwijl hij zijn armen om haar heen sloeg. 'Ik werk hier.' Ze beantwoordde zijn omhelzing. 'Je bent heel lang niet op bezoek geweest. Waarom niet?'

'Ik moest werken, liefje.' Hij tilde haar kin op. 'Net als jij.'

'Ik heb opslag gekregen.' Toen sperde ze haar ogen open. 'O god, dat is die mevrouw van de tv.' Ze maakte zich los van Grayson om onder de tafel te kijken. 'En haar hond.'

Grayson pakte haar bij een arm voor ze op Peabody af kon rennen. 'Even wachten, schat. Paige en Clay, dit is mijn zusje Holly. Dit zijn Paige en haar vriend Clay. En dat is Peabody daar onder de tafel.' Hij keek naar Paige. 'Is Peabody gevaarlijk?'

Paige glimlachte naar Holly. 'Nee. Je weet toch dat je de hond eerst aan je hand moet laten ruiken, hè?'

Holly knikte en liep met uitgestoken hand naar de hond toe. 'Hij is mooi.'

'Dank je.' Paige gaf met gedempte stem een commando en Peabody smolt zo'n beetje aan Holly's voeten. 'Hij vindt het lekker als je hem achter zijn oren krabt.'

'Heb je hem zelf getraind?' vroeg Holly. Ze lachte toen Peabody op zijn rug rolde om over zijn buik geaaid te worden.

'Niet helemaal. Een vriendin van me is hondentrainster. Ik hielp haar vaak met het voeren van de dieren wanneer zij de stad uit was of het druk had met andere dingen. Ze heeft Peabody aan me gegeven.'

'Voor je verjaardag?'

'Nee. Omdat... omdat een andere vriendin van me doodging en ik alleen en verdrietig was. En bang. Peabody geeft me een gevoel van veiligheid.'

'Wat erg.' Holly kreeg een verdrietige trek om haar mond. 'Ik ben mijn vriend ook kwijtgeraakt.'

'Wanneer?' vroeg Paige.

'Vorige maand. Zijn hart was slecht en toen is hij doodgegaan.'

Grayson en Lisa keken elkaar bedroefd aan.

'Wat erg, Holly,' zei Paige. 'Hoe heette hij?'

'Johnny. Hij was net zo oud als ik. Hoe heette jouw vriendin?'

'Thea. Ik mis haar.'

'Dat begrijp ik. Ik mis mijn vriend ook.' Ze zweeg en tuitte haar lippen. 'Ik heb je vanmorgen op tv gezien.'

Paige vertrok haar gezicht. 'Het spijt me dat je hebt moeten zien hoe die vrouw werd vermoord.'

'Ik heb het stuk waar de mevrouw doodging niet gezien. Ik had de tv uitgezet.'

'Dat was heel verstandig van je.'

'Ik ben heel slim,' zei Holly. 'Ik heb een baan.'

Paige glimlachte. 'Waar je net opslag hebt gekregen. Gefeliciteerd.'

'Dank je.' Holly knikte vastberaden. 'Ik heb je zien springen. Dat was... ongelooflijk.'

'Ik was echt heel bang,' gaf Paige toe. 'Ik had nog nooit eerder zo ver gesprongen.'

'Die mevrouw op televisie zei dat je aan karate doet.'

'Dat klopt.' Paige zag de vraag in Holly's ogen. Ze had die vraag al zo vaak gezien. 'Je vraagt je af of jij ook aan karate kunt doen.'

Holly haalde nonchalant haar schouders op. 'O, dat zou niet kunnen. Ik ben niet zo geco... gecoördineerd.'

'Heb jíj hartproblemen?' vroeg Paige. Grayson en Lisa keken met een waarschuwende blik in hun ogen toe. Dat had Paige ook vaker gezien, gezinsleden die elkaar wilden beschermen.

'Nee. Eerst wel, maar ik ben geopereerd. Ik heb een heel groot litteken. Maar nu is alles in orde.'

'Als je dokter het goedvindt, kan ik je wel karate leren,' zei Paige. Holly's gezicht lichtte op. 'Echt waar?'

Grayson schudde zijn hoofd, heftig. 'Nee,' sprak hij geluidloos.

'Echt waar,' zei Paige tegen Holly. 'Voor ik wegga zal ik je mijn telefoonnummer geven. Als je zin hebt kun je me bellen.'

'Ik heb er zin in.' Holly keek Grayson smekend aan. 'Kan ik leren springen?'

'Nee,' antwoordde Lisa vastberaden. 'Dat kun je niet.'

Paige keek Holly glimlachend aan. Ze legde de bezorgdheid van de oudere zus opzettelijk verkeerd uit. 'Niet zoals ik vanochtend heb gedaan. Ik weet niet of ik ooit nog eens zo'n sprong zal maken. Ik hoop dat dat nooit meer nodig is. Je zult misschien niet ver kunnen springen, maar je evenwichtsgevoel zal beter zijn. En je krijgt meer zelfvertrouwen.' Ze wierp een blik in Lisa's richting. 'En dat kan nooit kwaad.'

'Ik ben blij dat je hier op bezoek bent gekomen.' Holly keek naar Clay, die er het zwijgen toe had gedaan. 'U ook,' voegde ze er beleefd aan toe. Toen draaide ze zich om naar Grayson en stak uitdagend haar kin omhoog. 'Zeg niet dat het niet mag, Grayson. Ik kan het. Ik kan een heleboel dingen.'

Grayson grinnikte, maar het klonk gespannen. 'Dat weet ik.' Hij drukte een kus op haar voorhoofd. 'We hebben nu werk te doen. Ik kom nog even gedag zeggen voor we weggaan.'

'Dat is je geraden,' zei Holly, en ze zwaaide naar Paige. 'Dag Paige. Dag Peabody.'

Lisa sloeg een arm om Holly's schouder en wierp Grayson een bezorgde blik toe voor ze de deur uit gingen. Grayson deed de deur achter hen dicht en draaide zich toen woedend om. 'Wat haal je je in je hoofd, Paige?'

Paige keek hem kalm aan. 'Heeft ze medische problemen waardoor ze geen lichte inspanning kan doen, traplopen bijvoorbeeld?'

'Nee.' Graysons gezicht stond strak. 'Ze is nu gezond. En dat willen we graag zo houden.'

'Je bent dol op haar, dat zie ik wel.' Haar hart kneep zich samen. 'Maar ze is een volwassen vrouw. Als de dokter zegt dat ze het fysiek aankan en als ze het wil leren, laat haar dan.'

'Er mag haar niets overkomen.' Het kwam er bijna uit als een grom. 'Je weet dat ze geen karate kan doen.'

Ze glimlachte hem vriendelijk toe. 'Dat weet ik helemaal niet. En jij ook niet.'

Hij aarzelde. 'Luister, we willen alleen... Ze is eerder gekwetst. Ze ging op dansles en mensen... lachten haar uit. Daar was ze kapot van. Dat laten we niet nog eens gebeuren.'

Paige's hart brak. 'Ik heb verschillende leerlingen met het down-syndroom. Niemand lacht ze uit, dat kan ik je verzekeren. Ik kan haar lesgeven als ze het wil leren.'

Ze kwam overeind. 'Laten we gaan eten en dan kun je me vertellen wat jouw opties zijn. Ik wil Holly graag lesgeven en ik wil gerechtigheid voor Elena en Ramon, maar ik kan geen van beide doen als ik niet in leven weet te blijven.'

6

'Oké, laat maar horen,' zei Clay kortaf en hij schoof zijn bord naar het midden van de tafel. 'Paige heeft je alles verteld en we zitten verlegen om antwoorden. Wat zijn je wettige mogelijkheden?'

'De eerste stap is simpel,' zei Paige. 'We halen Ramon zo snel als maar enigszins mogelijk is uit de gevangenis.'

'Dat denk ik niet. Laat me uitpraten,' zei Grayson snel toen Paige haar mond opendeed om te protesteren. 'Laten we er eens van uitgaan dat het allemaal klopt, dat de foto's echt zijn en dat Muñoz onschuldig is. Zoals je al verschillende keren hebt opgemerkt, betekent dat dat het allemaal doorgestoken kaart was.'

'Dûh,' mompelde Paige. 'En ik heb niet eens rechten gestudeerd.'

'Maar ik wel. Nu ik dit weet, ben ik verantwoordelijk voor wat er nu gaat gebeuren.'

Ze keek hem aan met een onverholen uitdagende blik. 'Had je het liever niet willen weten?'

'Nee. Ik geloof in het systeem, maar het systeem wordt gerund door mensen en mensen maken fouten. Ze liegen zelfs. Alles leek zo... geloofwaardig. De bewijzen, de getuigen. Ik heb geen spijt van de manier waarop ik hem heb vervolgd.'

Maar, dacht hij, *dat heb ik dus wel. Nu heb ik er wel spijt van.*

De getuigen waren allemaal geloofwaardig geweest, op één na. *Je voelde dat toen al, maar je negeerde wat je instinct je influisterde omdat hij zei wat je wilde horen.*

Hij wreef over zijn voorhoofd. 'Als Ramon erin is geluisd, wie heeft dat dan gedaan? Jullie geloven dat het de politie was en Elena geloofde dat overduidelijk ook. Misschien is dat zo, maar het kan ook iemand anders zijn geweest. Tot we dat weten is het denk ik een slecht idee om iets aan Ramons status te veranderen.'

'Dan laten we ons in de kaart kijken,' zei Clay.

Grayson knikte. 'Precies, ik –'

'Néé.' Paige ging staan, plantte haar vuisten op de tafel en boog zich met een woedende blik voorover. 'Je wilt toch niet serieus beweren dat we hem in de bak laten zitten terwijl we dit keurig netjes gaan uit-zoeken? Want dat gaat écht niet gebeuren.'

'Ga zitten,' zei hij op rustige toon, al was de aanblik van haar vol wraakzucht en woede om van te watertanden. 'Alsjeblieft.' Hij wachtte tot ze met haar armen over elkaar geslagen was gaan zitten. 'Er is geen enkele mogelijkheid om Muñoz vandaag of zelfs morgen uit de ge-vangenis te krijgen. Dat soort dingen –'

'Hebben tijd nodig,' maakte ze op kille toon de zin af. 'Dat is gelul. Bureaucratisch gelul.'

Zijn gezicht verstrakte. 'Je hebt gelijk, maar het is ook de realiteit.'

'Jóúw realiteit,' snauwde ze. 'Je zit daar in je dure pak spelletjes te spelen met andermans leven. Moties, protesten, papieren rompslomp.' Ze sprong opnieuw overeind met haar vuisten gebald langs haar zij. 'Ramon is zes jaar van zijn leven kwijt. Hij heeft zijn vrouw verloren en zijn moeder heeft zich doodgewerkt om de familie te eten te geven omdat hij dat niet kon doen. En jij wilt dat ik werkeloos toekijk terwijl jij de zaak misschien nog jaren laat voortslepen met gelúl?' Haar stem was de hoogte in gegaan en ze dwong zichzelf tot kalmte. 'Jouw wer-kelijkheid stinkt, meneer de officier.'

Hij keek haar aan met een uitdrukkingsloze blik. 'En wat voor an-dere werkelijkheid had u in gedachten, mevrouw Holden?'

'Ik weet het niet, maar ik mag doodvallen als ik hier blijf zitten toe-kijken hoe een onschuldige man moet blijven boeten.' Ze graaide haar rugzak van de stoel en pakte Peabody's riem. 'Kom.' De hond volgde.

Grayson schoof zijn stoel achteruit en hield haar tegen voor ze bij de deur was. Hij pakte haar bij een arm. 'Waar dacht jij verdomme naartoe te gaan?'

Peabody bleef roerloos staan en er klonk gegrom diep vanuit zijn keel. Grayson verstijfde en zijn blik ging naar de hand die hij nog steeds om haar bovenarm geklemd had. Hij liet haar los en deed een stap achteruit.

'Het spijt me,' zei hij van zijn stuk gebracht. 'Ik wilde je geen pijn doen.'

'Dat heb je ook niet gedaan,' zei ze zacht. 'Peabody, af.'

Grayson zag hoe Peabody ging liggen en keek toen weer naar haar. 'Waar wilde je naartoe?'

'Ik ga bij Ramon in het gevangenisziekenhuis op bezoek. Hij moet weten dat Elena tot het laatste moment van hem gehouden heeft, dat ze voor hem is gestorven. Doe jij je papierwerk maar en schuif maar wat met pennen en potloden. Dan doe ik wel wat nodig is om hem daar weg te krijgen.'

'Ben je van plan hem een taart te brengen met een vijl erin?' vroeg Grayson zuur.

'Nee,' zei ze even koel. 'Ik ben van plan uit te zoeken wie zijn vrouw heeft vermoord. Wie zijn leven heeft gestolen. En als de politie corrupt is en jullie advocaten veel te druk zijn met ambtelijke regeltjes, dan schakel ik de pers in. Ik kan me zo voorstellen dat ik genoeg mensen op de been krijg die het helemaal gehad hebben met jullie werkelijkheid. Ik denk dat je baas dat waarschijnlijk niet zo leuk zal vinden, zeker niet nu er dit jaar verkiezingen zijn.'

Er trilde een spiertje in zijn kaak. 'Mijn baas is mijlenver verwijderd van een verkiesbare functie. Wij spelen alleen maar spelletjes en doen aan bureaucratie en laten verkrachters en moordenaars op vrije voeten zodat die hun gang kunnen gaan.'

Ze keken elkaar een ogenblik strak aan. Toen slaakte Paige een huiverende zucht. 'Het spijt me. Ik heb je conduitestaat bekeken. Ik weet dat je heel wat boeven achter de tralies hebt weten te krijgen. Het is alleen...' Haar mond kreeg een smekende trek. 'Ramon is zes jaar van zijn leven kwijt en hij heeft niets verkeerd gedaan.'

'Ik weet het,' zei Grayson zacht. 'Als hij onschuldig is zou hij niet eens meer zes minuten moeten hoeven wachten. Maar of jij en ik dat nu leuk vinden of niet, zulke dingen kosten tijd.'

'Ik vínd het niet leuk. Kun je hem niet laten overplaatsen? Ergens buiten de gevangenispopulatie?'

'Uiteindelijk wel, maar als we dat nu doen, dan laten we ons zoals Clay al zei in de kaart kijken. De politie heeft een bekentenis van Sandoval. De korpsleiding wil dat deze zaak gewoon wordt opgelost, want dat stelt het publiek gerust, dat bang is voor een seriesluipschutter. Degene die Elena heeft vermoord, wil ook dat dit verdwijnt. Ze moeten weten dat ze iets belangrijks had – daar hebben ze haar om doodgeschoten.' Hij keek Paige veelbetekenend aan. 'Ze moeten vermoeden dat ze iets tegen jou heeft gezegd, want ze hebben geprobeerd jou ook te vermoorden. Als we nu ineens iets doen, dan duikt degene die Elena heeft gedood onder.'

'En al het nog resterende bewijsmateriaal zal ook verdwijnen,' vulde Clay aan van achter de tafel, waar hij hen met belangstelling zat gade te slaan.

'Dat ligt voor de hand,' stemde Grayson in.

Paige zuchtte en het vuur in haar ogen doofde. 'Ramon ligt in de ziekenboeg. Vechtpartij op de luchtplaats omdat Elena met Denny naar bed was geweest,' voegde ze eraan toe toen Graysons wenkbrauwen vragend omhooggingen. 'Zolang hij daar blijft is hij in ieder geval weg uit het cellenblok.'

'Ik zal zien of ik hem daar kan houden,' zei Grayson. 'Dat is een acceptabel compromis.'

Ze knikte terwijl ze zijn blik vasthield. 'Dank je.'

'Ik wil ook het juiste doen, Paige.'

Haar wangen werden rood en ze wendde even haar blik af voor ze hem weer aankeek. 'Het spijt me. Je hebt gelijk. Ik laat mijn emoties met me op de loop gaan. Wat is de volgende stap?'

Hij raakte haar arm aan terwijl ze terugliepen naar de tafel. 'Iemand heeft vandaag Elena vermoord,' zei hij. 'Maar zes jaar geleden is er nog een vrouw vermoord.'

'Crystal Jones,' zei Paige. 'Ramon heeft het niet gedaan, dus moet de echte moordenaar nog vrij rondlopen.' Ze sloeg haar ogen ten hemel. 'Verdomme, we klinken met de minuut meer als OJ Simpson.'

'Het is een cold case,' zei Clay twijfelachtig. 'We maken weinig kans.'

'We moeten het proberen,' drong Paige aan. 'Ramon is zijn vrouw en zes jaar van zijn leven kwijt.'

Grayson dacht aan het mes op haar keel. 'Ze zullen het bij jou ook blijven proberen.'

'En jij zult er niet altijd zijn om me met je goeie ouwe koffertje te hulp te schieten.'

O ja, echt wel. Die belofte was in veel te veel opzichten belachelijk. Maar hij deed haar in stilte toch. 'Dan kunnen we maar beter aan de slag gaan.'

Ze haalde een map uit haar rugzak. 'Dit is het rechtbankverslag. We kunnen beginnen met Crystals leven na te pluizen en haar bewegingen na te gaan op de avond dat ze werd vermoord. We moeten bij het begin beginnen. Als één getuigenis niet klopt, geldt dat misschien voor meer.'

'Ervan uitgaande dat deze foto's echt zijn, heb je gelijk.' Grayson legde de drie foto's naast elkaar en tikte met zijn vinger op de man die naast Ramon aan de bar zat. 'En als we dat aannemen, dan moeten we deze vent zien te vinden, Jorge Delgado. Ramons beste vriend.'

'Delgado heeft onder ede gelogen,' zei Clay. 'Iemand heeft hem zover weten te krijgen.' Hij wees naar de man met de vermomming. 'Ik wed deze kerel.'

'Mee eens. Iemand heeft opdracht gegeven voor die aanval op Paige. Sandoval was op dat moment bezig dood te gaan.'

Paige keek hem onderzoekend aan. 'Geloof je niet dat het zelfmoord was?'

'Die luxe kunnen we ons niet veroorloven. Ik denk dat iemand bezig is losse eindjes weg te werken.'

'Zoals Paige.' Clay keek grimmig en Grayson knikte.

'Ik hoop alleen niet dat Sandoval de opdrachtgever van Delgado was. Als dat wel zo is, dan zijn we de klos.'

'Hoe weten we of Delgado nog leeft?' vroeg Clay.

Grayson bekeek zijn e-mails op zijn telefoon, opgelucht toen hij zag dat er een bericht van Daphne was. 'Delgado is levend en wel. Tenminste, dat was hij een uur geleden.'

Paige fronste haar voorhoofd. 'Hoe weet je dat?'

'Voor ik hierheen kwam heb ik mijn assistente gevraagd Delgado's laatst bekende adres na te trekken.'

Paige knipperde met haar ogen. 'Dus je geloofde me, ook al had ik je de foto's nog niet laten zien?'

'Ik heb gezien hoe iemand probeerde je te vermoorden,' zei Grayson, die wist dat het lang zou duren voor die herinnering vervaagd was. 'Iemand wilde niet dat jij vertelde wat je weet.' *Bovendien geloofde ik Delgado zes jaar geleden al niet. Dat wilde ik toen alleen niet toegeven. Maar ik kan me daar niet langer voor afsluiten.*

'Waar zit die Delgado dan?' vroeg Clay. 'En hoe weten we dat hij nog leeft?'

Grayson klikte op de link die Daphne had meegestuurd. 'Een verslaggever heeft een follow-up gedaan over de moord op Elena. Delgado werd samen met andere buurtbewoners geïnterviewd. Hij zei: "Dit is een trieste dag. Elena's dood was een zinloze tragedie, maar

Maria op dezelfde dag kwijtraken... We bidden voor de hele familie Muñoz.'" Hij keek op en zag Paige verdrietig kijken. 'Wat bedoelt hij met "Maria kwijtraken"?'

'Ramons moeder kreeg vanmorgen een hartaanval toen ze hoorde wat Elena was overkomen. Ze is gestorven.' Paige balde haar vuisten. 'Dat die leúgenaar zelfs hun námen maar in de mond durft te nemen...'

Grayson deed even zijn ogen dicht en dacht aan hoe overmand door verdriet de moeder was geweest toen Ramons jury hun uitspraak bekendmaakte. 'Toen je zei dat zijn moeder zich had doodgewerkt, toen... Ik dacht dat het gewoon bij wijze van spreken was. Het spijt me.'

'Mij ook,' fluisterde ze. Ze schrok op toen een van de telefoons op tafel begon te trillen.

Clay graaide het mobieltje van tafel. 'Ja.' Zijn gezichtsuitdrukking veranderde. 'Wanneer? ... Hou hem rustig en hou hem daar.' Hij zette zich af tegen de tafel. 'Heeft de politie een Amber Alert uit laten gaan? ... Mooi. Maak kopieën van de foto's in ons dossier. Ik ben er over een kwartier.'

'Wat?' wilde Paige weten. 'Wat is er aan de hand?'

'Dat was Alyssa. Sylvia Davis is op borgtocht vrij.'

'Dat meen je niet,' zei Paige. 'Heeft ze Zach meegenomen? Hoe kan dat?'

Clay was bezig zich in zijn jas te hijsen. 'John heeft Zach bij Sylvia's moeder gelaten toen hij naar kantoor ging om wat spullen op te halen. Oma heeft zich verzet en ligt nu op de intensive care.'

Paige kwam doodsbleek overeind. 'O mijn god.'

Grayson kwam onzeker overeind. 'Wie is Sylvia Davis?'

'Cliënt van Clay. Strijd om de voogdij. De vader wil de voogdij omdat de moeder verslaafd is. Mams is gisteravond gearresteerd omdat ze haar kind prostitueerde. Ik ga met je mee.'

Clay keek haar woedend aan. 'Om de donder niet. In de eerste plaats ben je gewond en in de tweede plaats heb je een schietschijf op je hoofd.' Hij keek naar Grayson. 'Kan ze hier blijven tot ik terug ben?'

'Uiteraard.' Hij liep met Clay mee naar de voordeur met Paige achter zich aan. Ze liep zo dicht achter hem dat hij haar warmte op zijn rug voelde. Zo dicht dat toen hij inademde zijn hoofd zich vulde met haar bedwelmende, volle geur. 'Als je daar moet blijven, zorg ik dat ze veilig thuiskomt.'

'Wacht niet te lang met haar thuisbrengen.' Clay keek over Graysons schouder naar Paige. 'Ze heeft al meer dan een etmaal niet geslapen.'

'Kom op zeg,' mompelde Paige toen Clay op een holletje de straat uit liep.

Grayson deed de deur op slot en keek Paige aan, die er geërgerd uitzag. Van zo dichtbij kon hij door haar make-up de zwarte kringen van uitputting zien. Hij kon zich er maar net van weerhouden om met zijn vingertoppen over de wallen onder haar ogen te gaan. 'Waarom heb je sinds gisteren niet meer geslapen?'

'Ik heb de hele nacht gewerkt. Ik heb die moeder in de gaten gehouden die haar kind wilde laten misbruiken.'

'Wat heb je daaraan gedaan?' Dat ze actie had ondernomen stond voor hem vast.

'De politie erbij gehaald. Die heeft haar tegengehouden.' Ze klemde haar lippen op elkaar. 'Iets in me wilde dat de politie niet zo snel was geweest. Dan zou ik haar deur hebben ingetrapt en ervoor hebben gezorgd dat ze niet in staat zou zijn geweest haar kind terug te pakken. Hij is nog maar zes.' Haar stem werd scherp. Kortaf. 'Hij moet doodsbang zijn.'

Er was iets, een schaduw van angst, een woede die heel erg diep zat. Die hadden alles én niets te maken met wat er de avond daarvoor was gebeurd. Grayson herkende het maar al te goed. Hij sprak op vriendelijke toon, maar gaf toe aan de behoefte om haar aan te raken en ging met zijn duim over haar wang. 'Is je partner goed in zijn werk?'

Ze slikte moeizaam terwijl ze hem aankeek. Ze hield zichzelf stijf rechtop, alsof ze bang was dat ze anders in zou storten. Grayson kende dat gevoel ook maar al te goed. 'Ja,' fluisterde ze.

'Laat hem dan zijn werk doen. Jij hebt dat jongetje gisteravond gered. Hij zal hem vandaag redden. Op dit moment is het zeker zo belangrijk dat jij in leven blijft.'

Uit haar ogen sprak iets wat op schuldgevoel leek. 'Daar ben ik niet helemaal van overtuigd.'

Irritatie stak de kop op. 'Hoeveel jongetjes denk je te kunnen redden als je dood bent?'

'Niet genoeg,' zei ze zacht. 'Nooit genoeg,' voegde ze eraan toe alsof ze het tegen zichzelf had. Ze deed een stap achteruit en hij liet zijn arm langs zijn lichaam vallen. 'Hoe zit het met Delgado? Als hij nog steeds ergens rondhangt, dan moeten we hem te spreken krijgen. Hem kennende is hij waarschijnlijk op de vlucht geslagen.'

'Heb je hem ook ontmoet?'

'Nee. Ik ben een paar keer bij hem langs geweest, maar hij was nooit thuis.' Ze dacht na. 'Wacht eens even. Hij woont helemaal niet in de buurt van de familie Muñoz. Wat moest hij daar?'

'Hoezo woont hij daar niet in de buurt? Zijn adres is een straat bij Elena vandaan.'

'Zijn vrouw en kind wonen daar nog wel, maar Jorge is vier jaar geleden verhuisd. Ramons broers probeerden hem ervan te overtuigen dat hij moest bekennen dat hij had gelogen. Ze hadden nog maar weinig tijd om in beroep te gaan en de gemoederen liepen hoog op. Delgado werd te pakken genomen door de oudere broers van Ramon. Maria zei dat zijn vrouw ook dacht dat hij loog en die heeft hem het huis uit gezet. Hij heeft een kamer in D.C. en mag in het weekend onder toezicht van zijn vrouw zijn dochter zien.'

'Als de vrouw vermoedde dat hij loog, waarom is ze dan niet naar de politie gegaan?'

'Dat heb ik Maria ook gevraagd en ze zei dat Tina Delgado bang was dat haar en haar dochter "iets ergs" zou overkomen.'

'Wat, dat Jorge hen iets zou aandoen?'

'Dat weet ik niet. Maria vergaf het haar omdat ze haar dochter beschermde. Ik denk dat Jorge toen hij had gehoord wat er met Elena was gebeurd, terugkwam om zijn dochter nog één keer te zien voor hij op de vlucht sloeg.'

'Voor hij op de vlucht sloeg? Of wilde hij haar nog één keer zien omdat hij bang was dat hij de volgende zou zijn?'

'Dat weet ik niet. En ik weet ook niet of me dat iets kan schelen. Het enige wat ik weet is dat ik hem moet spreken.'

'Als hij vreest voor de veiligheid van zijn dochter, dan zal hij niet met je willen praten, Paige.'

Haar ogen werden spleetjes. 'Misschien wel. Met de juiste aansporing.'

Grayson schudde zijn hoofd. 'Nee. Dat gebeurt niet. Het zou echt balen zijn als ik jou moest aanklagen wegens mishandeling.' Hij boog zich voorover en overbrugde de afstand die ze tussen hen had gecreëerd. 'Jou begraven zou nog veel erger zijn. Ik heb vanmorgen niet je leven gered om toe te kijken hoe jij het vergooit door een of ander waardeloos, halfslachtig plan. Als jij hier overhaast naar buiten stormt, dan kan het zomaar zijn dat degene die vanmorgen in de garage was zijn werk afmaakt.'

Ze sloeg met een koppige uitdrukking op haar gezicht haar armen over elkaar, maar hij zag dat zijn woorden doel hadden getroffen. Haar donkere ogen kolkten en haar borst ging op en neer in het ritme van haar afgemeten ademhaling. 'Wat ben je dan van plan, meneer de officier?'

Hij kreeg een beeld voor ogen en zijn ademhaling werd prompt allesbehalve afgemeten. Zwart haar dat scherp afstak tegen zijn witte kussen. Zwarte ogen die gloeiden van verlangen. Die prachtige goudbruine huid. Hij verdrong het beeld door zich te concentreren op de herinnering aan zijn handen die druk uitoefenden op haar doorgesneden keel. Op het bloed dat haar rode jas doorweekte.

'Iemand sturen wiens gezicht niet overal op tv is geweest. Je bent veel te makkelijk herkenbaar. Als jij komt opdagen en vragen gaat stellen, dan laten we ons in de kaart kijken. Dan zou je net zo goed meteen naar de politie kunnen lopen, want dan zou je precies hetzelfde doen.'

Ze schudde haar hoofd. 'Dat zou waar zijn als ik naar een willekeurige wijk zou gaan, maar als ik daar ben, kan ik wel bij de familie Muñoz langsgaan. Mijn deelneming betuigen. Ik was bij Elena toen ze stierf. Niemand zal het vreemd vinden als ik daar vanavond naartoe ga.'

'En die schietschijf?' wilde hij weten. 'Ben je die vergeten?'

Ze ging op haar tenen staan en kwam zo dichtbij dat hij haar wimpers kon tellen. 'Natuurlijk niet,' siste ze. 'Ik ben niet achterlijk. Hoe eerder ik erachter kom wie Delgado ertoe heeft aangezet om te liegen, hoe eerder die schietschijf van mijn hoofd verdwijnt en ik de draad van mijn dagelijkse leven weer kan oppakken. Anders kan ik net zo goed een andere naam aannemen, een cape met een capuchon omslaan en naar een klooster in Tibet verhuizen, want dan zou mijn leven niets meer voorstellen. Het is niet het meest opwindende leven, maar het is mijn leven en ik ben van plan het te houden.'

Hij kwam langzaam overeind. Als er iemand was die precies begreep hoe het voelde om je te moeten verbergen voor iemand die alles op alles zette om je te vermoorden, was hij het. Dat was de reden dat zijn moeder en hij waren gevlucht. De reden dat ze een andere naam hadden aangenomen. Hij had bijna zijn hele leven achteromgekeken. Dertig jaar geleden hadden ze dat niet verdiend. Paige verdiende het nu niet.

'Je hebt gelijk,' zei hij nauwelijks hoorbaar.

Ze leunde achterdochtig achterover. 'O ja?'

'Ja. Je kunt je niet voor eeuwig verstoppen. We moeten het weten. Liever vroeger dan later en zeker voor Delgado onderduikt. Pak je spullen. We nemen mijn auto.'

Ze aarzelde. 'Wacht. Wat? Ga je mee?'

'Ik laat je niet alleen gaan. Noem me maar ouderwets, maar zo steek ik nu eenmaal in elkaar.'

Ze keek hem vermoeid aan. 'Oké. Maar je zult met Peabody in de auto moeten wachten.'

Hij kneep zijn ogen samen. 'Nu begin je onzin uit te kramen, Paige.'

'Ik meen het. Als iemand jou ziet, zullen ze zich het proces herinneren. Als ze ons samen zien, weten ze dat er iets op til is.'

'Op til? Echt waar?' Ondanks alles krulden zijn mondhoeken en een tel later krulden de hare ook.

'Ik lees te veel detectives,' bekende ze en dat vond hij heel charmant.

'Nou ja, hoe dan ook, ik blijf niet in de auto. We zullen een andere verklaring moeten vinden voor onze aanwezigheid samen.'

'O, ik kan er wel een bedenken,' zei een lijzige vrouwenstem achter hen. Paige en hij draaiden zich om en zagen dat Lisa naar hen stond te kijken met een uitdrukking op haar gezicht die hen onmiddellijk alarmeerde. 'Voor jullie Holmes en Watson gaan spelen, moeten jullie eerst hier eens naar kijken. Kom mee.'

Dinsdag 5 april, 17.25 uur

'Ik laat je niet alleen. Stuur me niet weg.'

Jorge Delgado nam zijn snikkende vrouw in zijn armen. 'Het is maar voor even,' zei hij zacht terwijl hij zijn eigen verdriet probeerde te verbijten. 'Tot alles veilig is.'

'Ik heb zés jaar gewacht. Ik dacht dat je gauw... dat je gauw weer naar huis kon komen. Dat we konden stoppen met deze leugen. En toen moest Elena zo nodig gaan doen wat ze heeft gedaan. Ik hoop dat ze brandt in de hel.'

Jorge veegde de tranen uit haar gezicht. 'Zeg dat nooit meer. Dat mag je niet zeggen. Als ik het was geweest die was beschuldigd en in de gevangenis wegrotte, zou jij het dan hebben opgegeven?'

'Nee. Maar zij is voor niets gestorven. En nu gaat hij jou toch nog vermoorden.'

'Nee, want ik ga me verstoppen. En CeCe en jij gaan naar een plek waar het veilig is.' Hij maakte de ketting die om zijn nek hing los en hing hem om die van haar. Aan die ketting hing een sleuteltje. 'Ik heb het accountnummer voor het kluisje al gemaild naar waar jij naartoe gaat. Als mij iets overkomt, moet je die kluis openen.'

Tina begon opnieuw te huilen. 'Jorge, stuur me alsjeblieft niet weg.'

Hij pakte haar bij haar schouders. 'Je moet gaan voor CeCe. Ik zal een manier vinden om contact met je op te nemen. Zorg dat ze weet dat ik van haar hou. Zeg het haar elke dag. Zeg haar dat ik mijn uiterste best heb gedaan.'

'Dat doe ik. Beloofd.'

'Mooi. Nou, droog je tranen, schat. Je hebt nog één voorstelling te gaan en die moet goed genoeg zijn om CeCe en de buren te overtuigen.'

Ze rechtte haar rug en trok haar gezicht in een afkeurende uitdrukking. 'CeCe,' riep ze ongeduldig. 'We moeten gaan. Het is al laat.'

CeCe kwam de trap af met een zeurderige trek om haar mond. 'Ik wil niet bij oma gaan eten. Er is daar niks te doen en ik moet altijd eieren van haar eten.'

'Luister naar je moeder,' zei Jorge, scherper dan hij van plan was geweest. Zijn hart brak en hij wist zijn ellende maar net verborgen te houden. Zijn lieveling ging helemaal niet naar oma. Ze ging niet uit eten. Ze ging ver weg, misschien wel voor altijd, met alleen maar de kleren die ze aanhad. Om haar in veiligheid te brengen. Alles om haar in veiligheid te brengen.

Niemand kon vermoeden dat zijn vrouw en hun kind vluchtten voor hun leven.

CeCe sloeg terechtgewezen haar ogen neer. 'Ik wou dat je met ons mee kon komen.'

Jorge liet zich op een knie zakken en sloeg zijn armen stevig om haar heen. 'Cecilia, mijn schat. Onthoud dat ik altijd van je zal houden. Nu moet je lief zijn voor mama.' Hij liet haar los, gespte haar vast in haar kinderzitje en keek toe terwijl de enige vrouw van wie hij ooit had gehouden achter het stuur kroop en wegreed.

Paige liep met Grayson naast zich achter Lisa aan naar de keuken, waar heerlijke geuren hingen. Een slanke man met een pet van de Ravens achterstevoren op zijn hoofd was bezig een hoge taart van drie verdiepingen te glazuren terwijl Holly een grote homp van een witte substantie stond te kneden.

'Dit is mijn man, Brian,' stelde Lisa hem voor.

Brian nam Paige taxerend op. 'Aangenaam kennis te maken, Paige.'

'Insgelijks,' zei Paige langzaam. 'Bedankt voor het eten. Het was heerlijk.'

'Hoi, Paige,' zong Holly. Toen grijnsde ze ondeugend. 'Hoi, Grayson,' voegde ze er plagerig aan toe.

'Hoi, Holly.' Paige draaide zich om naar Grayson. 'Wat heeft dit te betekenen?' fluisterde ze.

'Ik weet het niet,' fluisterde hij terug. 'Maar ik denk niet dat het goed is.'

'Het hangt er maar net van af hoe je ertegenaan kijkt,' zei Lisa. 'Hier zul je niet blij mee zijn, denk ik zo. Je moeder daarentegen zal in de zevende hemel zijn.' Ze zette de tv aan. 'Ik ben meteen gaan opnemen toen ze jullie namen noemden.'

'O nee.' Paige's hart ging als een razende tekeer. Daar was ze weer op de televisie te zien, maar deze keer waren het beelden uit de parkeergarage. De opname was van ver weg en de camera was niet erg goed gericht, maar er was geen twijfel mogelijk dat zij het was. 'Nee, nee, nee.'

'O god,' verzuchtte Grayson.

Brian ging achter Lisa staan en legde zijn handen op haar schouders. 'Dit is niet het stuk waar Graysons moeder zo blij van wordt,' fluisterde hij tegen Paige. Hij boog zich toen naar het oor van zijn vrouw en zei op bestraffende toon: 'Je doet net alsof Judy een sadist is.'

Lisa's antwoord ging verloren toen Paige terugdeinsde bij de aanblik van het mes dat tegen haar eigen keel werd gezet en van haar wanhopige worsteling om los te komen. Haar hand ging als vanzelf naar het verband om haar hals.

'Waarom? Hoe kunnen ze dit doen?' Ze keek Grayson aan, wiens gezicht bijna zwart zag van woede, zowel op tv als in werkelijkheid. Op het scherm had hij net de aanvaller neergeslagen. In werkelijkheid wekte hij de indruk dat hij hetzelfde wilde doen met Radcliffe.

'Daarom wilde Radcliffe commentaar van je bij het ziekenhuis.'

'Ze waren de hele tijd in de garage.'

'En ze hebben niemand gewaarschuwd,' zei Grayson kil. 'En ze hebben niet eens het gezicht van die klootzak in beeld.' Hij schudde vol walging zijn hoofd terwijl de aanvaller de benen nam.

'Ze laten tenminste niet zien dat ik bloed.' Dat was eruit gesneden en de opname ging verder met Grayson die zijn stropdas om haar hals bond om het bloeden te stelpen. 'Die das ziet er duur uit.'

'Dat was hij ook,' mompelde hij. 'Lisa, van welk stuk precies zal mijn moeder in de zevende hemel raken?'

'Wacht maar af...' Op het scherm tilde Grayson Paige's hoofd op zijn dijbeen. 'Nu zo'n beetje.'

Paige hoorde hem een vloek slaken, maar ze wendde haar blik niet af van het toestel. Hij had een woeste, maar tegelijkertijd tedere uitdrukking op zijn gezicht terwijl hij haar wond verzorgde. Ze keek toe, ze wist wat er komen ging maar voelde nog steeds opwinding toen hij zich vooroverboog om in haar oor te fluisteren. Toen streelde hij haar haar. Vervolgens haar gezicht.

Zijn hele houding had iets. Iets liefs. Onverwachts.

'Dát zal je moeder leuk vinden,' zei Lisa tevreden. 'Het werd tijd.'

De opname kwam ten einde en Phin Radcliffe verscheen weer in beeld. 'Hoofdofficier van Justitie Grayson Smith weigerde commentaar op de beelden, anders dan dat hij op het juiste moment op de juiste plek was. Ik weet zeker dat mevrouw Holden het daarmee eens is en ik ben het daar ook mee eens. Mevrouw Holden wilde ook geen commentaar geven, maar wij hier in de studio wensen haar een spoedig herstel. Dit was een verslag van Phin Radcliffe.'

Lisa zette de tv uit en het enige geluid in de keuken kwam van Holly die met ritmische bewegingen de deegachtige massa stond te kneden. Het was een geladen stilte. Ongemakkelijk.

Paige waagde een blik in Graysons richting. Hij stond voor zich uit te staren en keek niet naar haar. Daarom hield ze haar toon luchtig. 'Nu hoef je in ieder geval niet in de auto te blijven wachten.'

'Dat is niet grappig,' wist hij uit te brengen en ze moest zich beheersen om niet achteruit te deinzen. Hij was boos. Heel erg boos. En vol afschuw. De woede kon ze begrijpen. De afschuw deed pijn.

Grayson wees met een vinger in Lisa's richting. 'En jij houdt je erbuiten.'

Lisa gaf geen krimp. 'Doe nou even normaal. Wat is er aan de hand met je?'

'Wat er aan de hánd is, is dat de halve stad dát heeft gezien.' Hij gebaarde naar het scherm.

De lichte opwinding die zich van Paige had meester gemaakt toen ze zo teder werd aangeraakt, was allang voorbij. Zijn wangen waren rood, zijn ogen spogen vuur. Hij was woedend. *En wie kon hem dat kwalijk nemen?* Hij had haar leven gered en wat kreeg hij daarvoor terug? Een veeleisende vrouw die speurdertje wilde spelen en een lul van een reporter die zojuist zijn gezicht volop in beeld had gebracht.

Vanmorgen was hij nog gedistingeerd geweest, nu was hij voer voor de roddelpers. *Net als ik.*

Ze kon hem niet kwalijk nemen dat hij kwaad was. *Als ik hem was, zou ik willen dat ik mij nooit had ontmoet.*

'Ik vond het lief,' verklaarde Holly, maar haar lip trilde. 'Je bent een held.'

Grayson liep naar de tafel en sloeg zijn armen om Holly, er geen acht op slaand dat ze onder het meel zat. 'Dat jij dat vindt, betekent heel veel voor me. Wat ben je aan het maken?'

Holly nestelde zich tegen hem aan. 'Fondant. Voor de taart die Brian aan het maken is.'

'Dat wordt verrukkelijk.' Hij legde zijn hoofd tegen dat van Holly en sloot zijn ogen. Paige zag hoe hij kalmeerde. Met zijn ogen nog steeds gesloten stak hij zijn andere arm uit naar Lisa en ze sloot zich zonder aarzelen aan bij de groepsknuffel van hen drieën. Een eenheid. 'Het spijt me,' mompelde hij. 'Ik had niet tegen je tekeer moeten gaan.'

'Het spijt mij ook,' mompelde Lisa terug. 'Maar ik weet niet zeker wat precies.'

Terwijl ze toekeek werd Paige overspoeld door een golf van verlangen. Ze kreeg een brok in haar keel en ze moest heftig slikken om die weg te krijgen. Ze begreep nu dat de manier waarop hij haar gezicht had aangeraakt niet speciaal was of uniek. Het was gewoon zijn manier van doen. Zijn familiemanier.

Ze liep met prikkende ogen zachtjes de keuken uit. *Ik moet hier weg.* Maar ze was niet met haar auto. Als ze in Minneapolis was geweest, dan had ze de keuze gehad uit een stuk of wat vrienden, die allemaal binnen tien minuten voor de deur zouden staan. Maar hier was het leven een beetje anders. Ze had een paar vrienden gemaakt, onder wie Clay en Alyssa, maar dat waren niet de vrienden die ze plotseling zo erg miste dat haar borst er pijn van deed. Ze waren zeker geen familie.

Ze rende bijna terug naar het Huis van Peperkoek en propte het rechtbankverslag in haar rugzak. Peabody ging zitten, klaar voor haar commando.

Ik ga niet huilen. Niet hier. 'Hoe krijg ik jou nou thuis?'

Er was geen taxi in de stad die een hond van veertig kilo wilde meenemen en ze waren kilometers van de garage waar haar pick-up stond. Te ver om te lopen, zeker nu de vermoeidheid zich begon te doen voelen en haar het denken belemmerde. Ze zou Grayson om een lift moeten vragen. *En dan ga ik naar de Delgado's.*

Peabody kwam overeind en keek alert in de richting van de deur. Ze hoefde niet te kijken om te weten dat Grayson daar stond. Ze voelde dat hij naar haar keek.

'Ben je zover?' vroeg hij.

Paige hield haar ogen neergeslagen. 'Het is een lange dag geweest. Ik hoopte dat je me terug kon brengen naar mijn truck. Ik wil naar huis, een heet bad nemen, en dan is het wel mooi voor vandaag.'

Ze zette zich schrap toen ze zijn voetstappen dichterbij hoorde komen. Toch huiverde ze toen hij haar kin in zijn hand nam en haar dwong op te kijken. Zijn ogen waren in dit licht heel erg groen. En keken nog steeds boos. Maar zijn hand was zacht, net als de toon waarop hij sprak.

'Het spijt me, Paige. Je hebt een zware dag achter de rug.'

Haar ogen vulden zich met hete tranen en ze knipperde, waardoor de tranen over haar wangen biggelden terwijl ze zich omdraaide zodat hij het niet zou zien. Na een ogenblik van aarzeling vlocht hij zijn vingers in haar haar, waardoor ze opnieuw huiverde.

Zijn handpalm lag warm tegen haar schedel en pas op dat moment drong tot haar door hoelang het geleden was dat iemand haar had aangeraakt. De tranen begonnen opnieuw te stromen. 'Ik huil niet, het is –'

Hij trok haar tegen zich aan en smoorde haar woorden. De hand in haar haar dwong haar hoofd tegen zijn borst en met zijn andere hand streelde hij het haar op haar rug. 'Het geeft niet.'

Eventjes maar. Hij voelde zo goed. Ze stond zichzelf even toe zijn geur in te ademen. En te huilen. En net te doen of deze dag nooit was voorgevallen, alsof ze niet had gezien dat er voor haar ogen een vrouw werd vermoord. Alsof ze niet zelf bijna was vermoord. Alsof ze Elena's foto's nooit had gezien. Alsof haar keel niet afschuwelijk veel pijn deed.

Alsof deze man die zo liefdevol over haar haar streek voor altijd de hare was. Alsof hij niet alleen maar aardig tegen haar deed uit plichtsgevoel of, erger nog, uit medelijden. En alsof ze niet nog steeds de woede kon voelen die onder zijn kalme uiterlijk kolkte.

De huilbui ging over. 'Je hebt alle recht om kwaad te zijn,' fluisterde ze, 'en ik heb geen enkel recht om je nog om hulp te vragen. Ik ga naar huis.'

Hij bleef haar strelen. 'Nadat je Jorge Delgado hebt opgezocht.'

Ze zuchtte. 'Ja.'

'Ik had toch gezegd dat ik je zou brengen. Pak je spullen, dan gaan we meteen weg.'

'Nee.'

'Waarom niet, in vredesnaam?' vroeg hij geërgerd.

Haar keel kneep opnieuw samen. 'Omdat je boos op me bent en dat vind ik helemaal niks.'

Hij boog achterover zodat ze zijn gezicht kon zien. 'Ik ben boos, maar niet op jou, Paige. Jij hebt hier niet om gevraagd. Ik ben kwaad op die hufter van een Radcliffe omdat hij kijkcijfers scoort ten koste van jou. Ik ben kwaad omdat iedereen die bij deze zaak betrokken is al heeft uitgedokterd dat je mijn hulp hebt gevraagd. Als ze niet zeker wisten of jij iets wist, dan weten ze dat nu wel.' Hij ging met zijn duim over haar wang. 'Maar ik ben niet boos op jou, oké?'

Dat hij het onderwerp van zijn moeders vreugde en van zijn eigen afschuw vermeed, was haar niet ontgaan en dat deed pijn. Maar toch knikte ze. 'Oké.'

'Ik moet de politie erbij betrekken. Nu ik de foto's heb gezien is het mijn verantwoordelijkheid om het juiste te doen.'

Ze sloot haar ogen. Haar hart ging weer tekeer. 'Ik weet het. Maar dat maakt me niet minder bang.'

'Ik heb Morton en Bashears verteld dat Elena vorige week bij me is geweest om om heropening van het proces te vragen. Dat heb ik vanmorgen gedaan zodra ik zeker wist dat zij het slachtoffer was.'

Ze wist niet goed of dat een troost was of niet. 'Dus ze wisten het echt. Ga je hun kopieën geven van de foto's die ik voor je heb afgedrukt?'

'Nee.'

Ze knipperde verrast met haar ogen. 'Nee?'

'Ik heb een vriendin, ook rechercheur bij Moordzaken. Ik ga ze aan haar geven. Ze heet Stevie Mazzetti en ik vertrouw haar met mijn leven.'

'Dat is heel mooi,' zei Paige bedachtzaam. 'Maar ik moet haar ook met míjn leven kunnen vertrouwen.'

'Dat weet ik. Ze was niet betrokken bij het onderzoek in de zaak-Muñoz. Ze had er tot vandaag zelfs niet van gehoord. Ze was met buitengewoon verlof toen Crystal werd vermoord en daarna met zwangerschapsverlof. Ze heeft een paar maanden niet gewerkt en heeft in die tijd het nieuws niet gevolgd.'

Dat had Paige niet verwacht. 'Hoe weet je dat ze het nieuws niet volgde?'

'Haar echtgenoot en haar zoontje van vijf zijn gedood tijdens een overval toen Stevie zwanger was. Ze richtte zich toen alleen maar op het behoud van de baby en haar verstand. Ze weigerde uit zelfbescherming om naar het nieuws te kijken. Haar man en ik werkten samen. Hij was een verrekt goede aanklager. Hij was ook mijn vriend. Ik ken Stevie al jaren. Zij zal doen wat gedaan moet worden.'

Paige dacht aan wat Clay die ochtend had gezegd en iets van haar paniek ebde weg. Mazzetti had de moord op Clays vorige partner onderzocht en zij was de rechercheur die ze volgens hem konden vertrouwen. 'Ik heb steeds geweten dat je het vroeg of laat aan iemand moest vertellen. Oké. Doe maar.'

Er sprankelde iets in zijn ogen. 'Ik zal haar onderweg bellen. Nou, sommeer je hond.'

Ze liet een verrast lachje horen. 'Mijn hond sommeren?'

Hij haalde zijn schouders op. 'Ik heb ook te veel detectives gelezen.'

Dinsdag 5 april, 18.15 uur

Silas deed een stap bij de spiegel vandaan, nauwelijks in staat door het bloed zijn eigen spiegelbeeld te zien. Zijn maag draaide om en hij moest zijn uiterste best doen om de inhoud niet uit te kotsen in de kleine badkamer met het Dora-behang.

Hij had in deze moord ook geen zin gehad. Jorge Delgado had elke waarschuwing tot het laatste detail ter harte genomen. Tot vandaag. Hij was teruggekomen naar zijn oude buurt.

Silas wist niet goed waarom Delgado was teruggekomen. Misschien om zich ervan te overtuigen dat Sandoval echt dood was. Maar dat geloofde Silas niet. *Als ik in zijn schoenen had gestaan, dan was ik er meteen zodra ik hoorde dat Sandoval dood was vandoor gegaan.* En als hij in zijn schoenen had gestaan, dan was Silas niet in staat geweest weg te gaan zonder zijn dochter nog een laatste keer in de armen te sluiten. Hij hoopte dat Delgado die laatste omhelzing had gehad.

Tina Delgado en het kind waren niet thuis toen hij Jorge vermoordde. Hij had gewacht tot ze weg waren voor hij via de achterkant het huis binnen glipte. Als ze niet weg waren gegaan... Daar wilde hij niet aan denken. Hij wilde niet nadenken over de keuze die hij dan had moeten maken. Hij kon Jorge niet vermoorden en vervolgens diens gezin in leven laten zodat ze konden getuigen.

Want als ze niet weg waren gegaan, dan zou hij de keuze hebben gemaakt. Zijn kind kwam op de eerste plaats.

Silas keek omlaag naar zijn handen, die in twee lagen handschoenen waren gehuld, rubber over leer. Het topje van zijn wijsvinger was rood. De boodschap op de spiegel zou duidelijk genoeg zijn.

Hij glipte de keukendeur door en de brandgang in. Er was niemand buiten, niemand stond te kijken. Het regende weer en iedereen zat binnen. Hij deed zijn capuchon op zodat zijn hoofd bedekt was en zijn gezicht onherkenbaar. Ook al zag iemand hem, dan zou die hem nog niet kunnen identificeren.

Twee straten verderop bleef hij staan bij een vuilcontainer en gooide het pistool dat hij daarnet had gebruikt erin. Deze container stond vlak bij het huis van de familie Muñoz. Het wapen kon niet met hem in verband worden gebracht. Hij gooide de rubberhandschoenen in een put. Tegen de ochtend zouden ze in de rivier zijn terechtgekomen.

Silas reed weg alsof hij niet zojuist het leven had beëindigd van een man die niets ergers had gedaan dan op de verkeerde plek naast de verkeerde man zitten. Op het ergste van alle verkeerde momenten. Hij pleegde somber een telefoontje met de mobiele werktelefoon.

'Het is gedaan,' zei Silas.

'Goed te horen. En de vrouw en het kind?'

'Die waren al weg toen ik aankwam.'

'Hm.'

Silas hield zijn adem in en hoopte dat hij niet de opdracht zou krijgen om Tina Delgado en het kind te vermoorden. *Alsjeblieft, nee. Dat kan ik niet.* Maar hij wist dat hij er wel toe in staat was. Als het per se moest.

'Dat is misschien maar goed ook. Dat zou te veel rommel hebben gegeven.'

Silas liet duizelig van opluchting voorzichtig zijn adem ontsnappen. 'Precies.'

'Heb je zijn kamer in het pension doorzocht?'

'Ja. Ik heb daar de hele dag op hem zitten wachten. Hij had hier helemaal niet moeten zijn.'

'Dan is het maar goed dat hij werd geïnterviewd. Anders hadden we hem misschien gemist.' De betekenis van die fluwelen woorden was helder: *je hebt het bijna weer verpest.* 'Ik heb nog een opdracht.'

'Néé,' knarsetandde Silas. Hij beet van spijt over die uitroep op het puntje van zijn tong. 'Wie?'

'Een vechtsporter. Roscoe "Jesse" James. Hij heeft vanavond een gevecht. Je zou hem na afloop naar de bar kunnen volgen waar hij altijd gaat chillen.'

'Wat moet ik met hem doen?'

'Maak hem af. En zorg dat zijn lichaam niet wordt gevonden. Je weet wel, het gewone recept.'

Silas wist het. Het neerschieten van Elena en Jorge was een eenmalige gebeurtenis. Normaal gesproken was zijn werk niet zo openbaar. En niet zo frequent.

Silas vroeg niet naar de reden waarom James dood moest. Hij had de video van de mislukte aanslag op Paige Holden gezien toen hij in Delgado's pensionkamer zat te wachten. Haar aanvaller was groot en gespierd geweest en had gevochten als een professional. Hij was stiekem opgetogen dat ze had weten te ontsnappen.

Dat Silas belast werd met het doden van de man die de aanslag op haar had verprutst, was op zich ook een boodschap. Het karwei in de parkeergarage werd hem niet toevertrouwd. Omdat hij haar vanochtend niet had vermoord toen hij haar in het vizier had.

Toen een of andere knul met een videocamera haar ook in het vizier had. Silas had die opname ook bekeken terwijl hij op Delgado zat te wachten en maakte zich zorgen over het feit dat de band gemonteerd was. Hij moest weten wat er op die minuten die eruit waren gesneden stond. Hij moest weten of die knul met de camera op de een of andere manier zijn gezicht in beeld had. Met al die software voor gezichtsherkenning kon zelfs de kleinste glimp al genoeg zijn om hem te identificeren.

Zijn bron bij de politie van Baltimore zei dat iedereen wist wie de opnames had gemaakt – een knul die Logan Booker heette en in de flat boven die van die Holden woonde. Maar zowel Logan als Phin Radcliffe weigerde de politie de ruwe versie van de band te geven tenzij ze met een bevelschrift kwamen.

Silas moest die ongemonteerde band zien. *Gewoon voor mijn eigen gemoedsrust.* Maar eerst had hij nog een andere klus. Roscoe 'Jesse' James zou vanavond de straf voor zijn falen leren kennen. *En door die les te geven, leer ik hem zelf ook.*

7

Grayson keek voor de zoveelste keer in zijn achteruitkijkspiegel. Zo te zien werden ze niet gevolgd, maar dat was moeilijk vast te stellen in het donker en met de regen die weer was gaan vallen toen ze bij Lisa waren. Het was stil in de auto, afgezien van het geluid van de ruitenwissers en het gehijg van de hond die het grootste deel van de achterbank in beslag nam.

Paige was binnen een paar minuten nadat ze waren vertrokken met haar hoofd op haar schouder in slaap gevallen. Maar zelfs in haar slaap fronste ze haar wenkbrauwen. Grayson had de bezorgdheid wel weg willen wrijven.

Hij ging ervan uit dat hun tochtje niet veel zou opleveren. Delgado zou zijn mond niet opendoen. Tenzij hij een heel erg slecht geweten had. Het was Graysons ervaring dat mensen maar zelden geheimen bekenden die ze al jaren bewaarden. Vooral wanneer ze iemand anders beschermden.

Ze waren nog een paar kilometer van Delgado's woning toen Graysons mobieltje in zijn zak overging. Hij had een halfuur eerder naar Stevie gebeld, maar had haar voicemail gekregen. Hij tikte tegen zijn handsfree oortelefoon. 'Met Smith,' zei hij zachtjes om Paige niet wakker te maken.

'Dat weet ik.'

Grayson onderdrukte een zucht. *Daar gaan we.* 'Hoi, mam.'

'Waarom zijn we aan het fluisteren?' fluisterde zijn moeder luid.

'Omdat ik in de auto zit en mijn passagier slaapt.'

'Je passagier is fotogeniek. Dat jij dat ook bent spreekt natuurlijk vanzelf.'

'Natuurlijk. En...' Hij zuchtte. 'Wat wil je precies weten?'

'Vergeet niet dat jij degene bent die dat vraagt,' zei ze nuffig. 'Wanneer ontmoet ik die passagier van je? Ze heeft een goede smaak wat kleding betreft. Ik vond die rode jas geweldig. Heel chic.'

'Tot hij onder het bloed zat,' bromde hij nors.

'Dat wel, ja,' erkende zijn moeder. 'Verkeer je in gevaar, Grayson?'

'Nee. Maar zij wel.'

'Dan zul jij haar wel beschermen.' Het was het vaststellen van een feit. Of een blijk van vertrouwen.

Zijn moeder had hém beschermd, haar geheimen bewaard, en had tussen hem en degenen gestaan die hem letterlijk aan stukken wilden scheuren. Als een leeuwin die haar jong beschermde, had ze iedereen getrotseerd die hem bedreigde.

'Ik heb het van de beste geleerd.'

'Je hebt altijd je woordje klaar gehad,' zei ze zacht. 'Je passagier heeft heel veel geluk.'

Hij keek naar de hond, die zijn blik geen ogenblik van haar gezicht afwendde. *Hij staat tussen mij en de wereld.* Dat haar beschermer een hond was en niet een mens die van haar hield, stemde hem verdrietig. Hij wist op de een of andere manier dat zij nooit een moeder als de zijne had gehad. 'Ik denk dat je haar wel zult mogen.'

'Het is ook mijn bedoeling daarachter te komen. Je hebt beloofd dat je me morgen mee uit eten zou nemen. Ik heb een reservering bij Guiseppe. Voor drie personen. Want ik was van plan om Carly uit te nodigen.'

Grayson vertrok zijn gezicht. Carly en hij hadden elkaar al maanden niet meer gezien. 'Wat haar aangaat –'

'Maar je belde niet terug,' onderbrak zijn moeder hem. 'Dus toen heb ik haar gebeld.'

De moed zonk hem in de schoenen. 'Heb je Carly gebeld?'

'En toen hoorde ik tot mijn verrassing dat jullie uit elkaar zijn. Al maanden.'

'Het spijt me, mam.'

'Was je wel van plan het me ooit te vertellen, jongen?' Hij hoorde aan haar stem dat ze zich gekwetst voelde.

'Natuurlijk wel. Het was alleen nooit het juiste moment.' Dat klonk hemzelf ook als een slap excuus in de oren.

'Waarom hebben jullie het uitgemaakt?' vroeg ze. 'Ik dacht dat het allemaal behoorlijk serieus begon te worden.'

Hij was ervan overtuigd dat Carly dat ook had gedacht. Hij schoof ongemakkelijk heen en weer. 'Mam.'

'Hou op met je ge-mam,' zei ze scherp. 'Ik heb het Carly gevraagd.'

Hij ging rechtop zitten en hij kreeg het warm. 'Daar had je het recht niet toe.'

'Ze zei dat ze bij je weg was gegaan omdat je altijd maar aan het werk was. Dat ze geen zin had tweede viool te spelen ten opzichte van je werk.'

'Dat was ook zo.' Zo pakte hij dat altijd aan. Hij zorgde ervoor dat ze een hekel aan hem kregen omdat hij hen verwaarloosde voor ze achter de waarheid kwamen. Zij waren altijd degenen die weggingen, met hun waardigheid intact. Dat was het minste wat hij kon doen.

'Dat was zo bij elke vriendin die je ooit hebt gehad,' drong ze aan.

'Mam,' waarschuwde hij. 'Dit zijn jouw zaken niet.'

'Je hebt het haar niet verteld, hè? Carly. Je hebt het haar niet verteld.'

'Natuurlijk heb ik het haar niet verteld,' zei hij vermoeid.

'Ze was een leuke meid en je hebt haar weggejaagd, net zoals al die anderen.'

'Dat was het beste.'

'Gelul,' snauwde ze en hij schrok. 'Je hebt meer dan voldoende bewezen dat je niet bent als híj. Hij kan je niets doen. Een vrouw die je niet kan accepteren zoals je bent, verdient je niet, maar je bewijst ze een slechte dienst door ze niet de kans te geven de juiste keuze te maken.'

'Ik kan het ze niet vertellen, omdat ik het risico niet kan nemen dat ze het doorvertellen,' zei hij op rustige toon.

'Stel dat ze dat doen, wat dan nog? Er zit niemand achter je aan. Niet meer.'

'Daar heeft het niets mee te maken.' Maar dat was wel zo.

'Je gelooft dat mensen je anders gaan zien. Dat ze denken dat je net zo bent als híj, maar dat zal niemand geloven. Niemand behalve jijzelf. Hoelang ben je nog van plan te blijven boeten voor de zonden van een ander?'

Hij wist niet wat hij moest zeggen, dus zei hij maar helemaal niets.

Ten slotte zuchtte ze. 'Het spijt me. Ik moet niet tegen je tekeergaan.'

'Het geeft niet.'

'Jawel, het geeft wel. Je moest de woorden horen, maar niet de toon. Als ik terugkijk vraag ik me af wat er gebeurd zou zijn als ik niet met je op de vlucht was geslagen. Je nooit bang had gemaakt.'

Dan zouden we dood zijn, dacht hij. 'Ik weet dat je wilt wat jij het beste voor me vindt.'

'Wat ik voor je wil is dat je een gezin sticht. Maar dat zul je jezelf nooit toestaan.'

'Het spijt me, mam,' was het enige wat hij wist te zeggen.

'Daar koop je niks voor. Neem je barmhartige samaritaan nou maar mee, zodat ik haar kan leren kennen.'

De haren in zijn nek kwamen overeind van schrik. 'Beloof me dat je het haar niet vertelt.'

'Beloofd. Morgenavond acht uur. Kleed je netjes aan.'

'Oké.' Hij ontspande een beetje. Maar niet meer dan een beetje. Zijn moeder was een vrouw met een − nauwelijks geheime − missie: hem ergens in dit decennium te laten settelen. Hij had zijn hele leven zijn best gedaan haar trots te laten zijn, te bewijzen dat hij een goede man was en niet... zijn vader. Zijn best gedaan haar niet teleur te stellen. Maar hierin zou ze zeker teleurgesteld worden.

Hij keek naar Paige en werd nu al verteerd door schuldgevoel. Hij wilde haar. Hij wilde haar al vanaf het moment dat hij haar uit de baan van een doorzeefd busje had zien springen en daarna terugrennen om de bestuurder te helpen.

Hij zou haar links moeten laten liggen, of beter nog, ervoor zorgen dat zij ervandoor ging voor ze in haar hoofd kreeg dat er iets permanents in het verschiet lag. Iets wat langer kon duren dan een paar dagen of weken. Op zijn hoogst maanden. Want als ze meer wilde, zou ze gekwetst worden. Net als al die anderen.

Hij had nog nooit een vrouw een haar gekrenkt. Nooit. Maar hij had ondanks zijn goede bedoelingen wel een paar harten gebroken. Hij werd misselijk bij de gedachte dat hij Paige's hart zou breken.

Gelukkig zat het met de timing precies goed. Ze waren in de wijk van Elena. 'Ik moet ophangen, mam.'

'Ik hou van je.'

'Ik ook van jou. Tot morgen.' Hij tikte tegen zijn oortelefoontje om de verbinding te verbreken en ging langzamer rijden om de huisnummers te kunnen lezen.

Het was donker in het huis van de familie Muñoz. Grayson nam aan dat de broers bij elkaar waren om te rouwen. Hij moest er niet aan denken dat hij zijn moeder kwijt zou raken of een van de Carters. En al helemaal niet aan het verlies van je moeder en zus op dezelfde dag. Zijn hart ging naar hen uit.

Zijn hart ging altijd uit naar de families.

Maar wanneer hij op het toneel verscheen kon er jammer genoeg alleen nog maar gerechtigheid worden gezocht voor de slachtoffers. En toekomstige slachtoffers beschermd worden door moordenaars achter de tralies te stoppen.

Hij dacht dat hij het juiste had gedaan in het geval van Crystal Jones. Hij dacht dat hij die klootzak van een moordenaar in de bak had geslingerd. Hij had gedacht dat hij één stap dichterbij was om de schaal in evenwicht te brengen. Maar het was nooit genoeg.

Nooit genoeg. Hij wierp een blik op Paige, die nog steeds sliep. Dat had zij ook gezegd. *Hoeveel kleine jongetjes denk je te kunnen redden?* had hij gevraagd. *Nooit genoeg.* Hij vroeg zich af wat ze daarmee bedoelde. Hij was van plan daarachter te komen, maar dat zou nog even moeten wachten.

Hij bracht de auto voor Delgado's rijtjeshuis tot stilstand. Daar was het ook donker. Er was niemand thuis. Hij kwam in de verleiding om weg te gaan, maar Paige moest voor haar eigen gemoedsrust een poging wagen. Hij schudde zachtjes aan haar schouder en ze deed haar ogen open.

'Zijn we er?' vroeg ze.

Voor hij zichzelf ervan kon weerhouden aaide hij met zijn duim over haar wang. 'Ja.'

'Kom op dan.' Ze was al uit de auto voor hij de kans kreeg haar te helpen. Ze beval Peabody te blijven en deed het portier dicht. 'Het lijkt erop dat er niemand thuis is,' zei ze.

Hij liep achter haar aan naar de voordeur van de Delgado's en liet zijn blik van links naar rechts gaan terwijl hij zich afvroeg wie hen gadesloeg. Paranoia was niet leuk. Hij wierp een blik op het verband rond Paige's keel dat uit haar coltrui piepte. Er was alleen geen sprake van paranoia als iemand serieus probeerde je te vermoorden.

Ze klopte zachtjes op de deur. 'Mevrouw Delgado? Bent u thuis?'

Toen niemand reageerde, klopte Grayson harder op de deur. Ze hielden allebei verrast hun adem in toen de deur op een kier openging. Hij had niet in het slot gezeten.

'Dit voelt niet goed,' fluisterde Paige. Toen riep ze nog een keer luid: 'Mevrouw Delgado? Alles in orde?' Ze snoof diep. 'O, god. Ruik je dat?'

'Iemand heeft een wapen afgevuurd. Recent.' Hij haalde zijn mobieltje uit zijn zak en vloekte toen Paige met een hand op haar pistool zonder meer naar binnen liep. 'Paige! Blijf staan!'

Ze keek achterom en haar donkere ogen gloeiden. 'Er woont hier een klein meisje.'

Hij liep zachtjes vloekend achter haar aan de gang door het kleine huis in. 'Dit is bela–' Hij hield net als zij abrupt halt bij de badkamerdeur.

'O, nee,' fluisterde ze. 'Nee.'

Grayson kon geen woord uitbrengen. Hij kon alleen maar staren. Het behang kwam uit een tekenfilmserie. Nu zat het onder het bloed en hersenmassa. Hij dwong zichzelf in de badkuip te kijken. Delgado zat aan handen en voeten gebonden op zijn knieën. Zijn lichaam helde naar rechts en werd tegengehouden door de zijkant van het bad. Hij was in zijn achterhoofd geschoten.

'Geëxecuteerd,' fluisterde Grayson hees.

Paige draaide zich om naar de spiegel, waar een boodschap op stond gekrabbeld. *'"Pago del saldo",'* las ze nauwelijks hoorbaar voor. 'Dat betekent "Volledig voldaan".'

'Dat weet ik.' Grayson had de betekenis van de woorden begrepen zodra hij ze zag. Zowel letterlijk als figuurlijk. De boodschap was met het bloed van Jorge Delgado geschreven. 'Wat staat daar onderin?'

Paige boog zich zonder over de drempel te stappen naar binnen en tuurde naar de boodschap. '"R.I.P. Elena".'

'Verdomme. Wegwezen hier.' Hij liep in de richting van de voordeur, maar ze was al bezig met getrokken pistool de trap op te lopen. 'Paige,' siste hij. 'Godver.'

Ze keek ontreddert naar hem omlaag. 'Zijn dochtertje is nog maar acht jaar,' zei ze heftig met dikke stem. 'Als ze nog leeft, dan moeten we helpen.'

Hij klemde zijn kaken op elkaar terwijl hij heen en weer werd geslingerd tussen het besef dat ze gelijk had en de noodzaak om hier zo gauw mogelijk vandaan te gaan en zichzelf in veiligheid te brengen. Hij liet zich snel op een knie zakken en trok de Glock uit zijn enkelholster terwijl zij met grote ogen toekeek. 'Prima,' zei hij. 'Blijf bij me in de buurt.'

Hij glipte op de trap langs haar heen en ging voorzichtig naar boven terwijl hij luisterde naar eventuele geluiden. Gekreun. Gejammer. Maar afgezien van hun eigen ademhaling was het doodstil in huis.

Boven waren twee slaapkamers, eentje duidelijk van een klein meisje, de andere van een volwassen vrouw. Ze waren allebei pijnlijk netjes. En zo te zien leeg.

De kastdeur in de kamer van het meisje stond op een kier en Grayson duwde hem met de neus van zijn laars verder open. Aan de stang hingen schooluniformen en op de bodem lag een stapel schoenen. Geen kind.

Hij liet opgelucht zijn schouders zakken. Hij had zich op het ergste voorbereid.

De kast van de moeder bevatte ook alleen maar kleren. Er was niets wat erop wees dat hier een man woonde, niet in de kast en ook niet in de badkamer boven, die godzijdank leeg was.

Grayson wees in de richting van de trap. 'En nu gaan we er als de sodemieter vandoor.'

Buiten ademden ze diep de regenlucht in terwijl Grayson zijn pistool in zijn jaszak liet glijden en vervolgens de herhaaltoets op zijn mobieltje indrukte.

Stevie nam onmiddellijk op. 'Ik heb net je voicemail gehoord. Wat is er aan de hand?'

Heb je even? 'Ik heb je hulp nodig. Nú. Ik ben bij het huis van Jorge Delgado. Hij heeft getuigd in de zaak-Ramon Muñoz. Delgado is dood, kogel in zijn achterhoofd. Zijn vrouw en kind zijn niet in het huis. Zo te zien is er verder niets aangeraakt. Er staat een boodschap op de spiegel, geschreven met Delgado's bloed. "Volledig voldaan. R.I.P. Elena".'

'Ik kom zo snel mogelijk. Is het voor jou veilig daar?'

Hij keek in beide richtingen de straat in. 'Ik weet het niet. Paige Holden is bij me.'

Een halve seconde stilte. 'Je gaat me toch wel vertellen wat hier allemaal aan de hand is, hè?'

Grayson knikte verdoofd. 'Ja. Maar alleen aan jou. Dat meen ik, Stevie. Doe gewoon je onderzoek, waarschuw de TR en de lijkschouwer en doe wat je moet doen. Maar wat ik je vertel blijft tussen ons tot we weten wat hier aan de hand is.'

Hij verbrak de verbinding en stak zijn armen uit naar Paige. Ze vlijde zich tegen hem aan toen zijn armen haar omsloten. Gedurende lange tijd klampten ze zich rillend in de regen aan elkaar vast.

Hij had tientallen keren een plaats delict gezien, maar de meeste alleen op de foto. Het was lang geleden dat hij lijfelijk ter plaatse was geweest. Hij was verdoofd. Misselijk. Paige was ook verbijsterd geweest, maar het eerste waar ze aan had gedacht was de bescherming van Delgado's kind.

Mijn moeder zal verrukt van haar zijn.

Hij verstevigde zijn greep terwijl hij met één hand over haar rug wreef. En stopte toen hij een tweede wapen voelde, dat in een holster in haar broeksband was gestoken. Het was een kleiner exemplaar dan het wapen dat ze naar de grond gericht in haar hand hield. Hij voelde voorzichtig verder en ontdekte het heft van een mes. Dat was geruststellend en angstaanjagend tegelijk. Hij vroeg zich af hoeveel wapens ze verder nog had verborgen. En waar.

'Je moet je pistool opbergen,' mompelde Grayson in haar haar. 'Als ze hier komen en ze zien je pistool, dan zal dat vragen oproepen die je niet wilt beantwoorden.'

Ze stopte het wapen dat ze in haar hand hield in haar schouderholster en keek toen geschokt naar hem op. 'Het is mijn schuld dat die man dood is. Ik had het Morton en Bashears moeten vertellen. Ik had –'

Hij schudde zijn hoofd terwijl hij zijn vingers op haar lippen legde. 'Nee. Ik geloof nog steeds niet dat Morton en Bashears er iets mee te maken hebben, maar we houden ons aan ons plan. We vertellen Stevie alles, maar verder niemand. Iemand heeft Jorge Delgado geëxecuteerd. Nu zijn drie van de vier mensen die de waarheid over Ramons alibi kennen dood. Jij bent nummer vier.' Hij pakte voorzichtig haar kin. 'We moeten je in leven houden, begrepen?'

'Ik begrijp het. Grayson, jij bent nummer vijf. Dat weet je ook wel.'

'Ja, dat weet ik.' Als ze hier bleven staan waren ze een wel erg gemakkelijk doelwit. Hij bracht haar naar zijn auto en deed het achterportier open. 'Ga achterin zitten en hou je gedekt.'

Ze fronste haar voorhoofd, maar gehoorzaamde. Ze gaf Peabody een geruststellend klopje. 'En jij dan?'

'Ik ga rijden.'

'Wat, we gaan weg van de plaats delict?' vroeg ze geschokt.

'Nee, maar ik wil alle uitgangen kunnen zien.' Hij reed een eindje de straat in naar een punt dat dichtbij genoeg was om zowel de voordeur als de brandgang in de gaten te houden.

'Er zit een verrekijker in het voorvak van mijn rugzak. Op de vloer.'

'Dank je,' zei hij terwijl ze zich opmaakten om op Stevie te wachten.

Dinsdag 5 april, 18.55 uur

'Wat hebben we hier?'

Stevie draaide zich om toen JD het huis van de Delgado's binnen kwam. 'Jorge Delgado, achtentwintig jaar, man, *hispanic.*' Ze deed een stap achteruit zodat hij kon kijken. Tot dusver waren zij de enigen die ter plaatse waren. De technische recherche was nog niet gearriveerd. Stevie had haar baas ook nog niet gewaarschuwd.

Toen ze bij het huis was aangekomen, had ze Grayson daar aangetroffen, die er gedeprimeerd en geschokt uitzag. Behalve wanneer hij naar de donkerharige vrouw keek die op de achterbank zat met haar arm om een heel grote rottweiler geslagen. Wanneer Grayson naar Paige keek, dan verzachtte zijn hele gezicht op een manier die Stevie nooit eerder had gezien. Alleen een keer op tv. Als hij geen contact met haar had gezocht, dan zou ze hem hebben gebeld naar aanleiding van de gebeurtenissen in de parkeergarage.

Maar het was niet uitsluitend verliefdheid die Stevie in zijn blik las. Hij was bang, voor Paige. De mysterieuze vrouw was net zo van haar stuk en haar gezicht zag zo bleek dat haar donkere ogen bodemloos leken.

Hij had er geen misverstand over laten bestaan dat niemand van de politie, behalve Stevie, mocht weten dat Paige hier was. En hij had er net zo op gestaan dat Stevie de moord op Delgado zou onderzoeken.

Omdat het om Grayson ging zou Stevie alles doen wat in haar vermogen lag om te doen wat hij haar had gevraagd. Ze had het tweetal weggestuurd om ergens koffie te gaan drinken in de hoop dat dat een beetje kleur op Paige's gezicht zou terugbrengen.

JD deed een stap bij de badkamer vandaan. 'Wie is die knaap?'

'Jorge Delgado was de beste vriend van Ramon Muñoz.'

JD keek haar verrast aan. 'Dus binnen vierentwintig uur is Ramons vrouw dood, haar zogenaamde minnaar, en nu de beste vriend. Waarom deze man?'

'Ramon noemde hem als zijn alibi. Maar Delgado getuigde dat Ramon zelfs niet in de buurt was van de bar waar hij beweerde te zijn op de avond dat hij die studente zou hebben omgebracht.'

'Crystal Jones.'

'Ja. Ik heb het rapport gedownload. Ik wilde het lezen nadat ik Cordie in bed had gestopt, maar ik heb geen tijd gehad om meer te doen dan de eerste paar pagina's vluchtig doornemen. Ik zal een kopie voor je maken.'

'Executie, wraakboodschap op de spiegel, een colafles van twee liter op de grond.'

'Geluiddemper van een amateur.'

'Of iemand heeft het daarop willen laten lijken,' zei JD. 'Zijn handen en voeten zijn gebonden door iemand die wist hoe hij knopen moet leggen.'

'Dat was mij ook al opgevallen.'

'En de plaats van de ingangswond? Op slag dood. Afgezien van de angst omdat hij wist dat hij ging sterven, heeft deze man verder niet geleden.'

En JD kon het weten als voormalig scherpschutter in het leger.

'Er zijn geen sporen van braak,' zei ze. 'De voordeur stond op een kier, achterdeur zat dicht, maar was niet op slot. Komt uit in een brandgang.'

'Wie heeft hem gevonden?' Stevie gaf geen antwoord. JD draaide zich naar haar toe en keek haar aan. 'Wat is hier aan de hand, Stevie?'

'Dat weet ik niet. Nog niet. Zo gauw ik het weet zal ik het je vertellen.'

'Stevie.' In zijn stem klonk ergernis en een duidelijke waarschuwing.

'Je weet dat ik je vertrouw. Ik zal het je allemaal vertellen, dat beloof ik. Maar eerst moet ik zelf de feiten op een rijtje hebben. Kun jij het hier verder afwerken? Ik moet er een paar minuten tussenuit. Ik heb het huis gecontroleerd. Er is hier verder niemand. Er is niets wat erop wijst dat er koffers zijn gepakt en de auto is weg, dus misschien komen de vrouw en de dochter nog terug. Ik heb de TR en de patholoog gewaarschuwd.'

JD keek haar sluw aan. 'En Hyatt?'

'Nee. Nog niet.' Hun inspecteur kon tiranniek en theatraal doen, maar uiteindelijk was hij een goede politieman, die het best functioneerde wanneer hij feiten had. 'Ik bel hem wel als ik meer weet.'

'Denk je dat we deze zaak ook aan Morton en Bashears moeten overdragen?' vroeg JD.

'Ik hoop van niet. Trek alles snel na, voor het geval we geen keuze hebben.'

'Komt voor elkaar. Wie moet ik zeggen dat het lichaam heeft gevonden?'

'Op dit moment een anonieme tipgever. Ik moet eerst met die tipgever gaan praten.'

'Zeg maar tegen hem dat het een goede actie van hem was met die koffer in de parkeergarage,' zei JD droog.

Haar ene mondhoek krulde omhoog. 'Ik bel je wel als ik op weg terug ben. Bedankt, JD. Ik sta bij je in het krijt.'

'De lijst wordt steeds langer.'

Dinsdag 5 april, 19.20 uur

'Ik heb ook nog wat koffie voor jullie meegenomen.' Stevie was voorin naast Grayson gaan zitten en gaf een beker aan Paige, die nog steeds ineengedoken op de achterbank zat. 'Brave hond,' zei Stevie zacht tegen Peabody, die rechtop was gaan zitten om haar eens goed te bekijken.

'Dank je.' Paige huiverde toen ze de warmte in haar keel voelde. Ze was verdoofd. Het enige wat ze nog voor zich kon zien was het beeld van hoe Delgado daar gelegen had.

Nadat ze Stevie in Delgado's huis hadden gezien, waren Paige en Grayson naar een hamburgertent een paar kilometer verderop gereden, waar ze in een hoekje van het parkeerterrein waren blijven staan wachten.

'Dank je,' echode Grayson met een grimmige trek om zijn mond. 'Bedankt dat je gekomen bent.'

'Tot je dienst. Nou. Vertel me eens een verhaaltje, kinderen.'

Dat deden Paige en Grayson. Stevie reageerde niet tot ze klaar waren.

'Dat is me nogal een verhaal,' mompelde ze terwijl ze haar hoofd schudde.

'Het is waar,' zei Paige verdedigend.

'Ik twijfel niet aan je.' Stevie wees naar Grayson. 'Want ik twijfel niet aan hém. Het is gewoon... een heel sterk verhaal. Dus wat wil je dat er nu gebeurt, mevrouw Holden?'

'Je zult –' begon Grayson, maar Stevie kapte hem met een blik af.

'Jij komt ook nog wel aan de beurt.' Ze klopte op zijn arm. 'Ik wil het uit de mond van Paige horen.'

Paige legde haar hoofd tegen Peabody's nek. 'Ik wil gaan slapen en dan wakker worden en erachter komen dat dit hele gedoe een aflevering van een slechte televisieserie was. Maar dat is het niet.'

'Nee,' stemde Stevie in. 'Dus wat nu, Paige? Wat ben je bereid te doen?'

Paige keek Stevie gealarmeerd aan. 'Wat bedoel je daarmee?'

'Ik bedoel dat als je hier verder mee wilt, je uiteindelijk ondervraagd zult worden door een paar heren in een grijs pak. Sommigen zullen aardig doen, anderen zullen elk geheim dat je meedraagt uit je trekken. Ik bedoel dat je zeer waarschijnlijk vijanden zult maken onder politieagenten die niet dol zijn op verklikkers. Ik bedoel ook dat als je gelijk hebt en de politie heeft het onderzoek in de zaak-Muñoz inderdaad gemanipuleerd, de meeste agenten je uiteindelijk dankbaar zullen zijn. Rotte appels zijn slecht voor het imago van ons allemaal.'

'Ik kan het wel aan om te worden ondervraagd,' zei Paige terwijl ze de neiging om haar schouder te masseren onderdrukte. Ze was afgelopen zomer na de schietpartij door de politie keer op keer verhoord. Op sommige momenten was het gewoon onaangenaam geweest.

Maar de laatste keer had je Olivia die je steunde. Deze keer sta je er alleen voor.

'Aan de andere kant,' zei Stevie nuchter, 'komen ze er misschien achter dat Elena het bij het verkeerde eind had, dat de politie helemaal niet achter haar aan zat. Dat er helemaal geen politie bij betrokken is, vandaag niet en toen niet.'

'Je bedoelt dat iemand misschien tot de conclusie komt dat Ramon wel schuldig is. Dat hij in de gevangenis blijft en dat dit allemaal voor niets was?'

'Daar komt het wel op neer. Dus wat nu, Paige? Wat wil je?'

'Ik wil de waarheid. Ik wil dat iedereen weet waar Elena haar leven voor heeft opgeofferd. Ik wil niet dat de politie de pest aan me krijgt, want ik zal ze in de toekomst nog nodig hebben. Mijn partner en ik zitten nog in de wittebroodsweken en als ik niet voldoe, dan kappen we ermee. Dan moet ik weer verhuizen, terwijl ik nu eindelijk mijn potten en pannen heb uitgepakt.'

'En dat is echt een rotklus,' mompelde Stevie. 'Verder nog iets?'

'Ja. Ik wil dat degene die me vanmiddag aangevallen heeft wordt gepakt. Ik ben hiernaartoe gekomen omdat ik niet steeds achterom wilde hoeven kijken, maar nu zit ik weer in die situatie.'

Stevies wenkbrauwen gingen omhoog, die van Grayson omlaag. Geen van tweeën zei iets.

Paige zuchtte. 'En ik wil geen bloed aan mijn handen. Nooit meer.'

'Dat zijn mooie wensen. Maar wat ben je nu bereid te doen?' drong Stevie aan.

Ze keek Stevie in de ogen. 'Wat maar nodig is. Waar heb ik me nu net op vastgelegd?'

'Dat weet ik nog niet. Grayson, wat staat er op jouw agenda?'

'Allereerst morgenochtend een vergadering met jou, je baas en mezelf.' Dat had hij al geregeld. Hij had de hoofdinspecteur gebeld terwijl ze stonden te wachten.

'Wat ga je hem vertellen?' vroeg Stevie.

'De waarheid, net als we bij jou hebben gedaan.'

'Hij zal het niet leuk vinden dat Paige beweert dat er een politieman bij betrokken is.'

'Dat staat mij ook niet aan. En misschien is het ook niet waar. Elena kan zich hebben vergist. Als we ervan uitgaan dat het bewijsmateriaal daar is neergelegd, dan kan iedereen dat wel hebben gedaan. Maar een getuige – en iemand heeft een heel groot risico genomen om haar het zwijgen op te leggen – heeft met haar laatste woorden de politie beschuldigd. Degene die die laatste woorden heeft gehoord, is vanmiddag bijna vermoord. We moeten Elena's beschuldiging serieus nemen tot het tegendeel bewezen is.'

'De hoofdinspecteur zal nog voor je zijn kantoor uit bent Interne Zaken erbij betrekken,' zei Stevie.

'Hij mag ze erbij halen.' Grayson haalde zijn schouders op. 'Maar niet om de zaak over te nemen.'

'Aha,' zei Stevie zacht. 'De lijst met eisen. Laat maar horen.'

'In de eerste plaats wil ik niet dat Paige iets overkomt. Als dit uit de hand loopt, dan zal mijn kantoor haar onderbrengen in een safehouse, wat betekent dat Interne Zaken haar niet meer te spreken krijgt.'

'Hé,' protesteerde Paige. 'Heb ik daar ook nog wat over te ze–'

Stevie stak haar hand op. 'Het is niet jouw beurt. Zoiets vermoedde ik al,' zei ze tegen Grayson.

'Dit onderzoek blijft in handen van het Openbaar Ministerie. Ik neem de leiding. Ik wil hulp van de politie – jouw persoon. Niemand anders, tenzij de hel losbarst. Interne Zaken wordt alleen maar op de hoogte gehouden. En ik wil toegang tot alle onderzoeken die gaande zijn met betrekking tot de dood van Elena Muñoz, Denny Sandoval en Jorge Delgado. Ik wil ook toegang tot de personeelsdossiers van iedereen die betrokken is bij het onderzoek naar de moord op Crystal Jones.'

Stevie keek hem indringend aan voor ze antwoord gaf. 'Je wilt nogal wat.'

Grayson haalde opgevouwen papieren uit zijn borstzak. 'Dit zijn kopieën.'

'Natuurlijk zijn het kopieën.' Stevie bestudeerde ze een voor een. 'Waar zijn de originelen?'

Paige keek Grayson aan en hij knikte. 'In mijn bankkluis,' antwoordde ze.

'Op de geheugenstick die Elena je gaf vlak voor ze stierf,' zei Stevie. 'Oké. We zullen een van onze technici laten verifiëren of er met die bestanden gerommeld is. Maar gezien de gebeurtenissen van vandaag lijkt me dat zeer onwaarschijnlijk. Ik wil ook die stick hebben.'

'Eerst moet de hoofdinspecteur instemmen met mijn voorwaarden,' zei Grayson.

'Waarom heb je mij dan gebeld?' vroeg Stevie.

'Omdat ik jou vertrouw. Ik heb iemand nodig die ik kan vertrouwen.'

Stevie zuchtte. 'Je weet dat je op me kunt rekenen, maar eerst heb ik nog een paar vragen van meer persoonlijke aard. Hoelang kennen jullie elkaar?'

'We hebben elkaar vandaag voor het eerst ontmoet,' zei Paige.

Stevie keek ongelovig. 'Als je dit niet serieus neemt...'

'Ze liegt niet,' zei Grayson met nadruk. 'Ze is vandaag naar de rechtbank gekomen om kennis met me te maken.'

'Ik had zijn foto gezien,' gaf Paige toe. 'Ik moest weten wie ik precies zocht.'

'Ik had haar op de video gezien,' voegde Grayson eraan toe. 'Samen met de rest van de wereld.'

Stevie tuitte haar lippen. 'Het zal niet meevallen dat te verkopen, jongens. Ik weet zeker dat de hoge omes die video van de parkeergarages inmiddels ook hebben gezien. Samen met de rest van de wereld.'

Grayson klemde zijn kaken op elkaar. 'Die verrekte Radcliffe.'

'Beelden liegen niet.' Stevie zwaaide met de fotokopieën. 'Je kunt niet alles hebben.'

'We. Hebben. Elkaar. Vandaag. Voor. Het. Eerst. Ontmoet,' zei Grayson knarsetandend.

'Ooo-keee,' antwoordde Stevie sarcastisch. 'Hebben jullie "een relatie"?'

'Nee,' zeiden ze tegelijk.

'Oké,' ging Stevie verder, 'zijn jullie van plan een relatie te begínnen?'

Paige deed haar mond open om nee te zeggen, maar het woord weigerde haar mond te verlaten. Ze keek even naar Grayson en zag dat hij Stevie woedend stond aan te kijken. Stevie klakte nadenkend met haar tong.

'Dat is in ieder geval eerlijk. Als dit verkeerd afloopt, kun je tegen een sanctie op lopen, Grayson.'

'Wacht,' barstte Paige uit. 'Dan nee. Dan zeg ik nee. Hij heeft niets verkeerd gedaan.'

'Te laat,' zei Stevie. 'Grayson? Heb je me begrepen?'

Hij wendde zijn blik van hen allebei af. 'Ja, ik heb het begrepen.'

'Ik niet,' zei Paige. 'Ik wil niet dat er nog iemand sterft. Ik wil niet doodgaan. Maar ik zal niet toestaan dat je je carrière opoffert. Dit is niet jouw strijd.'

Hij draaide zich naar hen toe en zijn blik was zo intens dat ze even naar adem snakte. 'Ik heb vandaag gezien hoe je bijna bent vermoord, dus het is wel degelijk mijn strijd. En ook al zou jij er helemaal niets mee te maken hebben, dan nog blijft het feit dat ik wist dat er iets niet klopte aan Delgado toen ik hem in het getuigenbankje liet plaatsnemen.'

Ja, dat moet wel, dacht Paige. Anders zou hij zijn assistente nooit hebben gevraagd Delgado na te trekken. 'Hoe dat zo?' vroeg ze zacht.

'Ik dacht dat hij bang was voor de reacties uit zijn omgeving omdat hij Ramon geen alibi verschafte. Hij had een vrouw en kind. Misschien beschermde hij hen, misschien ook niet. Maar wie dit heeft gedaan wilde niet dat Delgado zijn mond opendeed. Die persoon heeft mijn proces gemanipuleerd. Heeft met gerechtigheid voor Crystal Jones gespeeld. Míj gemanipuleerd. Dus, godver, ja, dit is mijn strijd.'

Paige knikte aangedaan. 'Dan kunnen we er maar beter voor zorgen dat er niets fout loopt.'

'Even terug naar het lijk in de badkuip,' zei Stevie. 'Als degene die Elena heeft vermoord ook Sandoval en Delgado het zwijgen heeft opgelegd, wat heeft die tekst op de spiegel er dan mee te maken? *"Volledig voldaan. R.I.P. Elena."* Zo lijkt het net alsof iemand aan Elena's kant dat uit wraak heeft gedaan.'

Paige haalde haar schouders op. 'Het is in de buurt geen geheim dat Ramons familie Jorge Delgado haatte. Ze hebben al eens een keer gevochten, met als gevolg dat Delgado de stad uit moest. Waarom zouden ze een van de gebroeders Muñoz niet de schuld in de schoenen schuiven? Dat heeft de eerste keer ook gewerkt.'

'Dat is een mogelijkheid,' gaf Stevie toe. 'De moord zelf zag er professioneel uit.'

'Het was te formeel,' zei Grayson bedachtzaam.

'De moord?' vroeg Stevie en hij schudde zijn hoofd.

'Die ook. Maar ik bedoelde de tekst op de spiegel.'

Paige herinnerde zich wat hij had gezegd. *Volledig voldaan*, had zij gezegd. *Dat weet ik*, was zijn antwoord geweest.

'Er stond *"Pago del saldo"*,' zei hij. 'Dat is een tamelijk formele manier om "betaald" te zeggen. Als een van de gebroeders Muñoz dit in een opwelling had gedaan, dan zouden ze directer zijn geweest. Dan hadden ze gewoon *"Pago"* geschreven, of een of andere belediging. *"Pago del saldo"* is bijna... respectvol.'

Stevie keek hem verrast aan. 'Na al die jaren... Ik wist niet dat je Spaans spreekt.'

Hij keek haar ongemakkelijk aan. 'Ik loop er niet mee te koop. Soms is het prettig als mensen denken dat niemand hen kan verstaan. Dan laten ze heel wat meer los.'

'Ha. Net als je denkt dat je iemand kent... Luister, ik moet terug, dus laten we de praktische zaken even afhandelen.' Stevie hield haar hand op. 'Pistool.'

Grayson haalde hem uit zijn zak en gaf hem met de kolf vooruit aan haar. Stevie rook eraan en gaf hem terug. 'Wanneer heb je er voor het laatst mee geschoten?' vroeg ze.

'Een maand geleden, op de schietbaan met mijn broer Joseph. De vergunning om hem bij me te hebben is in orde.'

'Oké.' Ze keek Paige doordringend aan. 'Ben jij gewapend?' Paige knikte en Stevie stak haar hand uit over de rugleuning, waardoor Peabody begon te grommen.

'Af,' zei Paige tegen hem. Ze haalde de Glock uit haar schouderholster. 'Glock. Is de afgelopen twee weken niet mee geschoten. Laatste keer op de schietbaan bij Hopkins.' Ze stak haar hand achter haar rug en haalde haar .357 met de loop van vijf centimeter tevoorschijn. 'Smith & Wesson AirLite.'

'Mooi.' Stevie woog hem in haar hand. 'Ik heb al een tijdje een oogje op dit type.'

'Past overal.' Paige trok een knie op, maakte de gesp van haar rechterlaars los en haalde nog een AirLite tevoorschijn. 'Ze waren in de aanbieding,' zei ze droog toen Graysons wenkbrauwen omhooggingen.

Stevie rook aan de wapens, bekeek de cilinders en magazijnen en gaf ze toen terug. 'Vergunning?'

'Natuurlijk. Ik heb een kopie in mijn rugzak en er zit er een in het dossier van de politie van Maryland. Wil je mijn messen ook zien? Ik heb er vijf.'

'Dat is niet nodig,' zei Stevie. 'Je bent opvallend goed bewapend, Paige. Waarom dat?'

'Ik ben afgelopen zomer aangevallen. Neergeschoten, samen met mijn vriendin.' Paige wachtte tot het beklemmende gevoel op haar borst voorbijging. Maar dat gebeurde niet. 'Thea heeft het niet overleefd. Ik bijna ook niet.'

Stevie keek haar meelevend aan. 'Het spijt me van je vriendin. Maar dit is wel waar ik je op wil voorbereiden. De mannen in pak zullen je compleet doorzagen over die dag. Ze zullen je elk ogenblik opnieuw laten beleven en ze zullen daar waarschijnlijk niet al te gevoelig over doen. Je komt met bewijzen die mogelijk tegen politiemensen gericht zijn. Daar zijn ze helemaal niet blij mee.'

Paige controleerde systematisch of haar pistool en revolvers op de veiligheidspal stonden voor ze de wapens weer opborg, terwijl ze zich ondertussen mentaal voorbereidde op het opnieuw moeten vertellen over de aanval op haar. Dat was nog steeds niet makkelijk. 'In dat geval is er nog één ding dat jullie goed moeten begrijpen. Vooral jij, Grayson, aangezien jij je carrière misschien in de waagschaal stelt.' Ze keek hem aan. 'Het gebeurde afgelopen zomer in Minneapolis... Thea en ik werden aangevallen door een groepje van vier mannen. Twee van hen zaten bij de politie.'

Er vertrok een spiertje in zijn kaak. Ze zag de woedende vragen in zijn ogen branden, maar het enige wat hij vroeg was: 'Heb je ze te pakken gekregen?'

'Niet echt. Drie zijn ontsnapt. Een van hen heeft me een tweede keer aangevallen. Hij brak op een nacht bij mij thuis in toen ik net uit het ziekenhuis was. Hij wilde het karwei afmaken.' Peabody maakte een rauw geluid en Paige besefte dat ze zijn nek veel te hard omklemde. Ze liet hem onmiddellijk los en begon hem te aaien. 'Ik had een mes onder mijn kussen liggen.'

'Heb je hem gedood?' vroeg Grayson met vaste stem.

'Nee. Dat wilde ik wel. Ik heb hem in zijn zij geraakt, maar niet diep genoeg om hem tegen te houden. Ik was te zwak. Hij wist niet dat mijn vriendin bij me logeerde. Ze zit bij de politie. Bijzonder lichte slaper. Ze werd wakker toen hij vloekte omdat ik hem had gestoken en toen ze kwam, had hij zijn handen al om mijn keel.'

'Heeft zij hem gedood?' vroeg Stevie.

Paige kreeg een bittere trek om haar mond. 'Nee, maar zij wilde het ook wel. Liv deed alles volgens het boekje. Riep "Politie" en alles. Ze wist hem van me af te krijgen en hield hem op de grond tot er versterking arriveerde. De volgende dag gaf onze andere vriendin, Brie, me Peabody. Brie zat vroeger ook bij de politie. Nu traint ze politiehonden. Ze hebben me samen meegenomen naar de schietbaan en daar heb ik een heleboel papieren doelwitten vermoord. Toen zijn we serieus aan de mojito's gegaan en hebben ze me laten uithuilen. Toen ik weer nuchter was, heb ik de vuurwapens gekocht.'

'En de messen?' vroeg Stevie.

'Die had ik al. Ik ben getraind in het gebruik van allerlei wapens. Ik kan je neerslaan met een stok, je nek breken met nunchakus of je in reepjes snijden met een mes. Maar een vuurwapen verslaat ze allemaal.' Ze masseerde haar schouder. 'Dat weet ik uit ervaring.'

'Dat geloof ik graag,' zei Stevie zacht. 'Je tegenzin om de politie voldoende te vertrouwen om Elena's bewijs over te dragen leek eerder al logisch. Maar nu helemaal. Het is een wonder dat je zelfs maar met mij praat.'

'Mijn beste vrienden thuis zitten bij de politie. Ik weet dat er goede mensen tussen zitten. Ik hoop uit de grond van mijn hart dat jij daar een van bent.'

'Ik hoop voor jou dat ik beter dan goed ben.' Ze keek naar Grayson, die veel te stil was. Zijn gezicht stond somber en zijn woede was tastbaar. 'De mannen in burger zullen van je willen weten waarom de politie het heeft gedaan,' zei ze tegen Paige. 'Ze zullen waarschijnlijk insinueren dat je het aan jezelf te wijten had.'

'Dat weet ik. En ik zal ze hetzelfde vertellen wat ik toen tegen de politie heb gezegd. De waarheid. Alles staat zwart op wit. Ze hoeven het me niet eens te vragen. Maar dat doen ze wel. Dat doen ze altijd.'

'En dat spijt me geweldig. Het is afschuwelijk om zoiets steeds maar opnieuw te moeten beleven. Hoe heet die politievriendin van je? Degene die de nacht dat je thuis werd aangevallen bij je was?'

'Rechercheur Olivia Hunter. Ze zit bij Moordzaken.'

'Oké. Ik moet terug. Ik bel nog wel.' Met een achteloze zwaai stapte Stevie uit de auto en liet Paige en Grayson alleen achter.

Het was weer stil in de auto, afgezien van het geroffel van de regen die gestaag op het dak viel. Paige masseerde Peabody's kop. Ze zag op tegen de vraag, ook al wist ze dat hij hem moest stellen en zij hem moest beantwoorden. 'Vraag het maar. Dan hebben we dat gehad.'

'Wie heeft het gedaan?' Hij aarzelde en slaakte toen een vermoeide zucht. 'En waarom?'

Dinsdag 5 april, 19.30 uur

'Adele? Ik ben thuis!' riep Darren. 'Waar zit je?'

Adele Shaffer stond zich in de keuken te vermannen terwijl de hond een enthousiast welkom blafte. *Vertel het hem.* Dat was het advies van dokter Theopolis. *De bron van je paranoia is de stress die veroorzaakt wordt door te leven als iemand die je niet werkelijk bent. Net als vroeger.*

Net als vroeger, toen ze zes weken in een psychiatrisch ziekenhuis was opgenomen geweest omdat ze had geprobeerd zichzelf van het leven te beroven. Voor iemand anders dat kon doen. Die 'iemand' had destijds helemaal niet bestaan. Dat was haar ziel die schreeuwde om vergelding. Om erkenning. Om gerechtigheid. Maar er had toen geen gerechtigheid bestaan en daar had ze mee leren leven.

Ze dacht in ieder geval dat ze ermee had leren leven. Theopolis leek het daar niet mee eens te zijn. Adele wist dat hij gelijk had. Waarom zou ze anders zo paranoïde doen? Aan zo'n waanidee lijden? Waarom zou ze anders in hemelsnaam denken dat iemand haar wilde vermóórden?

'In de keuken,' riep ze. 'Rusty, hou op met je geblaf.'

Darren kwam de keuken in met een verrukt kraaiende Allie op zijn heup en Rusty die kwispelde met zijn hele knakworstlijf achter hem aan. 'Ik maakte me ongerust,' zei hij. 'Ik heb de hele middag geprobeerd te bellen, maar je nam je mobieltje niet op en de huistelefoon ook niet.'

Vertel het hem. Maar waar moest ze beginnen? *Hé, Darren, mijn leven is één grote leugen en nu heb ik ook nog paranoïde waanideeën. Wil je puree of gebakken aardappelen voor het eten?* Weinig kans.

'Ik had het geluid uitgezet,' loog Adele. 'Ik barstte van de hoofdpijn toen ik thuiskwam.'

'Dat zal wel door al die regen komen. Een heleboel mensen op het werk klagen ook over hoofdpijn. Hoe ging je afspraak?'

'Uitstekend.' *Vertel het hem, Adele. Bij alles wat je heilig is, vertel het hem.* Ze duwde Rusty aan de kant en deed de oven open om te controleren hoe het met de kip stond. Die stomme hond vrat alles wat niet vastgespijkerd zat. 'Ze wil drie kamers gedaan hebben, precies zoals ik ze had ontworpen.'

'Geweldig. Dat moeten we vieren. Zal ik een babysitter voor Allie bellen, dan neem ik je mee naar dat Indiase restaurantje waar je zo nieuwsgierig naar bent.'

'Nee,' zei ze zo snel dat hij met zijn ogen knipperde. 'Ik eh...' *Durf het huis niet uit.* 'Ik heb nog steeds hoofdpijn. Ik heb aspirine ingenomen. Kunnen we niet een andere keer gaan?'

'Natuurlijk. Ga jij maar lekker zitten en tv-kijken. Ik geef Allie wel te eten en daarna maak ik ons eten verder klaar.'

Ze omhelsde hem stevig. 'Ik verdien jou niet.' Adele ging naar de woonkamer en hield even stil bij het tafeltje bij de deur waar ze de post van die dag had neergelegd. Ze fronste haar voorhoofd. Er stond een doos die er eerder niet was geweest. 'Darren? Waar komt die doos vandaan?'

'Die stond op de veranda toen ik aankwam. Ik dacht dat het iets van een van je klanten was.'

Adele staarde naar de doos terwijl haar hart als een razende tekeerging. Ze tilde de doos voorzichtig op. Hij was niet zo zwaar. Ze hield hem bij haar oor. Geen getik.

'Gekkie,' zei Darren achter haar. Hij haalde een keukenmes tevoorschijn. 'Maak open.'

Haar handen trilden toen ze de verzenddoos opensneed en een kleinere, in folie verpakte doos zichtbaar werd. Ze haalde het deksel eraf, doodsbang voor wat er tevoorschijn zou komen.

Toen liet ze haar adem ontsnappen. 'Chocola,' fluisterde ze.

'Mmm. Truffels.' Hij stak zijn hand uit om er een te pakken en ze gaf hem een tikje op zijn vingers.

'Straks lust je je eten niet meer.'

Hij lachte. 'Je bent zo'n moedertje sinds Allie is geboren. Ik kan me de tijd nog herinneren dat die doos *in no time* leeg zou zijn, op welk tijdstip van de dag dan ook. Van wie komen ze?'

'Er zit geen kaartje bij.' Adele bekeek de buitenste doos. 'Trammell and Trammell. Ik heb een halfjaar geleden hun receptieruimte gedaan. Waarom zouden ze dan nu chocola sturen? Het is geen feestdag.'

'Misschien is het een vergissing.' Hij fronste zijn wenkbrauwen en tilde haar kin omhoog. 'Ga zitten. Je ziet nog bleker dan daarnet. Ik breng je het eten.'

'Oké.' Adele ging op de bank zitten en zette de doos truffels op het bijzettafeltje. Ze zette de tv aan, voornamelijk om Darren een plezier te doen. Ze was aan het zappen toen haar vinger plotseling stilhield. Daar was die vrouw van vanmorgen. De vrouw die sprong als Wonder Woman. Adeles ogen werden groot.

Verdorie. Ze werd aangevallen. Adele was niet in staat haar blik los te maken en keek tot het was afgelopen. Ze slaakte een zucht van verlichting toen ze op tv zeiden dat alles in orde was met de vrouw. *Blij dat ik niet in haar schoenen sta.*

8

Grayson had gevraagd of ze voorin wilde komen zitten, maar Paige had bedankt omdat ze ruimte nodig had. Afgaande op de manier waarop ze zich aan de hond vastklampte, vermoedde hij dat het meer emotionele ruimte was die ze nodig had.

'Ik heb lesgegeven in zelfverdediging,' begon ze. 'In Minneapolis. De meeste van mijn leerlingen waren vrouwen, voornamelijk met echtgenoten met losse handjes. Een paar waren slachtoffer geworden van zinloos geweld.'

Zoveel had hij zelf ook al begrepen. 'Wie was Thea?'

'Een van mijn leerlingen. Ze was te bang om bij haar man weg te gaan, maar haar zus had haar ervan weten te overtuigen dat ze moest leren zichzelf te verdedigen.'

'Is ze ooit bij hem weggegaan?'

'Uiteindelijk. Ze kreeg een baan bij het vrouwencentrum. Haar man stelde haar een ultimatum – ontslag nemen of wegwezen. Ze bezorgde hem een flinke schok door bij haar zus in te trekken. De tijd verstreek, maar toen probeerde hij haar op een avond te pakken te nemen toen ze van het vrouwencentrum naar haar auto liep. Hij had voortdurend briefjes in haar postvak achtergelaten waarin hij haar beval naar huis te komen.'

'Waarom heeft ze hem niet aangegeven?' vroeg Grayson zacht, hoewel hij het antwoord al wist.

'Hij zat bij de politie. Ze was bang dat niemand haar zou geloven of, erger, dat er repercussies zouden volgen. Uiteindelijk kreeg ze gelijk. De eerste keer dat ik zag dat hij haar vastgreep waren we net klaar met de les. Ik hield hem in bedwang en dreigde hem aan te zullen geven als hij niet wegging. Dat deed hij.'

'Heb je hem hoe dan ook aangegeven?' vroeg hij.

'Nee. Dat was ik wel van plan, maar ze smeekte me dat niet te doen. Ze beloofde me dat ze het zelf zou doen. Ik geloofde haar. En daar zal ik mee moeten leren leven, want ze gaf hem niet aan en hij probeerde het een week later opnieuw. Ze stond toen buiten bij het huis van haar zus, maar haar zus begon te gillen en hij ging ervandoor. Haar zus heeft toen een straatverbod aangevraagd.'

'Wat gebeurde er?'

'We hoorden dat haar echtgenoot disciplinaire maatregelen te wachten stonden vanwege dat tijdelijke straatverbod. Ze was bang, maar wat moet je? We gingen op de oude voet verder. Die laatste avond had ik lesgegeven. Iedereen was al naar huis, behalve Thea en ik. Ik hoorde dat hij inbrak. Ik belde het alarmnummer op mijn mobieltje en liet dat in mijn zak glijden. De centralist heeft alles gehoord.'

Ze balde haar handen tot vuisten, ontspande ze weer en balde ze opnieuw, telkens weer, terwijl ze uiterlijk kalm bleef. Maar toen dacht hij aan de blinde paniek in haar ogen toen ze hem in de garage smeekte haar niet in bedwang te houden en hij vreesde wat hij te horen zou krijgen.

'Waren ze met z'n vieren?' Hij had het voorzichtig willen vragen, maar de woorden kwamen er ruw uit.

'Ja. Maar het is niet wat je denkt. Ze hebben me niet verkracht.' Ze liet haar adem ontsnappen toen hij van opluchting zijn schouders liet zakken. 'Die vier mannen waren gemaskerd. Een van hen had Thea vast en hield een pistool tegen haar hoofd. Ik wist dat het haar man was.'

'Was hij van plan zijn vrouw te vermoorden?'

'Dat weet ik niet. Dat weet ik tot op de dag van vandaag niet. Maar hij wilde haar absoluut wel doodsangst aanjagen. En mij vernederen. Hij zei tegen zijn maten dat ze "die meid met die zwarte band" een lesje moesten leren.'

Grayson onderdrukte zijn woede. 'Zoals je tegen Bashears zei daar bij de eerste hulp.'

'Ja. De mannen hadden erom geloot wie als eerste mocht aanvallen. Voor hen was het één grote grap. Thea was zo verschrikkelijk bang.' Haar stem brak. 'Ik zie haar nog steeds voor me, zoals ze naar me keek. Me smeekte om iets te doen. Om haar te helpen. Maar ik heb haar niet geholpen.'

Ze trilde en hield een hand tegen haar schouder gedrukt. 'Ik kon haar niet helpen.' Haar stem was hees gaan klinken. 'Ik kon mezelf niet eens helpen. En daar zal ik ook mee moeten leren leven.'

De boom in met ruimte. Hij stapte uit en deed het portier aan haar kant open, trok haar naar buiten en nam haar in zijn armen. Hij bracht haar handen onder zijn jas naar zijn rug. 'Hou je aan me vast en haal rustig adem.'

Hij wikkelde zijn jas om haar heen, legde zijn wang op haar hoofd om haar te beschermen tegen de regen. En camera's of, wat God verhoede, het telescoopvizier van een sluipschutter. Ze klampte zich aan hem vast. Hij klampte zich nog steviger vast.

Hij gaf toe dat hij er net zo veel behoefte aan had om haar vast te houden als zij om vastgehouden te worden. Er was bij deze vrouw sprake van een eenzaamheid die iets met hem deed. Want hij was ook eenzaam.

'Het spijt me,' zei ze bijna onhoorbaar.

'Stil maar.' Hij streelde haar haar. 'Het komt goed.' Hij keek om zich heen, zich bewust van het gevaar dat ze liepen door zo open en bloot op het parkeerterrein te staan. Hij wenste dat hij alleen maar paranoïde was, maar wist dat dat niet zo was. 'We kunnen hier niet blijven staan. Stap in de auto.'

Ze ging achterin zitten en bleef weggedoken zitten tot hij was weggereden. 'Wat nu?' vroeg ze.

'Het ouwe liedje, maar het volgende couplet. We gaan uitzoeken wie Crystal Jones heeft vermoord.'

Dinsdag 5 april, 20.10 uur

Silas liet zijn geweer zakken toen Grayson Smith wegreed. Hij keek omlaag naar zijn bevende handen. Hij had Paige een kort ogenblik in zijn vizier gehad.

Maar hij was niet in staat geweest de trekker over te halen. Hij had hen gezien toen ze bij Delgado's huis kwamen aangereden op het moment dat hij daarvandaan ging. Hij was ze vervolgens hierheen, naar deze hamburgertent, gevolgd en had op zijn kans gewacht. Hij had die ochtend gefaald. Dat moest hij rechtzetten. Het vertrouwen herwinnen.

Maar Paige was in dekking gebleven. *Slimme meid.* Dat ze die agente erbij betrokken hadden zat hem helemaal niet lekker. Wanneer zijn werkgever erachter kwam, zou het nog veel erger zijn. Hopelijk had de man een plan B, anders konden ze het allemaal wel schudden.

Silas dwong zichzelf tot kalmte. Zijn baas had altijd een plan B.

Op die manier was Silas zelf tenslotte verstrikt geraakt in de netten van de man. Zijn werkgever was het plan B van Silas geweest. *Nu ben ik het zijne. Voor de rest van mijn leven.*

Hij had een ogenblik een vrij schootsveld gehad toen Smith haar uit de auto had getrokken en in zijn armen had genomen. Maar de uitdrukking op haar gezicht had hem geschokt. Ze was de hele dag zo strijdvaardig geweest, in alle situaties. Maar op dat ogenblik was ze totaal van streek. Bang.

Silas' hand had gebeefd. En toen kon hij niet schieten zonder de aanklager ook te raken. Zijn werkgever zou geen probleem hebben gehad met die bijkomende schade. Maar ook daar kon Silas zich niet toe brengen.

Hij had nog nooit een vriend gedood. Nog niet. Maar dat zou wel eens kunnen veranderen.

Hij haalde het fotootje tevoorschijn dat hij altijd op zijn hart droeg. Zijn kleine meisje lachte hem toe. Ze miste een tand en er zat een veeg chocola op haar kin. Hij ging met de muis van zijn hand over zijn hart. Cherri was toen vijf en het was de Fourth of July geweest, twintig lange jaren geleden. De foto was inmiddels verbleekt en de randen waren afgesleten door het constante gebruik.

Ik mis je, schat. Elke dag van mijn leven.

Hij stopte de foto weer in zijn zak en klapte zijn telefoon open. Nu glimlachte het kindje van zijn kindje hem toe. Violet had Cherri's glimlach. Hij zou zorgen dat zijn kleindochter niets overkwam. Hij zou ervoor zorgen dat ze de waarheid nooit te weten zou komen.

Ook als dat betekende dat hij een dappere vrouw moest doden die alleen maar op het verkeerde moment op de verkeerde plek was geweest. Ook als dat betekende dat hij een vriend moest doden.

Ik heb weer gefaald. Zijn baas hoefde het deze keer alleen niet te weten.

Silas stopte zijn geweer terug in de koffer en richtte zijn aandacht op zijn volgende opdracht. Hij pakte de foto die hij van internet had geplukt. Roscoe 'Jesse' James was een lelijk stuk vreten en was gedurende zijn carrière als vechter tegen veel te veel klappen aan gelopen.

James was heel vaak gearresteerd, maar had altijd overal onderuit weten te komen. Hij was gewoon een klootzak met veel geluk. James was bijna aan het einde van zijn geluk.

Hij liet zijn verrekijker zakken toen Silas wegreed. *Druk parkeerterrein vanavond*, dacht hij sarcastisch. Hij schudde een sigaret uit het pakje, stak hem aan en inhaleerde diep.

Hij was meer te weten gekomen dan hij had verwacht. Hij was er nu achter dat Paige Holden wel degelijk iets wist. Hij wist nu ook dat ze stiekem iemand van de politie erbij hadden gehaald. Dat was niet goed.

Dat betekende dat ze wisten dat de politie er ook op een andere manier bij betrokken was, anders zou mevrouw Holden wat ze ook had gevonden die ochtend wel aan de politie hebben gegeven. Mazzetti was van hun kant gezien een goede keuze. Ze was... onaantastbaar. Hij kon het weten. Hij had het geprobeerd, lang geleden. Ze had niet toegehapt. Ze was een van die walgelijke wezens – een eerlijke agent.

Hij was er ook achter gekomen dat er beslist iets gaande was tussen Holden en Smith. Dat had hij al vermoed toen hij het nieuws zag, maar nu wist hij het zeker. Dat was buitengewoon nuttig. Smith had familie. Mannen met familie waren zo... gemakkelijk over te halen.

En ten slotte was hij te weten gekomen waar hij eigenlijk voor gekomen was. *Silas wordt slap.* Dat dacht hij al een tijdje. Hij had Silas gevolgd om het zeker te weten. Dat hij er geen zin in had gehad om Roscoe James te vermoorden was al kwalijk genoeg. Dat Silas er misselijk had uitgezien toen hij uit het huis van Delgado kwam, was erger. Maar toen hij Holden en Smith in zijn vizier had, was hij versteend.

Die knul moet een opfriscursus hebben. Dat was makkelijk genoeg te regelen. En als die opfriscursus niet genoeg was, dan zag hij er niet tegen op om zijn dreigementen waar te maken.

Nu moest hij beslissen wat hij met Holden en Smith ging doen. Hij dacht er even over na, nam een besluit en haalde zijn mobiele telefoon tevoorschijn.

Er werd onmiddellijk opgenomen. 'En?'

'De politie is er nu bij betrokken.'

'Je zei dat je het zo zou regelen dat ze er nooit achter zouden komen.'

'Nou, dat is helaas wel gebeurd. We hebben al die tijd geweten dat Ramon Muñoz de schuld geven geen garantie was. We moeten ons alternatieve plan in werking stellen.'

Er viel een lange, gespannen stilte. 'Smerige trut. Ze had zich er niet mee moeten bemoeien.'

Hij wist niet zeker of het nu over Elena ging of over Crystal Jones. 'Ben je het ermee eens?'

'Ja.' Het klonk kortaf. 'Doe wat je moet doen. Als je het maar regelt.'

De verbinding werd abrupt verbroken en hij staarde naar zijn telefoon. 'Dat doe ik toch altijd?'

Dinsdag 5 april, 21.00 uur

Paige zei niets terwijl ze met Peabody naar haar flat liep. Grayson liep een pas achter haar om haar te kunnen beschermen. Zodra ze eenmaal veilig binnen was, zou hij haar hond uitlaten.

Hij was op zijn hoede en luisterde naar het minste geluid. Maar het trappenhuis was verlaten en toen ze aan de tweede trap begonnen merkte hij dat zijn blik afdwaalde naar het schouwspel dat werd veroorzaakt door de strakke broek die ze droeg. Vanuit deze hoek zag hij haar bilspieren bij elke stap die ze nam bewegen. Dat ze onder al die kleren drie vuurwapens en vijf messen had verstopt maakte het totaalbeeld alleen maar aantrekkelijker.

Toen ze bij haar voordeur kwamen was zijn aandacht abrupt weer op haar veiligheid gericht. Ze had alle voorzorgsmaatregelen genomen, dacht hij grimmig. Appartement op de tweede verdieping, etalon voor deur, drie nieuwe veiligheidssloten. Om nog maar te zwijgen van een grote hond en een waar arsenaal verborgen op haar lichaam. Dat ze dacht al die dingen nodig te hebben, maakte hem opnieuw kwaad.

'De sloten zijn waarschijnlijk een beetje overdreven,' zei ze zacht, 'maar ze geven me een veilig gevoel.'

'Dan is het niet overdreven,' zei hij en er zweefde even een glimlach rond haar lippen.

Toen ze binnen waren, draaide ze de drie sloten op slot en legde vervolgens haar rugzak op een ouderwetse schrijftafel. 'Doe alsof je thuis bent.' Ze liep de keuken in. Hij keek verrast om zich heen.

Hij had verwacht dat de flat modern en strak zou zijn ingericht. In plaats daarvan had ze zichzelf omringd met kleurige antiquiteiten die hem deden denken aan korte leren broeken en koekoeksklokken.

Hij was verrast door een grote, antiek lijkende voorraadkast die een wand in de woonkamer domineerde. Haar huis had die ouderwetse prairiesfeer die hij niet in verband zou hebben gebracht met de vrouw die hij kende. Maar vreemd genoeg paste het wel bij haar. Het was gerieflijk. Gezellig. Hij ging op de bank zitten, die tot zijn opluchting comfortabel aanvoelde. Hier zou hij eventueel op kunnen slapen. Zijn blik ging door de gang naar wat zeer waarschijnlijk haar slaapkamer was. Haar bed zou nog heel wat comfortabeler zijn dan de bank. Maar als hij daar eenmaal had weten door te dringen, zou er van slapen niet veel meer komen.

En voor haar ook niet.

Het zoemende geluid dat uit zijn broekzak kwam deed hem opschrikken, tot hij zich herinnerde dat hij haar het wegwerpmobieltje dat ze in de garage had laten vallen nooit had teruggegeven. 'Je prepaid gaat.'

'Dat is Clay.' Ze kwam met haar hand uitgestoken aangesneld uit de keuken. Hij gooide haar de telefoon toe en ze klapte hem open. 'Met mij,' zei ze. 'Waar zit je?'

Haar gezicht werd rood van woede. 'Wat een trut.' Ze sloot haar ogen. 'Ja, we hebben hem gezien. Hij was dood.' Ze keek Grayson aan. 'Hij heeft er iemand bij gehaald die hij vertrouwt. Herinner je je rechercheur Mazzetti? ... Ik beloof dat ik uit zal kijken. Bel me als je Zach hebt.'

'Zach is dat jongetje dat door z'n moeder is meegenomen,' zei Grayson. 'Wat heeft de moeder gedaan?'

'Ze wil tienduizend dollar van Zachs vader om hun zesjarige kind veilig terug te brengen.'

'Na zo veel jaar ben ik zo af en toe nog steeds verbijsterd over wat ouders hun kinderen aandoen.'

Paige haalde haar schouders op. 'Het komt door de drugs. Ze doen en zeggen alles voor drugs. Want de waarheid is dat ze meer van zichzelf houden en van de drugs dan van hun kinderen.'

Haar stem had een harde, maar ook droeve klank. Grayson had met genoeg kinderen met verslaafde ouders gepraat om te weten dat hij op dit moment naar een van hen stond te luisteren. Hij liep achter haar aan naar de keuken, waar ze bezig was water op te zetten.

'Ik zet thee. Wil je ook?'

'Graag.' Hij leunde tegen de deurpost en keek toe terwijl zij thee in een pot lepelde. 'Je inrichting verbaast me. Ik had jou niet ingeschat als het kleine-huis-op-de-prairietype.'

Er verscheen een glimlach vol genegenheid om haar mond. 'Mijn opa heeft die kast en mijn bureau gemaakt. Zijn grootvader heeft de tafel gemaakt. Ik ben de laatste in een lange rij Minnesota-Noren.'

Hij lachte. 'Dat meen je niet. Noors zou wel het laatste zijn waar ik aan had gedacht.'

Ze stak nauwelijks waarneembaar haar kin omhoog. 'Vanwege mijn haar?'

Hij kwam dichterbij en streelde het haar dat op haar rug hing. 'En je ogen,' zei hij zacht.

Haar wangen werden rood. 'Blonde Noren zijn het stereotype,' zei ze luchtig. 'Maar er zijn ook donkere Noren. Alleen niet in mijn familie.' Ze keek bedroefd.

'Was je moeder blond?'

Haar handen bleven op de theekopjes rusten die ze net uit de kast had gepakt. 'Ja.'

'En je vader?' Hij zat te vissen, maar hij wilde het weten.

'Weet ik niet,' bitste ze. 'Ik heb hem nooit ontmoet. Heb je zin in taart?'

Niet de meest soepele manier om van onderwerp te veranderen, maar hij ging erin mee. 'Heb je hem zelf gebakken?'

Ze keek even naar hem op. 'Jazeker. Ik ben niet zo'n goede kok als Brian, maar ik bak heel lekkere taart.'

'In dat geval, ja, graag.' Ze zette twee stukken in de oven en zette de rest terug in de koelkast. 'Wacht eens, als je de taart in de koelkast bewaart, wat zit er dan in die provisiekast in de woonkamer?'

'Kom maar kijken.' Terwijl ze langs hem heen liep, ritste ze haar jasje open en hij slaakte een zucht. De strakke zwarte trui liet weinig aan de verbeelding over. Hij liep zwijgend achter haar aan, maar zijn handen jeukten om haar aan te raken.

Ze deed de deurtjes van de provisiekast open en er kwam een grote wapenkluis tevoorschijn. 'Een vriend van me heeft hem voor me gemaakt bij wijze van kerstcadeau.' Ze toetste de combinatie van het slot zo snel in dat hij het miste. Nou, dat was niet helemaal waar. Hij miste het omdat hij naar haar borsten had staan staren en hij vermoedde dat ze zich daar heel goed van bewust was. 'Is die vriend timmerman?'

'Nee, hij zit bij de brandweer. Maar David doet daarnaast een beetje van alles.' Paige wees naar een ingelijste foto op een schap. 'Dat is hem.'

Hij bekeek de foto aandachtig, geërgerd over het feit dat jaloezie onmiddellijk de kop opstak. De man die naast Paige stond had fotomodel kunnen zijn. Samen vormden ze een prachtig koppel. Ze droegen allebei een judopak met een zwarte band.

'Hij heeft ook de zwarte band.'

Natuurlijk heeft hij die.

'David is getrouwd met mijn beste vriendin Olivia,' zei ze en hij voelde zich iets beter toen de jaloezie langzaam wegtrok.

'De vriendin die de vent tegenhield die was teruggekomen,' zei hij en haar blik versomberde.

'Ja.' Ze keek op haar horloge en vertrok haar mond. 'Ik had haar twee uur geleden al zullen bellen om te zeggen dat alles in orde is met me. Ze maakt zich zorgen. Ik vind het vreselijk dat ze denkt dat dat nodig is.'

'Heb jij ze aan elkaar voorgesteld?'

'Nee, ze heeft David via haar familie leren kennen. Ik heb hem in mijn oude dojo ontmoet.' Ze deed haar schouderholster af. 'Hij was mijn uke tijdens mijn lessen zelfverdediging.'

'Wat is een uke?' vroeg hij.

Ze ontlaadde haar Glock en legde hem in de kluis. 'Een uke is de ontvanger bij vechtsporten. Hij liet mijn leerlingen op hem oefenen. Hij stelde hen op de een of andere manier gerust.'

'Je mist hem.'

Ze liet zich op een knie zakken en maakte haar schoenveter ver genoeg los om de revolver die ze in haar soldatenkistje verborgen had te verwijderen. 'Elke dag. Hij en Olivia en Brie zijn mijn beste vrienden.'

'Waar was hij die avond dat je aangevallen werd?'

Ze legde het wapen in de safe. 'Op huwelijksreis. Olivia en hij hebben hun reis onderbroken toen ze hoorden wat er was gebeurd.'

'Waarom ben je weggegaan uit Minneapolis? Als je vrienden daar zitten, waarom kom je dan hierheen?'

Haar gezicht verstrakte en ze legde haar handen op de kluisdeur. 'Ik stikte daar.'

De waterketel begon te fluiten en ze sloot de wapenkluis voor ze zich naar de keuken haastte. Het viel hem op dat ze de kleine revolver in het holster op haar rug had laten zitten. Hij vroeg zich af of ze altijd de behoefte had om thuis gewapend te zijn, of dat het vandaag een bijzonder angstaanjagende dag was.

Hij had het gevoel dat het eerste waar was. En dat riep de vraag op wat, of wie, ervoor nodig was om haar weer een gevoel van veiligheid te geven.

Dinsdag 5 april, 21.20 uur

Onmiddellijk nadat Paige het gas onder de ketel had uitgezet belde ze Olivia op haar mobieltje. Ze zette zich schrap voor een nieuwe tirade en opnieuw werd ze niet teleurgesteld.

'Je belt me nooit, je schrijft nooit,' zei Olivia sarcastisch.

'Alles is oké.' Ze dwong zichzelf om in ieder geval haar stem kalm te laten klinken. De aanwezigheid van Grayson Smith maakte haar nerveus.

'Hoeveel hechtingen?' vroeg Olivia en Paige wist dat ze de garage-video had gezien.

'Vijftien.'

Olivia zuchtte. 'Hebben ze die klootzak te pakken gekregen?'

'Nog niet. En eerlijk gezegd ben ik te druk geweest om me daar druk over te maken.'

Er viel een lange, lange stilte. 'Wat is daar verdorie allemaal aan de hand, Paige?'

Paige masseerde haar voorhoofd en vertelde het hele verhaal opnieuw, vanaf het moment dat Maria haar in de arm nam tot aan Delgado.

'Ik kan morgen bij je zijn,' zei Olivia. 'Noah heeft al gezegd dat hij onze zaken wel kan afhandelen en David heeft al bijna vliegtickets gekocht voor Brie en mij.'

Alleen al het horen van hun namen bezorgde Paige zo'n heimwee dat haar maag er pijn van deed. Noah was de partner van Olivia en zijn vrouw Eve was een van de beste leerlingen van Paige geweest. En als Olivia en Brie hier waren... dan zou het net als vroeger zijn.

Maar niet heus. Als ze terug kon naar de tijd voor afgelopen zomer, dan zou ze dat zonder aarzelen doen. Maar het enige wat Paige nog zag was de bezorgdheid in de blikken van haar vrienden. Dat was een van de dingen die haar verstikten. 'Nog niet. Ik geef wel een seintje als ik jullie nodig heb.'

'Nee, dat doe je niet,' zei Olivia streng. 'Want je trekt je terug. Al negen maanden lang trek je je terug. Je trekt als een schildpad je kop onder je schild en sluit ons allemaal buiten. Waarom mogen we je niet helpen?'

Olivia had gelijk. Maar dat wilde niet zeggen dat Paige wist hoe ze dat moest verhelpen. 'Het gaat goed met me. Ik heb hulp.'

'De aanklager. Ik kon zién dat hij je hielp.'

Paige wangen gloeiden. 'Als hij er niet geweest was, zou ik niet zijn ontkomen.'

'Vijftien hechtingen. Ik heb de video gezien. Waarom heb je me niet over hem verteld?'

Ze kon aan de stem van haar vriendin horen dat ze zich gekwetst voelde en dat was het laatste wat Paige wilde. 'Ik heb hem vandaag voor het eerst ontmoet en dat is de waarheid.'

'O. Dat is... Ik weet niet goed wat dat is.'

'Ik ook niet.' Toen ze zich omdraaide zag ze dat Grayson bij het raam stond en door de jaloezieën naar het parkeerterrein keek. Hij was nog steeds in pak, maar hij had zijn stropdas losgetrokken. Zijn colbert moest op maat gemaakt zijn, want zijn schouders waren te breed voor een confectiemaat. Hij stond roerloos en er hing een lichte spanning om hem heen. Hij was klaar. Waarvoor wist ze niet precies.

Helaas was zij er ook klaar voor. En ze wist precies waarvoor.

'Overhaast de zaak nou niet,' zei Olivia alsof ze haar gedachten kon lezen.

'Ik ben niet achterlijk, Liv,' fluisterde ze. 'Ik wacht al anderhalf jaar op de ware jakob. Ik ga vandaag echt niet ineens halsoverkop te werk.' *Misschien morgen, maar vandaag niet.*

Olivia zuchtte. 'Ik wil alleen dat het goed gaat met je. Dat willen we allemaal. We zijn bang en we voelen ons machteloos.'

'En daarom hou ik van jullie. Echt. Ik bel je morgen. Dat beloof ik.'

'Als je dat niet doet, dan bestel ik alsnog die vliegtickets. Is die aanklager nu bij je?'

'Ja.' Hij was bij het raam weggelopen en was nu weer in de keuken, waar hij haar met een diepe rimpel in zijn voorhoofd stond gade te slaan. Ze wilde de rimpel wegmasseren, maar ze vertrouwde zichzelf niet genoeg om hem aan te raken. Hij was te veel, te snel. En toen hij haar in zijn armen had genomen voelde dat veel te goed. 'Ik zit hier veilig,' zei ze tegen Olivia. 'Ik moet hangen, maar ik bel je als er iets is. Erewoord.' Ze verbrak de verbinding en keek Grayson aan, die een vragende blik in zijn ogen had. 'Mijn vrienden maken zich zorgen. Ik word er stapelgek van.'

'Maakt je familie zich geen zorgen?'

Ze haalde de stukken taart uit de oven en glipte langs hem heen om ze op tafel te zetten. 'Mijn grootouders hebben me grootgebracht en die zijn allebei dood. Dus zijn er alleen nog vrienden die zich zorgen kunnen maken. Kom zitten en eet je taart, dan voel ik me niet zo schuldig omdat ik een toetje eet in plaats van een warme maaltijd.'

Hij leek nog meer vragen te hebben, maar hij liet ze achterwege. 'Dat ruikt lekker.'

'Hij smaakt nog beter. Wil je mijn rugzak even aangeven? Ik wil dat rechtbankverslag doornemen.'

'Daar kan ik een begin mee maken, Paige. Jij moet slapen.'

Ze schudde haar hoofd. 'Ik kan toch niet slapen. Als ik mijn ogen dichtdoe, dan zie ik Delgado voor me. En Elena. De tijd verstrijkt. Ik moet iets doen.'

'Laten we dan beginnen met eens goed naar Crystal Jones te kijken. Maar eerst gaan we eten. Ik wist niet dat ik zo'n honger had tot ik die taart rook.'

En ik wist niet hoe erg ik de aanraking van een man miste tot jij me vasthield. Nu wilde ze meer. Veel meer. En dat kon wel eens ernstiger zijn dan een toetje eten in plaats van een maaltijd.

Dinsdag 5 april, 21.35 uur

Grayson haalde het dossier over Muñoz uit zijn sporttas en liet het dossier dat Daphne over Paige had samengesteld zitten. Daar zou hij wel naar kijken als Paige sliep.

Het rechtbankverslag lag op tafel voor haar en ernaast lag een kladblok. Ze had al verschillende blaadjes van het blok gevuld, tot zijn verrassing in steno.

'Hoe komt het dat jij steno kan?' vroeg hij.

'Ik heb een paar jaar als assistente op een advocatenkantoor gewerkt. Daar werkte ik verklaringen uit en deed eenvoudig onderzoekswerk.' Ze wachtte een seconde. 'Ik heb zelfs een tijdje voor de verdediging gewerkt.'

Hij was niet zo verrast als ze had verwacht. 'Waren ze allemáál onschuldig?'

'Welnee. Ze waren allemaal zo schuldig als de pest. Ik heb niet lang gewerkt voor dat advocatenkantoor.'

'Heb je ooit voor het Openbaar Ministerie gewerkt?'

'Nee. Ik werkte voor een kantoor dat zich met familieaangelegenheden bezighield. Ik deed daar een heleboel dezelfde dingen als ik nu voor Clay doe. Foto's maken van overspelige echtgenoten en zo.'

'Heb je ooit overwogen om rechten te gaan studeren?'

'In het begin zo'n beetje elke dag. Maar dat betekende dat je geld moest hebben om naar de universiteit te kunnen en dat kon ik me niet veroorloven.' Ze tikte met een vinger op het verslag. 'Net als Crystal Jones.'

'Je wordt steeds beter in het ontwijken van mijn vragen,' zei hij.

Ze keek beteuterd, maar herstelde zich en begon voor te lezen uit haar aantekeningen. 'Crystal Jones, twintig jaar oud, ging op de avond van 18 september naar een feest. Ze werd de volgende ochtend gevonden in de tuinschuur door een van de tuinlieden – niet Ramon, die was op dat moment nog niet op zijn werk. Crystal was drie keer gestoken en er zaten wurgsporen om haar hals. Haar jurk was tot aan haar heupen opgetrokken en haar bovenlichaam was ontbloot.'

'Ze hebben onderzocht of ze verkracht was,' zei Grayson. 'Maar er was niets wat erop wees dat ze seksueel misbruikt was.'

'Dat is in ieder geval iets.' Ze ging verder met lezen.

'"Crystal ging naar de volkshogeschool, waar ze economie en handel studeerde, maar ze volgde ook een college politieke wetenschappen op de universiteit van Georgetown, waar ze haar afspraakje voor die avond had ontmoet, Rex McCloud, een ouderejaars van Georgetown."'

'Ha, Rex McCloud,' mompelde Grayson. 'Kleinzoon van de gepensioneerde senator James McCloud. Op het moment dat het woord "senator" opdook, zocht iedereen meteen dekking. Het was elke dag net of je door een mijnenveld liep.'

'Het verslag zegt niet zo veel over Rex,' merkte ze op.

'De politie had al snel vastgesteld dat hij er niets mee te maken had, dus kregen wij het verzoek om het vanwege de familie kalm aan te doen.'

'Speciale behandeling?'

'Ja en nee. Er zijn er een paar in het hogere echelon die voor politieke steun op de McClouds rekenen en uiteraard wilden die hen beschermen tegen "onaangenaamheden". Als Rex belangrijk was geweest, dan zou ik hem op het rooster hebben gelegd. Maar dat was hij niet.'

'Toen,' zei ze.

'Toen,' gaf hij toe. Hij raadpleegde zijn eigen aantekeningen. 'Crystal had tegen Rex gezegd dat ze Amber heette en dat ze ook voltijds studeerde aan de universiteit van Georgetown. Nadat ze was vermoord, besefte hij dat ze had gelogen en dat ze alleen maar uit was geweest op een uitnodiging voor zijn feestje. Blijkbaar waren de feesten van Rex legendarisch.'

'Seks, drugs en rock-'n-roll?'

'Voornamelijk seks en drugs,' antwoordde Grayson droog. 'De rock-'n-roll was er alleen voor de show. Rex hield vol dat als er feestgangers waren die drugs gebruikten, hij dat niet heeft gezien.'

'Geloofde je hem?'

'Nee, maar hij stond niet terecht voor een aanklacht wegens drugs. Ik vervolgde Ramon Muñoz wegens moord. Rex had die avond gedronken en zei dat hij Crystal was kwijtgeraakt. Hij had aangenomen dat ze was vertrokken omdat hij met een paar andere gasten aan het donderjagen was.'

'Waar waren de volwassenen tijdens al dat gefeest?' vroeg Paige met gefronst voorhoofd.

'Rex was technisch gesproken een volwassene. Hij was op dat moment eenentwintig. De moeder van Rex was voor zaken de stad uit. Zijn stiefvader zei dat hij een slaappil had genomen. Zijn grootouders zeiden dat ze "zich vroeg hadden teruggetrokken". Ze hebben niets gehoord.'

Ze keek sceptisch. 'Hoe konden ze nou niet weten dat er in hun eigen achtertuin een feest vol seks, drugs en rock-'n-roll aan de gang was?'

'Het is een groot landgoed. Het zwembad ligt een aardig eindje van het huis, dus het kan zijn dat ze niets hebben gehoord. Maar het ligt meer voor de hand dat ze het gewoon niet wílden weten. Rex was een wilde jongen en zijn moeder was er meestal niet. De stiefvader leek volstrekt niets te betekenen voor de familie. De grootouders voelden zich misschien niet in staat – of hadden geen zin – om hem in het gareel te houden.'

Ze dacht na. 'Ik heb me ingelezen over de McClouds.'

De manier waarop ze het zei deed hem opkijken. 'Waarom?'

Ze keek hem aan. 'Omdat Rex nauwelijks wordt genoemd in het rechtbankverslag, ook al was hij Crystals afspraakje voor die avond, en omdat ik het moeilijk vind te geloven dat er niemand op het landgoed was die wist wat er op dat feest allemaal gebeurde.'

'Rex had een alibi,' zei hij vriendelijk.

Ze haalde haar schouders op. 'Als je rijk genoeg bent kun je een alibi kopen. De McClouds hebben geld genoeg.'

Hij leunde achterover in zijn stoel en nam haar nadenkend op. Hij had Rex' alibi persoonlijk geverifieerd omdat hij precies hetzelfde had gedacht. Maar hij was geïnteresseerd in de conclusie die ze overduidelijk had getrokken en hoe ze daartoe was gekomen. 'Dus je hebt over de McClouds gelezen. Wat heb je ontdekt?'

De blik die ze hem toewierp maakte duidelijk dat ze wist dat hij dat zei om haar een plezier te doen. 'De McClouds barsten van het geld, dat ze oorspronkelijk in de kolenhandel hebben verdiend. Ze bezitten nog steeds een paar mijnen in het westen van Maryland en ze zijn aandeelhouder in verschillende nutsbedrijven, zowel hier als in Europa. Ze geven veel geld aan liefdadigheid en hebben begin jaren tachtig de McCloud Foundation gesticht. Ze organiseren geldinzamelingen, zoeken sponsors voor goede doelen, dat soort dingen. De senator heeft in 2000 na dertig jaar zijn zetel in de senaat opgegeven met de bedoeling elke dag te gaan golfen, maar door een lichte beroerte is één hand nu te zwak om een golfclub te kunnen hanteren.'

Grayson knipperde met zijn ogen. 'Hoe weet je dat van dat golf?'

'James McCloud hield een jaar na de beroerte een speech bij een afstudeerplechtigheid en noemde het om de studenten eraan te herinneren dat het leven vol kleine teleurstellingen zit.' Ze raadpleegde haar aantekeningen. 'Hij heeft twee dochters. Claire, van zijn eerste vrouw, die is overleden, en Reba, bij zijn huidige echtgenote Dianna. Zijn dochters leiden de zaken en de liefdadigheidsorganisaties nu. Claire verdient het geld en Reba geeft het weg.'

'Claire is de moeder van Rex,' zei Grayson. 'Ik heb Claire kort ontmoet toen we Rex ondervroegen over het feest. Ze was nogal... intens. Een echte controlfreak. Rex deed het in zijn broek voor haar. Haar man ook – hoe heet hij ook alweer?'

'Louis Delacorte. Claire heeft ervoor gezorgd dat de ondernemingen sinds de jaren negentig elk jaar zijn gegroeid. Helaas heeft Louis niet van die gouden vingertjes. Hij was vroeger een hoge pief in de Europese tak van de McCloud-onderneming, maar werd bedankt toen de winsten dramatisch daalden. Ze gaven hem een post bij de liefdadigheidsorganisatie, onder Reba.'

'Ze hebben hem ergens geparkeerd waar hij geen kwaad kon,' zei Grayson.

'Daar komt het wel op neer. Volgens anonieme bronnen hebben een paar collega's verklaard dat Louis is betrapt op een affaire met een jong blondje in Europa en dat dat de reden is dat hij werd overgeplaatst. Ze zeggen ook dat hij drinkt en dat hij kortaangebonden is. Hij heeft een strafblad voor geweldsmisdrijven. Knokpartijen in bars hier in Baltimore.'

'Klopt.' Hij was onder de indruk van haar grondigheid. 'Hij heeft een gewelddadig verleden.'

'Dus als Ramon niet was beschuldigd, dan was zowel Rex als Louis misschien als verdachte aangemerkt.'

'Louis misschien. Hij had wel een alibi, maar dat kwam van een van de bedienden. Het alibi van Rex was sterker. Ik heb het zelf nagetrokken. Als we ervan uitgaan dat Ramon onschuldig is, dan zou een van de gasten de moordenaar van Crystal kunnen zijn.'

Ze keek bedenkelijk bij zijn volharding in het geloof van het alibi van Rex, maar ging er niet verder op in. 'Volgens het verslag is er nooit een gastenlijst van het feest bij de bewijsstukken gevoegd.'

'Er was niet echt een gastenlijst. Het was zo'n feest waarbij je automatisch was uitgenodigd als je ervan wist. Rex heeft de politie voldoende namen gegeven om zijn alibi vast te stellen.'

'Wie waren die namen? Andere feestgangers aan de drugs?'

'Sommigen wel, ja. Maar uiteindelijk waren het de beelden van de bewakingscamera die zijn alibi bevestigden en hem vrijpleitten. Hij is niet bij het zwembad weg geweest, de hele avond niet.'

'Ik dacht dat hij aan het donderjagen was met een paar andere gasten?' zei ze. Toen Grayson alleen maar een wenkbrauw optrok, trok ze een vies gezicht. 'O, gadver. Waar iedereen bij was? Voor de camera?'

'Het was bepaald geen hoogtepunt in mijn carrière om dat te moeten verifiëren. Hoe dan ook, de politie heeft wat betreft de overige feestgangers niet al te diep gegraven. Alles wees in de richting van Ramon.'

'De verdediging heeft nooit aangevoerd dat er geen andere mogelijkheden zijn onderzocht. Dit was een woest feest waar van alles kon gebeuren en ook gebeurde. Ze hadden moeten mikken op "gerede twijfel".'

'Dat hebben ze geprobeerd met Ramons alibi. Ze hebben geprobeerd Sandoval en Delgado te breken, maar die bleven bij hun verhaal. We hadden DNA van een haar van Ramon die op het lichaam was gevonden en het wapen met zijn vingerafdrukken en haar bloed erop lag in zijn kast. Een inkoppertje. Althans, dat dachten we.'

'Elena zei dat Ramon en zij wilden dat zijn advocaat de theorie zou opperen dat er met het bewijs geknoeid was. Ze wilden de politie beschuldigen, maar de advocaat wilde er niet van horen.'

'Als ik zijn advocaat was geweest, zou ik hetzelfde gezegd hebben,' zei Grayson. 'Beweren dat de politie met bewijsmateriaal heeft geknoeid is gegarandeerd de beste manier om de jury tegen je cliënt te keren. Het is zo...'

'Zo OJ,' mompelde Paige. 'Ik weet het. Dat heb ik ook tegen Maria en Elena gezegd. Maar "Agenten. Achtervolgden me" heeft me van gedachten doen veranderen.'

'Je moet je openstellen voor het feit dat als Ramon onschuldig is, de bewijzen door iedereen gemanipuleerd kunnen zijn. Dat hoeft niet per se de politie te zijn.'

Ze keek nadenkend. 'De politie had Ramons sleutels toen hij werd ondervraagd. Ze hadden toegang tot zijn huis. En zijn kast.'

'Iedereen kan hebben ingebroken.'

'Er waren geen sporen van braak.'

'Paige,' zei hij. 'Als Clay ergens naar binnen wil en geen sporen wil achterlaten, dan kan hij dat, of niet?' Hij zag dat hij een punt had gescoord. 'Elena heeft zich misschien vergist over wie er achter haar aan zat. Of misschien dacht ze door dat te zeggen dat jij je met de zaak zou blijven bemoeien.'

Ze haalde haar schouders op. 'Hoe dan ook, iemand heeft Cystal vermoord en dat was niet Ramon.'

'Oké. Er waren geen aanwijzingen dat ze naar de schuur is gesleept.

Ze is op eigen kracht binnengekomen, hetzij uit vrije wil, hetzij gedwongen.'

'Wat was haar alcoholpromillage? Had ze gedronken?'

Hij bladerde in zijn eigen dossier en vond het verslag van de autopsie. 'Nul punt twee, ze was beslist niet dronken. De bloedonderzoeken waren duidelijk. Er waren geen sporen van drugs in haar lichaam.'

'Laat me dat rapport eens zien.' Ze trok haar stoel naar de andere kant van de tafel zodat ze dichterbij zat. Heel dichtbij. Zo dichtbij dat hij omgeven werd door haar geur, die al het andere verdrong. Zo dichtbij dat toen hij het autopsierapport naar haar toe schoof, zijn hand haar borst raakte. En als hij zou hebben beweerd dat dat per ongeluk ging, dan zou hij liegen.

Hij gunde zich een moment om haar op te snuiven. Haar te bekijken. Zijn handen jeukten om elke welving van haar lichaam te volgen, maar hij legde zijn handen plat op tafel, vast van plan ze daar te laten liggen.

Haar gezicht ging schuil achter haar waarvan hij wist dat het net zo zacht was als het eruitzag. Hij gunde zichzelf wat meer en liet een hand onder het haar glijden. Hij voelde dat ze huiverde.

'Is er nog iemand in Minnesota?' vroeg hij zacht.

Ze deed niet net of ze hem verkeerd begreep. 'Nee. Niemand.'

Hij masseerde haar nek en werd beloond met zacht geneurie. Hij vroeg zich af wat voor geluid ze zou maken als hij haar ergens anders masseerde. 'Je moet slapen.'

'Straks.' Ze rolde met haar hoofd en keek hem aan. Opnieuw stond hij zichzelf toe alleen maar te staren. En te verlangen. Haar wangen werden rood en haar oogleden zwaar. Hij wist dat zij naar hetzelfde verlangde. Maar voor hij iets kon zeggen, wendde ze haar blik af en ging rechtop zitten. Het moment was voorbij. 'Volgens de autopsie hebben de steken de dood veroorzaakt.'

'Drie steekwonden,' zei hij. 'Maar eerst is haar keel dichtgeknepen.'

'Hier staat ook dat er sprake is van geïrriteerde luchtwegen en ogen en mond.'

'Dat komt doordat ze met pepperspray is bespoten. Dat heeft de lijkschouwer verklaard. Dat ze zich had verzet en dat Ramon die spray had gebruikt, maakte het er destijds niet beter op voor hem.'

'Dat heb ik in het verslag gelezen, maar er is op de plaats delict geen pepperspray aangetroffen.'

'Nee. Misschien had haar aanvaller het bij zich en heeft hij het later meegenomen, of anders had zij het bij zich en heeft hij het van haar afgepakt. Hoezo?'

'Ik weet het niet. Heb je foto's van de plaats delict?'

Geïntrigeerd overhandigde hij haar het politieverslag. 'Waar wil je naartoe?'

'Ik weet het niet. Ik probeer me in haar te verplaatsen, die nacht. Ze doet een heleboel moeite om Rex McCloud te ontmoeten en uitgenodigd te worden voor dat feestje, waar iedereen drinkt en de hemel mag weten wat allemaal doet, maar zij wordt niet dronken. In plaats daarvan gaat ze naar die tuinschuur.'

'Volgens de technische recherche heeft de aanvaller haar van achteren gepakt en was hij minstens vijftien centimeter langer dan zij. Dat hebben ze vast kunnen stellen aan de hand van de hoek van de sporen op haar hals. Dat klopt met Ramon.'

'En met de helft van de mannelijke bevolking hier in de stad. Oké, dus ze wandelt de schuur in, hij komt van achteren en begint haar te wurgen. Ze verzet zich, pakt misschien de pepperspray...' Ze fronste haar voorhoofd en bladerde door het politierapport tot ze bij de foto's van de plaats delict kwam. 'Haar jurk is tot haar heupen opgetrokken. Wat droeg ze die avond?'

Nu was het Graysons beurt om het voorhoofd te fronsen. 'Wat maakt het uit wat ze droeg?'

Ze keek even naar hem op. 'Niet omdat die jurk het signaal "verkracht me" uitstraalde. Ik vraag me af waar ze die pepperspray had verstopt. Zo te zien heeft haar jurk geen zakken.'

'Je gaat ervan uit dat het háár spray was.'

'Het is niet iets wat mannen gewoonlijk bij zich hebben, maar het is wel iets wat vrouwen vaak bij zich hebben.'

'Neem jij het mee?'

'Altijd. Ik had hem vandaag alleen niet bij me omdat ik naar de rechtszaal ging. Ik heb hem altijd in mijn rugzak, tenzij ik me niet veilig voel. Dan stop ik hem in mijn beha, zodat ik hem bij de hand heb. Die jurk ziet er kort uit en aan de manier te zien waarop hij opgestroopt is, zat hij waarschijnlijk erg strak. Ik denk niet dat ze een buisje pepperspray zo groot als een lippenstift op haar lijf heeft kunnen verbergen. Ze moet een tasje bij zich hebben gehad.'

Hij fronste opnieuw zijn voorhoofd, voornamelijk omdat in zijn hoofd onmiddellijk het beeld opdook van Paige die niets anders aanhad dan een beha. 'Had Crystal een tasje? Dat kan ik me niet herinneren.'

'Volgens het rapport komt het niet voor op de lijst van voorwerpen die daar ter plaatse zijn aangetroffen. Ze moet een telefoon en creditcards hebben gehad en daar had ze een tasje voor nodig.'

'We hebben haar financiële gegevens nagetrokken. Haar creditcards zaten aan hun limiet en ze had voor het feest geen geld op de bank staan, dus misschien had ze geen creditcards bij zich. Ze had geen mobiele telefoon, althans, niet een die op haar naam stond.'

'Ze moet autosleutels of contant geld of een buskaartje hebben gehad. Een manier om thuis te komen. En een meisje gaat niet naar een feest zonder in ieder geval lippenstift of zo bij zich te hebben. Ze moet een tasje bij zich hebben gehad. Of de pepperspray daarin zat is een andere kwestie.'

'Waarom is dat belangrijk?'

'Omdat als ze naar het feest was gegaan om lol te maken, ze dat wel gedaan zou hebben. Maar dat deed ze niet. Ze bleef zo goed als nuchter en had pepperspray bij zich. Ze was ergens op voorbereid.'

'Zoals?'

'Verdomme, ik heb geen idee. Ze zat financieel krap, toch? Misschien was ze van plan iets te pikken van de rijke mensen op het feest. Misschien wist ze van de drugs en de seks en was ze van plan iemand te chanteren, of misschien zelfs te dealen.' Ze zweeg even. 'Wacht eens. Ze had geen geld op de bank staan?'

'Minder dan vijftig dollar. Waarom?'

'Omdat ze heeft moeten betalen voor dat college op Georgetown en dat is niet goedkoop. Waarom zou ze dat hebben uitgegeven? Waarom zou ze niet hebben geprobeerd om Rex in de kantine tegen het lijf te lopen en dan liegen dat ze daar studeerde? Ze leefde van de ene loonstrook naar de andere. Waarom haar geld uitgeven aan een hoor college?'

Hij knipperde met zijn ogen. 'Ik weet het niet. Misschien was ze bang dat hij haar zou natrekken.'

'Misschien. Dat maakt het nog belangrijker om te weten wat ze op dat feest moest. Ze heeft niet alleen tegen Rex gelogen, ze heeft ook een paar honderd dollar uitgegeven om bij hem in de buurt te komen. Maar vervolgens bleef ze niet bij hem in de buurt, maar ging naar de schuur. Waarom?'

'Op het briefje dat bij haar lichaam is gevonden stond: "Tuinschuur, middernacht." Was getekend: "RM".'

'Ramon Muñoz,' zei ze zacht. 'Of Rex McCloud.'

'Dat is precies de reden dat ik die video heb bekeken met al die dronken, naakte mensen die seks bedreven in het zwembad. Ik moest zeker weten dat Rex het feest niet had verlaten op het tijdstip van de moord. Ik wilde geen politieke opschudding veroorzaken als dat niet strikt noodzakelijk was. Het zou een hoop gedoe om niks zijn geweest en zou het de volgende keer wanneer dat wel nodig is moeilijker maken om opschudding te veroorzaken.' Bovendien had hij geweten dat Ramon schuldig was. *En ik heb niet zo goed gezocht als ik had horen te doen.* Dat besef schokte hem. Maakte hem beschaamd. Paige keek hem kalm aan en hij kreeg het onaangename gevoel dat zij dat wist.

'Heb je Crystal op de video gezien?' vroeg ze.

'Nee. Ze is helemaal niet in het zwembad geweest en de camera stond daarop gericht. Rex McCloud is er niet weg geweest.'

'Heb je die beelden nog steeds?'

'Niet persoonlijk. Misschien dat ze op de server in de stad staan. Als je de video zelf wilt bekijken, dan kan ik hem wel voor je opvragen.' Hij hoorde zelf hoe verdedigend hij klonk.

Ze keek hem aan. Ze had het ook gehoord. 'Ik geloof je wat Rex betreft. En Crystal. Ik wil weten wie er verder nog op het feest waren. Op de lijst van spullen die daar gevonden zijn staat geen identiteitsbewijs. Ze had tegen Rex gezegd dat ze Amber heette. Hoe hebben ze weten vast te stellen dat ze Crystal Jones was?'

'Ze hebben haar vingerafdrukken nagetrokken. Ze had een strafblad. Voornamelijk lichte vergrijpen zoals winkeldiefstal, maar er was ook een aanklacht wegens prostitutie van toen ze nog maar net achttien was.'

Paige begon bijna te geeuwen, maar in plaats daarvan knipperde ze hard met haar ogen. 'Daar heeft de verdediging het nooit over gehad.'

'Dat hebben ze wel geprobeerd, maar ik heb het weten af te houden tijdens de hoorzitting voor het feitelijke proces. Crystal was het slachtoffer. Zelfs al had ze Ramon naar de schuur gelokt om daar de hoer uit te hangen, dan nog verdiende ze het niet om te worden vermoord.' Zijn stem was hard gaan klinken. 'Haar vroegere misstappen hadden niets met deze zaak te maken.'

'Je hebt helemaal gelijk.' Ze knikte slaperig. 'Ik vind het vreselijk wanneer ze het slachtoffer de schuld geven.'

'Ik zal morgen de videobeelden van het feestje ophalen. Ik moet zien te achterhalen waar de gasten nu zijn en vragen of iemand weet waarom Crystal op het feest was. Je hebt gelijk. Als ze gekomen was om lol te maken, dan zou ze dat hebben gedaan. Ze was er om een andere reden. Maar nu ga je eerst slapen.'

'Ik denk dat ik dat maar doe. Vind je het vervelend om Peabody nog even uit te laten voor je weggaat?'

'Ik zal met Peabody gaan wandelen, maar ik ga nergens naartoe. Ik slaap wel op de bank.'

Hij dacht een hele tijd dat ze tegenwerpingen zou maken. In plaats daarvan slaakte ze een diepe zucht. 'Ik wil niet dat je me moet bewaken. Maar ik ga niet koppig doen en je hulp afslaan. Ik moet slapen en dat lukt niet als ik alleen ben. Dank je. Voor alles wat je vandaag gedaan hebt. Voor het feit dat je blijft.'

'Doe de deur achter me op slot. Ik klop wel als Peabody eraan toe is om weer binnen te komen.'

9

'Nog een, alsjeblieft.' Silas wees naar zijn lege glas en de barkeeper knikte.

Naast hem zat Roscoe 'Jesse' James mistroostig in zijn glas te staren, het toonbeeld van een man die dronken was en met rust gelaten wilde worden.

Sorry knul. Vanavond ga je eraan.

Er zat een stevige buil op de schedel van James, zeer waarschijnlijk met dank aan het koffertje van Grayson Smith. Smith was zo groot en sterk als een tank. James moest een geweldige hoofdpijn hebben.

De barman schoof een nieuw drankje zijn kant op. Silas roerde even snel met het holle roerstaafje waar een gram of zes rohypnol in zat. Nu hoefde hij alleen maar het juiste moment af te wachten om de glazen te verwisselen. Gezien het tempo waarin Roscoe ze achteroversloeg zou het niet lang duren voor hij compleet van de wereld was.

Silas' privételefoon in zijn zak ging over. Hij zou zijn vrouw later wel terugbellen. Hij moest zijn kop erbij houden. Hij moest alert blijven.

Enkele ogenblikken later kreeg hij zijn kans, toen de barkeeper tussenbeide moest komen bij een vechtpartij aan het andere eind van de bar. Roscoe en alle andere aanwezigen keken toe. Binnen een paar seconden had hij de glazen verwisseld. Roscoe greep zijn glas zonder zijn blik af te wenden van de vechtpartij.

Silas begreep dat de man verslaafd was aan vechten. Niet aan drank. De drank was alleen maar een hulpmiddel om de teleurstelling te verwerken. Hij keek naar het plasje bij zijn voet, het restant van de inhoud van zijn eigen glas, dat hij had leeggegoten zodat niemand zou weten dat hij niet ook aan het drinken was. Hij moest scherp blijven tot Roscoe dood was. Hij zou zijn eigen teleurstelling later wel verwerken.

Dinsdag 5 april, 23.00 uur

Adele stond over Allies wieg gebogen en keek hoe haar baby lag te ademen. *Ik hak nog liever mijn arm af dan dat ik je iets aandoe. Maar wat als ik weer doordraai? Stel dat ik je iets doe.*

'Adele,' fluisterde Darren achter haar en ze verstijfde.

'Je lag te snurken,' loog ze en ze liet een glimlach doorklinken in haar stem.

Hij sloeg zijn armen om haar middel. 'Je bent jezelf niet. Wat is er aan de hand, schat?' Hij aarzelde. 'Ben je ziek?'

Ja. Ja. Ja. 'Nee,' zei ze geruststellend. 'Dat is het helemaal niet.'

'Wat is er dan?' drong hij aan. 'Is er... is er een ander?'

Verbijsterd draaide Adele zich om en keek hem aan. 'Nee. O, god, nee. Darren... néé.'

Hij liet opgelucht zijn adem ontsnappen. 'Ik was zo bang. Vertel me alsjeblieft wat er scheelt.'

Adele deed haar mond open en probeerde de juiste woorden te vinden toen ze plotseling een lichtje in het oog kreeg. Op straat. Een auto. Zwart. Hij minderde vaart tot hij stapvoets haar huis voorbijreed...

En ze was dáár. Weer dáár. Ze was twaalf jaar en het deed pijn. *God, wat deed het pijn. Je mag het geen sterveling vertellen, anders ga je eraan. Niet dat iemand je zal geloven. De auto ging steeds langzamer rijden en het portier ging open en ze werd eruit geduwd. De straat op. Ze rolde zich op tot een bal en huilde. Ze huilde. Maar er kwam niemand. Niemand die hielp. Niemand die het geloofde.*

'Adele?' Darrens handen klemden hard om haar bovenarmen. 'Wat is er?'

Adele keek uit het raam. De straat was in duisternis gehuld. Verlaten. Was de auto er wel geweest? Ze verborg haar hoofd tegen zijn borst. 'Laat me niet in de steek.'

'Wees maar niet bang.' Darren wiegde haar waar ze stonden. 'Ik zal je nooit in de steek laten.'

Silas rolde met zijn schouders toen hij overeind kwam en keek naar de donkere, snelstromende rivier. Hij stond te wachten op de plons en knikte tevreden toen het geluid minimaal bleek. Mooi. Dat was klaar.

Het water in de Patuxent stond hoog door alle regen van de afgelopen tijd en stroomde sneller dan gewoonlijk. Met een beetje mazzel zou Roscoe James tegen de ochtend in de Chesapeake Bay zijn beland. Maar hij zou hoe dan ook niet aanspoelen. Silas had het lichaam flink verzwaard.

Hij stapte uitgeput in zijn bestelbus. Hij zou het voertuig uitgebreid onder handen moeten nemen. Roscoe had achterin overgegeven. Silas had het meeste wel opgeruimd, maar de forensische wetenschap was tegenwoordig te ver gevorderd. Eén stukje braaksel en ze zouden in staat zijn hem in verband te brengen met een dode vent.

Silas trok de wenkbrauwen en de snor los die hij had opgeplakt voor hij de bar was binnen gegaan. Daarna volgden de vullingen uit zijn wangen. Zelfs al hadden ze hem op camera vastgelegd, dan zou nog niemand hem herkennen. Hij pakte zijn zakentelefoon om zijn werkgever te bellen en was opgelucht toen hij werd doorgeschakeld naar de voicemail. Hij had helemaal geen zin om die klootzak te spreken. 'Het is geregeld.' Hij hing op.

Vervolgens pakte hij zijn privételefoon. Zijn hart begon sneller te kloppen toen hij de lijst met gemiste gesprekken zag. Zijn vrouw had vijf keer gebeld. Ze nam meteen op toen hij terugbelde.

'Waarom heb je me niet teruggebeld?' huilde ze. 'Ik probeer je al twee uur te bereiken.'

'Het spijt me,' zei hij. 'Wat is er aan de hand? Vertel op. Gaat het om Violet?'

'Ja. Ik ging vanavond nog even bij haar kijken en haar raam stond open. Ik had het dichtgedaan, dat weet ik zeker. Ik had het alarm ook aangezet, maar de telefoon doet het niet. Ik denk dat de kabel is doorgesneden.'

Silas werd koud vanbinnen. 'Alles in orde met Violet?'

'Ja, ze ligt te slapen. Maar Silas, op haar nachtkastje lag een opgevouwen hamburgerverpakking. Van Bertie's Burgers.'

Silas deed zijn mond open om adem te halen, maar hij kreeg geen lucht. *Hij was daar.* Bij die hamburgertent. *Hij heeft het gezien. Hij weet dat ik opnieuw gefaald heb. O, god.*

'Ik ben er nog,' wist hij uit te brengen. 'Heb je de politie gewaarschuwd?'

'Nog niet. Ik wilde eerst jou spreken.'

'Haal een pistool uit de kluis. Ik ben over niet al te lange tijd thuis.' Silas verbrak de verbinding, maar bleef doodstil zitten.

Die vuile klootzak. De dreiging was er altijd geweest. *Maar met zijn tengels aan mijn kind zitten.* Want Violet wás zijn kind. Dat was ze sinds het moment dat de verpleegster haar in zijn armen legde, helemaal gerimpeld en paars en uit alle macht krijsend.

Hij had haar in zijn armen gehouden terwijl de tranen over zijn wangen stroomden. Hij staarde naar zijn eigen kleine meid in het ziekenhuisbed, onder het bloed en met de niets ziende ogen wijd open.

'Het spijt me,' had de dokter triest gezegd. 'We hebben alles gedaan wat we konden.' Toen sloot de dokter de ogen van Silas' dochter en verklaarde haar officieel overleden.

Dat was één minuut nadat zijn kleindochter haar eerste ademteug had genomen.

Ik stuur je naar de hel voor je een haar op haar hoofd kunt krenken.

En hij wist precies hoe hij dat kon bewerkstelligen. Maar het was niet simpelweg een kwestie van even een kogel door zijn hoofd jagen. Dat was het nooit geweest, anders had hij het jaren geleden al gedaan. Zijn werkgever hield zorgvuldig bij wat er allemaal gebeurde en hij zorgde ervoor dat iedereen heel goed wist dat zijn 'werknemers' met naam en toenaam genoemd zouden worden als hem iets overkwam.

Het merendeel van ons zou nog geen week overleven in de gevangenis.

Maar de man was te ver gegaan. *Hij is in haar slaapkamer geweest. De slaapkamer van mijn kind.* Wat had hij niet allemaal kunnen doen... De man moest dood.

Silas moest die lijsten hebben, anders was zijn leven geen cent meer waard. Er waren twee manieren waarop dit kon gebeuren. Het beste zou zijn als hij die klootzak dwong de lijsten te geven voor hij hem vermoordde. Dan konden Silas en zijn vrouw in hun huis blijven wonen terwijl hun kind opgroeide te midden van haar vriendjes en vriendinnetjes zonder ook maar ergens iets van af te weten.

De slechtste optie was zijn gezin laten onderduiken, dan de klootzak vermoorden en vervolgens maar zien wat ervan kwam. Dat zou kunnen beteken dat hij de rest van zijn leven gezocht zou worden. Maar zijn kind zou in veiligheid zijn. En dat was het belangrijkste van alles.

Maar die video van vandaag, de tape die die knul van Paige Holden had gemaakt toen het busje verongelukte, kon er ondanks wat hij verder nog deed toch al voor zorgen dat hij gezocht werd. Dan werd zijn gezin laten onderduiken en de klootzak vermoorden de enige mogelijkheid die nog overbleef. Hij moest weten of zijn gezicht te zien was op die video. Vanavond nog.

Woensdag 6 april, 02.30 uur

Paige werd onmiddellijk wakker en bleef roerloos liggen. Het geluid kwam uit de richting van het raam. Iemand probeerde door haar raam naar binnen te komen.

Nee. Niet weer. Nooit meer. Ze stak haar hand onder haar kussen en verstijfde. *Het was weg.* Het mes was verdwenen. Ze draaide zich met een ruk op haar rug en probeerde uit bed te springen, maar hij was er al. Drukte haar neer. *Laat los. Laat me los. Ik vermoord je.*

'Paige. Wakker worden.'

Ze deed met een schok haar ogen open. Ze zat overeind met haar vuisten omhoog, klaar om te vechten – en de half ontklede Grayson Smith hield zijn handen op haar schouders, Peabody gromde en sprong met ontblote tanden op, maar Grayson gaf geen krimp.

'Verdomme, Paige, word wakker.'

Er was niemand bij het raam. Ze had het gedroomd. Alweer. Ze ontspande haar vuisten. 'Peabody, af,' zei ze schor. De hond ging liggen, maar bleef op zijn hoede.

Grayson stond gekleed in niet meer dan een sportbroek die laag op zijn heupen hing over haar heen gebogen en hijgde. Hij liet haar langzaam los, hees zijn broek op en ging op de rand van het bed zitten. 'Ik schrok me dood. Je gilde. Het was bloedstollend. Gaat het?'

Nee. Haar hart ging tekeer als een stoommachine. 'Ja. Natuurlijk.'

Hij schudde zijn hoofd. 'Natuurlijk gaat het niet. Met mij gaat het ook niet en ik heb je alleen maar horen gillen. Wat droomde je?'

Ze wendde haar blik af. 'Hetzelfde wat ik altijd droom.'

Hij ging verzitten zodat hij haar recht in de ogen kon kijken. 'Wat droom je altijd?'

'Hij komt altijd door het raam en ik kan nooit mijn mes vinden.'

'En hij drukt je neer?'

'Ja.' Ze omklemde de deken zodat hij niet zou zien hoe haar handen trilden.

'Is hij door een raam bij dat vrouwencentrum binnengedrongen?'

'Nee. In mijn huis. Mijn slaapkamer.'

'De tweede keer dat je werd aangevallen,' zei hij grimmig.

'Ja. Tijdens de eerste keer, in het vrouwencentrum... toen hadden ze het over wat ze met me zouden doen als ze me eenmaal in elkaar hadden geslagen. Hoe ze me vast zouden houden en me zouden verkrachten. Maar ze hebben nooit de kans gekregen. De man in mijn slaapkamer... hij... hij had zijn broek al open.' Ze keek op en zag dat zijn ogen vuur spoten. 'Maar Olivia heeft hem tegengehouden en hij zit nu in de bak.'

Hij ontspande zichtbaar. 'Waar elke gevangene weet dat hij een politieman is?'

'O, jazeker,' zei Paige met grote tevredenheid. 'Ik denk dat we rustig mogen aannemen dat hij nu weet wat het zeggen wil om vastgehouden te worden.'

Hij knikte één keer heftig. 'Mooi. Denk je dat je nu weer kunt slapen?'

Geen schijn van kans. 'Ja. Natuurlijk.'

Een mondhoek ging in een wrange trek omhoog. 'Heb je zin in thee?'

'Dat neem ik meestal als ik niet kan slapen.'

'Dat vermoedde ik al. Ik zag dat je de theepot al had klaargezet. Nee, blijf liggen.' Hij hield haar tegen toen ze aanstalten maakte uit bed te komen. 'Ik breng hem wel.'

'Dat hoef je niet te doen, Grayson. Ik heb je al genoeg last bezorgd.'

'Stil maar,' zei hij vriendelijk. Hij legde zijn hand onder haar kin en ging met zijn duim over haar onderlip, heen en weer. Hij beëindigde het gebaar met net voldoende druk zodat er geen misverstand bestond over zijn bedoelingen. Het was een zoen, of dat zou het zijn zodra zij er klaar voor was. 'Laat me voor je zorgen.'

Ze keek hem na terwijl hij wegliep en toen kwam ze met knikkende knieën uit bed terwijl haar hersenen op volle toeren draaiden. Ze liep naar het venster. Het was stil op de parkeerplaats, het politielint was verdwenen. Niemand kon zien dat daar nog geen vierentwintig uur eerder een vrouw was vermoord.

Paige deed haar ogen dicht en stond zichzelf een ogenblik toe waarin ze rouwde om Elena. Daar was eerder geen tijd voor geweest. Ze had in shock verkeerd of ze was bezig geweest te vechten voor haar leven. Of het lichaam van de geëxecuteerde Delgado te vinden. Ze vroeg zich af waarom Jorge had gelogen, waarom hij Ramon had verraden.

Ze hoorde Graysons voetstappen lang voor ze zijn stem hoorde. Hij liep met zwaardere tred dan normaal. Waarschijnlijk om haar te laten weten dat hij er was. *Zodat ik niet bang zal zijn.* Dat was lief en attent en weer een punt in zijn voordeel. Als ze een ridder te paard had willen bestellen, dan had ze geen betere keuze kunnen maken.

'Ik dacht dat ik had gezegd dat je in bed moest blijven.'

'Ik stond te denken,' zei ze, terwijl ze de adem die ze had ingehouden liet ontsnappen toen hij zijn armen om haar middel sloeg. Ze leunde zonder aarzelen tegen hem aan. Ze had geen idee hoe dit zou uitpakken, maar ze was blij dat hij er was. Haar blote enkel streek langs het wollen boord van zijn lange broek en ze vroeg zich slechts heel even af waarom hij zich had aangekleed voor het duidelijk werd.

Hij wilde haar. Heel graag. De zachte stof van zijn sportbroek zou de opwinding die nu tegen haar aan drukte niet hebben kunnen verbergen. Haar lichaam wilde zich omdraaien, wilde haar armen om hem heen slaan. Ze wilde zeggen: de boom in met die anderhalf jaar droogstaan. Laat de regen maar komen.

In gedachten hoorde ze Olivia haar bestraffend toespreken omdat ze te hard van stapel liep. Aan de andere kant, Liv was niet alleen. Olivia had David. *Ik heb niemand.* En ze geloofde niet dat ze ooit iemand had gehad.

Grayson drukte zijn lippen tegen haar kaak en ze huiverde. 'Je bent koud,' mompelde hij. 'Ga weer naar bed. Hier kun je niet denken.'

Ze wilde wel terug naar bed. Maar ze wilde hem daar bij zich hebben. Ze wílde alleen maar. Móest. Al die maanden dat ze alleen was geweest drongen zich op, vulden haar gedachten en verdrongen alle redenen om niet te doen wat ze op het punt stond te gaan doen.

Ze draaide zich snel om, voor die redenen zich weer konden laten horen. Ze liet haar handen over zijn gespierde schouders glijden, ging op haar tenen staan en kuste hem. Hij verstijfde even verrast voor hij zijn greep verstevigde en haar terugzoende, stevig en intens. *Lekker.* Het woord dreunde door haar hoofd. *Zo lekker.*

'Meer.' Het commando rommelde diep vanuit zijn borstkas. Trilde tegen haar lippen. 'Open.'

Ze deed haar mond open en zijn tong gleed naar binnen, zoekend. Veelbelovend. Zijn harde lichaam klopte tegen het hare. *Zo lekker.* Haar armen vouwden zich rond zijn nek en ze trok zichzelf omhoog. *Dichterbij.* Ze moest dichter tegen hem aan. *Nu.* 'Alsjeblieft.'

De warmte van zijn hand brandde door de dunne stof van haar ondergoed toen hij haar nachthemd omhoogtrok en met zijn hand haar achterste omklemde. Ze huiverde opnieuw, maar beslist niet van de kou. Zijn vingers trokken aan het elastiek. Ze boog haar knie en sloeg een been om zijn heup. *Dichterbij.*

Ze verstijfden toen ze plotseling gegrom hoorden. Ze keken als één man op en zagen Peabody klaarstaan om te springen. 'Af,' zei Paige zacht, net zo goed tegen zichzelf als tegen haar hond. Ze was bezig de zaken uit de hand te laten lopen. 'Peabody, in je mand.'

Peabody gehoorzaamde en Grayson slaakte een sidderende zucht. 'Dat was... apart.'

Paige zette haar hakken weer op de grond. Haar groene ogen vlamden nog en haar lippen waren vochtig. Ze wilde hem weer zoenen. Maar er waren redenen om het kalm aan te doen. Goede redenen.

Ze moest zich alleen herinneren wat die redenen ook alweer waren. Dat zou ook wel lukken, als haar bloed maar weer naar haar hersenen begon te stromen. 'Apart? Hoezo?'

'Jij voornamelijk.' Hij gaf haar een harde, snelle zoen op haar lippen. 'Maar bijna in mijn kont gebeten worden door Peabody komt aardig in de buurt.'

Ze moest zich inhouden om niet even de kont beet te pakken waar Peabody bijna in had gebeten. Die was waarschijnlijk net zo hard en fantastisch als de rest van hem.

Ze liet haar handen over zijn borst glijden, genietend van de soepelheid van zijn spieren. Hij trainde in de sportschool. Fanatiek. En wat ze daar kloppend tegen zich aan voelde? Als en wanneer het gebeurde, dan zou het de anderhalf jaar droogstaan meer dan waard zijn.

'Het spijt me,' zei ze. 'Hij is het niet gewend dat mensen met hun handen aan me zitten.'

Hij trok zijn wenkbrauwen op. 'Mensen?'

'Man... achtige... mensen.'

'Mooi.' Hij drukte een kus op haar voorhoofd. 'Kom mee. Je thee wordt koud.'

Ze liet zich terug naar haar bed leiden en kroop erin toen hij de dekens terugsloeg. Hij stopte haar in alsof ze een klein meisje was en gaf haar toen de kop thee. 'Drink op.'

Ze nam een slokje en keek naar hem op. 'Het is perfect.'

'Je hoeft niet zo verbaasd te kijken. Ik kan goed uit de voeten in de keuken. Tussen twee haakjes, ik heb je eieren opgemaakt. Ik had honger en jij lag te slapen.'

'Ik denk dat een paar eieren een koopje is voor mijn persoonlijke bewaker.' Ze klopte op de rand van het bed en hij ging zitten. 'Hoeveel doe je met bankdrukken?'

'Honderdvijftien kilo.'

'Dat kunnen niet veel van mijn klantjes,' zei ze onder de indruk, en hij keek haar niet-begrijpend aan.

'Laat jij je klanten bankdrukken? Wat voor privédetective ben jij?'

Ze grinnikte. 'Ik werk ook parttime als personal trainer bij de Silver Gym.'

Onbegrip veranderde in verbazing. 'Je zei dat je als assistente van een advocaat werkte.'

'Dat was ook zo, tot een paar jaar geleden. De advocaten voor wie ik werkte gingen met pensioen en tegen die tijd werkte ik om rond te kunnen komen al bij de sportschool. Ik kreeg een mooie afkoopsom toen het advocatenkantoor ophield te bestaan en daarmee heb ik een aandeel in de sportschool genomen.'

'En wat gebeurde er toen je hierheen verhuisde?'

'Ik ben nog steeds voor een deel eigenaar.' Ze keek hem aan over de rand van haar theekop. 'Je weet niet zo heel veel van me, hè?'

'Nee.' Hij wendde even zijn blik af en keek haar toen met een intense blik weer aan. 'Ik zag je vanmorgen en het was alsof... Ik weet het niet. Er klikte iets. Het was net alsof ik je mijn hele leven al kende. Of misschien wilde ik dat alleen maar. Mijn assistente heeft een dossier over je aangelegd. Het is heel dik.'

'Echt? Waar heb je het?'

'In mijn sporttas. Ze had het voor me klaarliggen toen ik na het ziekenhuis weer naar kantoor ging.'

'O.' Dat deed pijn. 'Dus je wist al alles over wat er afgelopen zomer is gebeurd voor ik het Stevie vertelde.'

'Ik heb het dossier nog niet gelezen. Ik wilde zelf meer over je te weten komen. En dat is gelukt. Ik zocht naar eten voor Peabody toen jij lag te slapen. Ik dacht dat je dat misschien in de logeerkamer bewaarde.'

Ze wilde haar voorhoofd fronsen, maar deed het niet. 'Daar is het niet.'

'Dat heb ik begrepen. Er moeten daar wel honderd prijzen staan.'

'Honderdvijfendertig. Ik deed vroeger mee aan nationale en internationale toernooien. Wapens en *kata*. Ik heb ook een paar gevechten gedaan.'

'En nu staan al die bekers daar een beetje stof te verzamelen.'

'Dat was een ander leven,' mompelde ze. 'Tijd voor iets nieuws.'

Hij keek haar even aan. 'Waarom?'

'Omdat,' zei ze ongeduldig, 'ik klaar ben met superkaratevrouw spelen.'

'Vanwege de gebeurtenissen van afgelopen zomer.'

'Ja,' zei ze kalm. 'Ik neem aan dat dat in het dossier staat dat je assistente heeft gemaakt. Zo niet, dan zou ik maar een nieuwe assistente gaan zoeken.'

'Ik was er niet bij toen ze werd aangenomen en dat is maar goed ook.'

Ze knipperde met haar ogen. 'Wat? Hoezo?'

'Omdat ze geen schijn van kans zou hebben gemaakt als ik het voor het zeggen had gehad. Ze is vrijpostig en brutaal en...' Hij haalde zijn schouders op. 'Verrekte goed. Als ik naar mezelf had geluisterd had ik mezelf tekortgedaan.'

Ze kneep haar ogen tot spleetjes. 'Ben jij zo'n slimme psych van de koude grond?'

Hij grijnsde zo ongekunsteld dat ze niet boos kon blijven. 'Mijn zus Zoe is psychologe, dus ik heb het op een eerlijke manier geleerd.'

'Hoeveel zussen heb je?'

'Drie. Lisa, Zoe en Holly. En dan heb je nog Joseph, onze broer.'

'Zijn dat allemaal Carters? Geen andere Smith?'

Zijn grijns verdween vrijwel helemaal. 'Het zijn allemaal Carters. Mijn moeder en ik zijn de enige Smiths.'

'Hoe zijn ze dan familie geworden?'

'Mijn moeder en ik kwamen bij de Carters wonen toen ik klein was,' zei hij behoedzaam. 'We waren zo'n beetje dakloos toen mevrouw C. mijn moeder werk gaf. We raakten aan elkaar gehecht. De Carters zijn fantastische mensen.'

'Zo te horen wel. Waarom waren jullie dakloos?'

'Omdat mijn vader bij ons was weggegaan.'

Ze wist dat er veel meer achter stak. Ze wilde het hele verhaal kennen, maar zijn gezicht had een gespannen uitdrukking gekregen en ze besloot dat ze maar beter later over zijn vader kon doorvragen. 'Waarvoor nam mevrouw Carter je moeder in dienst?'

'Als kindermeisje. Holly was pas geboren en had problemen met haar gezondheid. Mevrouw C. had hulp nodig voor de andere kinderen. Ze bood ons het appartement boven de garage aan en aangezien we geen huis hadden nam mijn moeder het aanbod met beide handen aan.' Hij aarzelde. 'Tussen twee haakjes, ze wil je ontmoeten. Mijn moeder, bedoel ik. Ze heeft je uitgenodigd om mee uit eten te gaan vanavond.'

Paige beet op haar lip en voelde zich schuldig. *Ja, ik weet het.* 'Grayson, wat dat betreft... Ik moet je iets vertellen.' Een harde bonk uit het appartement boven deed de muren trillen. Haar theekopje stond te rammelen op het nachtkastje en een ingelijste foto viel van de muur.

Peabody sprong uit zijn mand en begon opnieuw ineengedoken te grommen.

'Wat was dat?' zei Grayson terwijl hij omhoogkeek.

'Peabody, af.' Paige keek woedend naar het plafond. 'Dat zijn die idioten van boven.' Er klonk weer een bonk en ze sloeg abrupt de dekens weg en smeet de deur van de kast open.

'Verdomme, Paige,' siste Grayson. 'Wat moet dat voorstellen?'

Hij wees naar een jachtgeweer dat tegen de kastwand stond. Ze sloeg haar ogen ten hemel. 'Jezus, ik ga ze niet neerschieten, hoor.' Ze pakte een ander stuk gereedschap dat in de kast stond.

'Oké,' zei hij iets rustiger. 'Ik herhaal. Wat is dat in vredesnaam?'

Ze zwaaide met haar wapen, een zwabber waar ze met elastiek een dik boek aan had bevestigd. Ze sprong op bed, pakte de zwabber met twee handen beet en beukte met het boek tegen het plafond. 'Hou op,' gilde ze. 'Hou godverdomme op!'

Grayson keek verbijsterd toe. 'Ik neem aan dat ze best vaak lawaai maken.'

'Vijf keer in de week. De moeder heeft een vriendje dat alleen 's nachts langskomt. Ofwel ze hebben heel ruige seks of ze dansen de polka. Helaas heeft ze ook een zoon van net veertien. Ik zou medelijden met hem hebben als hij niet zo'n engerd was.' Ze bonkte voor alle zekerheid nog een paar keer tegen het plafond. 'Dat is omdat je die video van me hebt gemaakt en naar die lul van een Radcliffe hebt gestuurd.'

'Heeft die knul van hierboven die video gemaakt? Wist je dat de hele tijd al?'

'Natuurlijk. Logan heeft me vaker gefilmd. Die knul is een stalker. Ik heb tegen hem gezegd dat ik Peabody op hem afstuur als hij daar niet mee ophoudt. Ik heb niet gezien dat hij me weer filmde, maar dat heeft hij blijkbaar wel gedaan.'

'Waarom klaag je dan niet bij de beheerder?'

'Heb ik gedaan. Een paar keer. Hij zegt alleen maar dat jongens nu eenmaal jongens zijn. Binnenkort...'

De muren trilden toen er opnieuw geraas van boven klonk. 'Wat zijn ze daar aan het –'

Een pistoolschot verscheurde de nacht, gevolgd door een ijselijk gegil.

Paige keek Grayson een fractie van een seconde verbijsterd aan, sprong toen van het bed en greep het geweer uit de kast. Ze rende naar de voordeur met Grayson op haar hielen.

Ze gooide de grendels los en verstijfde toen Grayson zijn hand met een klap tegen de deur sloeg. 'Wacht,' zei hij. 'Eerst zien wat er daarbuiten aan de hand is voor we er als dollen opaf rennen.'

Hij boog zich naar het kijkgaatje. Toen nam hij het geweer uit haar handen. 'Bel het alarmnummer. Die jongen van boven wordt de trap af gesleurd door een vent met een bivakmuts.'

Hij deed de deur open en glipte voor ze een woord kon zeggen naar buiten. Ze rende terug naar de slaapkamer om haar mobieltje en de .357 uit de la van haar nachtkastje te pakken.

Ze vertelde de centralist wat er aan de hand was terwijl ze naar de voordeur holde. 'Zeg tegen de politie dat het om hetzelfde gebouw gaat waar vanochtend die vrouw door een sluipschutter is doodgeschoten.'

Ze stond op het punt om achter Grayson aan de trap af te gaan, maar bleef staan toen ze gejammer hoorde. Logans moeder kroop een verdieping hoger helemaal onder het bloed over de overloop.

Paige drukte de telefoon tegen haar oor. 'Bent u er nog?' vroeg ze de centralist.

'Ja. De surveillancewagens zijn over een minuut of twee bij u.'

'Mijn buurvrouw is neergeschoten. Er moet een ambulance komen, snel.'

'Stóp,' riep Grayson. 'Laat die jongen gaan of ik schiet je kop van je romp.'

De man bleef abrupt staan. Hij hield Logan voor zich en drukte een pistool tegen het hoofd van de jongen. Logan bloedde uit zijn been.

'Laat dat geweer vallen,' snauwde de man. 'Leg het op de grond en doe een stap achteruit.'

Grayson woog zijn opties tegen elkaar af terwijl hij zich afvroeg waar Paige was. Hij hoopte dat ze binnen was gebleven, waar het veilig was. 'Als ik mijn geweer laat vallen, vermoord je ons allebei. Ik hou mijn troeven graag in handen.'

De jongen begon te jammeren. Grayson probeerde hem te negeren. *Concentreer je, anders gaat hij dood.*

De man met het masker rukte de jongen overeind en ramde de loop van zijn wapen hard tegen diens schedel. 'Ik heb niks te verliezen. Ik was niet van plan hem iets te doen.'

'Waarom heb je dat dan wel gedaan?' wilde Grayson weten. 'Je hebt op hem geschoten.'

'Nee, dat heb ik niet. Dat heeft zijn moeder per ongeluk gedaan toen ze op míj schoot. Luister, ik wil hier alleen maar weg. Ontlaad dat geweer en laat hem vallen. Dan laat ik hem gaan.'

'Alstublieft,' jammerde Logan. De tranen stroomden over zijn wangen. 'Alstublieft, maak me niet dood.'

'Ik wil hem niet vermoorden,' zei de man heftig. 'Ik wil jou ook niets doen.'

Grayson haalde diep adem. Wanhopige mensen waren onvoorspelbaar. Zorgvuldig ontlaadde hij het jachtgeweer, in de hoop dat hij de situatie in de hand kon houden tot de politie arriveerde.

'Gooi de patronen naar me toe en laat het geweer vallen,' beval de man. 'Nu.'

Grayson bleef de man aankijken terwijl hij deed wat hem gezegd was. Hij boog door zijn knieën en legde het geweer op de grond. 'Ik heb het weggelegd. Laat hem gaan.'

'Loop naar die lantaarnpaal. Die kapotte.'

Grayson bewoog zich niet. 'Laat hem gaan.' In de verte klonk vaag het geluid van sirenes.

'Ik schiet hem voor zijn kop. Wil je dat op je geweten hebben, meneer de officier?'

Grayson schrok. *Hij weet wie ik ben.* 'Nee, dat wil ik niet.' Hij liep langzaam achteruit en de man haalde enigszins opgelucht adem.

'Uitstekend. Pak maar aan.' De man duwde de jongen naar voren en Logan slaakte een kreet van pijn toen zijn gewonde been dubbelklapte.

Grayson ving de jongen op, liet hem zachtjes op de grond zakken en zette vervolgens de achtervolging op de man in. Hij rende gebukt achter een auto en dook nog verder ineen toen de man een schot afvuurde dat opzettelijk mis was.

'Verdomme, Grayson. Blijf daar,' schreeuwde de man. Toen rende hij weg en verdween in de duisternis tussen de kantoren een straat verderop.

Weg. Hij was verdwenen. 'Godverdomme.'

Logan lag meelijwekkend te kreunen. Grayson knielde naast hem neer en inspecteerde de wond. Er stroomde gestaag bloed uit en hij zag bot door de huid heen steken. Hij raakte het been van de jongen niet aan, uit angst het allemaal nog erger te maken. In plaats daarvan nam hij een hand in de zijne en vertrok zijn gezicht toen Logan hard kneep.

'Logan, ik heet Grayson. Er is hulp onderweg. Waarom wilde die man je meenemen?'

Logan zag doodsbleek. 'Hij wilde mijn computer. Maar ik heb hem niet.'

'Waarom? Waarom wilde hij je computer?'

'Vanwege die video.' Logan wiegde heen en weer van de pijn en de tranen rolden over zijn wangen. 'Die is geld waard. Er waren tv-stations die hem van me wilden kopen. Maar ik heb hem al verkocht. Ik heb de exclusieve rechten verkocht en die vent mijn laptop gegeven.'

'Wie? Radcliffe?'

'Ja, de klootzak. Hij beloofde dat hij hem binnen een dag terug zou geven als hij zijn primeur had gehad. Hij wilde niet dat ik die video aan iemand anders zou sturen.' Hij beet zijn tanden op elkaar en kreunde. 'Mijn moeder. Hij heeft haar neergeschoten. Waar is ze? Is ze erg gewond?'

'Ik weet het niet.' Voor de derde keer binnen vierentwintig uur zag Grayson reddingsvoertuigen naderen. Hij keek achterom in de veronderstelling Paige te zullen zien. Maar ze was er niet. 'Daar komen we zo wel achter. Nu moet je stil blijven liggen. Er komt zo hulp.'

Terwijl Logan zijn hand bijna fijnkneep, staarde Grayson in de richting waarin de man was verdwenen. Dat iemand midden in de nacht bij die knul zou inbreken om onder bedreiging van een vuurwapen die video te stelen om daar geld aan te verdienen, was niet helemaal ondenkbaar, maar hij geloofde er niets van. Logan wel, blijkbaar, en dat was op dit moment misschien maar beter ook.

Want Grayson had het akelige vermoeden dat hij zojuist oog in oog had gestaan met de sluipschutter die Elena had vermoord. Misschien ook degene die Paige had aangevallen en zelfs Delgado had vermoord.

Erger nog, de stem van de man klonk bekend. *Hij kende me. Hij noemde me bij mijn naam.*

En ik heb hem laten lopen.

Woensdag 6 april, 04.15 uur

Stevie zat op de bank terwijl Paige vermoeid de drie sloten dichtdraaide. Grayson liep te ijsberen en zag er voor zijn doen onverzorgd uit. Hij had geen schoenen of sokken aan en zijn voeten waren smerig. Het overhemd dat hij aanhad hing uit zijn broek en was maar half dichtgeknoopt.

Paige zag er niet veel beter uit. Haar nachthemd zat onder het bloed en ze zag nog bleker dan ze had gedaan nadat ze Delgado's lichaam hadden ontdekt.

Stevie wist dat ze allebei al een verklaring hadden afgelegd tegenover Morton en Bashears, die ter plaatse waren geroepen, maar ze kon de andere rechercheurs niet om bijzonderheden vragen. Niet zonder vragen op te roepen die ze niet wilde beantwoorden. 'Begin nog eens bij het begin.'

Paige keek naar haar bebloede nachthemd. 'Ik ga wat anders aantrekken. Vertel jij het maar, Grayson. Ik ben zo terug.' Ze verdween in de slaapkamer en Grayson staarde haar na.

'Wanneer je maar wilt,' zei Stevie.

Grayson wierp haar een blik vol ellende toe. 'De jongen ligt op de operatietafel. Hij kan zijn been kwijtraken. Zijn moeder is op weg naar het ziekenhuis overleden.'

'Shit.'

'De jongen zei dat zijn moeder en hij lagen te slapen toen ze Paige hoorden gillen. Hij zei dat ze dat hadden genegeerd omdat ze vaak 's nachts ligt te gillen.'

'Ze lijdt aan nachtmerries,' zei Stevie. 'Logisch.'

'En om bang van te worden. Ik moest haar wakker maken. Logan zei dat hij niet meer in slaap kon komen en iets te eten wilde pakken. Toen zag hij die vent met het masker die in zijn spullen zat te snuffelen. De insluiper probeerde ervandoor te gaan en liep een tafel omver. Paige en ik hebben de klap gehoord.'

'Oké.'

'Logan zei dat zijn moeder haar slaapkamer uit kwam, halfdronken en zwaaiend met een pistool. De inbreker greep Logan beet en de moeder schoot. Ze raakte Logan in zijn been. De inbreker schoot de moeder in haar borst. We hoorden Logan gillen, maar we hebben maar één schot gehoord.'

'Dus een van de twee had een geluiddemper.'

'De inbreker. We hebben een verklaring afgelegd voor Morton en Bashears. Behalve...' Hij keek haar aan. Zijn blik was gejaagd. 'Hij kende me, Stevie. En ik ken hem.'

'De schutter?' Stevie ging rechtop zitten. 'Waarom heb je hun dat niet verteld?'

'Omdat ik me niet kan herinneren waar ik hem van ken. Ik herkende zijn stem. Ik ken advocaten en mensen van de politie. Ik heb niet zo veel vrienden.'

'Dus jij denkt dat die man een advocaat of politieman was?' vroeg Stevie behoedzaam.

'Ik weet het niet. Hij noemde me "meneer de officier". Politiemensen doen dat.'

Politiemensen. Stevie moest even nadenken over hoe ze dit verder zou aanpakken. Dat hij het Morton en Bashears niet had verteld, wilde iets zeggen. 'Paige had bloed op haar nachthemd,' veranderde ze van onderwerp.

'Van Logans moeder. Ik heb haar tegengehouden toen ze achter de insluiper aan wilde gaan. Paige is bij de moeder gebleven en heeft geprobeerd het bloeden te stelpen voor de ambulance er was, maar het heeft niet mogen baten.'

'Pittig ding, hè?' vroeg Stevie.

Hij deed zijn ogen dicht. 'Dat wordt haar dood nog,' zei hij hees.

En dat zou Graysons dood betekenen, dacht Stevie. Ze had een paar van de vrouwen ontmoet met wie hij in de loop der jaren een relatie had gehad. Ze wist dat hij bij geen van hen het achterste van zijn tong had laten zien en ze had geen idee waarom. Maar bij deze kende hij geen terughoudendheid en Stevie vroeg zich af of hij dat zelf wist.

'Weet ze dat jij denkt dat je de schutter kent?' vroeg ze.

'Ja. Dat heb ik haar verteld toen Morton en Bashears weg waren.'

'Denk je dat je die vent zou herkennen als je hem hoort praten?'

'Misschien. Ik weet het niet. Zijn stem klonk nogal dun en wanhopig.'

'Hoe kan het dan dat je hem hebt herkend?'

'Ik weet het niet,' zei hij gefrustreerd. 'Ik pieker me suf om het me te herinneren. Het was niet zo van "Hé, dat is Joe van Hiernaast". Het was meer een gevoel.'

'Dan zullen we het daar voorlopig bij laten.' Dit was een Grayson die ze niet kende. Hij toonde nooit zo veel emotie. Ze wist dat hij die wel voelde. Hij liet het gewoon niet zo vaak merken. Alleen tegenover zijn familie. En nu bij Paige Holden.

'Heeft die schutter iets tegen Logan gezegd? Voordat er geschoten werd?'

'Hij wilde Logans computer hebben. Hij wilde de video van die botsing van het minibusje.'

'En van Paige. Verdomme. Nou, wat wil je nu van mij?'

'Ik wil weten wie de schutter is.'

'Ja, duh.' Stevie sloeg opnieuw haar ogen ten hemel. 'Details, Grayson.'

'Hij wil video- en geluidsopnamen,' zei Paige achter hem. Grayson deed een stap achteruit en keek onderzoekend naar Paige's gezicht. 'Het gaat wel. Ik maak me meer zorgen om jou.' Ze streek met haar hand over zijn arm. 'Ga alsjeblieft zitten.'

Hij haalde een stoel uit de eetkamer terwijl Paige in de leunstoel ging zitten met de hond naast zich. Ze was bang, maar voor het overige maakte ze een scherpe indruk en haar ogen stonden alert.

'Grayson heeft die andere rechercheurs een signalement van de schutter gegeven,' zei Paige. 'Is het mogelijk om videobeelden of geluidsopnamen te krijgen van de agenten die de juiste lengte en gewicht hebben? Dan kan hij zien of er een stem bij zit die overeenkomt met de stem die hij vannacht heeft gehoord.'

Stevie keek bedenkelijk. 'Ik zou het werkelijk niet weten. Interne Zaken heeft zo zijn eigen methodes, maar...'

'Maar het betekent op een heleboel manieren schending van een heleboel burgerrechten,' maakte Grayson de zin af.

'Nou en? Hij schiet voor de lol en voor het geld mensen neer. Hij zou geen burgerrechten moeten hebben.'

'Dat ben ik met je eens,' zei Stevie. 'Helaas heeft hij die wel, politieman of niet. Ik wil niet dat een of andere rechter bewijs niet toelaat omdat wij ons boekje te buiten zijn gegaan. Als ik deze vent te pakken krijg, politieman of niet, dan moet de zaak waterdicht zijn.'

'We moeten meer dan die ene man te pakken krijgen,' zei Grayson. 'De schutter van vanavond heeft waarschijnlijk Elena doodgeschoten, maar hij was niet de man die op de foto staat waarop Sandoval wordt uitbetaald. Als Sandoval zo'n 1 meter 78 was, dan was de man op de foto 1 meter 83, maar slank. Deze insluiper was van mijn lengte.'

'Jij bent 1 meter 88?' vroeg Stevie.

'Ja. Maar die vent die Paige heeft aangevallen was langer dan ik. Minstens 1 meter 93.'

'Dus we hebben te maken met drie, misschien vier mannen,' merkte Stevie op. 'Deze indringer, de aanvaller van Paige in de garage, en die vent die Sandoval heeft uitbetaald. Als de man van vanavond Elena niet heeft doodgeschoten, dan is haar moordenaar nummer vier.'

'Deze insluiper heeft een groot risico genomen door in te breken in een appartement op de derde verdieping,' zei Grayson. 'Waarom moet hij die video zo nodig hebben? Radcliffes website stond er vol mee.'

'Niet de hele video,' wierp Paige tegen. 'Ik heb de beelden vanmorgen een paar keer bekeken. Er is een stukje tussenuit. Ik ben ongeveer twee minuten bezig geweest met proberen het bloeden bij Elena te stelpen, maar dat stond niet op de band. Daar was geknipt en gemonteerd. In de versie die is uitgezonden ontbreken een paar minuten.'

'O, geweldig,' mompelde Stevie. 'Een snufje Watergate.'

'Logan zei dat Radcliffe zijn computer een dag wilde houden, zodat

Logan de beelden niet aan iemand anders kon sturen,' zei Grayson. 'Radcliffe wilde de beelden gedurende vierentwintig uur exclusief voor zichzelf hebben. Radcliffe moet weten wat er op die band staat. We moeten met hem gaan praten.'

Stevie wees naar het raam. 'Dan hoef je niet ver te zoeken. Hij staat buiten.'

Grayson sprong op en gluurde door de jaloezieën. 'Wanneer is hij gearriveerd?'

'Hij was bezig alles klaar te zetten toen ik hier kwam,' vertelde Stevie.

Paige bleef zitten waar ze zat, maar de hand die op de hond rustte begon zijn nek te aaien. In de auto had ze hetzelfde gedaan. 'Radcliffe lijkt het buitengewone vermogen te hebben om op het juiste moment op te duiken.' Ze sprak vriendelijk, maar er klonk een ondertoon van spanning in haar stem.

'Dit is iets anders dan toen hij vanmiddag die aanval op jou filmde,' zei Stevie. 'Dit geval is gemeld via de politieradio. Als hij een scanner heeft, is het logisch dat hij op de hoogte is.'

Grayson wendde zich af van het raam. 'Ik wil weten waarom hij in de garage was. En waarom hij het niet nodig vond om het alarmnummer te bellen. Ik zou hem dolgraag aanklagen.'

'Hij was bij de rechtbank om jou te filmen bij de uitspraak van het vonnis. Het was om vijf uur op het nieuws. Ik neem aan dat hij jullie twee naar de garage is gevolgd en gewoon mazzel had. Maar dat zal ik nog eens natrekken. Ik zou willen weten wat Radcliffe en Logan met elkaar te maken hebben. Hoe wist die knul überhaupt dat hij hem moest bellen?'

'Logan heeft een beetje aan burgerjournalistiek gedaan,' vertelde Paige. 'Hij ging voor zijn schoolkrant werken en hij filmde een keer een knokpartij op school. Dat filmpje was een enorme hit op internet. Radcliffe nam contact met hem op en zei dat als hij meer van dat soort filmpjes had, hij ervoor zou zorgen dat ze in het echte journaal werden vertoond.'

'Hoe weet jij dat allemaal?' vroeg Stevie.

'Dat heeft Logan me verteld toen ik hier net was ingetrokken. Hij wilde een verhaal over me maken. Hij had me gegoogeld en wist wat er afgelopen zomer was gebeurd. Ik zei nee, maar hij heeft me toch gefilmd, zonder mijn toestemming. Ik betrapte hem en ik ging helemaal door het lint.'

'Hoe was hij je aan het filmen?' vroeg Stevie. 'Door je raam?'

'Nee. Ik was Peabody aan het uitlaten en de hond merkte dat hij zich in de bosjes had verstopt.' Ze klopte de hond op zijn nek. 'Logan deed het bijna in zijn broek.'

'Brave hond,' mompelde Stevie.

'Een paar dagen later stond hij me voor het gebouw op te wachten. Hij zei dat als hij met een verhaal als dat van mij kwam, hij die reporter, Radcliffe, kon imponeren. Dat Radcliffe altijd op zoek was naar verhalen. Ik zei dat me dat helemaal niets kon schelen en dat hij maar een ander verhaal moest zien te vinden omdat ik het anders tegen zijn moeder zou zeggen. Ik dacht dat dat had gewerkt. Ik heb hem er niet meer op betrapt dat hij aan het filmen was. Tot gistermorgen dan.'

Paige deed haar ogen dicht. 'Ik stond tegen het plafond te beuken terwijl hij werd aangevallen. Ik heb ze waarschijnlijk elke nacht wakker gemaakt met mijn gegil en hij heeft er nooit iets van gezegd. Hij is gewond en zijn moeder dood omdat hij helemaal gefixeerd was op me.'

Grayson streek het haar uit haar gezicht met zo'n teder gebaar, dat Stevie zich een voyeur voelde. 'Hij filmde je gisteren zonder jouw toestemming. Dat noemen we stalken, schat. Dit is allemaal niet jouw schuld.'

'Ik weet het,' zei ze triest. 'Waarom voel ik me dan zo verdomde waardeloos?'

'Omdat je een mens bent,' antwoordde Stevie. 'Luister, die knul verdiende niet wat hem is overkomen, maar hij is ook geen onschuldige omstander.'

'Dank je.' Paige glimlachte gespannen. 'We moeten de ruwe versie van die video hebben.'

'Dat zal niet zo eenvoudig worden,' zei Grayson. 'Ik zie Radcliffe die niet zomaar geven. Niet zonder bevel van de rechter.'

'Morton en Bashears hebben geprobeerd een gerechtelijk bevel te krijgen, maar toen vonden ze Sandovals lichaam en het zelfmoordbriefje en toen hebben ze het maar gelaten.' Stevie ging staan. 'Grayson, ik raad je aan een paar uur te gaan slapen met het oog op die vergadering met de hoofdinspecteur straks. Misschien dat je je meer herinnert van die schutter als je hersenen de kans hebben gehad een beetje uit te rusten. We zullen een babbeltje maken met Interne Zaken en eens zien wat we kunnen doen. Als we te maken hebben met een corrupte politieman, dan moeten we alles uit de kast halen om hem tegen te houden. Ik zal Radcliffe naar die tape vragen voor ik wegga. Het ergste wat hij kan doen is nee zeggen.'

'Dank je, Stevie. Ik waardeer dit echt.'

'Ik denk dat ik je wel iets schuldig ben voor al die gerechtelijke bevelen van de afgelopen jaren,' zei ze met een vermoeide glimlach.

Stevie had haar hand al op de deurknop toen Paige nog iets zei. 'Rechercheur, hoe zit het met Delgado? Hebben jullie zijn vrouw en dochter al gevonden?'

'Nee. We hebben een opsporingsbericht laten uitgaan. Als ik haar was en ik had een kind dat ik moest beschermen, dan dook ik onder.' Stevie aarzelde en besloot toen dat Paige het moest weten. 'We hebben het wapen gevonden waarmee Delgado is vermoord. Het lag in een vuilcontainer achter het huis van de familie Muñoz. We hebben de gebroeders Muñoz meegenomen voor verhoor.'

Paige tuitte peinzend haar lippen. 'Iemand wilde de indruk wekken dat de broers het hebben gedaan.'

'Mijn partner en ik hadden direct door dat het de bedoeling was dat we dachten dat het het werk van een amateur was. Dat zagen we meteen al toen we de plaats delict zagen, nog voor ik jouw verhaal had gehoord. Ik heb behoorlijk mijn best moeten doen om de zaak toegewezen te krijgen en ik wilde niet dat iemand me ervan zou beschuldigen dat ik niet elk spoor had onderzocht.'

'Morton en Bashears,' raadde Paige.

'Misschien. Dat jullie het lichaam zo kort nadat Jorge was vermoord hebben gevonden, helpt wel. De gebroeders Muñoz hebben een alibi. Ze waren in de kerk en de priester heeft dat bevestigd.'

'Mooi,' zei ze heftig. 'Dat arme gezin. Arme Ramon. Hij moet zich zo hulpeloos voelen daar in de gevangenis terwijl zijn familie lijdt. Ik moet echt naar hem toe. Ik moet tegen hem zeggen dat hij niet moet opgeven. Ik moet hem vertellen dat Elena echt van hem hield, tot het laatst aan toe.'

'Nog niet,' zei Grayson meelevend. 'We moeten degene die achter dit alles zit laten geloven dat we geen idee hebben van wat er gaande is. Hij moet zelfverzekerd worden en een fout maken. We willen niet dat hij zich gaat verstoppen. Als Ramon het weet, kan hij misschien iets prijsgeven, ook al zegt hij geen woord.'

'Het kan zijn leven in gevaar brengen,' voegde Stevie eraan toe. 'We moeten weten wie hier allemaal bij betrokken zijn voor we het hem kunnen vertellen, oké?'

Paige zuchtte. 'Oké. Denk ik.'

'Zodra het veilig is breng ik je naar hem toe. Dat beloof ik je.'

Graysons belofte leek de doorslag te geven. Paige knikte. 'Dank je.'

'We zullen dit tot op de bodem uitzoeken,' zei Stevie. 'Probeer nog wat te slapen.'

10

Silas reed bij zijn huis weg. Hij had de bestelbus en de Toyota in de garage laten staan. Deze auto was veilig en vrij van wat voor soort zendertjes dan ook. Silas had hem zelf uit elkaar gehaald en weer in elkaar gezet. Precies voor het geval er een dag als vandaag zou aanbreken.

Hij had de auto ergens opgeslagen onder een identiteit die hem jaren had gekost om op te bouwen. Het was zijn ontsnappingsplan en Silas had alles tot in de puntjes voorbereid. Behalve hoe hij zijn vrouw de waarheid moest vertellen. Ze zat naast hem, zwijgend, omdat hij haar had gevraagd niets te zeggen. Maar binnenkort zou hij het moeten vertellen.

Violet lag op de achterbank te slapen met haar verfomfaaide knuffel in haar handjes geklemd, het enige wat hij hun had toegestaan mee te nemen en dan nog alleen omdat zijn vrouw erop had gestaan. Violet kon niet slapen zonder de pop. Een hysterisch kind was het laatste wat hij kon gebruiken.

Hun huis zou er net zo uitzien als het er altijd uitzag. Niemand zou in de gaten hebben dat ze waren vertrokken.

Ironisch genoeg hadden Jorge Delgado's vrouw en kind precies hetzelfde gedaan. Als karma echt bestond, dan zou Silas net zo eindigen als Jorge.

Maar mijn kind zal leven. Hij wenste Jorges dochter hetzelfde toe. Maar dat was aan mevrouw Delgado. Hij had zijn eigen problemen.

En allemaal mijn eigen schuld. Maar dat deed er niet toe. Het enige wat telde, was ontsnappen.

Want hij was vanavond doorgedraaid. In paniek geraakt. Hij had in zijn leven tientallen mensen neergeschoten. Waarom was hij vanavond zijn hoofd kwijtgeraakt?

Het was allemaal zo snel gebeurd. Hij had het pistool tegen het hoofd van die knul gezet om hem bang te maken. *Alleen maar om hem bang te maken.* Maar de jongen bleef volhouden dat de computer er niet was. Hij bleef liegen. Toen kwam die moeder uit haar kamer gewankeld, stinkend naar de whisky en zwaaiend met een pistool.

Ze schoot per ongeluk haar eigen zoon neer en hief toen het wapen om op... hém te schieten.

Het schot dat hij had gelost was gewoon een reactie geweest. *Ik had die knul achter moeten laten. Ik had ervandoor moeten gaan.* Een paar seconden sneller en hij had Grayson Smith helemaal misgelopen.

En daar is het allemaal fout gegaan. Dat was het begin geweest van zijn moeilijkheden. De openbaar aanklager was gewapend geweest. En Silas wist dat de man kon schieten. Ze waren samen op de schietbaan geweest. *Ik had hem neer moeten schieten.*

Smith had hem niet herkend, maar Silas wist dat hij het wel uit zou knobbelen. Het was slechts een kwestie van tijd voor de agenten met wie hij zo lang had samengewerkt aan zijn eigen deur stonden. Silas moest zijn vrouw en kind verbergen voor het zover was. Als hij eenmaal in de cel zat, kon hij hen niet meer beschermen.

'Ik heb haar een slaappil gegeven, zoals je had gevraagd. Ze blijft uren onder zeil,' fluisterde zijn vrouw.

'Ze moet minimaal acht uur blijven slapen. Als ze wakker wordt, moet je haar er nog een geven.'

'Waarom acht uur?' vroeg ze angstig.

'Het kost ons zeven uur om in Buffalo te komen. Ze moet blijven slapen tot we de brug naar Canada over zijn.'

'Cánada? Waarom gaan we ervandoor als dieven in de nacht?'

'Omdat dat is wat ik ben. Onder andere.' Andere dingen waarvan hij niet wilde dat ze iets wist.

'Wat gaat er gebeuren als we in Canada zijn?'

'Ik heb daar geld verstopt.' Een soort schuilplaats. 'Je zult daar een tijdje moeten blijven.'

'En jij?'

Silas was van plan terug te gaan naar Baltimore. Hij kon zich wel verstoppen voor de politie, maar zijn werkgever zou hem tot het bittere einde opjagen. De man vermoorden die zijn ziel bezat was de enige manier waarop hij de veiligheid van zijn gezin kon waarborgen. 'Ik moet nog wat zaken afhandelen. En daarna kom ik voorgoed bij jullie.'

'En ons huis dan? Onze vrienden? De school van Violet? Silas, wat heb je gedaan?'

'Wat ik moest doen.'

Ze onderdrukte een snik. 'Dit heeft te maken met Cherri, hè?'

Hij had altijd wel geweten dat hij met een slimme vrouw getrouwd was. 'Ja.'

'Ik ben bang, Silas.'

Inderdaad, een heel slimme vrouw. 'Ik ook.'

Woensdag 6 april, 04.45 uur

Grayson deed de deur achter Stevie dicht en draaide de drie sloten op slot. Hij wou dat hij deze hele dag had kunnen overslaan. Maar aan de andere kant, dan had hij Paige nooit ontmoet en hij voelde dat hij niet onzelfzuchtig genoeg was om dat te wensen.

Ze had een hand op de nek van de hond en zag er uitgeput uit. Grayson trok haar overeind en nam haar in zijn armen. Ze liet haar hoofd op zijn schouder rusten en iets van de spanning vloeide uit hem weg.

'Toen je achter die man aan rende was ik zo bang. Je had ook wel vermoord kunnen worden.'

'Ik heb de achtervolging ingezet nadat hij Logan had laten gaan,' bekende Grayson en hij voelde haar verstijven. 'Hij schoot mis en waarschuwde me dat ik moest blijven staan. Hij had me toen te pakken kunnen nemen.'

'Maar dat heeft hij niet gedaan.' Ze zei het op een manier alsof ze zichzelf wilde geruststellen.

'Nee, dat heeft hij niet gedaan. En ik word er gek van dat ik maar niet kan bedenken waar ik hem van ken.'

'Grayson... was hij de partner van Morton? Haar oude, bedoel ik, voor Bashears en Skinner? Degene die met pensioen is gegaan? Rechercheur Gillespie.'

'Gilly?' Hij probeerde het zich weer voor de geest te halen. 'Nee, hij klonk niet als Gilly.'

'Weet je het zeker? Hij kon bij de sleutels van Ramon. Morton en hij waren belast met het onderzoek.'

'Zo zeker als ik maar zijn kan zonder nog eens met hem te praten.'

'Ik kan zijn telefoonnummer opzoeken. Dan kun jij hem bellen. Het is zo vroeg dat hij waarschijnlijk nog ligt te slapen. Dan maken we ze wel wakker, maar dan zijn ze in ieder geval nog thuis. En dan weet je zeker of je hem kunt uitsluiten of niet.'

'Politiemensen en hun partners zijn het gewend om midden in de nacht te worden gewekt,' zei hij. 'Doe maar.' Het kostte haar maar een paar minuten om Gilly's telefoonnummer te vinden. Grayson belde het nummer met haar prepaid mobieltje en hoopte dat hij de stem boven het suizen van zijn hartslag zou kunnen horen.

'Hallo!' Het was de stem van een oudere vrouw op hun voicemail. 'Gilly en ik zijn er nu even niet omdat we veel leukere dingen aan het doen zijn dan jullie. Als we je willen spreken, dan heb je ons mobiele nummer. Zo niet, spreek dan een boodschap in. Misschien bellen we terug.'

Grayson wachtte op de piep in de hoop dat iemand alsnog zou opnemen, maar dat gebeurde niet. Hij hing op. 'De vrouw van Gilly op de voicemail,' zei hij tegen Paige. 'Ik hoop maar dat IZ met hem op de proppen komt, dan kan ik hem horen. Kom. We stoppen je weer in bed en dan kan ik ook nog even slapen.'

Hij sloeg zijn arm om haar heen en liep met haar mee naar haar slaapkamer. Daar controleerde hij de ramen. 'Op slot.' Hij sloeg de dekens terug. 'Je bed in.'

Ze glimlachte onzeker terwijl ze in bed stapte. 'Het is lang geleden dat iemand me heeft ingestopt.'

Hij kuste haar zacht op haar mond. 'Slaap lekker.' Weglopen was moeilijk, maar het lukte hem. Toen hij zich bij de deur omdraaide, zag hij dat ze rechtop was gaan zitten met een zorgelijke blik in haar ogen. 'Wat is er, schat?'

'Het is ook al lang geleden dat iemand schat tegen me heeft gezegd.' Ze haalde diep adem. 'Ik heb het recht niet om dit van je te vragen, maar ik doe het toch. Zou je het erg vinden om hier te slapen? Alleen maar slapen?'

Wat inhield dat hij naast haar moest liggen en haar niet mocht aanraken. De uitdrukking op zijn gezicht moest boekdelen hebben gesproken, want ze wendde haar blik af. 'Laat maar. Ik had het niet moeten vragen.'

'Nee, dat is prima.' Het zou goed komen. *Ook al wordt het mijn dood. En dat zou best eens kunnen.* Hij klom naast haar in bed, nog steeds gekleed in broek en shirt.

Ze ging op haar zij liggen met haar rug naar hem toe. 'Ik zal de wekker op zeven uur zetten.'

'Uitstekend.' Van zo dichtbij kon hij haar haar ruiken. Hij worstelde even met zichzelf, maar gaf toen op en sloeg zijn arm om haar middel. Ze ontspande en ging tegen hem aan liggen. Hij ontspande ook, ondanks de erectie die hij niet kon negeren.

Ze bleef doodstil liggen en hij besefte dat zij die ook niet kon negeren. 'Wauw.'

'Sorry. Daar kan ik niets aan doen.'

Ze draaide zich op haar rug en keek naar hem op. 'Daar hoef je geen sorry voor te zeggen. Ik voel me... gevleid.'

Het besef dat in haar ogen flakkerde deed het laatste beetje bloed uit zijn hoofd verdwijnen. Ze had gezegd 'alleen maar slapen', maar daar trok zijn lichaam zich niets van aan. Hij boog zijn hoofd toen ze haar hand in zijn nek legde. Ze trok hem dichter tegen zich aan en maakte hem duidelijk dat dit een 'ja' was.

Hij was van plan geweest teder te zijn, maar op het moment dat ze haar mond onder de zijne opendeed, verloor hij alle controle. Hij verslond haar mond en ze begon te kreunen. Ze begon te kronkelen. Zijn hartslag bonkte in zijn oren toen ze haar heupen tegen zijn hand stootte.

Hij hield hijgend even op. Hij had zijn hand tussen haar benen en ze had haar ogen dicht. Ze zag eruit als een vrouw die op het randje balanceerde en hij vervloekte zichzelf, maar verslond haar tegelijkertijd met zijn ogen.

Ze was opgewonden en hij voelde door de stof van haar slip, die nog de enige belemmering vormde, dat ze nat werd. Hij wilde hem wegscheuren. Hij wilde haar proeven. Hij moest lang en hard en zo diep hij kon in haar stoten. Hij wilde haar. Helemaal.

Hij streek met zijn lippen over de hare. 'Ik wil je met huid en haar verslinden,' fluisterde hij en ze huiverde schokkend. Ze deed haar ogen open en een tijdje keken ze elkaar alleen maar aan.

Toen ze sprak klonk haar stem hees en gepijnigd. 'Ik kan geen seks met je hebben.'

Hij knipperde verbijsterd met zijn ogen. 'Nu niet, of nooit?'

Ze bleef hem strak aankijken. 'Nu niet.'

'Maar niet nooit?'

'Nee, beslist níét nooit.'

'Oké.' Hij probeerde na te denken. 'Maar nu je dit onderwerp toch ter sprake brengt... Wanneer dan wel?'

'Dat weet ik niet. Alleen niet nu.'

'Maar wil je wel?'

'God, ja,' zei ze ademloos. Ze schoof zijn hand weg. 'We moeten eerst praten.'

Hij fronste zijn voorhoofd en zijn gedachten vlogen onmiddellijk allerlei verkeerde kanten op. 'Waarover?'

'Niet dat. Alles is... goed.'

'Hoelang is het geleden?'

'Anderhalf jaar,' zei ze en zijn frons werd dieper.

'Waarom?'

'Omdat ik toen zag dat mijn beste vriendin de ware vond en ik eindelijk besefte wat ik miste.' Ze beet op haar lip. 'Ik heb heel veel vergissingen begaan in mijn leven. Heel veel mannen.'

Heel veel mannen. De schaamte die uit haar blik sprak maakte hem duidelijk hoe moeilijk het voor haar was om dit te moeten toegeven. 'Waren erbij van wie je hield?' vroeg hij ruw.

'Nee,' zei ze genadeloos eerlijk. 'Ik wilde dat wel graag, maar ik wist steeds dat het maar tijdelijk was.'

Hij wist niet goed wat hij moest zeggen. Wat zij wilde dat hij zou zeggen. Dus vroeg hij maar wat hij wilde weten. 'Waarom?'

Haar glimlach straalde een afkeer van zichzelf uit die hij beter begreep dan ze ooit zou kunnen vermoeden. 'Ik kan mijn waardeloze jeugd de schuld geven of het feit dat ik niet weet wie mijn vader is, maar de waarheid is dat ik niet alleen wilde zijn en daarom pakte wat ik pakken kon. Toen kwam Olivia David tegen en werd mijn leven overdonderend... leeg.' Ze haalde haar schouders op. 'Ik raakte het beu om zo'n hekel aan mezelf te hebben. Ik kwam tot de conclusie dat ik liever alleen was dan dat ik mijn tijd en waardigheid verspilde aan foute mannen.'

Shit. Gewoon...shit. 'Dus nu wacht je op de ware?'

Ze kromp ineen bij het horen van de bijtende toon die hij niet van plan was geweest te gebruiken. 'Ja. Ik vond dat je dat moest weten voor we verder gaan.'

'Het is veel te vroeg...' Hij liet de woorden wegsterven terwijl haar mond een cynische trek vertoonde.

'Ik geloof niet in liefde op het eerste gezicht. Maar er is iets tussen ons. Je ligt in mijn bed, verdorie.'

'Jij vroeg of ik hier wilde slapen,' zei hij verdedigend.

'Dat weet ik.' Opnieuw sprak er schaamte uit haar donkere ogen.

Hij werd overvallen door schuldgevoel. Ze had vreselijke dingen doorgemaakt en het enige wat ze wilde was niet alleen zijn. Alleen maar slapen. En hij had niet met zijn tengels van haar af kunnen blijven. 'Ik was degene die te snel ging.'

Ze haalde opnieuw haar schouders op. 'Als ik zou zeggen dat ik daar niet op voorbereid was, dan zou ik liegen. Maar ik had gehoopt het nog even uit te kunnen stellen. We kunnen dit wederzijdse aantrekkingskracht noemen, of fascinatie of pure lust. Wat je maar wilt. Als je ervoor openstaat dat dit serieus wordt, dan wil ik graag zien waar dit heen gaat. Heel graag. Maar als dat niet zo is... Ik kan niet weer net zo worden als vroeger. Dat is belangrijk voor me.'

'Ik doe niet aan relaties.' Dat was een slappe reactie, zeker na wat zij net had opgebiecht.

'Waarom niet?' vroeg ze en hij had geen antwoord. De seconden tikten weg en de blik in haar ogen veranderde. Hij werd behoedzaam uitdrukkingsloos en het schuldgevoel sneed nog dieper in zijn ziel.

Ze schraapte haar keel. 'Ik denk dat dat wel een antwoord is op wat ik wilde weten.'

Zijn keel kneep samen en hij werd overvallen door paniek en wanhoop. 'Ik laat je niet alleen vannacht. Ik slaap wel op de bank.' Maar hij wilde haar bed niet uit. 'Als je dat liever hebt.'

In haar ogen stond besluiteloosheid te lezen, maar de schaamte was er ook nog. 'Ik slaap beter wanneer je hier blijft.'

'Dan blijf ik.' En hij zou haar niet meer aanraken.

Ze knikte stijf. 'Dat stel ik op prijs. Laten we... gewoon gaan slapen.' Ze ging weer op haar zij liggen. Toen ze ademhaalde klonk het onregelmatig en hij wist dat ze probeerde haar tranen in te houden.

Voor hij er erg in had, stak hij zijn arm uit. Hij trok hem snel terug. *Laat haar met rust. Je zult haar alleen maar kwetsen, net als die anderen.*

Het was nooit zijn bedoeling dat het zo afliep, maar het gebeurde altijd. Hier was een heel stuk sneller een einde aan gekomen dan bij al die anderen, maar zo'n dag was het nu eenmaal. De anderen waren altijd tot de conclusie gekomen dat hij niet voldeed en waren verdergegaan met hun leven. Nu hij hier zo bij Paige in bed lag, besefte hij dat het feit dat ze daartoe in staat waren precies de reden was dat hij ze had uitgekozen.

Maar hij had Paige niet uitgekozen. Ze was als een goederentrein zijn leven komen binnen denderen. Hij wist ook dat als hij haar had gekwetst, ze dat een heel lange tijd zou blijven. Dat kon hij niet verdragen. Hij zou bij haar blijven tot ze veilig was. Tot dit allemaal achter de rug was. Daarna zou hij haar met rust laten.

Hij wist ook dat hij deze keer nog heel lang pijn zou voelen.

Hij lag op zijn rug en vroeg zich af hoe hij erin was geslaagd alles zo grondig te verkloten. Hij wist niet hoelang ze daar al zo lagen toen ze weer begon te praten, nog steeds met haar rug naar hem toe gekeerd.

'Ik moet iets bekennen. Als ik niet gevangenzit in een nachtmerrie ben ik een lichte slaper. Dan word ik van alles wakker. Gesprekken. Via de mobiele telefoon. In auto's. Over Carly.'

Carly? Cárly. Het begon bij hem te dagen en onmiddellijk bekroop hem een angstig gevoel terwijl hij zich probeerde te herinneren wat hij in de auto had gezegd. 'Je hebt me met mijn moeder horen praten.'

'Ja. Je zei tegen haar dat ze me leuk zou vinden. Toen zei je dat je het "hun" niet kon vertellen, omdat je niet het risico kon nemen dat ze het zouden doorvertellen. Je zei tegen haar dat ze het niet tegen me mocht zeggen. Wat niet?'

Er borrelde woede in hem op. 'Je had moeten zeggen dat je wakker was.'

'Dat weet ik. Dat heb ik ook bijna gedaan, maar je raakte zo over je toeren en ik wist niet wat ik moest zeggen. Het spijt me. Ik had niet mogen luisteren, maar dat is nu eenmaal gebeurd.'

'En verwacht je nu dat ik het je alsnog vertel?' vroeg hij ruw. 'Zomaar?'

'Ik weet het niet.' Ze had nu een heel klein stemmetje. 'Misschien. Ik heb je alles over mezelf verteld.'

'Dit is iets anders.' Hij rolde woedend uit bed en ging op de rand zitten met zijn rug naar haar toe. 'Verdomme, Paige. Je had het recht niet.'

'Ik weet het. Ik zei toch dat het me spijt. Wat kan ik nog meer zeggen?'

Hij gaf geen antwoord. Hij bleef verteerd worden door woede. Ze had hem bespioneerd. Afgeluisterd. *Ik vertrouwde haar.*

Nou, nee, dat deed je niet. Als je dat wel had gedaan, dan had je het haar wel verteld.

Er is geen enkele reden om haar te vertrouwen. Ik ken haar nog maar net.

Ze vertrouwde jou wel. Met haar leven. Dat was lastiger te negeren. Want dat was zo.

Hij hoorde het ruisen van de lakens en voelde de matras indeuken. Hij keek over zijn schouder en zag dat ze rechtop zat en hem met een mengeling van ongerustheid en pijn zat op te nemen.

'Wat?' snauwde hij verdedigend en ze kromp ineen.

Toen stak ze haar kin in de lucht. 'Ik zal het niet verder vertellen.'

Hij kneep zijn ogen tot spleetjes. 'Wat precies?'

Ze fronste verward haar wenkbrauwen. 'Dat je een geheim hebt. Meer weet ik eigenlijk niet.'

'En?'

'Geen "en". Dat is het.'

'Nee, dat is het niet. Je zult het willen weten. Je zult het met vleierij proberen. Zeuren. Neuzen.' Woede maakte plaats voor verbittering. 'Huilen, waarschijnlijk. En dan voel ik me zo schuldig dat ik alles vertel, terwijl het enige wat ik wilde een beetje privacy was.'

'Daar heb je het bij het verkeerde eind,' zei ze zacht.

Hij fronste zijn voorhoofd. 'Wat bedoel je daarmee?'

'Ik bedoel dat ik niet in de gelegenheid zal zijn om te vleien, te zeuren of te neuzen want dit is de enige nacht dat ik je hier zie, op deze manier, in deze kamer.' Ze sprak de woorden kalm uit, zonder opwinding, maar nu was het zijn beurt om ineen te krimpen. Zijn borst kneep pijnlijk samen. Ze haalde haar schouders op. 'Jij bent degene die niet aan relaties doet.'

'Dus nu word ik gestraft?'

Ze deed haar ogen dicht. 'Nee. Ik probeer eerlijk te zijn. En naar mijn mening een stuk rationeler dan jij. Jij zegt dat je geen relatie voor altijd wilt. Je wilt alleen het nu. Ik zeg dat ik beter verdien. Ik verdien een relatie voor altijd met iemand die... míj wil. En met minder neem ik geen genoegen.'

Haar woorden grepen zijn woede en knepen die uit, en wat overbleef was schaamte. Ze had gelijk. 'Het spijt me,' zei hij zacht.

'En terecht. Je kent me niet goed genoeg om te weten dat ik nooit zal vleien, zeuren of neuzen, dus dat neem ik je niet zo heel erg kwalijk.' Ze was bloedserieus. En, zo leek het, een beetje kwaad ook. 'Maar dat je dacht dat ik zou gaan húílen om je zover te krijgen dat je "alles vertelt" is gewoon beledigend.'

'Je hebt gelijk,' zei hij alleen maar. 'Het spijt me.'

'Dat weet ik.' Haar boosheid verdween als sneeuw voor de zon en in plaats daarvan kreeg ze een trieste blik in haar ogen, die pijn deed om te zien. 'Laten we gaan slapen. Het wordt zo licht.' Ze schoof weer onder de lakens en trok de dekens op tot aan haar kin. 'Blijf of ga weg, maar doe het snel.'

Hij aarzelde en gaf toen toe aan het verlangen dat ze in hem gewekt had. Hij ging naast haar liggen en slaakte zachtjes een zucht. 'Ik kan je wel vertellen dat ik niks illegaals heb gedaan of iets waardoor je bang voor me zou moeten zijn.'

Ze draaide zich om een keek hem behoedzaam nieuwsgierig aan. 'Waarom denk je dat ik bang voor je zou zijn?'

Hij haalde zijn schouders op. Improviseerde. Loog. 'Ik ben een grote vent. Je bent al eerder gekwetst.'

Ze bleef hem zo lang aankijken dat hij weg wilde lopen. Ze zag veel te veel. Maar 'Oké' was het enige wat ze zei voor ze haar ogen dichtdeed en binnen een paar minuten klonk haar ademhaling regelmatig. Hij dacht dat ze sliep tot ze haar hand in de zijne legde en hun vingers zich verstrengelden. 'Rust uit, Grayson. Ik zal je geen vragen meer stellen waar je geen antwoord op wilt geven.'

Hij zou opgelucht moeten zijn. En dat zou hij misschien ook wel zijn als hij eenmaal weer kon ademhalen. Maar dat zou vannacht niet meer gebeuren.

Woensdag 6 april, 06.30 uur

Adele werd wakker door het geschreeuw van Darren. 'Godverdomme, Rusty! Wat heb je gedaan?'

Ze rende de trap af. 'Darren, wat is er met –' Onder aan de trap bleef ze abrupt staan, haar maag draaide om van de stank.

Darren stond in de deuropening van de keuken. Afval lag her en der rond de vuilnisbak. De vloer lag bezaaid met braaksel en diarree.

'O, god.' Adele moest zich tot het uiterste inspannen om niet over te geven. *Dit kan ik niet gebruiken. Niet vandaag.*

'Waar zit dat beest?' wilde Darren weten. 'God mag weten wat hij heeft gegeten.'

Rusty had de gevoeligste hondenmaag waar ze ooit van had gehoord. Het kleinste beetje menselijk voedsel bezorgde hem een week lang de schijterij.

'Als jij hem zoekt en in zijn bench stopt, dan begin ik met schoonmaken,' zei Adele.

'Ik stop hem echt wel in zijn bench,' mopperde Darren. 'En dan stuur ik die naar Abu Dhabi, enkele reis.'

Dat was zijn gebruikelijke dreigement, maar Rusty hoefde zich geen zorgen te maken. Darren zou de hond nooit wegdoen. Tijdens de onaangename scheiding die volgde nadat zijn ex-vrouw was vreemdgegaan was hij de strijd met zijn ex aangegaan om zeggenschap te krijgen over Rusty. Rusty hoorde erbij. Gelukkig was Adele op hem gesteld.

Maar nu even niet. Ze begon de rommel bij elkaar te vegen toen ze de doos zag. *O, nee.*

Het was de doos waar de chocolaatjes in hadden gezeten, de chocolaatjes die van een cliënt kwamen waar ze een halfjaar geen contact mee had gehad. Ze had de doos weggegooid omdat ze te paranoïde was om risico's te lopen door hem te bewaren. Maar de doos was leeg. Rusty had alle chocolaatjes opgegeten.

Rustig. Dit is normaal. Rusty moest altijd overgeven van chocola, maar daarna knapte hij altijd snel weer op.

'Adele!' Darrens schreeuw van paniek kwam uit de hobbykamer. Hij kwam de keuken binnen gerend met Rusty's slappe lichaam in zijn armen. 'Ik krijg hem niet wakker. Hij is bewusteloos.'

'Ga met hem naar de dierenarts. Ik breng Allie naar hiernaast en dan zie ik je daar.'

Woensdag 6 april, 09.30 uur

Paige keek op van haar aantekeningen en stak haar hand uit naar het porseleinen koffiekopje dat op de kostbare tafel in Graysons eetkamer stond. Ze had gebeld met Olivia en Clay en probeerde nu haar dag te plannen, maar de man tegenover haar zat haar openlijk aan te staren en dat maakte haar nerveus.

Grayson had haar mee hiernaartoe genomen omdat hij een ander pak moest aantrekken en vervolgens had ze moeten wachten terwijl hij met de politie ging praten. Zij had weliswaar drie extra sloten op de deur en een hond, had hij gezegd, maar hij had een alarmsysteem.

Blijkbaar was de installateur, Graysons 'broer' Joseph Carter, een essentieel onderdeel van dat systeem. Hij was opgetrommeld om voor babysitter te spelen tot het Paige's beurt was om als geheime informant met Interne Zaken te praten. Ze werd misselijk als ze dacht aan de vragen die ze haar zouden stellen, dus keek ze naar Joseph.

Graysons broer had een pistool in een holster aan zijn riem en hij straalde een kwaadaardige dreiging uit. Ze voelde zich niet bedreigd – Peabody lag aan haar voeten en ze had al haar wapens bij zich – maar ze wist niet wat ze van de man moest denken. Hij had het soort gezicht dat niet direct knap te noemen was, maar toch... fascinerend was. Hij was ongeveer net zo oud als Grayson, en Joseph was lang, donker en somber.

Net als Grayson. Die nog steeds in een verschrikkelijk slecht humeur was. Hij kon zich nog steeds niet herinneren waar hij de schutter had ontmoet en het was hem zelfs niet gelukt om ook maar een uurtje te slapen.

Paige had niet veel meer geslapen dan hij. Ze was wakker geworden met haar hand in de zijne terwijl hij haar lag aan te kijken met een wanhoop waar haar ogen van begonnen te prikken. Ze hadden alleen het hoogstnoodzakelijke tegen elkaar gezegd. Hij had Peabody uitgelaten terwijl zij onder de douche stond. Zijn chagrijnige bui werd duidelijk op het moment dat ze uit de badkamer stapte, schoon en aangekleed. Vanaf dat moment had hij alleen maar lopen snauwen en commanderen.

Maar de wanhoop in zijn ogen was gebleven, dus vergaf ze hem de rest.

Ze sloot haar ogen en wachtte tot de benauwdheid zou verdwijnen. Ze kende hem net een dag. Technisch gesproken zelfs nog korter. Maar weggaan zou pijn doen. Dat deed het nu al.

Dan moet je nu dus niet aan hem denken. Ze moest aan Ramon en Elena denken. Ze moest aan Logans moeder denken. En aan Crystal Jones. Ze moest bedenken met wie van haar lange lijst met namen ze zou praten als ze klaar was met de politie.

Die zou haar dwingen alles te vertellen... álles. Ze voelde paniek de kop opsteken en ze dwong zichzelf kalm te blijven. Ze zou zich professioneel gedragen. Ter zake. Ze zou het verhaal vertellen alsof het iemand anders was overkomen. Ze zou hun vragen beantwoorden en hun hulp krijgen.

Ze schrok toen de punt van haar potlood brak. Ze keek naar haar blocnote, naar de zwarte krabbels die ze had gemaakt terwijl ze al die dingen overdacht waar ze nu juist niet aan zou denken.

Ze keek op en zag dat broeder Joseph nog steeds van onder zijn zwarte wenkbrauwen naar haar zat te staren.

'Ik zou het op prijs stellen als je ophield me in de gaten te houden alsof ik op het punt sta het familiezilver te stelen,' zei ze.

'Dat is geen moment bij me opgekomen,' zei hij rustig met zijn zware, rommelende stem. 'Ik zat eerlijk gezegd te denken dat je je gezien de omstandigheden erg goed houdt.'

Ze raakte even het verband om haar hals aan. Het deed nog steeds pijn. 'Ik overleef het wel. Dat kun je niet van iedereen zeggen.'

'Geloof dat maar, dat je het zult overleven. Grayson heeft er geen misverstand over laten bestaan dat ik zwaar de klos ben als jou iets overkomt. Vandaar dat ik je in de gaten hou.'

Ze kneep haar ogen samen. 'Ik ben geen klein kind.'

Hij stak een wijsvinger op. 'Nu moet je niet de goede indruk die ik van je heb verpesten door "ik kan wel voor mezelf zorgen" te zeggen.' Hij sprak op een beetje spottende, zangerige toon.

'Dat wilde ik helemaal niet zeggen,' zei ze effen. 'Want dat is niet meer waar. Maar fijn dat je het me even onder mijn neus wrijft. Hartelijk dank.' Ze keek weer naar haar aantekeningen terwijl haar ogen zich vulden met tranen. Gênant.

'Hé.' Hij boog zich voorover en tikte naast haar blocnote op de tafel. 'Hebben we een beetje medelijden met onszelf?' vroeg hij, opnieuw op die spottende toon.

Ze keek woedend op. 'Je hebt...' Toen haalde ze haar schouders op. 'Je hebt gelijk.'

'Je hebt altijd goed voor jezelf gezorgd. Maar de laatste tijd niet meer zo.'

'Juist,' zei ze mistroostig. 'En daarom moet ik nu een oppas hebben. Jij. Ik wilde je niet beledigen.'

'Dat zit wel goed.' Hij zocht in zijn zakken en haalde een rol pepermunt tevoorschijn. 'Extra sterk. Is nog niet open geweest, dus er zitten geen pluisjes uit mijn zak aan. Wil je er een?'

Het was zo onverwacht dat ze moest lachen. 'Waarom niet?' Ze stak een pepermuntje in haar mond en gunde zich een minuut om hem te bestuderen terwijl hij haar zat gade te slaan. De man had iets stijfs en onverzettelijks, maar zijn ogen keken vriendelijk. 'Wie ben je in hemelsnaam?'

'Gewoon de broer van Grayson,' zei hij vriendelijk.

'Hij zei dat je voor de overheid werkt. Maar de vraag is, welke? Die van ons?'

Zijn mondhoek ging omhoog. 'Ja, die van ons.'

'FBI? CIA? NSA? Ik denk dat we de nationale bibliotheek wel kunnen vergeten.'

Hij grinnikte. 'Ik lees wel. Het antwoord is FBI.' Hij wierp haar een waarschuwende blik toe. 'Niet verder vragen, alsjeblieft.'

'Verdorie. Ik heb een dure oppas.'

Joseph haalde zijn schouders op. 'Grayson heeft me gisteravond gebeld toen je was gaan slapen. Hij maakte zich zorgen. Ik zou zeggen dat hij daar alle reden toe had. En dat was nog voor dat gedoe met die jongen.'

'Heeft hij je verteld wat er allemaal aan de hand is?'

'De gebeurtenissen? Ja. Over jou persoonlijk? Geen woord. Dus toen hij me vroeg om bij je te blijven, was ik nieuwsgierig. Uiteraard.'

'Uiteraard,' mompelde Paige. Ze had geen zin om zijn nieuwsgierigheid te bevredigen en ze keek hem recht in de ogen. 'Hoe denk jij over de zaak-Muñoz?'

'Ik denk dat jullie samen in een vreselijke puinhoop zijn terechtgekomen. Wat was je van plan met die krabbels?'

Ze wierp fronsend een blik op haar aantekeningen. 'Ik zat te denken aan de omvang van dit alles. Al die namen die op mijn lijst staan. Iemand moet over een heleboel geld beschikken om alle betrokkenen zwijggeld te betalen. We weten dat in ieder geval Sandoval betaald werd. Iemand moet echt goed in zijn slappe was zitten om zo'n cheque uit te schrijven zonder het geld te missen.'

'De meeste van de gasten op dat feest beschouwen vijftig rooien als niet meer dan zakgeld.'

'Ik kan me niet indenken dat je vijftigduizend dollar zakgeld vindt.' Ze keek om zich heen. Graysons herenhuis was onroerend goed van de bovenste plank en stond vol met duur antiek. De gedachte was verontrustend. 'Jij wel?'

'Wat, ik wel?' vroeg Joseph neutraal en zijn blik was weer koel.

'Kun jij je indenken dat vijftigduizend dollar niet meer dan zakgeld is?'

'Nee.' Hij zweeg even terwijl hij haar observeerde. 'En Grayson ook niet.'

Het was duidelijk wat hij bedoelde en ze werd kwaad. 'Ik zit niet achter zijn geld aan. Ik heb dan misschien wel twee baantjes om rond te kunnen komen, maar ik kan financieel nog steeds voor mezelf zorgen.'

'Dat weet ik,' zei hij kalm terwijl hij haar over de rand van zijn koffiekopje aankeek. 'Want ik heb je nagetrokken. Ik vind het heel erg vreemd dat Grayson dat niet heeft gedaan.'

Ik mag je niet, wilde ze zeggen, maar ze slikte de woorden in. 'Oké, luister. Jij wilt voor je broer zorgen en dat vind ik helemaal geweldig. Maar nu kun je naar je familie hollen en ze verzekeren dat ik niet achter zijn geld aan zit. Eerlijk gezegd zijn hij en ik niet eens –' Ze brak de zin af toen de blik in zijn ogen veranderde en haar humeur daalde tot onder het nulpunt. 'Je bent een eikel, weet je dat? Je zit me alleen maar te voeren om informatie uit me te krijgen.'

Hij keek teleurgesteld. 'Nu zullen mijn zussen woest op me zijn.'

'Alsof je bang voor ze bent,' sneerde ze.

'Je hebt duidelijk geen zusters,' zei hij.

'Alsof je dat niet weet?' Ze beheerste zich. *Ho even.* Ze was niet kwaad geworden toen ze erachter kwam dat Graysons assistente een dossier over haar had aangelegd. Waarom zou een familie niet een vrouw natrekken die de interesse had gewekt van een van hen? Ze vroeg zich af of ze ook zo geïnteresseerd zouden zijn als ze wisten dat er niets te gebeuren stond.

Tenzij een van ons verandert. En dat zal ik niet zijn. Ze herinnerde zich de leegheid van al haar relaties, hoe groot de hekel was die ze aan zichzelf had wanneer alles instortte. Het medelijden dat ze in de blikken van haar vriendinnen had gelezen. *Arme Paige. Kiest altijd de verkeerde.*

En wat hadden ze gelijk. Maar toch. *Waarom kan ik niet iemand voor altijd tegenkomen? Eén keertje maar.* Maar ze wist dat ze die wel had ontmoet, vaak zelfs, maar ze had ze genegeerd en had in plaats daarvan voor de losers gekozen. En op de een of andere manier had ze steeds geweten dat het mislukkelingen waren, vanaf dag één. Nu ze terugkeek besefte ze dat ze hen precies om die reden had uitgekozen.

Maar Grayson was geen mislukkeling. Dat wist ze. Hij droeg iets met zich mee, iets groots en duisters en heftigs. Maar dat had hem er niet van weerhouden aardig te zijn. Het weerhield hem er niet van gerechtigheid te zoeken. *Het weerhoudt hem er alleen maar van beschikbaar voor me te zijn.*

Ze masseerde haar slapen terwijl ze zich bewust was van Josephs kritische blik. 'Natuurlijk weet je dat ik geen naaste familie heb. Als ik jou was zou ik dat ook willen weten. Ik heb vrienden, maar geen zussen. Of broers. Geen ouders. Alleen mezelf.' Ze ging rechtop zitten. 'Voor alle duidelijkheid, ik ben niet op je broers geld uit. Ik zou het veel prettiger hebben gevonden als hij arm was geweest.'

Joseph gaf geen antwoord, maar haalde in plaats daarvan een rinkelende telefoon uit de zak van zijn overhemd. Hij nam op zonder zijn blik van haar gezicht af te wenden. 'Ja? Oké. Ik breng haar naar je toe. Waar?'

'Is dat Grayson?' vroeg ze. 'Vraag hem wat ik met Peabody aan moet.'

Joseph deed wat hem was gevraagd en zei toen: 'Hij wil dat je de hond hier laat. Nog iets?'

Ja. Wat mocht je moeder me niet vertellen? Maar ze had zelf beloofd geen persoonlijke vragen meer te stellen, dus schudde ze haar hoofd. 'Nee. Verder niks.'

Woensdag 6 april, 09.30 uur

Zijn lege bord werd afgeruimd en zijn koffiekop bijgevuld. 'Verder nog iets van uw dienst, meneer?'

'Nee. Dat is alles.' Toen het dienstmeisje de kamer uit was, richtte hij zijn kille blik weer op het tv-nieuws. Er was nog maar een paar uur geleden een schietpartij geweest. Hij herkende het gebouw meteen. Iedereen die de dag ervoor in de buurt van een tv was geweest herkende dat gebouw.

De jongen die de video-opname had gemaakt lag zwaargewond in het ziekenhuis. Zijn moeder was dood. Hoofdofficier van justitie Grayson Smith was achter de schutter aan gegaan en had het leven van de jongen gered.

Was dat niet leuk? Hij pakte zijn kopje en nam een slok. Hij was zich er pas van bewust dat de koffie gloeiend heet was toen hij zijn tong verbrandde. *Silas, stommeling. Je moest zo nodig teruggaan. Vertel me nou niet dat je bang bent dat ze je gezicht op film hebben. Idioot.* Er was geen enkele manier waarop de jongen Silas had kunnen filmen gezien de plek vanwaar hij had geschoten. De hoek was verkeerd en door de afstand zouden de gelaatstrekken onherkenbaar zijn geweest.

Silas was duidelijk van zijn stuk. En mensen die van hun stuk waren, deden stomme dingen.

Hij belde naar Silas' mobiele nummer en kreeg meteen de voicemail. Silas was verdwenen. Hij was bezweken. Maar Silas was voorspelbaar. Hij zou zijn vrouw en het meisje van wie hij net deed of het zijn eigen kind was nooit in de steek laten.

Hij opende op zijn laptop een volgprogramma. Het mobieltje van Silas lag thuis, precies zoals hij wel had verwacht. Silas wist dat de telefoon te volgen was en zou hem daarom thuis hebben gelaten.

De bestelbus van Silas stond ook bij hem thuis. Ook dat was te verwachten.

Hij riep het derde voorwerp op en fronste zijn wenkbrauwen. De kleine meid van Silas was onderweg, in noordelijke richting. Tenminste, haar pop was onderweg. Zoals hij wel had verwacht, was Silas zo ondersteboven geweest toen hij die hamburgerverpakking in Violets kamer had gevonden dat hij de mogelijkheid dat er nog iets anders was achtergelaten over het hoofd had gezien.

Idioot. Hoe vaak heb ik niet tegen hem gezegd dat hij niet aan me kan ontsnappen? Hij draaide zijn pinkring terwijl hij overwoog wat zijn volgende stap zou zijn. Hij besloot dat hij de vrouw en het kind voorlopig met rust zou laten. Als hij Silas het idee gaf dat hij niet wist waar ze waren, dan zou zijn vroeger zo betrouwbare werknemer meer zelfvertrouwen krijgen. Opgelucht zijn.

Want hij wist dat Silas terug zou komen voor hem. *Ik kan hem identificeren. En hij mij.*

Het was tijd om een einde te maken aan hun zakelijke relatie.

Woensdag 6 april, 09.45 uur

Darren liep in de wachtkamer te ijsberen toen Adele arriveerde. 'Is hij... Hoe gaat het met hem?' vroeg ze.

'Hij is niet dood. Maar hij is heel erg ziek.' Darren huiverde. 'Al die keren dat ik zei dat ik hem in een doos zou stoppen en opsturen, dat meende ik niet echt.'

'Natuurlijk meende je dat niet.' *Meen het alsjeblieft ook niet wanneer ik je de waarheid vertel.*

De dierenartsassistente wenkte hen naar achteren. 'De dokter heeft nu tijd voor u.'

De dierenarts droeg een operatieschort en er hing een mondmasker om zijn nek. Hij maakte een uitgeputte indruk. 'Uw hond leeft nog, maar hij is heel erg ziek. Heeft u hem voor langere tijd buiten gelaten?'

'Het regende gisteren,' zei Adele. 'Hij is de hele dag binnen geweest.'

'Hoezo?' vroeg Darren. 'Hij heeft de vuilnisbak leeggegeten. Die stond in de keuken.'

'Dat is het niet,' zei de dokter. 'Uw hond vertoont tekenen van vergiftiging.'

Vergif. Adele tastte blindelings achter zich en haar handen vonden de rand van de onderzoekstafel. De doos chocolaatjes. Haar naam had op het etiket gestaan.

O mijn god. Die waren voor mij bestemd.

'Gaat het, mevrouw Shaffer?'

Adele knikte verdoofd. 'Vergif? Wat voor vergif? Hoe kan dat zijn gebeurd?'

'Dat weet ik nog niet, maar als hij het overleeft, dan heeft hij dat aan zijn gevoelige ingewanden te danken. Hij heeft het meeste weer uitgekotst.' De dierenarts klopte Darren op diens schouder. 'Waarom gaan jullie niet naar huis om wat uit te rusten? We bellen zodra er een verandering in zijn toestand is. Ten goede of ten kwade.'

'Oké.' Darren sloeg zijn arm rond haar middel. 'Kom mee naar huis, schat.

Adele liet zich mee naar buiten tronen. Haar benen voelden als rubber.

Het was duidelijk. Ze had zich niet vergist. *Er probeert echt iemand me te vermoorden.*

'Bedankt,' zei Grayson tegen Joseph toen hij Paige veilig in het hotel had afgeleverd waar ze met de korpsleiding van de politie zou spreken. 'Waar blijf jij intussen?'

'Hier in de gang. Geef maar een brul als je me nodig hebt.'

Grayson draaide zich om naar Paige, die naar de deur voor haar stond te staren alsof ze moed aan het verzamelen was. Hij snoof haar geur op. Hij wist nu dat die van de lavendelzeep in haar badkamer afkomstig was.

Hij had zichzelf gemarteld met visioenen van haar onder de douche. Die goudbruine huid. Naakt. De wetenschap dat hij haar nooit zou bezitten had hem een slecht humeur bezorgd. Maar dat was helemaal zijn eigen schuld. Ze had recht op veel meer dan hij kon bieden. Meer dan hij bereid was te bieden, moest hij toegeven.

'Gaat het?' vroeg hij zacht en ze beantwoordde zijn vraag met een schouderophalen.

'Waarom zijn we hier? Ik waardeer de naam van deze plek, maar waarom een hotel?'

Hij had twee suites genomen in het Peabody Hotel. De suite hiernaast was de hare. De suite waarin de bijeenkomst plaatsvond zou later worden gebruikt door degene die hij in dienst zou nemen als haar lijfwacht. Hij wilde niet dat ze alleen in haar appartement zou verblijven, ook al zaten er drie extra sloten op de deur.

En na wat er zich afgelopen nacht had afgespeeld, kon hij echt niet meer bij haar blijven.

Hij verlangde naar haar met een wanhoop die hij nooit eerder had gevoeld en dat joeg hem angst aan. Hij zag voor zich hoe hij haar alles zou vertellen en dat maakte hem nog veel banger.

'Het Peabody heeft een lift die van de parkeergarage naar de kamers gaat,' zei hij. 'Dat betekent dat mensen ongezien hier kunnen komen.' Hij zou tot na de bijeenkomst wachten om haar te vertellen dat ze hier zou logeren. Het had geen zin om onnodig onrust te veroorzaken.

Ze keek naar de deur. 'Hoe hebben ze op het nieuws gereageerd?'

'Zoals je zou verwachten. Ze zijn niet blij dat ze worden beschuldigd door Elena, die ze niet kunnen ondervragen.'

'Want ze is dood,' mompelde Paige. 'Heb je verteld dat je hem kent?'

'Ja. Daar waren ze ook niet blij mee. Ben je er klaar voor?'

'Jazeker,' zei ze grimmig. 'Vooruit met de geit.'

De mannen in het vertrek stonden op toen ze binnenkwamen. Stevie bleef waar ze was. Ze zat op een van de krukken aan de bar die de scheiding vormde tussen de keuken en het zitgedeelte.

Paige bestudeerde een voor een de gezichten van de mannen en knikte vervolgens één keer. 'Ik ben Paige Holden.'

Stevies baas boog zijn kale hoofd. 'Dat weten we.'

'Dit is hoofdinspecteur Hyatt,' zei Grayson. 'Hij staat aan het hoofd van de afdeling Moordzaken. Links van hem zit commissaris Williams. Aan de rechterkant zit hoofdinspecteur Gutierrez van Interne Zaken.' Hij wees naar de man die in de deuropening van de badkamer stond. 'Brigadier Doyle, ook van IZ.' Vervolgens wees hij naar een man die een beetje terzijde stond. 'Dat is mijn baas, Charlie Anderson.'

Die had erop gestaan aanwezig te zijn, maar hij had het eerste uur geheel tegen zijn gewoonte in bitter weinig gezegd. De onzekerheid over wat precies Andersons bedoeling was, maakte Grayson nog prikkelbaarder.

Paige liet haar rugzak van haar schouders glijden. 'Ik ben ervan overtuigd dat u allemaal ergens naartoe moet en dingen te doen hebt. Boeven vangen en zo. Dus als we kunnen beginnen?'

Hyatt zette een houten eetkamerstoel tegenover de bank. 'Mevrouw Holden, als u zo vriendelijk zou willen zijn.'

Grayson kneep zijn ogen samen. Ondanks het vriendelijke verzoek was het duidelijk dat geprobeerd werd Paige in de positie van ondervraagde te manoeuvreren tegenover een tribunaal van ernstig kijkende mannen. Paige glimlachte vriendelijk. 'Met alle respect, maar ik blijf liever staan. U kunt daar gaan zitten als u wilt. Maar ik moet zeggen dat het er niet zo comfortabel uitziet als de stoel waarin u zat.'

De mannen staarden haar aan. Toen snoof Gutierrez van IZ: 'Ik heb eksterogen, ik blijf zitten.'

De overigen volgden zijn voorbeeld en namen plaats in de uitnodigende fauteuils. Grayson zag vanuit zijn ooghoek dat Stevie een glimlach probeerde te verbergen. Hyatt was geen favoriet van haar, maar Stevie was een bekwame politievrouw en respecteerde de hiërarchie. Hyatt sloeg zijn armen over elkaar en deed geen moeite zijn chagrijn te verbergen. Paige had geen vriend gemaakt, maar ze had wel haar plekje veroverd.

Goed gedaan, dacht Grayson, die tegen de eetbar stond geleund, klaar om in te grijpen als dat nodig mocht zijn. Paige maakte een ontspannen indruk, maar hij wist wel beter. Het spannen en ontspannen van haar vuisten verraadde haar. Hij had haar dat eerder zien doen om zichzelf te kalmeren.

Paige vertelde het hele verhaal en besloot met de aanval op Logan en zijn moeder. Het enige wat ze niet vertelde, waren de persoonlijke momenten tussen hen, al had ze die moeite niet hoeven doen. Commissaris Williams had Grayson al de mantel uitgeveegd omdat hij persoonlijk bij de zaak betrokken was geraakt. Dat was ook een gesprek geweest waarbij Anderson verdacht stil was gebleven.

Ze nam een paar seconden de tijd om elke man recht in de ogen te kijken. 'Dat is alles.'

'Dat is beslist niet alles, mevrouw Holden,' zei Hyatt agressief. 'U uit een ernstige beschuldiging. U beweert dat de politie betrokken is bij zowel de moord op Elena Muñoz als de valse beschuldigingen tegen haar echtgenoot. Maar u maakt er een gewoonte van om de politie van dingen te beschuldigen, nietwaar?'

Graysons haren gingen overeind staan. *Wel godver.* Hij stond op het punt om in te grijpen, maar Paige was hem voor.

'Mijn beschuldiging van twee agenten is bewezen,' antwoordde ze kalm, 'voor de rechter.'

'Dit is een andere rechtbank,' zei Gutierrez. 'We moeten u geloofwaardig vinden.'

Ze stak haar kin vooruit. 'Wat zou me in uw ogen geloofwáárdig maken, meneer?'

'Wat was afgelopen zomer volgens u de aanleiding voor de aanval op u en uw vriendin?' Commissaris Williams stelde de vraag op vriendelijke toon, maar Grayson trapte er niet in. Hyatt was altijd de kwade politieman. Williams speelde de aardige. Aan Paige's woedende blik te zien had ze dat in de gaten.

'Als u bedoelt of ik iets gedaan heb om die aanval uit te lokken, dan is het antwoord nee,' zei ze kil. 'Absoluut niet. Als u vraagt of ik alle schuld in de schoenen schuif van de vier aanvallers, van wie er twee bij de politie zaten, dan ja, dat doe ik zeker.'

'Waarom vertelt u ons niet wat er is gebeurd, mevrouw Holden?' vroeg Williams, nog steeds vriendelijk.

Haar gezicht verstrakte. 'Het staat allemaal in de processen-verbaal.'

'Ik zou het graag uit uw mond willen horen,' zei Williams. 'Als u het niet erg vindt.'

'Ja, natuurlijk wilt u dat. Er waren vier mannen. Een van hen was getrouwd met mijn vriendin. Ze beschuldigde hem, een politieman, van huiselijk geweld. Hij werd kwaad op mij omdat ik me bemoeide met zijn pogingen zijn vrouw "weer in het gareel te krijgen" en omdat ik hem een keer een figuur liet slaan toen hij haar had aangevallen.'

'Dus u had hem kwaad gemaakt,' zei Williams effen. 'En toen?'

'Hij deed zijn beklag bij een paar vrienden. En toen kwamen ze me een lesje leren.'

'Had u een van de andere aanvallers ooit eerder ontmoet of er contact mee gehad?' vroeg Williams.

'Niet dat ik weet. Een is nooit gepakt, dus ik weet niet zeker wie hij was.'

Grayson verstijfde. Ze had hem niet verteld dat er een de dans was ontsprongen.

'Die mannen drongen ons vrouwencentrum binnen. Ze waren gemaskerd. En gewapend. Thea's echtgenoot zette een pistool tegen haar hoofd. De anderen vielen me aan. Twee waren geen getrainde vechters. De derde wel. Hij zat ook bij de politie, zoals we later te weten kwamen. Ik belde het alarmnummer toen ze binnendrongen. Mijn mobieltje zat in mijn zak. Alles is opgenomen.' Ze trok boosaardig een wenkbrauw op. 'Voor het geval u me niet geloofwáárdig genoeg vindt.'

'Hoe hebt u ze weten tegen te houden?' vroeg Gutierrez.

'Ik smeet een van die kerels tegen de muur. Hij was verdoofd. De tweede heb ik in zijn ribben getrapt, maar de derde greep me van achteren beet. Dat was de politieman die later bij mij thuis is binnengedrongen. Hij nam me in een wurggreep en ik probeerde... me los te maken.' Ze slikte en ze begon haar kalmte te verliezen. 'De aanvaller met de gebroken ribben kwam overeind en begon te stompen.'

'Dat was geen politieman,' zei Hyatt en Paige kneep haar ogen tot spleetjes.

'Nee, maar zijn klappen deden wel pijn. De agént achter me verstevigde zijn greep en gaf zijn knuppel aan de níét-agent, die me met die knuppel tegen mijn ribben, mijn hoofd en mijn benen sloeg. Ze lachten allemaal. "Nou ben je niet meer zo stoer, hè trut?"' Ze schraapte haar keel. 'Ze, eh, bespraken wat ze met me zouden doen als ze me eenmaal klein hadden gekregen.'

Grayson besefte dat hij zijn adem had ingehouden en dat hij trilde van woede. Dat ze hem had toegestaan haar aan te raken was een godswonder.

'Ik begon sterretjes voor mijn ogen te zien, toen mijn vriendin Thea in actie kwam. Ze gebruikte een ontsnappingstechniek die ik haar had geleerd. Ze zag kans zich aan de greep van haar echtgenoot te ontworstelen.'

'Maar hij had zijn pistool tegen haar hoofd,' zei Williams.

'Ja.' Paige slikte en ze kreeg tranen in haar ogen. Ze knipperde niet, maar ze keek ook niet weg van de mannen die haar observeerden. 'Ze verraste hem en hij schoot. De kogel ging door haar hals en raakte hem onder zijn arm. Doorboorde een slagader. Zij was binnen een paar seconden dood. Hij hield het nog een paar minuten vol. Dat ze is gestorven terwijl ze iets probeerde wat ik haar had geleerd...' Haar stem brak. 'Het is moeilijk om daarmee te leven.'

Het was doodstil geworden in het vertrek. Paige schraapte opnieuw haar keel. 'De politieman die mij vasthield, liet me los om Thea's echtgenoot te helpen. Ik had een mes in mijn tas en probeerde het te pakken toen ik... als een blok tegen de grond ging. De eerste man die ik bewusteloos had geslagen was bijgekomen en hij had een pistool. Hij raakte me, hier.' Ze wreef over haar schouder.

'De mannen gingen ervandoor, behalve Thea's man want die was dood. De ambulance kwam bijna te laat. Het scheelde niet veel of ik was doodgebloed, maar de artsen hebben me weer dichtgenaaid. De drie mannen waren nog steeds voortvluchtig. Ik kon ze niet identificeren. Ik kon alleen maar vertellen dat een van hen gebroken ribben moest hebben en dat ze die vent die mij in een wurggreep hield Mike noemden. Het ziekenhuis liet me een paar dagen later gaan.'

'En toen kwam een van hen terug,' zei commissaris Williams.

'Ja. De agent die me probeerde te wurgen. Hij was bang dat ik hem zou kunnen identificeren als ik over de schok heen was. Mijn beste vriendin, die ook bij de politie zit, heeft me gered en hem in de boeien geslagen.'

'De vriendin die hem heeft gearresteerd is een onderscheiden rechercheur Moordzaken in Minneapolis,' zei Stevie. 'Thea's echtgenoot en Mike Stent, de man die haar in de wurggreep had, waren neven. De man die haar met de knuppel heeft bewerkt was de broer van Stent. Hij is een dag later opgepakt.'

Paige keek haar verrast aan en Stevie glimlachte haar bemoedigend toe.

'Ik wist dat het niet eenvoudig voor je zou zijn om het verhaal te vertellen, dus ben ik naar een andere bron gestapt. Rechercheur Hunter doet je de groeten, tussen twee haakjes. Het staat allemaal zwart op wit, commissaris.'

'Dat weet ik,' zei Williams. 'Ik heb gisteravond, nadat meneer Smith om deze bijeenkomst had verzocht, zelf ook een paar telefoontjes gepleegd. Hoe zit het met de man die u heeft neergeschoten, mevrouw Holden?'

Paige keek met toegeknepen ogen naar de commissaris. 'U heeft gebeld. U weet het al.'

'Ik niet.' Gutierrez klonk een beetje geërgerd.

Ze haalde haar schouders op. 'Het meest waarschijnlijke is dat hij de broer was van Thea's echtgenoot. Zijn moeder verschafte hem een alibi en er was geen bewijs dat hij ter plaatse was. Hij is... gestoord. Hij geeft me nog steeds de schuld. Nog maanden erna heeft hij me gevolgd en in de gaten gehouden. Hij heeft nooit iets gezegd en is nooit naar me toe gekomen. Hij wist hoe ver hij kon gaan zonder beschuldigd te worden van stalken of lastigvallen.'

'Hoe heeft u daar een eind aan gemaakt?' vroeg Gutierrez.

'Ik ben hiernaartoe verhuisd,' zei ze nuchter.

'Heb je hem hier gezien?' vroeg Grayson en hij hoorde zelf de dreiging die hij voelde doorklinken in zijn stem.

'Nee. Mijn vrienden houden hem in de gaten. Hij gaat als een brave jongen naar de universiteit.' Ze keek hen stuk voor stuk aan. Ze was duidelijk aan het eind van haar Latijn. 'Luister. Ik ben hier omdat ik de laatste woorden van een stervende vrouw heb aangehoord. Ze gaf de politie de schuld. Als u me niet geloofwaardig vindt, het zij zo. Als u me wel gelooft, prima. Hoe dan ook, ik heb mijn plicht gedaan en er kleeft verder geen bloed aan mijn handen.' Ze pakte haar rugzak. 'Als u me nu wilt excuseren.'

'Ik geloof u wat Muñoz betreft,' zei Hyatt. 'Ik geloof in ieder geval dat ú het gelooft.'

'Goh.' Paige's mond glimlachte, maar haar ogen spogen vuur. 'Dank u.'

'We zouden graag die geheugenstick van het slachtoffer willen hebben voor u weggaat,' zei Gutierrez.

Paige haalde een plastic zakje uit een vak van haar rugzak. Grayson had Joseph gevraagd op weg naar het hotel even met haar langs de bank te gaan. 'Dit is die van Elena.' Ze gaf hem aan Gutierrez.

'Heeft u de stick aangeraakt?' vroeg Hyatt.

Ze knikte vermoeid. 'Ja. Ik moest weten wat het was zodat ik kon beslissen wat ik ermee aan moest.'

'Ik neem aan dat u een kopie hebt gemaakt?' vroeg Williams.

Ze keek Williams recht in de ogen. 'Ja, meneer. Dat heb ik beslist gedaan.'

Hyatt ging staan. 'Ik hoop dat het duidelijk is dat u vanaf nu niets meer met het onderzoek te maken hebt. Het Openbaar Ministerie en de politie nemen het over.'

Ze knikte opnieuw gehoorzaam. 'Ja. Dat spreekt vanzelf. Meneer.'

Dat was haar manier om te zeggen dat ze konden doodvallen, dacht Grayson. 'Als we klaar zijn met het oprakelen van het verleden van mevrouw Paige, dan zou ik graag aan de slag willen.'

'Ik ook,' zei Gutierrez. 'We openen ons interne onderzoek. Meneer Smith, u begint met het opnieuw verhoren van de getuigen van de originele rechtszaak.'

Bij het verlaten van de kamer knikten de mannen naar Paige. Uiteindelijk bleven alleen Grayson, Stevie en Anderson achter. Anderson had de hele tijd geen woord gezegd, maar Grayson had geen moment vergeten dat hij aanwezig was.

Anderson bleef staan waar hij tijdens de hele vergadering had gestaan. Hij stond tegen de deurpost van de slaapkamer geleund en begon te praten. 'Rechercheur Mazzetti, wilt u ervoor zorgen dat mevrouw Holden naar huis wordt gebracht? Ik moet meneer Smith spreken. Onder vier ogen, alstublieft.'

Grayson zweeg. Er was iets aan de hand. Er zat iets niet goed. 'Waar gaat dit over, Charlie?' vroeg hij toen Paige en Stevie waren vertrokken.

'Ik wilde jou hetzelfde vragen. Gisteren was je nog een logisch denkende aanklager.'

Hete woede vermengde zich met een kil voorgevoel. 'En vandaag?'

'Je verpest je carrière met die vrouw,' zei Anderson.

'Mijn relatie met mevrouw Holden, wat die ook mag inhouden, gaat je niets aan.'

'Dat doet het wel wanneer je mijn bureau ontwricht. Je krijgt een andere zaak toegewezen.'

Grayson kon hem alleen maar aanstaren. 'Wat?'

'Je moet je lopende zaken overdragen aan Joan Danforth. Jij neemt haar zaken over.'

Hij schudde zijn hoofd in de hoop dat hij hem verkeerd verstaan had. 'Maar zij zit op de afdeling Fraude.'

'Ja, dat klopt. Je werkt al te lang op Moordzaken. Je hebt dit veel te persoonlijk laten worden.'

'En hoe zit het met het onderzoek?'

'Dat gaat Joan leiden. Ik zal haar bijstaan zo veel ik kan, maar ze is een zeer competente juriste. Zeer gerespecteerd door beide kanten.'

Graysons hoofd tolde. 'Dit is krankzinnig. Je kunt me niet zomaar overplaatsen.'

'O, jawel. Dat kan ik zeker,' zei Anderson ijzig, spottend de woorden van Paige gebruikend. 'Je zou me dankbaar moeten zijn. Ik red je carrière.'

Grayson ogen werden groot toen hij de woorden liet bezinken. 'Mijn carrière hoeft niet gered te worden.'

'Wanneer dit onderzoek op gang komt, vind je jezelf misschien in een andere positie terug.'

'Wat heeft dat godverdomme te betekenen?'

'Jij hebt die man aangeklaagd. Jij bent degene die de veroordeling heeft bewerkstelligd.'

'Omdat er bewíjs was.' Grayson knarsetandde.

Andersons bijna geamuseerde grijns deed Grayson verbijsterd naar hem staren. 'O, mijn god,' fluisterde hij. 'Je wist het. Je wíst dat Muñoz het níét had gedaan.'

'Doe niet zo stom,' zei Anderson zacht. 'Vijf jaar geleden was je veelbelovend, maar je was geen superster. Nu krijg je de mooie zaken. De zaken die je kunt winnen en die ervoor hebben gezorgd dat je die staat van dienst hebt waar je nu zo trots op bent. De zaken die de aandacht trekken en je gezicht op tv krijgen. De zaak-Muñoz heeft je onder de aandacht gebracht van de juiste mensen, die zich nu zullen afvragen of je echt zó naïef bent geweest. Als het antwoord ja is, hoe slim ben je dan werkelijk?' Hij trok een wenkbrauw op. 'Hoelang denk je dat het duurt voor ze erachter komen waar je ijver in de rechtszaal werkelijk door werd veroorzaakt?'

Graysons bloed stolde in zijn aderen. 'Waar heb je het over?'

'Muñoz was een grote, kwaaie latino die een blonde studente had vermoord. Komt je dat bekend voor? Jij was de juiste man om hem te vervolgen.'

Nee. Grayson deed zijn mond open om iets te zeggen, maar hij kon geen woord uitbrengen. *Dit kan gewoon niet.*

'Neem een paar dagen verlof, meneer...' Anderson wachtte even, '... Smith. Denk erover na. Ik heb er alle vertrouwen in dat je het er uiteindelijk mee eens zult zijn dat het in je eigen belang is deze zaak te vergeten. En in het belang van je moeder.' Met die woorden verliet Anderson de kamer.

Grayson liet zich met knikkende knieën in een stoel zakken. *O god. O mijn god. Hij weet het. Hoe kan dat? Hoe is hij erachter gekomen? We waren zo verdomd voorzichtig.*

Hij staarde als verdoofd naar het tafelblad tot de ruis van paniek in zijn hoofd begon af te nemen en de woorden van Anderson tot hem doordrongen. *Jij was de juiste man...*

Anderson had vijf jaar geleden de waarheid over Muñoz geweten. *Hij heeft me uitgekozen.* Grayson deed zijn ogen dicht. Gisteravond had hij gezegd dat zijn proces was gemanipuleerd. Gisteravond had hij zichzelf nog niet tot de slachtoffers van die manipulatie gerekend.

Dat was vanaf nu veranderd. Vanaf nu was alles veranderd.

Hij wist wat hem te doen stond. Hij haalde zijn mobieltje tevoorschijn en belde zijn moeder.

Ze nam onmiddellijk op. 'Waag het niet ons afspraakje af te zeggen.'

'Nee, dat doe ik niet,' zei hij grimmig. 'Ik wil het alleen op een andere plek.'

'Grayson, schat,' ze was gealarmeerd door de klank van zijn stem, 'wat is er loos?'

'Zo'n beetje alles.'

II

Woensdag 6 april, 11.00 uur

Paige keek argwanend de hotelkamer rond. Hij grensde aan de suite waar ze net was geweest – de indeling was een spiegelbeeld van die kamers. Joseph en Stevie hadden haar zodra Charlie Anderson haar had laten gaan daar snel naar binnen gevoerd.

'Waarom ben ik hier?' vroeg ze.

Stevie haalde haar schouders op. 'Dat moet je aan Grayson vragen. Ik doe alleen maar wat me wordt opgedragen. Waarom ga je niet zitten voor je omvalt, Paige?'

Paige wierp een blik op de bank. 'Als ik daar ga zitten, val ik in slaap.'

'Dat is nog niet zo'n gek idee,' zei Joseph. 'Je hebt kringen onder je ogen.'

Paige legde haar rugzak op de kleine eettafel en liet zich op een van de stoelen zakken. 'Ik blijf nog even wakker als je het niet erg vindt. Kringen onder mijn ogen of niet.'

Stevie ging naast haar zitten. 'Je hebt het goed gedaan daar, meid.'

'Dank je.' Sommige delen waren ronduit verschrikkelijk geweest, andere bijna bevrijdend. 'Maar ze hadden het dossier kunnen lezen en dan hadden ze alles geweten wat ze wilden weten.'

'Ze probeerden je op een leugen te betrappen,' zei Joseph. 'Ik neem aan dat ze dat niet is gelukt.'

'Nee. Want het is allemaal waar. Ik wou dat het de waarheid van iemand anders was, maar het is mijn waarheid.'

'Ik vind het heel erg dat jou dat is overkomen,' zei Stevie vriendelijk. 'Ik vind het ook heel erg dat het politiemensen waren.'

'Er zit altijd wel een rotte appel tussen,' mompelde Paige. Ze was eraan toe om het over iets anders te hebben. 'Ik heb het ziekenhuis gebeld, maar ze wilden niet vertellen hoe het met Logan gaat.'

'Hij is stabiel,' wist Stevie. 'Hij heeft de operatie achter de rug. Verkeert in shock. Maar ze hebben zijn been weten te redden.'

Paige deed haar ogen dicht. 'De hemel zij dank.' Ze voelde zich nog steeds vreselijk schuldig, ook al wist ze dat ze niets van dit alles had veroorzaakt. 'Heb je zijn video en computer van Radcliffe gekregen?'

'Nee. Hij zei dat ik maar een gerechtelijk bevel moest halen. Al denk ik wel dat ik het verkeerd heb aangepakt. Ik vroeg het hem ten overstaan van al die andere verslaggevers. Ik kreeg de indruk dat hij ze wel aan mij gegeven zou hebben als we alleen waren geweest. Hij moest zijn gezicht redden.'

'Hoelang duurt het voor je zo'n bevel hebt?' vroeg Paige.

'Mijn partner is samen met Graysons assistente bezig een handtekening te krijgen. Als ze de juiste rechter te pakken krijgen, hebben we hem rond lunchtijd. Zo niet... dan moeten we wachten tot Radcliffe de spullen teruggeeft aan Logan.'

Paige beet op haar tanden om de plotseling opkomende woede te onderdrukken. 'Had hij spijt?'

'Hij keek alsof het hem wel iets kon schelen. Maar dat is moeilijk met zekerheid te zeggen.'

'Hij verdient zijn geld met net doen alsof het hem iets kan schelen.' Paige zweeg plotseling. 'Wat is dat?' Er stond een koffer naast de televisie. 'Dat is mijn koffer. En... wel godver.' Naast de koffer stond een zak hondenvoer. Ze draaide zich om op haar stoel en ontmoette Josephs ondoorgrondelijke blik. 'Is dit mijn kamer? Probeer je me duidelijk te maken dat dit míjn kamer is?'

'Ja. En ja,' zei Joseph.

Stevie trok een gezicht. 'O. Heeft Grayson je niks gevraagd?'

'Nee, dat heeft hij niet.' Paige sprong overeind en begon te ijsberen. 'Hoelang word ik geacht hier te blijven? Wie heeft mijn spullen ingepakt?' Ze bleef staan en wees naar Joseph. 'Nou?'

'Dat weet ik niet. Grayson. Toen jij nog lag te slapen,' voegde hij eraan toe voor ze kon vragen wanneer hij dat dan had gedaan.

'O, dit is geweldig. Onbetaalbaar. Behalve voor hem, denk ik. Ik bedoel, een suite boeken...'

'Bevalt hij je niet?' vroeg Joseph met een stalen gezicht.

'Daar gaat het niet om. Waar het om gaat, is dat hij het niet heeft gevraagd.' Er drong zich een andere gedachte aan haar op en ze kromp ineen. 'Is dit een safehouse? Ben ik hier een soort gevangene?'

Joseph knipperde niet met zijn ogen. 'In zekere zin. En een soort, ja.'

'Ben jij mijn oppas?' wilde ze weten en de adem stokte in haar keel.

'Nee,' zei Joseph.

Paige keek naar het plafond terwijl ze probeerde de tranen van woede in te houden. 'Wie is mijn babysitter dan?'

'Dat weet ik niet. Ik ben maar een invalkracht.'

Paige keek naar Stevie, die zei: 'Sorry, Paige. Ik wist hier niets van. Al moet ik zeggen dat het me allemaal wel verstandig lijkt. Het verbaast me nog steeds dat de schutter van gisteravond niet achter jou aan is gegaan in plaats van achter Logan.'

'Hij wilde mij niet hebben,' wist Paige uit te brengen. 'Hij zat achter de tape aan.'

'Maar toch.' Stevie tikte tegen haar keel. 'Je bent een doelwit. Iemand wil je dood hebben, meid.'

Dat haalde de angel uit Paige's woede. Stevie had gelijk. Maar... 'Ik kan niet opgesloten zitten als een of andere gevangene. Het kan heel lang duren voor dit allemaal is opgelost. Ik heb werk te doen, de huur moet worden betaald. Ik kan hier niet maar wat rondhangen en –'

De deur ging open en Grayson kwam binnen. Paige deed haar mond open om hem de mantel uit te vegen, maar haar boosheid verdween als sneeuw voor de zon. Hij zag er vreselijk uit. Bleek. Alsof hij in shock verkeerde. In plaats van tegen hem tekeer te gaan, rende ze naar hem toe en nam zijn gezicht in haar handen.

'Wat is er met jou gebeurd?' vroeg ze.

Zijn ogen waren leeg en zijn blik was vervuld van wanhoop. En angst. 'Mijn baas wist het ook. Hij wist dat Ramon onschuldig was.'

Paige staarde hem aan. 'O mijn god.'

'Wat vertel je me nou?' zei Stevie verbijsterd. 'Hoe weet je dat?'

'Hij heeft het me verteld.' Hij liet zich op de bank vallen

'Zomaar?' wilde Stevie weten. 'Vertelde hij je dat zomaar, zonder aanleiding?'

'Zo'n beetje wel, ja. Dit is allemaal veel, veel ernstiger dan ik ooit had kunnen vermoeden. En daar komt nog bij dat ik ben overgeplaatst. Naar de fraudeafdeling.'

'Met ingang van wanneer?' vroeg Joseph.

'Met ingang van drie uur geleden.' Grayson wreef over zijn gezicht. 'Ik probeerde net mijn dossiers te openen, maar ik kreeg geen toegang tot het netwerk. De computerafdeling zei dat ze een verzoek hadden gekregen om mijn autorisatie over te zetten en dat het een paar dagen zou duren.'

Stevie ging op de armleuning van de bank zitten. 'Verdomme. Je bent eruit geknikkerd.'

'Ja. Ze willen niet dat ik dit tot op de bodem uitzoek.'

Paige ging op de salontafel zitten met haar gezicht naar hem toe. 'Wie precies zijn "ze"? En hoe ver hogerop gaat dit? Hoeveel mensen wisten dat Ramon onschuldig was? En hoeveel andere processen hebben ze gemanipuleerd?'

Grayson schudde zijn hoofd. 'Allemaal goede vragen. In ieder geval Anderson. Het kan zijn dat er ook nog anderen bij betrokken zijn. Wat andere processen betreft, daar durf ik niet eens aan te denken. Dit is... verbijsterend.'

'En levensbedreigend.' Joseph ging staan en sloeg zijn armen over elkaar. 'Ze hebben al drie mensen vermoord om hun sporen uit te wissen.'

'Vier,' bromde Grayson. 'Logans moeder is nummer vier.'

Joseph keek kwaad. 'Ik laat jou niet nummer vijf worden. Wat ga je nu doen?'

'Ik ga uitzoeken wie opdracht heeft gegeven om Ramon erin te luizen en wie die opdracht heeft uitgevoerd. En wie er allemaal op de hoogte waren van wat er gebeurde. Dat zal hopelijk antwoord geven op de grote vraag – wie had er eigenlijk terecht moeten staan?' Grayson keek naar Stevie. 'Je mag wel gaan als je dat wilt. Als het fout loopt is dit niet bepaald bevorderlijk voor onze carrière en het is zeer waarschijnlijk dat het fout loopt.'

Ze keek hem aan met een veelzeggende blik. 'Hou je mond. Je weet dat ik je niet in de steek laat.'

Hij knikte opgelucht. 'Dank je.'

'Alleen al vanwege het voorstel verdien je een draai om je oren. Ik moet aan het werk. Ik moet ervoor zorgen dat Hyatt JD en mij met de schietpartij van gisteravond belast. Aangezien ze vanwege Sandovals zelfmoordbriefje hebben besloten dat Elena's zaak is gesloten, kunnen ze niet zeggen dat Elena en Sandoval op enigerlei wijze in verband staan met Delgado en Logans moeder. Tenzij ze toegeven dat de sluipschutter nog steeds op vrije voeten is en daar zijn ze nog niet aan toe.'

'Slim,' mompelde Paige.

'Ik heb mijn momenten,' zei Stevie. 'Zo gauw ik achter mijn bureau zit zal ik bij Ballistiek nagaan of ze iets hebben over de schietpartijen van gisteren. JD belt zodra Daphne en hij een gerechtelijk bevel hebben voor de tape van Radcliffe. Wees voorzichtig, jullie allebei.' Ze ging weg en deed de deur achter zich dicht.

Paige fronste haar voorhoofd. 'Waarom heeft Anderson het je verteld? Wat schiet hij ermee op dat je dat weet?'

'Hij dreigde me ermee. Hij zei dat als de waarheid boven tafel komt, "de juiste mensen" zich zouden afvragen of ik er niet ook bij betrokken was. En als ze wel zouden geloven dat ik een eerlijk proces heb gevoerd, dan zouden ze me te naïef vinden om effectief te kunnen zijn. Hij zei dat hij het deed om mijn "carrière te redden".'

'De klootzak,' gromde Joseph. 'Aan wie legt hij verantwoording af? De procureur-generaal?'

'Nee. Er zitten drie bestuurslagen tussen Anderson en de procureur-generaal. Ruimte genoeg om een hoop kwaad aan te richten als een van die mensen corrupt is.'

'Ga dan rechtstreeks naar de top,' stelde Joseph voor.

'En hoe bewijs ik het?' zei Grayson vermoeid. 'Als ik het kan bewijzen, kan ik ervoor zorgen dat hij geroyeerd wordt, maar op dit moment is het mijn woord tegen het zijne.'

'Je hebt gelijk.' Joseph klemde zijn kaken opeen. 'Wel verdomme.'

Paige had een verontrustende gedachte. 'Grayson, als jij niet bij je bestanden kunt, betekent dat dan dat we de video van het zwembadfeest waarop Crystal Jones is vermoord niet te pakken kunnen krijgen?'

Hij keek grimmig tevreden. 'Dat zou het hebben betekend als ik tot vanmorgen had gewacht. Maar ik heb hem gisteravond toen jij lag te slapen gedownload.'

Ze trok haar wenkbrauwen op. 'Je bent lekker bezig geweest terwijl ik vannacht lag te slapen.'

Grayson wierp een blik op Joseph, die zijn schouders ophaalde. 'Ze heeft het geraden. Ik wou niet liegen.'

De trek om Graysons mond werd grimmiger. 'Ik ga me daar niet voor verontschuldigen. Ik moet weten dat je in veiligheid bent.'

'Dat waardeer ik.' Ze kon zich tegen hem verzetten, maar hij zag er al zo verslagen uit. Ze keek om zich heen. 'Ik waardeer dit allemaal. Maar je had het me eerst moeten vragen.'

'Ik dacht dat je nee zou zeggen.'

Ze wist een geïrriteerd gesnuif in te houden. 'Omdat ik blijkbaar stom ben.' Ze wuifde met haar hand toen hij terug wilde krabbelen. 'Laat maar. Hoe zit het met Peabody?'

'Hij kan hier bij jou blijven. De hotelmanager heeft toestemming gegeven.'

Paige woog haar woorden. 'Ik weiger een gevangene te zijn, Grayson. Ik ben níét stom en ik neem geen onverantwoorde risico's, maar ik kan hier niet tot in lengte van dagen blijven. Hoe eerder we dit weten op te lossen, hoe eerder we allemaal de draad weer kunnen oppakken.'

'Zijn we al mee bezig,' mompelde hij.

Ze voelde een onverwachte steek in haar hart die haar deed opschrikken. Ze zouden teruggaan naar het leven zoals ze dat voor gisterochtend hadden geleid. Voor ze elkaar leerden kennen. Want hij deed niet aan relaties. Ook al zei haar instinct dat hij daar wel naar verlangde.

Maar kijk eens hoe goed haar intuïtie in het verleden had gefunctioneerd. Niet dus.

'Al mee bezig,' herhaalde ze. 'Ik zal uitkijken. Dat beloof ik je. Maar ik ga niet zitten duimendraaien. Als je niet met mij wilt samenwerken, dan doe ik dat wel alleen. Ik zal nergens in mijn eentje naartoe gaan. Ik wacht op Clay of ik bel mijn vriendin of ze over wil komen uit Minnesota. Ze heeft al aangeboden hierheen te komen als ik haar nodig heb. Ik zal mijn leven niet in de waagschaal stellen, maar ik weiger een gevangene te zijn. Dus, zeg het maar.'

Er trilde een spiertje in zijn kaak. 'En 's nachts?'

'Als je wilt dat ik hier slaap in plaats van in mijn appartement, dan doe ik dat, in ieder geval zolang Peabody hier mag blijven. Het is jouw geld. Als je wilt dat ik oppas krijg, dan vind ik dat goed. Ik neem tenminste aan dat de kamer hiernaast daarvoor bestemd is.'

Het spiertje trilde opnieuw. 'Dat is zo.'

'Prima. Zolang je niet probeert me op te sluiten, is er geen probleem.'

Hij wendde zijn blik af. 'Oké.'

Ze was verrast. 'Oké? Dat is het?'

'Je hebt beloofd voorzorgsmaatregelen te nemen. Meer kan ik niet vragen. Op dit moment wil ik graag dat je de video van het zwembadfeest bekijkt en zo veel mogelijk gasten koppelt aan de onvolledige gastenlijst die Rex McCloud ons vijf jaar geleden heeft gegeven. De meesten van hen zijn op internet te vinden. Het zou moeten lukken om een recente foto te vinden die je met de video kunt vergelijken. Ik wil weten wie op enig moment tijdens het feest bij het zwembad is weggegaan.'

'Wat ga jij doen?' vroeg Paige.

'Mijn lijst van getuigen opnieuw samenstellen. Ik moet ze zien op te sporen om opnieuw met ze te praten.'

'Zolang ze nog in leven zijn,' mompelde Joseph. 'Je getuigen vallen als vliegen.'

'Dat is helaas maar al te waar,' zei Grayson effen. 'Ik wil Anderson en iedereen die deze zaak heeft gemanipuleerd laten boeten.'

Woensdag 6 april, 11.35 uur

Adele hield haar adem in terwijl Darren hun voordeur opendeed. 'O, god.' Ze trok een vies gezicht. De stank was nog steeds sterk aanwezig. 'Ik heb ventilatoren neergezet en gespoten en van alles.'

'Dat heeft niet geholpen.' Ze hadden op weg naar huis niet veel tegen elkaar gezegd. Hij wachtte tot ze tegen hem zou beginnen te praten, maar ze wist nog steeds niet waar ze moest beginnen. Het klonk krankzinnig. *Misschien ben ik wel krankzinnig.*

Ze liep achter hem aan naar de slaapkamer, waar hij zich begon uit te kleden.

'Waar ga je heen?' vroeg ze met een klein stemmetje.

'Werken. Ik heb net genoeg tijd om even te douchen en te scheren voor ik naar mijn vergadering van vanmiddag moet.'

'Zal ik iets te eten voor je maken?'

'Ik kan niet eten.' Hij liep de badkamer binnen en ze hoorde de douche. Ze staarde uit het raam naar de straat beneden, waar ze de avond ervoor de zwarte auto had gezien. Was dat wel zo?

Ze drukte haar vingertoppen tegen haar slapen, onzeker over alles. Behalve dat iemand Darrens hond had vergiftigd. En de doos chocolaatjes was leeg.

Arme kleine Rusty. Ze slikte de gal die in haar keel opkwam weg. *Ik had het zelf kunnen zijn die de chocolaatjes had gegeten.* Erger nog, het had Darren kunnen zijn. Of Allie.

Het water hield op te stromen. Darren stond in de deuropening van de badkamer met een handdoek om zijn heupen geslagen naar haar te kijken. 'Adele?' zei hij zacht. 'Je moet me de waarheid vertellen want ik word krankzinnig van alle scenario's die zich in mijn hoofd afspelen.'

Interessante woordkeuze. 'Ik denk dat het vergif in de chocolaatjes heeft gezeten.'

Hij staarde haar verbijsterd aan. 'Die uit die doos die je gisteravond met de post hebt gekregen?'

'Ze zijn niet met de post gekomen. Iemand heeft ze hier afgegeven.'

'Maakt niet uit. Waarom denk je dat?'

'Er zijn de laatste tijd dingen gebeurd. Vreemde dingen.'

'Zoals?' vroeg hij, op zijn hoede.

Hij denkt nu al dat ik gek ben. 'Twee weken geleden ben ik van de weg gedrukt.'

'Toen je een lekke band kreeg. Je zei dat je was uitgeweken voor een kat.'

'Nee. Het was een auto. Een zwarte. Hij drukte me van de weg en ik ben bijna tegen een boom geknald.'

'Waarom heb je gelogen?'

'Omdat iemand me een paar dagen daarvoor van een roltrap heeft geduwd.'

'Je zei dat je viel.'

'Dat maakte ik mezelf wijs, want alle andere mogelijkheden sloegen nergens op. Ik had een afspraak met een klant, in D.C., in de buurt van de dierentuin. Daar heb je die lange roltrap in de metro.'

'Die ken ik.' Er klonk geen enkele emotie in zijn stem.

'Ik had mijn handen vol met boodschappentassen en plotseling voelde ik hoe iemand me een duw gaf. Ik viel een eind naar beneden voor ik me kon vastgrijpen. Toen ik achterom naar boven keek, was er niemand te zien. Daarna drukte die auto me van de weg.' Ze wierp een blik in zijn richting. Zijn gezicht leek uit steen gehouwen en vertoonde geen enkele emotie. 'En toen gebeurde het nog een keer.'

'Wanneer?'

'Woensdag. Die keer zat Allie bij me in de auto.' Dus daarna was ze naar dokter Theopolis gegaan. 'En toen kwamen gisteravond die chocolaatjes. Ik heb in geen zes maanden contact gehad met de klant wiens naam op het etiket staat. Er was geen enkele reden waarom ze me een cadeautje zouden sturen. Daarom heb ik ze weggegooid.'

'Denk je dat die klant ze heeft gestuurd?'

'Nee. Maar iedereen kan bij mijn lijst met cliënten. Die staat op mijn website.'

Zijn gezicht verstrakte. 'Waarom heb je me dit niet verteld?'

'Omdat het krankzinnig klinkt. Ik dacht dat je me niet zou geloven.'

'Ik geloof je, Adele.'

Er klonk iets in zijn stem wat haar met een nieuwe angst vervulde. 'Echt waar?'

'Rusty is vergiftigd. Ik zou wel eens willen weten waarom iemand jou iets zou willen aandoen. Uitgerekend jou.'

Ze dacht aan de zwarte auto die de avond ervoor was langsgereden. Had ze die echt gisteravond gezien? Of was het gewoon weer zo'n afschuwelijke herinnering die tevoorschijn kroop uit de doos waar ze die had weggestopt? 'Ik weet het niet,' fluisterde ze. Darren stond te wachten tot ze meer zou zeggen. Uiteindelijk haalde ze haar schouders op. 'Ik weet het niet,' herhaalde ze.

Darren knikte. 'Juist,' was het enige wat hij zei. Hij begon met mechanische bewegingen zijn kleren bij elkaar te zoeken. 'Ik zal Allie bij de buren ophalen en naar de oppas brengen. Mijn moeder pikt haar vanmiddag op. Jij en ik zullen het hier later verder over hebben.'

Adele knikte verward. Ze had geweten dat hij van streek zou zijn. Ze had geweten dat hij Allie zou beschermen. *Ik had gedacht dat hij zich meer zorgen om me zou maken.* In plaats daarvan leek hij zich gekwetst te voelen. Teruggetrokken. Argwanend zelfs. 'Natuurlijk,' mompelde ze. 'Ik zal op je wachten.'

Toronto, woensdag 6 april, 12.45 uur

'Papa, ik vind het hier niet leuk.' Violet stond in de hotelkamer en trok een pruillip. Ze klemde haar haveloze pop in haar armen. 'Ik wil naar huis.'

Silas wierp zijn vrouw een blik toe. Rose wist genoeg om bang te zijn, maar niet genoeg om een hekel aan hem te hebben. Nog niet in ieder geval. Ze ging op bed zitten. 'Kom hier zitten. Dan gaan we tv-kijken.'

'Ik kom zo snel mogelijk terug,' zei Silas. Hoopte Silas. Hij gaf Rose een bankpasje. 'Ik heb een rekening bij de bank hiernaast.' Hij vertelde haar wat de pincode was. 'Koop wat je nodig hebt.'

Zijn vrouw bestudeerde de naam die op het pasje stond, dezelfde naam die hij aan de grens had opgegeven. Ze keek naar hem op. 'Je hebt dit gepland.'

'Ja. Maar ik had gehoopt dat het nooit nodig zou zijn.' Hij spreidde zijn armen voor Violet, maar ze wendde haar gezicht af. 'Het spijt me, schat,' zei hij zacht. 'Ik weet dat je in de war bent. Ik kom gauw terug en dan gaan we samen leuke dingen doen, oké? Zoals... paardrijden. Dat vind je toch leuk?'

Ze keek hem op haar hoede aan. 'Echt waar?'

'Echt waar. Waar we naartoe gaan op vakantie zijn overal paarden.' Dat van die vakantie klopte niet, maar dat van de paarden was waar. Zijn blokhut stond in de buurt van een paardenfokkerij. Hij hoefde in ieder geval niet overal over te liegen. 'Je zult het er geweldig vinden.'

'Als we op vakantie gaan, waarom moet je dan weg? We zijn er nog maar net.'

'Papa moet eerst een paar dingen regelen. Ik kom gauw terug.' Hij kietelde haar en maakte haar aan het lachen. Ze sloeg haar armen om hem heen en gaf hem een stevige knuffel. 'Braaf zijn.'

'Ik doe mijn best.'

Hij slikte moeilijk. 'Je best doen is niet genoeg.'

'Je moet het gewoon dóén,' maakte ze gehoorzaam af. Ze gaf hem een kus op zijn wang. 'Ik hou van je, papa.'

Hij hield haar stevig vast terwijl hij zich afvroeg of Jorge Delgado die laatste knuffel had gekregen voor zijn vrouw met hun kind was weggereden. 'Ik hou ook van jou. Voor altijd.' Hij kwam overeind en kuste zijn vrouw. 'Denk aan wat ik heb gezegd.' Hij had zijn vrouw verteld waar ze zijn voorraad contant geld kon vinden. En waar ze zich moest verbergen in het geval dat hij niet terugkwam.

Haar ogen straalden angst uit. 'Ik zal eraan denken. Wees voorzichtig. Kom bij me terug.'

'Dat doe ik.' Hij zou voorzichtig zijn. Of hij bij haar terug zou komen...

Hij liep naar zijn auto en stond zichzelf een laatste blik op het hotel toe. Ze waren in veiligheid. Dat gaf hem de kracht om in zijn auto te stappen en aan de lange rit naar huis te beginnen.

Baltimore, Maryland, woensdag 6 april, 14.30 uur

'Dit is vreemd.' Paige knipperde met haar ogen om het beeldscherm weer scherp te kunnen zien. Grayson en zij hadden hun commandocentrum ingericht op de eettafel in zijn herenhuis in de stad. Ze hadden ruimte nodig om te kunnen werken en een beveiligde internetverbinding. En snacks.

Toen ze terugkwamen in zijn huis hadden ze de koelkast aangetroffen vol eten uit de keuken van Lisa en Brian, 'restjes' van het feest waarvoor ze de avond ervoor de catering hadden verzorgd. Paige was die ochtend zo nerveus geweest dat ze alleen al de gedachte aan eten niet kon verdragen, maar haar eetlust was met dubbele kracht teruggekeerd en haar werkplek aan Graysons tafel was bezaaid met lege schaaltjes. Het beeldscherm waar ze naar zat te staren was enorm en was afkomstig van het bureau in zijn werkkamer. Die rook naar hem.

Ze negeerde dat feit terwijl ze de spullen pakte die ze nodig had. Ze negeerde dat feit terwijl ze tegenover hem zat en naar naakte, bevoorrechte snotapen zat te kijken die uitgelaten in het zwembad van Rex McCloud rondsprongen.

Grayson had dossiers in een halve cirkel om zich heen uitgespreid en was bezig geweest telefoontjes te plegen met de mensen van zijn oude getuigenlijst terwijl zij video's bekeek en probeerde gezichten in het zwembad te identificeren aan de hand van hun foto's in kranten en tijdschriften en op Facebook. En aan de hand van politiefoto's.

Het was een ruig stelletje, Rex McCloud en zijn vrienden. Ze waren de afgelopen zes jaar vaker in de problemen gekomen dan ze kon bevatten. Interessant genoeg had niet een van hen een onvoorwaardelijke gevangenisstraf gekregen. *Geld stinkt niet.*

Op dit moment sprak uit alles om haar heen geld. De borden waar ze Brians cheeseburgers van had gegeten waren antiek Wedgwood. Het meubilair ademde dezelfde stille rijkdom en afkomst en zorgde ervoor dat Paige nieuwsgieriger was naar Grayson dan naar de naakte mensen in het zwembad.

Helaas konden de blote mensen de sleutel betekenen om haar in leven te houden. En een van de blote mensen stemde haar tot nadenken. 'Deze video klopt niet,' zei ze.

Hij keek op van zijn aantekeningen. 'Afgezien van het feit dat het slechte porno is, wat is er mis mee?'

'Deze vrouw, Betsy Malone. Kom eens kijken, dan kun je zien wat ik bedoel.'

Hij stond op, vertrok zijn gezicht toen hij zich uitrekte en liep toen met een ernstige uitdrukking op zijn gezicht naar de andere kant van de tafel. Hij had naar haar zitten kijken, stiekeme blikken naar haar geworpen terwijl ze zaten te werken. Dat wist ze omdat ze hem verschillende keren had betrapt. De rest van de tijd had ze zijn blik op zich gevoeld.

Dat, gecombineerd met het feit dat ze al twee uur naar naakte mensen zat te kijken, had haar een beetje verhit. Hij pakte met zijn linkerhand de rugleuning vast ter hoogte van haar schouder en liet zijn andere hand op de rand van de tafel rusten, waardoor hij haar insloot. Hij boog zich naar het scherm en ze was even gedwongen haar ogen te sluiten. *Oké, heel erg verhit.*

Dat was absoluut wederzijds. Hij boog zijn hoofd nog iets verder, tot zijn wang tegen haar slaap rustte. Hij snoof. Een ogenblik lang bleven ze in die houding terwijl de lucht tussen hen in geladen raakte. Ze verlangde naar hem. Een ogenblik lang stond ze zichzelf toe te hopen.

Ik doe niet aan relaties.

Ze maakte zich abrupt los. 'Concentreer je, ja?' zei ze kortaf.

'Oké,' zei hij hees. Hij slikte hoorbaar. 'Wat klopt er niet?'

'Deze vrouw, Betsy. Haar naam staat op de gastenlijst van Rex McCloud.'

'Klopt. Ik heb haar voor het proces ondervraagd. Ze bevestigde het alibi van Rex.'

'Dat spreekt vanzelf. Ze kocht waarschijnlijk crack van hem. Ze zijn een jaar later op een feest samen aangehouden wegens het in het bezit hebben van verdovende middelen.'

'Dat wil nog niet zeggen dat ze gelogen heeft over die avond.'

'Nee. Dat is niet wat er niet klopt. Ik heb de video bekeken die jij op je laptop hebt.' Die had ze op de grote monitor aangesloten. 'Ik heb de gastenlijst afgewerkt aan de hand van pagina's op de sociale media en politiefoto's en ik heb nog andere zoekacties gedaan op mijn eigen laptop. Kijk eens naar Betsy op de avond van het feest. Het was half september.' Ze vergrootte het stilstaande beeld tot Betsy van top tot teen het grote beeldscherm vulde. De jonge vrouw stond naakt in het ondiepe eind van het zwembad en werd van achteren gepakt door Rex zelf.

Grayson schraapte zijn keel. 'Oké. Interessante keuze qua beelduitsnede. Wat klopt er niet?'

'Haar borsten. Ze zijn klein. Cup A misschien, als ze geluk heeft.'

'Zit je naar complimentjes te vissen? Want jij verslaat haar met een straatlengte. In alle opzichten.' Zijn stem werd schor. 'Ik hoop echt dat je me snel laat zien wat er niet deugt, want anders moet ik hier weg.'

Paige riep een scherm op haar laptop op. 'Kijk eens naar Betsy op haar pagina van Myspace.'

Ze voelde hem verstijven van verrassing. 'Hallo. Iemand heeft wat laten verbouwen.'

Op de tweede foto droeg Betsy een kleine bikini en ze had een hand op haar heup. Ze keek met een gulle glimlach in de camera. Haar nieuwe borsten waren net zo gul.

'Deze foto op Myspace is van 15 augustus van datzelfde jaar.' Paige wierp even een blik over haar schouder om te zien of hij begreep waar ze op doelde. Aan de frons op zijn voorhoofd te zien was dat niet het geval. 'Ze had cup D in augustus en cup A een maand later, in september. Of de datum op de Myspace-foto klopt niet, en dat geloof ik niet, want ze is daar op haar eigen verjaardagsfeestje, of de datum op de video klopt niet.'

'Die video is niet van de avond dat Crystal Jones werd vermoord,' zei hij zacht.

'Precies.'

'Dat verandert alles.'

'Dat zou betekenen dat de beveiligingsmensen van McCloud je een verkeerde tape hebben gegeven. Je mag aannemen dat dat met opzet is gebeurd. Om een alibi voor Rex te creëren.'

Hij kwam overeind en ze kreeg het meteen koud. 'Dat zou je kunnen aannemen. Maar je weet het niet zeker.' Hij keek haar scherp aan. 'Was Betsy's pagina op Myspace afgeschermd?'

'Bedoel je of ik hem gehackt heb? Ik voel me gevleid dat je denkt dat ik daartoe in staat ben, maar het antwoord is nee. Ik ben geen hacker. Ik kwam gewoon op de ouderwetse manier bij Betsy's account. Zoeken en klikken. Betsy heeft haar gegevens nooit afgeschermd. Bovendien is dit een oud account. Er is al een jaar of drie geen activiteit meer op. Ze is ongeveer een jaar geleden begonnen op Facebook en de foto's daar zijn een stuk braver. Ze is blijkbaar afgekickt en is nu al een jaar clean. Maar ze heeft haar Myspace-account nooit van internet gehaald.'

'Dus iedereen die haar wachtwoord wist kan daar iets hebben gepost.'

'Dat geldt voor alle sociale media. Ik dacht wel dat je dat zou zeggen.' Ze keerde zich weer naar het grote beeldscherm, spoelde de video een stuk vooruit en zette hem stil bij een ander beeld. 'Het is een heldere nacht en de maan is in het laatste kwartier.' Ze draaide op haar stoel om hem te kunnen aankijken. 'Volgens de tabellen was de maan de nacht dat Crystal stierf nog maar in het eerste kwartier.'

Grayson was duidelijk niet blij. 'Verdomme. Waarom hebben we dat niet gezien?'

'Je was er niet opuit om aan te tonen dat de video niet klopte. Je zocht naar een bevestiging voor het alibi van Rex McCloud.'

'Je had kunnen volstaan met dat stuk over de maan,' mopperde hij. 'Je hoefde me Betsy's borsten niet onder de neus te wrijven.'

'Daar heb je waarschijnlijk wel gelijk in. Maar ik moest de hele video vol naakte mensen die ondeugende dingen deden bekijken en het leek me zonde om mijn theorie niet met een beetje show te brengen. Wat doen we nu?'

'Zoals ik al zei, dit verandert alles. Maar ik heb er niet veel hoop op dat we nu, na al die jaren, de echte video te pakken kunnen krijgen.'

'Maar dit levert samen met de foto's van Elena toch voldoende grond voor een nieuw proces voor Ramon, of niet?'

'Misschien lukt het om zijn vonnis herzien te krijgen zonder een nieuwe rechtszaak. Dat zou nog beter zijn. En sneller.'

'Sneller is beter. Die Betsy wekt de indruk dat ze een nieuw begin heeft gemaakt. Ze is vrijwilligster bij een van haar oude afkickklinieken. Misschien is ze nu meer bereid om je de waarheid te vertellen over wat er die nacht is gebeurd dan vijf jaar geleden.'

'Zij is de volgende die ik bel.'

'Je klinkt alsof je niet al te veel succes hebt gehad bij het vinden van de oude getuigen,' zei ze voorzichtig.

'Niet echt, nee. Sommigen zijn verhuisd. Anderen zijn overleden, onder wie de man van de bewakingsdienst die de alibivideo heeft geleverd. Maar Rex McCloud heb ik wel gevonden.'

'Misschien moeten we hem eerst opzoeken, voor het geval hij ervandoor gaat.'

Grayson schudde zijn hoofd. 'Er is geen sprake van "we". Ik praat met hem. Jij blijft uit zijn buurt.'

Ze leunde achterover. 'En waarom dan wel?'

'Omdat jij niet... officieel bij de zaak betrokken bent,' eindigde hij slap.

'En jij wel, meneer van de fraudeafdeling?'

Hij sloeg zijn ogen ten hemel. 'Rex McCloud gaat er niet vandoor. Hij is na zijn laatste veroordeling onder huisarrest geplaatst. Nu hij geen alibi heeft voor die nacht staat hij boven aan de lijst van verdachten. Maar ik moet alle mogelijkheden openhouden, niet alleen Rex.'

'Omdat hij een machtige familie heeft?'

'Dat is voor een deel de reden,' gaf hij toe. 'Zijn familie maakt het heel lastig om onderzoek te doen, zelfs onder de paraplu van de afdeling.'

'Misschien is het wel gemakkelijker zonder die paraplu,' zei ze. 'Dan hoef je niet bang te zijn dat je een rijke, politieke sponsor tegen de schenen schopt. Je kunt vragen wat je wilt.'

'Dat is zo. Maar als ik toch tegen schenen ga schoppen, dan wil ik wel dat het de juiste zijn. De meeste mensen in dat zwembad zijn kinderen van heel rijke ouders. Als een van hen de dader is en de echte tape laat zien dat die persoon contact had met Crystal Jones, dan kan het zijn dat de ouders die beveiliger hebben omgekocht.'

Dat was een mogelijkheid. 'Waarom begin je niet met Crystal?' vroeg ze. 'Ze ging met een bepaald doel naar dat feest. Ze gebruikte een valse naam en loog om binnen te komen. Toen ze er eenmaal was, deed ze niet mee aan het feest. Misschien wist iemand wat haar bedoeling was. Ze woonde ten tijde van de moord bij haar zus. Misschien heeft ze iets tegen haar gezegd.'

'Ik heb de zus vijf jaar geleden gesproken. Ze wist helemaal niets.'

'Grayson, wie weet heeft degene die Jorge Delgado ervan heeft overtuigd om zijn mond te houden de zus van Crystal of een van de andere getuigen ook bedreigd. Wie weet maken die vijf jaar een verschil. We moeten weten waarom Crystal naar dat feest ging en op dit moment is de zus je nauwste band met Crystal.'

'Ik heb naar haar huis gebeld, maar daar woont ze niet meer.'

'Toen je belde,' merkte Paige vriendelijk op, 'zei je dat je van het Openbaar Ministerie was. Ik zou misschien ook niet eerlijk tegen je zijn geweest, zeker niet als ik al eerder had gelogen.' Hij aarzelde nog steeds en ze dacht dat ze wist waarom. 'Als je het juiste bewijsmateriaal had gehad, zou je gerechtigheid voor haar zus hebben bewerkstelligd. Er is niets waarvoor je je hoeft te schamen.'

Hij keek fel, maar zei niets, dus stond ze op. 'Kom op. Laten we Crystals zus gaan zoeken. Mocht ze zijn verhuisd, dan sporen we haar wel op.'

Hij knikte stijf. 'Moet de hond eerst nog worden uitgelaten?'

'Het is al even geleden dat hij naar buiten is geweest. Ik doe het wel.'

'Néé.' Het knalde eruit. 'Ik wil nog niet dat je je in het openbaar vertoont.'

'Grayson, je hebt de schutter gisteravond in de ogen gekeken. Hij zal ook achter jou aan zitten.'

'Dat denk ik niet. Hij had de gelegenheid en die heeft hij laten lopen. Dat is heel iets anders dan die vent die jou heeft aangevallen. Die loopt nog ergens rond en zou het zomaar nog eens kunnen proberen.'

Er liep een rilling over haar rug. 'Ik heb rechercheur Perkins vanmorgen gesproken. Ze hebben geen enkele aanwijzing. Zijn mes was schoon. Geen vingerafdrukken.'

'Dat weet ik. Stevie heeft het me verteld.'

'Misschien heeft hij wel helemaal niets te maken met dit gedoe. We zouden erachter kunnen komen wie al die anderen heeft vermoord zonder ooit te weten wie hier verantwoordelijk voor is.' Ze raakte even haar hals aan. 'Ik hoop dat dat niet het geval is, maar als het wel zo is, dan kan ik daarmee omgaan.'

'Je had me niet verteld dat ze een van de mannen die je afgelopen zomer hebben gemolesteerd nooit te pakken hebben gekregen.' Zijn hand ging naar haar gezicht en ze kon zich er niet toe brengen hem weg te duwen.

'Ik vind het vreselijk om dat hardop te zeggen. Ik weet niet waarom.'

'Misschien wordt het dan reëler.'

'Het houdt nooit op reëel te zijn. Dat is de reden voor al die sloten op mijn deur. En de wapens. En Peabody.' Ze drukte haar gezicht tegen zijn handpalm en genoot van de aanraking. Hij liefkoosde haar wang en ging met zijn duim langs haar onderlip. Ze wilde zo veel meer. Ze bad stilletjes om kracht en deed een stap achteruit. 'We moeten aan de slag. Werken.'

Hij liet zijn handen langs zijn lichaam vallen. 'Bestaat de mogelijkheid dat de man gisteren in de garage degene was die afgelopen zomer de dans is ontsprongen?'

Ze schudde haar hoofd. 'Nee. Die vent was nauwelijks 1 meter 72, als hij dat al haalde. Woog ongeveer achtenzestig kilo, met aanhangend water. Hij leek in niets op die vent van gisteren. Dat was een godvergeten kooivechter.'

'Als we hem langs deze weg niet weten te vinden, dan gaan we aan de tralies van alle kooien rammelen die we maar kunnen vinden tot we hem hebben gevonden,' beloofde Grayson grimmig. 'Ik wil dat je rustig en zonder nachtmerries kunt slapen als ik er niet meer bij ben.'

Ze deed haar mond open om iets te zeggen, maar haar keel zat dicht. Hij keek haar aan en zijn blik was zo triest dat haar hart nog een beetje brak.

'Niet... doen,' zei hij. 'Zeg maar niks. Ik ben zo terug.' Hij riep Peabody en ze gingen samen naar buiten. Paige keek hen na door het raam aan de voorkant tot ze Graysons donkere hoofd niet meer kon zien. Ze voelde zich opgejaagd en nerveus.

Zo verrekte verlangend. Als die man op dit moment weer naar binnen zou stappen, dan zou ze zich zo in zijn armen storten.

Ze moest iets omhanden hebben. Ze liep naar de tafel, stapelde hun vuile borden op en zette die in de vaatwasser. Maar hij was nog steeds niet terug, dus koppelde ze de grote monitor los van de laptop en droeg hem terug naar zijn bureau, waar ze hem weer aansloot op zijn desktopcomputer. Ze zocht achter zijn bureau naar een snoer voor de adapter toen haar telefoon in haar zak overging. Ze sprong overeind en stootte haar hoofd tegen de boekenplank boven zijn bureau.

Ze wreef mopperend met een hand over haar schedel terwijl ze met de andere het telefoontje beantwoordde. Het was Clay. 'Het werd tijd dat je me belde,' zei ze. 'Waar ben je?'

'Eindelijk weer thuis. Zach zit veilig bij zijn vader.'

Ze liet zich in Graysons bureaustoel zakken. 'Daar ben ik blij om. Wat is er met de moeder gebeurd?'

'Die zit in de bak. Hopelijk maken ze de borgsom torenhoog. Er was niets aan de hand met Zach, fysiek in elk geval. Zijn vader heeft beloofd voor therapie te zullen zorgen. Hopelijk komt het allemaal goed met dat kind.'

Nee, dat komt het niet, dacht ze. 'Hopelijk,' zei ze hardop. 'Ik moet vanavond een oppas hebben. Heb je zin in een verblijf in een suite in het Peabody?'

'Pardon?'

'Grayson heeft een suite voor me geboekt in het Peabody Hotel, aangezien mijn appartement een broeinest van gewelddadige activiteiten schijnt te zijn. Hij heeft twee aan elkaar grenzende kamers geboekt. Een daarvan is voor mijn oppas.'

'En dat is niet hij?' vroeg Clay behoedzaam.

Paige beet op haar lip. 'Nee.'

'Oké,' zei Clay. 'Sms me het kamernummer en zorg dat ze me een sleutel geven. Ik moet eerst een paar uur slapen en dan heb ik om zes uur een afspraak met een cliënt in Towson. Als ik daar klaar ben kom ik rechtstreeks naar je toe. Als het goed is niet later dan een uur of tien.'

'Dank je.' Ze verbrak de verbinding en keek op. 'Verdomme.' Ze had al Graysons ingelijste foto's omgegooid toen ze haar hoofd tegen de boekenplank stootte.

Ze bekeek ze een voor een terwijl ze ze rechtop zette. Er waren er zeker een stuk of tien, de meeste van Grayson met de Carters, genomen gedurende een reeks van jaren. Ze herkende Lisa en Joseph. De kleinste moest Holly zijn, maar er was nog een derde meisje, dat Paige nog niet had ontmoet. Grayson had het over ene Zoe gehad, dus ze nam aan dat dat de derde zus was. Op verschillende foto's stond een glimlachend stel bij de Carter-kinderen. *Dat moesten de ouders zijn.* De Carters wekten de indruk van een gelukkig gezinnetje. Paige vroeg zich af of ze beseften hoe gelukkig ze waren.

Op de volgende foto stond Grayson met baret en cape gearmd met een lange, statige roodharige vrouw. Paige hield de foto in het schijnsel van de lamp en bestudeerde het gezicht van de vrouw. Ze had een lichte huid terwijl die van Grayson donker was, maar hun glimlach was dezelfde. Net als hun ogen, ernstig en groen.

240

Dat moest dus zijn moeder zijn, die duidelijk dol op hem was. Paige hoefde zich niet af te vragen of Grayson besefte hoeveel geluk hij had. Ze had de dankbaarheid en het respect in zijn stem gehoord toen hij over haar sprak. En de spijt in zijn stem toen hij de avond ervoor met haar sprak tijdens het telefoontje dat Paige nooit had mogen horen.

Ze stak haar hand uit naar de laatste van Graysons foto's en ze verstijfde. Er was een foto die niet was gevallen, maar in een hoekje op de plank achter alle andere stond. Hij was maar klein, ongeveer zo groot als haar handpalm, en zat in een goedkoop lijstje met verweerde randen.

Het waren Grayson en dezelfde roodharige vrouw, maar deze was veel langer geleden genomen. Grayson leek een jaar of zes, zeven. *Zo lief.* Hij glimlachte dapper naar de camera, het soort glimlach dat kinderen opzetten wanneer de fotograaf 'Kijk eens naar het vogeltje' zei. De kleuren van de foto waren vervaagd, maar ze kon toch nog zien dat de blazer en de korte broek die hij droeg marineblauw waren. Hij droeg een schooltas over een schouder. *Hij zat op een privéschool.*

Zijn moeder zat naast hem op haar hurken en haar eenvoudige grijze rok bedekte keurig haar knieën. Ze droeg precies zo'n marineblauwe blazer met borduurwerk op een borstzak, een of ander insigne. Ze had haar arm om hem heen geslagen en ze glimlachte.

Anders, dacht ze. Zijn moeder glimlachte anders dan op de latere foto. Ze was hier gelukkiger. Grayson had verteld dat zijn vader hen in de steek had gelaten en Paige vroeg zich af of dat hier al gebeurd was. Ze dacht van niet. Zijn moeder keek veel te gelukkig.

Achter hen stond een op een school lijkend gebouw met houten kruisen op de dubbele voordeur. De hemel was blauw en er was geen wolkje te zien. En op de achtergrond stonden palmbomen. Hoge. Met kokosnoten. *Florida misschien? Of Californië?*

De foto was gevouwen om hem in het lijstje te laten passen en de rechterkant was aan het zicht onttrokken. Daarop stond een halve schoolbus met de letters ST. IGN op de zijkant. *Sint Ignatius?*

Hij had gezegd dat ze dakloos waren, dat zijn moeder een baantje als kindermeisje had gekregen. Maar haar blazer zag er precies zo uit als de zijne, tot het insigne op de borstzak aan toe. Ze werkte op die school. Was zijn moeder secretaresse geweest? Lerares? Waarom had zijn vader hen in de steek gelaten?

Beloof me dat je het haar niet vertelt. Wat er ook gebeurd was, het was heel akelig geweest.

Paige zette de foto terug. Ze realiseerde zich dat ze diep vanbinnen hoopte dat Grayson het haar zelf zou vertellen. Ze wist dat dat niet erg waarschijnlijk was.

Ze schoof haar emoties aan de kant en bekeek de plank om er zeker van te zijn dat ze alles precies zo had teruggezet als ze het had aangetroffen. En net op tijd. De voordeur ging open en ze hoorde het geluid van Peabody's poten op de houten vloer van de hal.

'Paige,' riep Grayson. 'Ben je zover?'

Ze wierp een laatste blik op de gevouwen foto. 'Jazeker. Ik kom eraan.'

12

'Hier is het,' zei Paige en ze wees naar een vervallen rijtjeshuis. 'Dit is het adres van Brittany Jones. Crystal was twintig toen ze stierf. Brittany moet toen net achttien zijn geweest. Geen ouders.'

Grayson bracht de auto tot stilstand. Het was geen slechte buurt, maar het was ook beslist geen goede. 'Toen Crystal stierf woonden ze in een betere wijk.'

'Crystal studeerde aan de volkshogeschool. Hoe kwamen ze aan hun geld?'

'Dat weet ik niet.' Hij staarde naar het huis. Hij zag ertegen op om de vrouw die daar woonde te ontmoeten. 'Ik had het moeten weten. Ik had het moeten vragen.'

'Er is tegen je gelogen. Je eigen baas heeft je gemanipuleerd. Had je een reden om hem niet te vertrouwen?'

'Op dat moment niet, nee.'

'En recent?'

'Hij is een lul. Hij bemoeit zich overal mee. Hij wil steeds dat we een deal sluiten. Maar ik heb nooit gedacht dat hij oneerlijk was. Tot vandaag, dan.'

'Dus hij is corrupt of misschien wordt hij ook gemanipuleerd. Er zat de avond dat Crystal werd vermoord een hoop geld in dat zwembad. Dat moest zij ook hebben geweten.'

'Het is haar dood geworden.'

'Klopt. Maar dat is niet jouw schuld. Jíj hebt haar niet vermoord. Jij hebt alleen de man vervolgd die volgens de politie de dader was. Je hebt hun bewijzen bekeken en je vond die, terecht of onterecht, sterk genoeg. Er is tegen je gelogen, Grayson. Je bent gemanipuleerd. Had je dat moeten raden? Dat weet ik niet. Verdorie, ik was er niet bij.'

'Ik was er wel bij,' mompelde Grayson, 'en ik weet het ook niet.'

'En misschien zul je het nooit weten ook. Maar dat verandert niets aan het feit dat Ramons leven voor altijd is aangetast en dáár moet je op de een of andere manier mee in het reine zien te komen. Je kunt Crystal niet terughalen. Dat heb je nooit gekund. Je kunt alleen haar zus de gelegenheid bieden om, als ze iets weet, de zaken recht te zetten en dan degene die dit heeft gedaan te straffen en Ramon vrij te krijgen.'

Ze wist de dingen terug te brengen tot de essentie. 'En dan?'

'Dan ga je achter iedereen aan die de andere kant op heeft gekeken. Je sluit ze op voor de rest van hun leven, maar eerst laat je Ramon vijf minuten met ze alleen.' Haar gezicht betrok. 'Hij is zo veel kwijt... Hij is het ware slachtoffer. Hij en zijn familie.'

'Je had advocaat moeten worden.'

Ze glimlachte verdrietig. 'Dank je. Ben je er nu klaar voor om met Brittany Jones te gaan praten?'

Hij schudde zijn hoofd. 'Ja,' zei hij in navolging van haar. 'Natuurlijk.'

Haar donkere ogen schitterden. 'Je leert snel.' Ze keek achterom, weer serieus. 'Wil je dat ik met haar praat? Als ze eerder heeft gelogen, wordt ze misschien bang voor je.'

Hij overwoog het. Overwoog hoe zijn eigen gemoedstoestand was. En schoof zijn trots terzijde. 'Laten we dat maar proberen. Dan kunnen we zien wat er gebeurt. Maar ik ga wel met je mee. Dat is niet bespreekbaar.'

'Hallo, ik had niet eens verwacht zo ver te komen. Probeer alleen net te doen alsof je mijn lijfwacht bent en niet een advocaat die haar kan aanklagen wegens meineed. Aan de slag, meneer de officier.'

Hij liet haar voorgaan en was op zijn hoede voor alles wat haar kwaad kon doen. Hij besefte met een zekere geamuseerdheid dat hij echt optrad als haar lijfwacht. De geamuseerdheid verdween toen de deur openging en het gezicht van een jonge vrouw in de deuropening verscheen. Brittany zag eruit alsof ze vijftien jaar ouder was geworden.

'Ja?'

Paige glimlachte. 'Hallo, sorry dat ik u lastigval. Ik ben op zoek naar Brittany Jones.'

De blik van de vrouw ging even naar Grayson en toen terug naar Paige. 'Waarvoor?'

'Nou, dat is tussen mevrouw Jones en mij,' zei Paige. 'En ik denk dat jij dat bent. Klopt dat?'

'Waarvoor?' herhaalde Brittany met meer nadruk.

'Het gaat om je zus.' Paige legde haar hand tegen de deur toen Brittany op het punt stond hem dicht te smijten. 'Ik ben niet van de politie. En ook geen advocaat. Ik heet Paige Holden. Ik ben privédetective en ik heb je hulp nodig. Praat alsjeblieft met me.'

Brittany's ogen flitsten weer naar hem. 'Hij is advocaat. Ik kan me hem herinneren.'

'Vandaag is hij dat niet. Vandaag is hij meer... mijn partner.'

'Dat begrijp ik niet.'

'Als je ons binnenlaat, dan kunnen we het uitleggen.'

Brittany verkeerde duidelijk in tweestrijd. Haar lip trilde en ze deed haar ogen dicht. 'Dat kan ik niet.'

Paige zuchtte. 'Brittany, gisteren zijn drie mensen gestorven die tijdens het proces van Ramon Muñoz hebben getuigd. Minstens twee van hen zijn vermoord. Misschien alle drie.'

Brittany's ogen werden groot van oprechte angst. 'O, mijn god.'

'Wat het ook is dat je weet, je moet het ons vertellen. Alles begint langzamerhand aan het licht te komen.'

Brittany sloeg een hand voor haar mond. Ze kreeg tranen in haar ogen. 'Dat kan ik niet.'

Paige bukte zich plotseling en liet haar hand ter hoogte van Brittany's voet door de deuropening glippen. Toen ze weer overeind kwam had ze een klein rood speelgoedautootje in haar hand. 'Je moet. Alsjeblieft.'

Brittany zag bleek en ze beefde, maar ze deed de deur verder open en liet hen binnen. Ze ging met een halfslachtig gebaar met haar hand door haar haar. 'Sorry, ik lag te slapen. Ik werk 's nachts.'

'Het valt wel mee,' zei Paige zacht. 'Waar werk je?'

'Ik ben verpleeghulp. Ik werk in een verpleeghuis.'

'Dat is zwaar werk,' zei Paige terwijl Brittany hen naar een tafel leidde die bezaaid lag met krijtjes. Toen Brittany de krijtjes bij elkaar begon te rapen om ze in een plastic doos te doen, stak Paige haar een handje toe. 'Het moet nog zwaarder zijn als je tegelijk een zoon grootbrengt en studeert.'

Brittany keek verbaasd op. 'Hoe wist je dat ik een opleiding volg?'

Paige wees naar de salontafel. 'Je studieboek fysiologie. Verpleegkunde?'

'Ja. Als hulp verdien je bijna niks.'

'Ik weet het. Ik heb als assistent voor een advocatenkantoor gewerkt. Groot verschil in salarissen. Mogen we gaan zitten?' Ze wachtte niet op een antwoord en ging aan de keukentafel zitten. 'Brittany?'

Brittany ging links van Paige zitten. Grayson nam plaats aan het hoofd van de tafel en wachtte af.

'Waar is je zoon?' vroeg Paige.

'Kleuterschool. Ik moet hem zo gaan halen.'

'Dus hij is vijf jaar?' vroeg Paige; ze leek niet verrast.

Grayson maakte in gedachten het sommetje en voelde zich triest. 'Je was zwanger toen Crystal stierf.'

'Ja.' Brittany wendde haar blik af en haar hele lichaam trilde. 'Ik geloof dat ik moet overgeven.'

'Probeer te ontspannen,' zei Paige troostend. 'Haal diep adem. Vertel eens over Crystal.'

'Ze was een fijne zus.' Brittany kneep haar ogen dicht. 'Ze was alles wat ik had.'

'En ze is je ontnomen.'

Ze balde haar handen die op tafel lagen. 'Door Ramon Muñoz.'

'Nee,' zei Paige en Brittany's ogen, waar onzekerheid uit straalde. vlogen open. 'Dat is het probleem, hè? Je wist dat Ramon het niet had gedaan.'

'Néé. Dat wist ik niet. De politiemensen die kwamen zeiden dat het Muñoz was. Ze zeiden dat ze het wapen in zijn huis hadden gevonden.' Brittany's ogen vulden zich opnieuw met tranen. 'Maar het maakte niet uit wie het had gedaan. Het was allemaal mijn schuld. Ze deed het voor mij.' De tranen stroomden nu over haar wangen.

'Wat heeft ze voor je gedaan?' vroeg Grayson.

'Ze is voor mij naar dat feest gegaan. Vanwege mij.'

'Ze was van plan geld te verdienen op dat feest,' vermoedde Paige. 'Vanwege de baby.'

Brittany haalde gelaten haar schouders op. 'Ja. Ze zorgde voor me. Probeerde me uit de moeilijkheden te houden. Ik had een beurs voor de universiteit van Maryland en ik was net aan mijn eerste semester begonnen. En toen heb ik alles verpest.'

'Je raakte zwanger,' zei Paige 'Hoe kwam dat?'

Brittany vertrok haar mond. 'De gebruikelijke manier. Een fles wijn, mooie woorden. Ik was zo stom en Crystal was zo vreselijk kwaad.

Ze ging tegen me tekeer dat ze niet alles had opgeofferd om toe te kijken hoe ik mijn leven vergooide. Toen zag ze me huilen en toen zei ze dat ze het wel zou regelen. Dat ze wist waar ze een smak geld kon halen. Dat we nooit meer de eindjes aan elkaar zouden hoeven te knopen.'

'Jullie twee woonden alleen, hè? Waar betaalden jullie de rekeningen van?'

Brittany kreeg een argwanende blik in haar ogen en haar tranen hielden op. 'We werkten. We waren geen prostituees.'

'Ik zei ook niet dat jullie dat waren,' suste Paige.

'Een vos verliest wel zijn haren,' grauwde Brittany bitter. 'Dat is wat iedereen zei. Dat is wat die rechercheur zei die Crystals zaak onderzocht. Mijn god, wat had ik de pest aan haar.'

'Rechercheur Morton?' vroeg Paige.

'Ja, smerige trut,' zei Brittany boos. 'Ze deed net alsof mijn zus verdiend had wat haar was overkomen. Ze zei dat ze de tuinman naar de schuur had gelokt. Voor seks. Maar dat was gewoon niet waar. Dat kon niet waar zijn.'

Er was iets in de stem van de vrouw, een bittere ondertoon die opviel. 'Waarom niet?' vroeg Grayson. 'Waarom kon dat niet waar zijn?'

'Ze haatte seks. Vanwege wat er met haar was gebeurd.'

'Was ze misbruikt?' vroeg Paige en Brittany keek weg.

'Ze was een goed mens. We kwamen allebei in verschillende pleeggezinnen terecht, maar ze beloofde dat ze me zou komen halen zodra ze achttien was. Ze heeft woord gehouden.'

'Ze werd kort daarna opgepakt wegens prostitutie,' zei Paige.

'Ja. Dat deed ze zodat we eten konden kopen, maar ze werd gepakt. Ze dreigden me terug te sturen naar pleegzorg, dus toen zijn we weggelopen. We zijn hiernaartoe gekomen en opnieuw begonnen. Ze kreeg werk als serveerster. Ik werkte voor en na schooltijd bij een hamburgertent. Het ging allemaal zo goed, tot ik zwanger werd.' Brittany zuchtte. 'En toen ging ze naar dat feest.'

'Om geld te verdienen,' zei Paige. 'Ze kon als prostituee nooit zo veel verdienen, in ieder geval niet op één avond.'

'Precies,' antwoordde Brittany.

'Heb je dit aan rechercheur Morton verteld?' vroeg Grayson.

'Nee.'

'Waarom niet?' vroeg Paige.

Brittany deed haar ogen dicht en schudde haar hoofd. 'Dat kan ik je niet vertellen.'

'Brittany,' drong Paige aan. 'Degene die je betaald heeft om te zwijgen zou betrokken kunnen zijn bij de moorden van gisteren. Een van de mannen die zijn vermoord, is ook betaald om zijn mond te houden. Zijn dochter is niet veel ouder dan jouw zoon en zal nu zonder hem opgroeien. Je wilt toch niet dat jouw zoon zonder jou verder moet?'

Brittany's gezicht verhardde. 'Hoe wist je dat ik betaald ben?'

'Dat wist ik niet,' gaf Paige toe. 'Dat gokte ik maar.'

Grayson had hetzelfde vermoed. Maar toch, Paige had het goed gespeeld.

'Je hebt me erin laten lopen,' snauwde Brittany woedend. 'Je bent net zo'n kreng als die Morton.'

'Ja, ik heb je erin laten lopen,' zei Paige terwijl ze iets van haar eigen woede liet doorschemeren. 'Want ik probeer je leven te redden. Ik heb twee van de slachtoffers van gisteren gezien. Ze hadden allebei een kogel in hun hoofd en hun hersenen zaten overal. Zo wil je niet eindigen. Geloof me maar.'

Brittany verbleekte. 'Dat is waar ik je heb gezien. Jij bent die vrouw van de video.'

'Ja.' Paige raakte even haar hals aan. 'Ik ben gisteren ook bijna vermoord. Het is deze mensen menens. Als je je zoon wilt beschermen, moet je met ons praten. Nú.'

Brittany keek gepijnigd. 'Snap je het dan niet? Het maakt niet uit of zíj me vermoorden of dat híj me in de bak smijt wegens meineed. Er is verder niemand die voor mijn zoon kan zorgen. Hij heeft alleen mij.'

Een vlaag uit het verleden trof Grayson als een baksteen. Hij hoorde zijn moeder weer dezelfde woorden zeggen. *Hij heeft alleen mij.* Maar zijn moeder was taaier geweest dan Brittany Jones. Zijn moeder had een andere keuze gemaakt.

En ze leefden nog steeds met de gevolgen.

'Ik kan niets beloven,' zei Grayson. 'Tot ik weet wat je hebt gedaan. Dat gaat niet. Maar ik zal mijn uiterste best doen om ervoor te zorgen dat je niet aangeklaagd wordt omdat je onder ede hebt gelogen.'

Brittany keek hem voor het eerst aan. 'Ik hield van mijn zus. Maar ik had een leven... een baby die in me groeide. Ik wist niet hoe ik me moest redden. Ik kreeg een telefoontje en ze zeiden dat als ik mijn mond hield tot het proces voorbij was, ik vooraf tienduizend dollar zou krijgen en nog eens vijftienduizend als alles achter de rug was. Ik wilde het niet aannemen, maar ik was wanhopig.'

'Vijfentwintigduizend dollar is een heleboel geld,' zei Grayson voorzichtig. Er sprak iets uit de ogen van de vrouw wat hij niet vertrouwde. Berekening. En heel veel angst. Ze kregen waarschijnlijk maar een deel van de waarheid te horen, dacht hij. Maar beslist niet de hele waarheid.

'Dat zou het zijn geweest als ik alles had gekregen. Die eerste tienduizend heb ik gehad, maar twee maanden voor het proces werd mijn zoon geboren. Ik kreeg een brief waarin stond dat als ik gezond wilde blijven voor mijn kind, ik gratis mijn mond moest houden. Tegen die tijd zat ik er zo tot over mijn oren in dat ik het niemand meer kon vertellen. Ik was echt heel erg bang. Ik zou tegen iedereen hebben gelogen, goed of slecht, om zijn veiligheid te waarborgen.'

Die laatste zin was waarschijnlijk de waarheid, dacht Grayson. 'Heb je die brief bewaard?'

'Nee. Hij was niet met de post gekomen en hij was niet met de hand geschreven. En het was ook niet zo dat ik het tegen rechercheur Morton zou zeggen. Die had al genoeg gedaan door Crystal ervan te beschuldigen dat ze op dat feest de hoer had gespeeld. "Een vos verliest wel zijn haren..." Gelul,' mompelde ze.

'Heb je iets wat van Crystal is geweest?' vroeg Paige. 'Dagboeken of agenda's of iets anders waar ze iets over die avond kan hebben opgeschreven?'

'Ik heb wat spullen van haar bewaard. Ik pak ze wel even.' Enkele ogenblikken later kwam Brittany terug met een bruine envelop in haar hand. 'Er is niet zo heel veel.'

'Je krijgt het weer terug,' zei Paige. 'Heb je een plek om een paar dagen naartoe te gaan?'

'Nee. Als ik niet ga werken raak ik mijn baan kwijt, en we komen nu al nauwelijks rond.'

'Wees dan extra voorzichtig. Vraag een vriendin om te komen logeren als dat kan. Leen een grote hond,' stelde Paige voor. 'Hou je deuren op slot. Je hoort nog van ons.'

Woensdag 6 april, 16.00 uur

Hij keek op het scherm van zijn laptop. De pop was al bijna twee uur niet meer van zijn plaats geweest. Hij bevond zich in Toronto. Om nauwkeuriger te zijn, in een hotel aan Yonge Street. Hij kon daarom veilig aannemen dat Violet daar ook was. Het zou stom zijn om ervan uit te gaan dat Silas bij haar zou blijven.

Als ik Silas was, dan zou ik proberen me te vermoorden. Dus zou hij eerst met Silas moeten afrekenen.

Hij belde naar de zakelijke telefoon van Silas en kreeg opnieuw zijn voicemail. 'Met mij,' zei hij en hij sprak een boodschap in. 'Ik heb werk voor je. Bel me wanneer je dit hoort.'

Hij was niet van plan Silas iets belangrijks toe te vertrouwen. En dit was wel belangrijk. Hij was erachter gekomen dat Paige Holden met Interne Zaken gesproken had, dat zij hun 'geheime informant' was. Die vrouw had al genoeg hoofdpijn veroorzaakt. Het werd tijd dat ze een akelig ongeluk kreeg. En dat had hij al in voorbereiding. Het zouden twee vliegen in één klap worden: hij zou een grote ergernis kwijtraken en voor een fraaie, nieuwe richting voor het onderzoek van IZ zorgen.

Ja, dit karwei was gerechtvaardigd, dus had hij het al aan een ander toevertrouwd. Als Silas op tijd terug was, zou hij hem vragen ook mee te doen. *Op die manier weet ik precies waar hij uithangt en wanneer.*

Woensdag 6 april, 16.05 uur

'Ze houdt ons aan het lijntje,' zei Paige toen Grayson bij Brittany's huis was weggereden.

'Ik weet het. Maar ik geloof wel dat we iets van de waarheid te horen hebben gekregen.'

'Je bent te vriendelijk. Ze heeft je door,' zei ze zacht.

'Wat bedoel je?'

'Toen ze zei: "Hij heeft alleen mij," keek je alsof je spoken zag.' Eerlijk gezegd leek het eerder alsof hij een klap op zijn kop had gehad. 'Dat had ze meteen door.'

'Wat kan ik zeggen?' zei hij mild. 'Ik ben van suikergoed.'

Paige dacht terug aan de foto met de palmbomen. Hij had gezegd dat zijn vader hen had verlaten. Ze wilde vragen stellen, een heleboel vragen, maar ze hield zich in. Haar vragen konden wachten en ze dacht toch niet dat hij ze op dit moment zou beantwoorden. 'Een enorme brok suikergoed. Brittany wist dat Ramon onschuldig was. Als dat deel over het telefoontje waarin haar zwijggeld werd aangeboden waar is, dan moet ze dat hebben geweten.'

'Het zou nergens op slaan als ze betaald werd om niks te zeggen als Ramon het wel had gedaan,' stemde hij in. 'Ik zet de auto daar op dat parkeerterrein, dan kunnen we even kijken wat er in die envelop zit.'

Ze pakte haar rugzak en haalde er rubberhandschoenen uit, die ze altijd in een van de vakken had. Ze trok ze aan en hield haar handen als een chirurg voor zich. 'Ik ben er klaar voor.'

'Ik ben onder de indruk. Wat zit er nog meer in die rugzak?'

'Vergrootglas, alarmfakkels, hondenkoekjes. Mijn laptop en mijn draadloze modem. Extra munitie. Make-up. Gedroogd fruit met noten en een fles water. Nunchakus. Een Zwitsers zakmes. En een verhaal van Ellery Queen. Je weet wel, alles wat bij het vak hoort.'

Er verscheen een glimlach om zijn lippen. 'Haal de hondenkoekjes en de noten maar niet door elkaar.'

'Dat is me wel eens gebeurd. Ik zat te posten in een donker steegje en kon geen licht maken. Hondenkoekjes zijn nog niet zo vies als ik had gedacht.'

Hij trok een vies gezicht. 'Gadver, Paige. Heb je nog een paar handschoenen?'

Ze gaf hem een paar en maakte vervolgens de envelop open. Hij boog zich samen met haar over de envelop om erin te kunnen kijken. 'Een boekje met bankoverzichten.' Ze gaf het aan hem. 'Een ring van de middelbare school. Een mannenring.' Ze hield hem omhoog. 'Eindexamenklas van 1973. Raar dat zij zoiets heeft.'

'Welke school?'

'Winston Heights.'

'Nooit van gehoord,' zei hij. 'Niet hier in de buurt. Dat zoeken we op. Dit bankboekje vermeldt alleen maar stortingen. Elke maand hetzelfde bedrag. Duizend dollar.'

Paige keek hem aan. 'Het lijkt erop dat Crystal zelf ook zwijggeld kreeg. Je zou toch verwachten dat Brittany dit ooit wel eens gezien heeft.'

'Ik weet zeker dat ze dat ook wel gedaan heeft. Ze was achttien en werkte zelf parttime. Ze wist precies hoeveel een serveerster verdiende en ze moet hebben geweten dat het niet genoeg was. De laatste storting is van een week voor Crystal stierf. Daar heb je een motief.'

'Vooral als ze het bedrag verhoogd had vanwege de baby die op komst was. Hoelang heeft dat geduurd, die stortingen?'

Hij bladerde door het boekje. 'Twee jaar. Het is begonnen vlak na de arrestatie wegens tippelen. We moeten zien te achterhalen waar dit geld vandaan kwam.' Toen fronste hij zijn voorhoofd. 'Wacht eens even. Ik heb Crystals financiële gegevens nagetrokken. Deze rekening is nooit boven water gekomen. Haar creditcards zaten aan hun maximum en haar lopende rekening was leeg.'

'Is het een buitenlandse rekening?'

'Volgens het boekje gaat het om een plaatselijke bank. Ik kan zonder een dwangbevel achterhalen op wiens naam die rekening staat. Ik ken iemand die bij de bank werkt en ik kan haar vragen dat na te trekken. We hebben die informatie sowieso nodig als we een gerechtelijk bevel aanvragen om de geldstromen na te gaan.' Zijn gezicht betrok. 'Maar ik zal voorlopig niet om dwangbevelen kunnen verzoeken. Anderson zal daar een stokje voor steken.'

'Klootzak,' mompelde Paige, maar toen slikte ze haar woede in. Ze konden hun energie beter gebruiken om te bewijzen dat Anderson een slijmerige pad was. 'Stel dat we dit eens van de andere kant benaderen?'

'Wat bedoel je?' vroeg hij, nog steeds boos.

'Je zei dat de stortingen zijn begonnen na de arrestatie wegens tippelen. Hebben ze haar klant toen ook gearresteerd? Zou dat in het proces-verbaal staan?'

Hij schudde zijn hoofd. 'Als ze hem hadden gearresteerd, dan zou dat in openbare stukken hebben gestaan. Dus dan zou er geen aanleiding zijn tot chantage.'

Ze vertrok haar gezicht. 'Klopt. Verdomme. We hebben de schoolring. Misschien komen we er zo achter met wie ze bezig was.'

Hij keek twijfelachtig. 'Misschien. Het kan geen kwaad even te bellen met degene die de arrestatie heeft gedaan, maar ik reken er niet op dat hij dat nog weet, niet na zo'n lange tijd. Laten we eerst te weten zien te komen van wie die rekening is. Daarna zien we wel weer. Wat zit er verder nog in die envelop?'

'Dit.' Ze trok er een lint uit met rood-wit-blauwe strepen waar een goudkleurige medaille aan bungelde. Er stond iets op wat haar zachtjes deed fluiten. 'Er staat *I'm a MAC, Loud and Proud*'. MAC, Loud. Het lijkt wel zo'n weggevertje als je bij demonstraties ziet. Van de campagne van senator McCloud misschien?'

'Ik heb die kreet nog nooit gehoord, maar dat zegt niets. McCloud heeft zich voor het laatst in de jaren negentig verkiesbaar gesteld en dit is niet zijn district. Ik vraag me af hoe Crystal aan dit ding gekomen is.'

'Misschien van Rex?'

'Dat was ook mijn eerste gedachte, maar daar kunnen we niet van uitgaan.' Hij nam het lint voorzichtig van haar over en legde het op zijn handpalm. 'Kijk eens naar dat lint.'

'Er zitten... vouwen in. Alsof het om iets kleins gewikkeld heeft gezeten,' zag Paige. 'De schoolring?'

'Nee. Het had kleine, scherpe punten.' Hij keek met glanzende ogen op. 'Een sleutel. Die vouwen zien er recent uit. Het heeft tot voor kort in dat lint gewikkeld gezeten. Ik denk dat wat het ook was, Brittany het uit de envelop heeft gehaald.'

'En wat ze wilde dat we zouden vinden, heeft ze laten zitten.'

Grayson zette de auto in de versnelling. 'Laten we nog maar eens een keer bij haar langsgaan.'

Paige stopte alles terug in de envelop. 'Mijn idee.'

Woensdag 6 april, 16.20 uur

'Ze is er niet.'

Graysons vuist bleef halverwege de deur in de lucht hangen en Paige en hij draaiden zich naar rechts, waar een vrouw op de stoep voor hun deur naar hen stond te kijken. 'Wanneer is ze weggegaan?'

'Ongeveer tien minuten nadat jullie waren vertrokken is zij ook weggegaan. Met een koffer.' De ogen van de vrouw werden groot. 'Jullie twee waren op het nieuws. Dat was zo romantisch hoe u voor haar zorgde. Ik hoop dat alles in orde is?'

'Ja, mevrouw,' zei Paige, 'maar we moeten Brittany spreken. Weet u waar ze naartoe is?'

'Heeft ze iets verkeerds gedaan?' vroeg de vrouw.

'Voor zover we weten niet,' antwoordde Grayson.

'Mooi. Ik zou het vreselijk vinden als dat lieve jochie gevaar zou lopen.'

'Ze zei dat ze op het punt stond hem van school te gaan halen,' drong Paige aan. 'Weet u waar hij op school zit?'

'Een privéschool. Brit wil per se dat hij het beste van het beste krijgt. Hij gaat naar de St. Leo Academy. In de stad. Heel exclusief.'

En heel erg duur, dacht Grayson, die zijn verrassing wist te verbergen.

'Weet u waarom ze speciaal die school heeft gekozen?'

'Dat heb ik haar een keer gevraagd. Maar ze werd verdrietig en zei dat het iets was wat haar zus had gewild. Ik snap het zelf ook niet. De openbare school was goed genoeg voor mijn kinderen. Brittany werkt zich een slag in de rondte om voor zijn school te betalen. Maakt heel veel overuren. Ik pas soms op Caleb als ze een extra dienst draait.' Ze keek ongerust. 'Ik hoop dat alles in orde is met ze.'

'Als ze terugkomt, wilt u me dan bellen?' Paige gaf de buurvrouw haar kaartje. 'Mijn mobiele nummer staat erop. We zijn er niet opuit om haar moeilijkheden te bezorgen. We proberen haar te beschermen.'

'Dat weet ik,' gaf de vrouw toe. 'Ik kon jullie door de muur horen. Het meeste was niet te verstaan, maar op een gegeven moment verhief u uw stem en toen zei u dat.'

'U heeft niet gezegd of u wist waar ze misschien naartoe is.'

'Ze heeft familie in het noorden, maar ik geloof niet dat ze erg dik zijn.'

'Waar?' vroeg Paige. 'New York?'

'Nee. Hagerstown.'

'Niet ver van Pennsylvania,' verduidelijkte Grayson toen Paige hem vragend aankeek.

'Ze heeft ook kennis aan een jongen,' bracht de buurvrouw ongevraagd naar voren. 'Hij heet Mal.'

'Achternaam?' vroeg Grayson.

De buurvrouw voelde zich duidelijk ongemakkelijk. 'Ik heb haar alleen zijn voornaam horen roepen... u weet wel, in het vuur, maar alleen als haar zoontje naar school was. Mal werkt voor de kabelmaatschappij. Zijn bestelwagen stond voor de deur geparkeerd tijdens zijn lunchpauze.'

'Wanneer was Mal hier voor het laatst?' vroeg Paige.

'Gisteren.'

'Mag ik uw naam en telefoonnummer voor het geval we u willen bereiken?' vroeg ze.

'Miriam Blonsky.' Ze gaf haar telefoonnummer. 'Moet ík bang zijn?'

'Nee, maar wel voorzichtig,' zei Paige. 'Hartelijk dank.'

Ze haastten zich naar de auto en Grayson reed weg. Paige haalde haar telefoon tevoorschijn. 'Ik zal het adres van de St. Leo Academy opzoeken.'

'Dat hoeft niet. Ik weet precies waar het is. We zijn daar allemaal op school geweest, de Carters en ik. Het is heel exclusief en heel erg duur.'

'Hoe kan Brittany zich dat veroorloven?'

'Goeie vraag. De Carters hebben ervoor gezorgd dat ik erheen kon en ik had een beurs.' Waar mevrouw Carter vermoedelijk voor had gezorgd, waarvoor eeuwig dank. 'Caleb misschien ook wel. Doe me een lol.' Hij gaf haar zijn mobieltje. 'Zoek hun nummer en bel de administratie. Vraag naar mevrouw Keever en zeg dat ik aan de lijn ben. Zet dan de bluetooth aan, dan kan ik handsfree bellen.'

Hij reed stevig door terwijl zij deed wat hij haar had gevraagd. Toen het telefoontje werd beantwoord kreeg hij een warm gevoel bij het horen van de stem van mevrouw Keever. 'Hoe gaat het met u?'

'Ik ben er nog. Zit je in moeilijkheden, jongeman?'

Hij grinnikte. Dat was wat ze altijd zei wanneer hij bij haar op het matje moest komen. 'Nee, mevrouw,' antwoordde hij. Hij was een modelleerling geweest. Model-alles. Alleen maar om zijn moeder trots te laten zijn. Om haar weer te laten glimlachen. 'Het gaat al heel lang heel goed.'

'Blij dat te horen. Hoe gaat het met je moeder?'

'Uitstekend. Mevrouw Keever, ik heb uw hulp nodig. Hooft u een leerling die Caleb Jones heet? Hij zit op de kleuterschool.'

'Je weet dat ik die informatie niet mag geven, Grayson.'

'Ik zou het niet vragen als het niet heel erg belangrijk was. Ik probeer zijn moeder te pakken te krijgen. Het kan zijn dat ze in gevaar verkeert, mevrouw Keever.'

Hij hoorde haar zuchten. 'Ja,' zei ze. 'Hij zit bij ons op school.'

'Ik vermoed dat zijn moeder onderweg is om hem op te halen. Wilt u haar aan de praat houden tot wij er zijn?'

'Grayson, wat is er allemaal aan de hand?'

'Dat is een te lang verhaal om nu te vertellen. Wilt u haar alstublieft daar houden? Ik ben er binnen een kwartier.'

'Goed dan. Maar ik verwacht wel een verklaring.' Ze verbrak de verbinding.

'Ze houdt Brittany daar,' zei Grayson tegen Paige.

'Mooi. Brittany heeft tegen de buurvrouw gezegd dat de privéschool belangrijk was voor haar zus. Ik vraag me af of ze een privéschool in het algemeen bedoelde of St. Leo in het bijzonder.'

'Als ze een privéschool in het algemeen bedoelde, dan waren er heel wat goedkopere scholen te vinden.'

'Maar hij zit op de kleuterschool,' zei Paige. 'Waarom überhaupt zo veel geld uitgeven?'

Het verkeerslicht sprong op groen en hij reed zo snel als het verkeer toeliet terwijl hij zich ergerde aan de langzame rijders. 'Sommige mensen denken dat het een opstapje is voor hun kinderen.'

'Ik was al blij dat ik naar school kon, punt. Nou, nee, dat is niet echt waar. Ik had de pest aan school.'

'Dat is jammer. Ik vond het geweldig.'

'Dat geloof ik graag. Ik durf te wedden dat je nooit in de problemen bent geraakt.'

'Nee. Nooit.' Zijn telefoon ging over en hij tikte tegen zijn oortje. 'Met mevrouw Keever. Calebs moeder is al vertrokken.'

'Wat? Hoe kan dat?'

Naast hem slaakte Paige een diepe zucht. 'Kut,' mompelde ze.

'Ik heb haar net gemist,' zei mevrouw Keever. 'De receptie zei dat ze Caleb voor het einde van de les heeft afgehaald. Ze zei dat ze naar een afspraak moest. Ze zag er... gestrest uit. Meer dan anders.'

'Ziet ze er meestal gestrest uit?'

'Ze is een werkende, alleenstaande moeder. Ze zet hem af als haar dienst op haar werk erop zit en als ze hem weer ophaalt lijkt het alsof ze niet voldoende heeft geslapen en dan gaat ze weer naar haar werk.'

'Hoe wordt Calebs schoolgeld betaald?'

'Grayson,' zei mevrouw Keever kortaf. 'Informatie over financiën is strikt vertrouwelijk.'

'Ze verkeert in gevaar, mevrouw Keever. Ze is betrokken bij een oude zaak, een zaak waarin een heleboel mensen die ermee te maken hebben op dit moment worden vermoord.'

'O hemel. O mijn hemel.' Ze zweeg even. 'Dit heeft te maken met de vrouw met wie je gisteren in die garage was, hè?'

'Ja, mevrouw. Wilt u me alstublieft vertellen hoe het zit met het schoolgeld?'

Ze slaakte opnieuw een diepe zucht. 'Hij heeft geen beurs. Ze betaalt alles uit eigen zak.'

'Wauw. Hoeveel is het schoolgeld tegenwoordig?'

'Vijfendertigduizend per jaar, boeken en toeslagen inbegrepen.'

Grayson slikte. 'Dat is veel geld voor een alleenstaande moeder. Hoe doet ze de betalingen?'

'Ze schrijft elke maand een cheque uit. Ze had een beurs aangevraagd en het zag ernaar uit dat Caleb ervoor in aanmerking zou komen, maar het is op het laatste moment afgeketst. Ik weet niet waarom, maar als het toelatingscomité erachter is gekomen dat ze over contant geld beschikte, dan zou dat de reden kunnen zijn geweest. Ze heeft voor het komende jaar opnieuw financiële steun aangevraagd. De aanvraag heb ik hier in haar dossier.'

'Heeft ze het gekregen?'

'Maar twintigduizend. Ze hebben aangetekend dat ze in staat was vijftienduizend te betalen. En ik word niet geacht je dit allemaal te vertellen. Dus breng me niet in verlegenheid, Grayson Smith.'

'Dank u, mevrouw Keever. Als iemand langskomt die naar haar op zoek is, bel me dan. Bij nader inzien, bel eerst de politie. Vraag naar rechercheur Mazzetti van Moordzaken. Bel dan mij.'

'Wie kan ik verwachten?' vroeg mevrouw Keever. Ze klonk opgewekt, maar hij hoorde een lichte ondertoon van angst.

'Ik weet het niet. Als ik het wist, zou ik het zeggen.'

Paige trok aan zijn mouw. 'Vraag haar of Rex McCloud daar op school heeft gezeten.'

Daar had ik aan moeten denken. 'Mevrouw Keever, heeft Rex McCloud ooit op St. Leo gezeten?'

'Ja, dat klopt.'

Haar snelle antwoord verraste hem. 'Dat is meer dan tien jaar geleden. Hoeft u dat niet op te zoeken?'

'Nee, ik kan me hem heel goed herinneren. Hij heeft hier van de kleuterschool tot de middelbare school gezeten. Toen werd hij... van school gehaald en ergens anders geplaatst.'

De korte pauze was veelzeggend. 'Is hem verzocht om te vertrekken?'

'Dat heb ik niet gezegd en ik kan ook niet meer vertellen. Alleen dat ik nou niet bepaald steil achteroversla van het feit dat zijn naam opduikt in een gesprek als dit.'

'Ik begrijp het. Dank u, mevrouw Keever. Ik waardeer dit zeer.'

'Doe je moeder de groeten van me.'

Hij verbrak de verbinding en keek naar Paige. 'Goed idee om naar Rex te vragen. Hij is van school gestuurd.'

'Interessant, maar niet echt schokkend. Waar gaan we nu naartoe?'

'We moeten Mal zien te vinden, die kabeljongen. Ik wil weten waarom Brittany deze dingen heeft uitgekozen om aan ons te geven.' Op het volgende kruispunt maakte hij rechtsomkeert. 'Bel mijn assistente, Daphne Montgomery, op haar mobieltje. Ik praat weer handsfree met haar.'

'Grayson,' riep Daphne uit toen ze opnam. 'Waar zit je?'

'Ik rij rond in de stad. Om na te denken.'

'Ik ben niet op kantoor, dus je kunt vrijuit spreken.'

'Mooi. Heb je gehoord wat er is gebeurd?'

'Ik heb gehoord dat je om overplaatsing hebt gevraagd. Ik wist dat het flauwekul was, maar ik heb alleen maar geglimlacht en hallo gezegd tegen de nieuwe jongedame. Ze is overigens dol op mijn vruchtengebak, maar dit terzijde.'

'Ik zal nooit meer kwaadspreken over je vruchtengebak,' beloofde hij. 'Ben je bereid wat dingen voor me uit te zoeken?'

'Hangt ervan af,' zei Daphne op haar hoede. 'Wat wil je precies weten?'

'Ik moet een man zien te vinden die voor de kabelmaatschappij werkt. Hij heet Mal en hij gaat met Brittany Jones. Zij is de zus van Crystal Jones, het slachtoffer in het Muñoz-proces. Meer weet ik niet.'

'Ooo-keee,' zei ze langgerekt. 'Mag ik ervan uitgaan dat Muñoz echt onschuldig was?'

'Waarom zou je daarvan uitgaan?' vroeg hij op zijn hoede.

'Misschien omdat ik niet achterlijk ben? Elena Muñoz is vermoord nadat ze om een nieuw proces voor haar echtgenoot had verzocht. De vrouw die haar probeert te redden – een privédetective volgens de media – wordt een paar uur later bijna vermoord. Gisteravond is er opnieuw een schietpartij en jij bent erbij. Nu vraag je om informatie over de zus van het slachtoffer. Je hebt de zaak heropend.' Ze haalde diep adem. 'En dat wil Anderson niet hebben. Daarom heeft hij je overge-plaatst. Wat heeft die kleine klootzak gedaan?'

Grayson zuchtte. 'Dat weet ik nog niet... precies. Als je er niet bij betrokken wilt raken, dan begrijp ik dat. Geloof me.'

Ze deed er een moment het zwijgen toe. 'Voor welke kabelmaat-schappij werkt Mal?'

Dankbaarheid en respect vermengden zich met een stuk frustratie. 'Dat heb ik vergeten te vragen.'

'Maak je geen zorgen. Ik kom er wel achter en dan zal ik de infor-matie naar je sms'en.'

'Ik mis je nu al, Daphne.'

'Dat is je geraden ook. Ik ga er meteen achteraan zodra ik een hand-tekening krijg onder JD's dwangbevel voor de video van Radcliffe. Dat wil ik gedaan hebben voor de nieuwe baas arriveert.'

'Fijn plan. Ik ben overigens niet van plan om overgeplaatst te blij-ven.'

'Blij dat te horen. Ik heb al je spullen bij elkaar gezocht en in mijn kofferbak gestopt. Anderson stond erop dat je kantoor zo snel mogelijk ontruimd werd.'

Hij werd opnieuw zo woedend op Anderson dat zijn bloed weer begon te koken. 'Bedankt, Daphne.'

'Graag gedaan. Wees voorzichtig, Grayson.'

'Zeker weten. Bel me als je de volledige naam van Mal hebt, oké?' Hij hing op en reed door terwijl hij zich op de weg concentreerde in plaats van op de woede die vanbinnen borrelde. *Als dit allemaal achter de rug is, dan pak ik Anderson bij zijn donder.*

'Waar gaan we heen?' vroeg Paige.

Hij wierp een blik op haar. 'Pardon?'

'Waar. Gaan. We. Heen? Dat heb ik al drie keer gevraagd, maar je bent compleet van de wereld.'

'Sorry. Gedoe op kantoor.'

'Je baas die wist dat Ramon onschuldig is?'

'Ja. Hij heeft mijn kantoor al laten leeghalen.'

Ze fronste haar voorhoofd. 'Die man wil je echt uit de weg hebben. Weet je, ik was zo kwaad omdat hij wist dat Ramon onschuldig is, dat ik helemaal niet heb nagedacht over wat dat allemaal betekent. Hoe wist hij dat Ramon erin was geluisd? Waarom heeft hij dat spelletje meegespeeld? Wat schoot hij daarmee op?'

'Dat heb ik me allemaal ook al afgevraagd,' antwoordde Grayson. En tot dusverre had dat in niets anders geresulteerd dan hernieuwde woede. 'Ik denk geld. Misschien macht.'

'Geld is gemakkelijker te achterhalen. Ik kan wat dingen natrekken. Zien te achterhalen hoe hij er financieel voor staat en of hij de afgelopen vijf jaar grote leningen heeft afbetaald.'

'Niet zonder gerechtelijk bevel. Serieus,' zei hij kortaf toen ze begon te protesteren. 'Als we zonder bevel gaan zoeken, dan kunnen we niks gebruiken van wat dat oplevert. En ik wil dat hij boet. Hij heeft misschien geweten dat Elena Muñoz me vorige week is komen opzoeken. Verdomme, hij kan wel betrokken zijn bij de moord op haar. Als dat zo is, dan wil ik hem voor de rechter hebben. Ik weiger risico's te nemen. We doen dit volgens het boekje.'

Ze slaakte een diepe zucht. 'Ik dacht wel dat je dat zou zeggen. We weten in ieder geval dat hij niet die man was die gisteravond tegen je heeft gesproken. Anderson is te oud en te mager. Maar hij kan wel degene zijn die Sandoval heeft betaald. Hij heeft de juiste bouw. Ik heb niet op zijn handen gelet, want hij maakte geen aanstalten mij een hand te geven. Laat je baas zijn handen manicuren, zoals die vent op de foto? Draagt hij een ring?' vroeg ze hoopvol.

'Zijn handen zijn me eerlijk gezegd nooit opgevallen. Ik kan me niet herinneren of hij een pinkring draagt.'

'Die foto is zes jaar geleden genomen. Misschien draagt hij de ring niet meer.'

'Misschien,' gaf hij toe. 'Het zou kunnen dat hij de man op de foto is. Dat wordt verrekte lastig om te bewijzen. Als hij het is, dan betwijfel ik of het geld waarmee hij Sandoval afbetaalde uit zijn eigen zak kwam. Dat kwam van degene die Crystal die avond werkelijk heeft vermoord of van iemand die de dader probeert te beschermen.'

Ze beet nadenkend op haar lip. 'Gelooft hij echt dat jij door die overplaatsing ophoudt met het onderzoek?'

Nee, dacht hij. *Hij denk dat ik ophoud omdat hij mijn moeder en mij dreigt met ontmaskering.* 'Blijkbaar wel.'

'Stel dat hij betrokken is bij de moord op Elena,' zei Paige, 'wat zal hij dan doen als hij erachter komt dat je nog steeds onderzoek doet?'

Zijn nekharen gingen overeind staan. 'Als hij erbij betrokken is, dan zullen we dat moeten bewijzen. We moeten alles bewijzen. En dat betekent nog steeds dat we moeten weten wie Crystal heeft vermoord, dus voorlopig gaan we op dezelfde voet verder.'

Ze keek hem indringend aan. Het was haar niet ontgaan dat hij haar andere vraag niet had beantwoord, wat Anderson zou doen. Als Anderson iets met de moord te maken had, dan kon hij gevaarlijk zijn. Maar dan nog zouden ze op dezelfde voet verdergaan. Ze waren al voorzichtig en op hun hoede voor sluipschutters en kooivechters.

'En als we bewijs hebben?' vroeg ze.

'Dan zal hij op zijn minst worden geroyeerd. Hopelijk moet hij dan de bak in. Als hij werkelijk iemand heeft vermoord, dan gaat hij voor heel lang achter de tralies.'

Ze knikte tevreden. 'Nou, waar gaan we heen?'

Hij besefte dat hij geen idee had. 'Daphne is op zoek naar Mal de kabelman. De volgende op de lijst was Betsy, toch? Stoeipoes met cup A wordt keurige, afgekickte vrijwilligster met cup D.'

'Mannen herinneren zich altijd de omvang van de boezem. Betsy werkt in de buitenwijken. Ga de I-95 op en dan zal ik je verder de weg wel wijzen. Vertel eens, hoeveel is het schoolgeld voor die chique tent?'

Hij aarzelde. Toen hij het vertelde zakte haar mond open van verbazing.

'Dat méén je niet. Vijfendertigdúízend? Voor een stomme kleuterschool? Waarom was dat zo belangrijk voor Brittany? En voor Crystal? Wat kan hun dat nou schelen?'

'Het "waarom" is een goede vraag. De Carters hebben hun kinderen daarheen gestuurd omdat mevrouw C. op St. Leo heeft gezeten. Mijn moeder wilde alleen maar dat ik een goede opleiding kreeg.' En ze wilde dat hij buiten het zicht van de camera's bleef. 'Sommige mensen sturen hun kinderen daar naartoe vanwege de beveiliging.' Hij zag vanuit zijn ooghoek hoe ze hem nat te beoordelen.

'Wat voor beveiliging?'

'Er staan hoge muren om het complex,' zei hij. 'Stevige poorten, onopvallende, gewapende bewakers. Rijke mensen zijn altijd bang dat hun kinderen worden ontvoerd. Beroemdheden zijn op hun hoede voor paparazzi.'

'Denk je dat Brittany zich zorgen maakte om Caleb?'

'Misschien. Als ze het schoolgeld voor dit jaar en het volgende heeft betaald heeft ze er vijftig mille voor uitgegeven.' Hij had de woorden nog niet gesproken of hij zag de foto van de cheque voor Sandoval voor zich.

'Het bedrag dat Sandoval betaald kreeg van de mysterieuze man. Toeval?'

'Kan ik me niet voorstellen. Ik geloof dat Brittany niet helemaal eerlijk was tegen ons wat betreft het bedrag dat ze had gekregen. Ze deed gewoon een beetje te...'

'Bang,' zei Paige. 'Ik vroeg me af waarom ze haar niet meteen hebben bedreigd. Haar geld geven en dan beloftes niet nakomen slaat gewoon nergens op. Ze begon alleen over dat beschermen van haar baby om jou af te leiden.'

'Dat weet ik. Ik zag die berekenende blik in haar ogen. Dat komt vaker voor wanneer mensen het hele verhaal of een deel ervan uit hun duim zuigen. Laten we daar eens van uitgaan. Er wordt na Crystals dood contact met haar opgenomen en ze wordt betaald om haar mond te houden. Ze nam het geld aan. Ze kan niets hebben uitgegeven, want ze heeft al voor St. Leo betaald en moet straks nog eens vijftienduizend ophoesten.'

'Dat wil er bij mij nog steeds niet in,' mompelde Paige. 'Het is maar een kleuterschool. Hoe wil ze dat in de toekomst gaan doen?'

'Een beurs aanvragen, vermoed ik. Als haar geld eenmaal op is, dan kom Caleb daar wel voor in aanmerking.'

'Maar het sláát nergens op.' Haar wenkbrauwen kwamen samen in een diepe frons. 'Waarom juist dié school? Mijn gevoel zegt dat het feit dat Rex McCloud daar ook op school heeft gezeten er iets mee te maken heeft. Maar wat precies weet ik niet. Nog niet.' Ze wreef over haar voorhoofd. 'Oké, laten we hier eens verder over filosoferen... Ze zet het geld weg en leeft van, wat? Haar parttimebaantje bij Mc-Donald's? Dacht het niet. Ze heeft kans gezien haar papieren voor verpleeghulp te halen en ze betaalt de huur van dat huis waar we net waren.'

'Hoe weet je dat?'

'Ik heb haar vorige week nagetrokken. Ik was van plan met haar te gaan praten toen het nog steeds een pro-Deozaak was voor Maria.'

'Wil je zeggen dat Maria en Elena je niet betaalden?'

'Waarvan? Ze konden de eindjes maar nauwelijks aan elkaar knopen. Dat is de reden dat het allemaal zo lang geduurd heeft. Ik kon alleen aan de zaak werken als ik tijd overhad na al die andere zaken van Clay.

O, hij zei dat hij vannacht wel op me kan passen. Hij komt om een uur of tien naar het Peabody.'

Grayson fronste zijn wenkbrauwen. 'Geweldig.'

'Ik doe wat me wordt opgedragen, meneer de officier,' zei ze zacht.

'Dat weet ik.' Hij verfoeide de jaloezie die aan hem knaagde. 'Dat wil nog niet zeggen dat ik het leuk vind.'

Paige keek naar buiten. 'Waar leefde Brittany van nadat Crystal was overleden?'

Hij dwong zich weer zich op de zaak te concentreren. 'Niet van dat parttimebaantje bij de Mac. Bovendien zou het lastig zijn om te werken met een baby. Waarom zou ze ons die afschriften hebben gegeven?'

'Ik denk dat we daar antwoord op krijgen als we haar hebben opgespoord. Misschien gaat ze vanavond gewoon werken.'

Hij wilde weer op het stuur rammen, maar hij hield zich in. 'We hebben niet gevraagd in welk verpleeghuis ze werkt, ervan uitgaande dat ze ons daar de waarheid over vertelde.'

'Ze moet haar werkgever hebben opgegeven in de formulieren die ze voor Calebs school heeft moeten invullen, zeker toen ze financiële steun aanvroeg. We zouden jouw mevrouw Keever nog eens kunnen bellen.'

'Doe ik.' Hij keek boos toen hij werd doorgeschakeld naar de voicemail. 'Misschien is ze klaar voor vandaag.'

Paige haalde haar laptop uit haar rugzak. 'Dan bel ik alle verpleeghuizen af tot ik haar heb gevonden.'

13

Betsy Malone zag er een stuk ouder uit dan ze in werkelijkheid was, vond Paige. De vrouw die toen ze begin twintig was alleen maar had gefeest, liep nu tegen de dertig, maar ze zag eruit als veertig. Ze ging hun voor naar een klein vertrek in de afkickkliniek waar ze als vrijwilligster werkte.

Ze deed de deur dicht. 'Hier worden we niet gestoord.'

'We zijn hier om met je over Rex McCloud te praten,' begon Grayson toen ze waren gaan zitten.

Betsy's ogen werden groot. 'Met betrekking tot wat precies?' vroeg ze op haar hoede.

'Het heeft niets te maken met je aanhoudingen wegens drugsbezit,' zei hij en ze keek opgelucht. 'Ik wil het hebben over de avond van het zwemfeest waarop een jonge vrouw werd vermoord. Crystal Jones.'

Betsy's schouders leken te gaan hangen. 'Oké.'

'Wat is er gebeurd op de avond dat ze is vermoord?' vroeg Paige.

'Daar kan ik me niet veel meer van herinneren. Rex en ik waren stoned. Ik kan me Crystal vaag herinneren. Ik weet nog wel goed dat Rex pissig was, omdat hij had gehoopt dat ze mee zou doen, maar ze ging weg. Hij had die avond een hoop mannelijke gasten en zij maakte deel uit van zijn feestplannen. Ik heb niet veel aandacht aan haar besteed. Ik was net... nou ja, ik was net bijgewerkt.'

'Je had net je implantaten gekregen,' merkte Paige neutraal op. 'Voor je eenentwintigste verjaardag. Ik heb je pagina op Myspace gezien.'

Ze lachte ongelovig. 'Is die nog steeds in de lucht? Ik zal er uit nostalgische overwegingen nog eens naar kijken. Ja, ik had net toestemming van de dokter gekregen om het zwembad in te gaan.'

'Is Rex die avond het zwembad wel eens uit gegaan?' vroeg Grayson.

'Een paar keer. Ik begreep er niets van dat jullie zijn alibi geloofden.'

'We hadden een video van het feest,' legde Grayson uit. 'Hij had de hele avond het zwembad niet verlaten.'

Betsy schudde haar hoofd. 'Dat is onmogelijk.'

'We zijn er nog maar pas achter gekomen dat de video niet is gemaakt op de avond van het feest. Het was een andere avond,' zei Paige. 'Voor je operatie.'

'Kom ik erin voor?' Betsy wendde vol afschuw haar blik af. 'Waar was ik mee bezig?'

'Met Rex,' zei Paige droog en Betsy's wangen werden vuurrood.

'Laten we ons op die avond in het algemeen concentreren,' kwam Grayson tussenbeide, 'en niet op jou in het bijzonder.'

Betsy haalde opgelucht adem. 'Dat lijkt me uitstekend. Graag.'

'Heb je Ramon Muñoz daar die avond gezien?' vroeg Paige.

'Misschien wel, maar ik kende hem niet. Ik herinner me nog dat ik achteraf vond dat Rex mazzel had gehad dat ze de dader te pakken hadden gekregen, want het zou anders voor hem niet zijn meegevallen om zijn onschuld aan te tonen.' Betsy zweeg en fronste haar voorhoofd. 'Maar jullie hebben de dader niet te pakken gekregen, hè?'

'Je lijkt niet erg verrast,' reageerde Grayson.

Ze zuchtte. 'Ik denk omdat ik me altijd heb afgevraagd of Rex het had gedaan.'

'Je zei dat hij bij het zwembad was weggegaan,' zei Grayson. 'Wanneer en waarom en hoelang?'

'Hij ging een paar keer weg om nog een lijntje coke te snuiven. Een keer zei hij dat hij op zoek ging naar die "slet van een Amber". Zo zei ze die avond dat ze heette. Ze noemde zich toen niet Crystal.'

'Was hij kwaad genoeg om Crystal te wurgen en neer te steken?' vroeg Grayson.

'Dat weet ik niet. Hij was kwaad, maar Rex gedroeg zich nooit gewelddadig. Hij was eerder geneigd tot zelfmoord. Hij haatte zichzelf, haatte zijn familie. Het zag er van de buitenkant allemaal perfect uit, maar het was een behoorlijk gestoord stelletje. Ik bedoel, moet je eens naar de feesten kijken die ze tolereerden.'

'De senator en zijn vrouw zeiden dat ze niets van die feesten afwisten,' zei Grayson tegen haar. 'Ze zeiden dat ze die avond lagen te slapen. De stiefvader ook. De moeder was de stad uit.'

'Rex zei dat ze precies wisten wat er gebeurde. Maar hij zei natuurlijk van alles wanneer hij stoned was.' Ze haalde haar schouders op. 'Mijn ouders lieten zich misschien niet veel aan me gelegen liggen, maar niet zoals bij Rex. Toen mijn ouders erachter kwamen dat ik drugs gebruikte, hebben ze me meteen de afkickkliniek in geschopt. Tot vier keer toe. Uiteindelijk is het gelukt. Rex had niet die mazzel. Zijn moeder was voortdurend op reis en zijn stiefvader speelde eigenlijk helemaal geen rol in zijn leven. Rex groeide voornamelijk op met zijn grootouders.'

Paige kon geen sympathie opbrengen voor Rex McCloud. 'Hoelang kenden jullie elkaar?'

'Vanaf dat we klein waren. Rex probeerde altijd indruk te maken op zijn grootouders, maar zo dol waren ze nou ook weer niet op hem. Tijdens zijn eerste jaar op de middelbare school begon hij rare dingen te doen en toen werd hij weggestuurd. Uiteindelijk is hij naar de militaire academie verbannen. Toen hij thuiskwam en aan de universiteit ging studeren, wilde hij alleen maar lol maken. Hij feestte veel en wild.'

'Je zei dat er een heleboel knullen waren die avond,' zei Grayson. 'Hoeveel?'

'Meer dan anders. Misschien wel twee keer zo veel.'

Paige haalde haar notitieboekje tevoorschijn. 'Herinner je nog namen?'

'De meesten had ik nog nooit eerder ontmoet. Er was er een die Grant heette. Een die ze Bear noemden.' Ze trok een gezicht. 'Heel harig.'

Paige keek op van haar notitieboekje. 'Grant, Bear, verder nog iemand?'

'Het gebruikelijke stel. TJ was er en Brendon en Skippy. En een paar jongens uit Georgetown die ik me niet kan herinneren. Het is allemaal zes jaar geleden en ik was hartstikke stoned. Krijg ik problemen omdat ik gelogen heb over Rex' alibi?'

'Dat weet ik niet,' zei Grayson. 'Misschien. Het was een stuk beter geweest als je toen de waarheid had verteld. Een man heeft misschien zes jaar in de gevangenis gezeten voor een moord die hij niet heeft gepleegd.'

Betsy kromp ineen. 'Het spijt me. Ik heb een hoop fouten begaan toen ik stoned was. Ik weet niet hoe ik dat goed kan maken.'

'Dat kun je niet,' antwoordde Paige scherp. Ze voelde Graysons schoen langs haar enkel strijken en ze beet op haar tong om te voorkomen dat ze nog meer zou zeggen.

'Kun je ons verder nog iets vertellen?' vroeg Grayson.

Betsy schudde verdrietig haar hoofd. 'Nee. Niets over die avond.'

Paige dacht aan de envelop van Brittany. 'Heb je enig idee wat een "MAC" is?'

Betsy keek verward op. 'Een computer?'

'Nee, van "I'm a MAC, Loud and Proud".'

'Nee. Dat heb ik nog nooit eerder gehoord. Het spijt me.'

Grayson kwam overeind. 'Dank je voor je tijd. We waarderen dat zeer.'

Paige ziedde stilletjes van woede terwijl ze terugliepen naar Graysons auto. Ze ging zitten en deed haar gordel om.

Hij startte de auto. 'Vooruit maar. Gooi het eruit.'

'Het was allemaal "arme, arme Rex" en "arme, arme ik". Geboren in het juiste nest en ze vergooit al haar kansen. Ramon werkte hard, bouwde een leven op voor zichzelf en zijn familie en hij wordt beschuldigd, terwijl zij... naakt feestvieren met studentikoze types als TJ en Brendon en Bear. En Skippy,' spoog ze. 'Wat voor moeder noemt haar zoon in vredesnaam Skippy?'

'Meestal is de geboortenaam van een Skippy echt stoffig en eindigt die op "de Vierde".' Grayson wierp een blik in haar richting. 'Jij had niets toen je opgroeide, hè? Ik bedoel, in materieel opzicht.'

'Nee, omdat ik een moeder had die liever zichzelf volspoot dan mij te eten te geven.' Ze hield zichzelf voor dat ze haar kóp moest houden, maar de woorden bleven komen. 'Toen ik zo oud was als Caleb Jones hielp ik mee de boel op te lichten, het lieve kindje dat naar binnen werd gestuurd en om haar mammie huilde. Ik leidde het slachtoffer af terwijl mijn moeder en haar neukvriendje *du jour* hem kaalplukten. Als ik een miljoenste deel had gehad van wat die klootzakken in hun rijke neuzen stopten, dan zou ik niet elke avond met honger naar bed zijn gegaan.' Ze haalde diep adem en liet die weer ontsnappen. 'Het spijt me. Dat was veel te veel informatie.'

'Ik vermoedde al iets dergelijks,' zei hij kalm. 'Niet die oplichterij, al heb ik dat vaker gehoord. Wat is er toen gebeurd?'

'Wat bedoel je?'

Hij keek haar een kort ogenblik aan. 'Hoe ben je zo geweldig geworden?'

Zijn vraag trof haar met volle kracht en ze kreeg tranen in haar ogen, waarvoor ze zich schaamde. Ze draaide haar gezicht naar het raampje en concentreerde zich op de fraaie bomen die de weg omzoomden. 'Mijn opa.'

'Heeft hij je gered?'

'Ja. Ik was acht en ik was al maanden niet naar school geweest. Hij was naar me op zoek geweest vanaf het moment dat mijn moeder me de laatste keer had meegenomen.'

'Logeerde je vaker bij hen?'

'Ja. Wanneer mijn moeder me niet meer kon luchten of zien.' Haar woorden klonken bitter, maar dat kon Grayson niet schelen. 'Ze kwam me weer halen als ze "me miste".'

'Als ze je nodig had voor haar zwendel.'

'Ja. Ze liet me een keer in de zomer achter bij mijn grootouders en ze kwam niet opdagen toen de school weer begon. Mijn oma heeft me ingeschreven op school. Ik was... gelukkig. Toen kwam mijn moeder op een dag en haalde me vroeger uit school. Ze nam me mee en er gingen maanden voorbij. Ik dacht dat niemand me zou komen halen, maar mijn opa had een privédetective in de arm genomen om haar te vinden. Ik zag hem niet komen.'

'Verwachtte je niet dat hij zou komen?'

'Nee, ik zag hem fysiek niet aankomen. Ik had honger en zat in een vuilnisbak te snuffelen. De buren gooiden soms verrekt goeie dingen weg.'

Er trilde een spiertje in Graysons kaak. 'En toen?'

'Hij nam me in zijn armen en zei *"Skatten min"*. Dat betekent "mijn schat", en hij zei dat altijd wanneer hij me instopte. Toen wist ik dat alles goed zou komen.'

Grayson moest een paar keer slikken voor hij een woord kon uitbrengen. 'Heeft hij je mee naar huis genomen?'

'Ja. Mijn oma en hij wilden me adopteren en mijn moeder stemde ermee in.'

'Heb je hun naam aangenomen? Holden klinkt niet erg Noors.'

'Dat is het ook niet. We waren Westgaards. Mijn moeder trouwde toen ik nog een baby was en veranderde mijn naam ook. Ik was altijd van plan geweest hem terug te veranderen zodra ik achttien was, maar tegen die tijd hield ik me bezig met vechtsport en mijn naam betekende toen al iets.'

'Je hield van je grootouders,' zei hij zacht, alsof hij zichzelf gerust wilde stellen.

'O, zeker. De hemel weet dat ik ze de helft van de tijd niet verdiende. Ik was een lastig kind.'

'Hoe lastig?'

'Ik raakte altijd in moeilijkheden omdat ik niet wist hoe ik met normale mensen moest omgaan. Ik heb meer dan eens het hart van mijn grootouders gebroken. Opa bracht me in aanraking met karate. Hij had op tv over een man gehoord die wonderen verrichtte met kinderen die niet wilden deugen. Opa maakte me lid. Hij verkocht een paar meubels om mijn lessen te kunnen betalen. Ik denk dat hij me toen opnieuw heeft gered.'

'Ik weet zeker dat hij vond dat je de investering waard was.'

Ze slikte moeizaam. 'Hij heeft lang genoeg geleefd om te zien dat ik op mijn pootjes terechtkwam. Maar hij heeft nooit meegemaakt dat ik een toernooi won. Oma was er wel, zo vaak ze maar kon. Ik weet dat rijke kinderen ook zo hun problemen hebben, maar om zo veel weg te gooien voor zo weinig...'

'Geld kan ervoor zorgen dat je dingen te gemakkelijk krijgt.'

Ze schudde haar hoofd. 'Dat wil er bij mij niet in. Jij had toch ook geld en je ging niet naakt feestvieren in een zwembad en coke snuiven alsof het niks kostte. Of wel soms?'

'Nee, absoluut niet,' zei hij, geschokt bij de gedachte alleen al. 'Mijn moeder zou me voor de rest van mijn leven huisarrest hebben gegeven.' Hij dacht even na. 'Of nee. Het zou haar hart hebben gebroken als ik was losgeslagen en ik had te veel respect voor haar om het zelfs maar te overwegen.'

Ze voelde een steek van verlangen. Hij was een goede man. *Die je achter je zult moeten laten wanneer dit allemaal voorbij is.*

'En wíj hadden geen geld,' voegde hij eraan toe. 'We woonden bij de Carters en zíj hadden geld. Zij waren, en zijn nog steeds, ongelooflijk gul. Ik had geluk. Maar je hebt gelijk. Rijk of arm, mensen maken keuzes. Slechte keuzes hebben gevolgen. Dat is tenminste hoe het zou moeten zijn. Dat is de reden dat ik doe wat ik doe.'

Het knagende gevoel maakte plaats voor fysieke pijn. Dit was het soort man waar ze op had gewacht... altijd al. 'Je had inderdaad geluk,' zei ze. 'Je had een moeder die van je hield. Die je opgevoed heeft tot een fatsoenlijke vent. Meer kun je niet wensen.'

Hij hield zijn blik strak naar voren gericht en leek niet meer te bewegen. 'Dat is waar.' Hij deed er lange tijd het zwijgen toe. 'Ik geloof dat het tijd wordt dat we eens met Rex McCloud gaan babbelen.'

Ze knipperde met haar ogen, verrast door de plotselinge verandering van onderwerp, maar meer nog door de ernst waarmee hij het zei. 'Je zei dat hij huisarrest heeft. Waar? Op het landgoed?'

'Nee. De familie heeft een gebouw in de stad. Voornamelijk kantoren en een paar penthouses. Rex zit daar. We hebben de navigatie niet nodig. Ik weet waar het is.'

Woensdag 6 april, 18.15 uur

Er werd een martini bij zijn elleboog gezet. 'Ik hoop dat u een productieve dag heeft gehad, meneer.'

'Dat heb ik inderdaad.' Een paar oren en ogen op de juiste plek hadden hem duidelijk gemaakt dat meneer Grayson Smith twee kamers had geboekt in het Peabody Hotel. Hij was later gezien toen hij samen met Paige Holden vertrok, die haar bagage in het hotel had achtergelaten. Nu wist hij waar ze vannacht zou zijn. Tot dusver was ze nog niet op zaken gestuit die hij niet kon regelen. Hij moest zich ervan verzekeren dat dat zo zou blijven.

'Kan ik verder nog iets voor u doen, meneer?'

'Nee. Dank je wel.'

De vrouw knikte en verliet op de ouderwetse manier achteruitlopend het vertrek. Ze was aanbevolen vanwege haar vaardigheden en discretie. Je wist nooit wat een bediende allemaal zag, dus betaalde hij voor hun zwijgen. Dat was een belangrijke les die hem was bijgebracht door iemand die door schade en schande wijs was geworden.

Hij had een paar slokjes van zijn martini genomen toen zijn zakelijke telefoon overging. Het was een gesprek dat was doorgeschakeld van een van zijn oude nummers. Een nummer van zes jaar oud, om precies te zijn. 'Hallo?'

'Hallo. Met Brittany Jones.'

Hij trok zijn wenkbrauwen op. 'Dat is al een tijdje geleden,' zei hij. Voor zover hij wist was ze braaf geweest en had ze de voorwaarden van hun overeenkomst tot de letter nageleefd. 'Wat kan ik voor je doen?'

'Ik heb informatie die u belangrijk zult vinden.'

Hij moest glimlachen. Die meid had lef. En hebzucht. Ze was zes jaar geleden een gemakkelijk doelwit geweest. Ze besefte dat ze een meer dan redelijke prijs voor haar zwijgzaamheid kreeg en lag daarom niet dwars. In tegenstelling tot Sandoval, die nooit tevreden was.

'Vertel maar wat je hebt, dan zeg ik wat het waard is.'

'Ik heb vanmiddag een bezoekje gehad van Grayson Smith en die vrouw die op tv was, Paige Holden. Ze zijn ervan overtuigd dat Ramon Muñoz mijn zus niet heeft vermoord.'

'En dat verbaast je?'

'Dat ze me opzochten? Ja. Dat Ramon Muñoz niet schuldig is? Nee. U zou me niet zo goed hebben betaald om mijn mond te houden als hij het wel had gedaan.'

'Wat heb je nu dat ik beslist moet weten?'

'U wist dat ze me zouden komen opzoeken, hè?'

'Het verbaast me niet. Ze hebben nu te maken met een oude zaak. Dat ze de naaste familie van het slachtoffer opnieuw ondervragen is volkomen logisch. Wat heb je verder nog?'

'Ik weet waar ze vanavond om elf uur zijn.'

Het tijdstip was zo nauwkeurig dat zijn nieuwsgierigheid geprikkeld werd. 'Waar?'

'Ik wil wel geld zien.'

'Waar bel je vandaan?'

'Uit een telefooncel. Die verrekte moeilijk te vinden was.'

'Heel slim.' Ze had het nummer gebeld dat hij haar vijf jaar eerder had gegeven voor noodgevallen. Dat ze het al die tijd bewaard had, sprak boekdelen. 'Ik zie wel kans je te betalen. Vertel me wat je weet en dan kunnen we een prijs afspreken.'

'Ze zijn vanavond om elf uur in verpleeghuis Carrollwood. Ze hebben eerder gebeld en bij de receptie naar me gevraagd. Ze deden zich voor als arts en wilden niet zeggen waar het over ging, maar zij waren het. Dat weet ik zeker. Ik heb ze een paar spullen van Crystal gegeven, waardoor ze met een heleboel vragen zitten.'

Hij fronste zijn voorhoofd. 'Wat heb je ze gegeven?'

'Bewijzen over een van Crystals oude slachtoffers. Ze chanteerde hem ten tijde van haar dood. Hij heeft haar niet vermoord, maar dat zal ze wel een tijdje bezighouden.'

Hij moest met tegenzin toegeven dat hij onder de indruk was. Ze was heel slim geworden. 'Wie was dat slachtoffer?'

'Hij heet Aristotle Finch. Hij woont in Hagerstown, waar Crystal is opgepakt wegens tippelen toen ze achttien was. Hij was een van haar vaste klanten.'

'Hoelang heeft hij betaald?'

'Tot het moment dat ze doodging. Nou, hoeveel is dit waard?'

'Tienduizend.'

'Twintig.'

Hij lachte. 'Je hebt me alles al verteld. Je hebt geen troeven meer.'

'Ik moet een zoon grootbrengen,' zei ze en haar toon veranderde van vriendelijk in bitter. 'Tienduizend extra betekent niets voor u. Voor mij betekent het op dit moment alles.'

'Ik zal je er twintig betalen, maar dan wil ik wel dat je nog iets voor me doet.'

'Wat?' vroeg ze achterdochtig.

'Ik wil dat je je vriendin in het verpleeghuis belt en zegt dat ze Smith en Holden als ze komen zo lang mogelijk binnen moet houden. Snap je dat?'

'Wat bent u van plan?' vroeg ze gealarmeerd.

'Precies wat je al dacht dat ik zou doen toen je me belde.'

'Als ik tegen mijn vriendin zeg dat ze ze daar moet houden en ze gaan daarna dood, dan weet ze dat ik erbij betrokken ben.'

'Je dacht toch niet dat je die tienduizend extra voor niets kreeg, hè?'

'Maak er vijfentwintig van vanwege die extra moeite en ik doe het.'

Hebzuchtige trut. 'Heb je nog steeds hetzelfde rekeningnummer?'

'Ja.'

Hij hoorde de opluchting in haar stem. 'Ik zal het regelen. O, en mevrouw Jones?' voegde hij er op vriendelijke toon aan toe. 'Hebzucht was heel erg slecht voor de gezondheid van je zus. Het zou toch jammer zijn als de zoon die je grootbrengt wees wordt.' Hij hing hoofdschuddend op.

Als ze dat kind niet had gehad, zou hij misschien overwogen hebben haar in dienst te nemen. Maar mensen gingen stomme dingen doen als ze kinderen hadden. Silas was daar een prima voorbeeld van. En hij betwijfelde of Brittany Jones zonder het kind ook voor het grote geld was gegaan. Ze werkte in een verpleeghuis. Dat was niet het gedrag van iemand die grootse plannen had.

Hij zocht op internet naar verpleeghuis Carrollwood. Het lag in een tamelijk landelijk gebied met een heleboel onbebouwd terrein in de directe omgeving. Veel heuvels. Heuvels waren goed voor wat hij in gedachten had. En een landelijk gebied was aantrekkelijker dan de drukte van het Peabody Hotel. In het Peabody hingen te veel camera's. Te veel personeel en te veel getuigen.

Hij nam een slokje van zijn martini terwijl hij zijn volgende telefoontje pleegde. 'Met mij.'

'Gaat het nog door?' vroeg Kapansky met schorre stem. Dat was zijn normale stem sinds zijn strottenhoofd bij een gevecht in de gevangenis beschadigd was geraakt. Kapansky beweerde dat vrouwen daarop vielen.

Hij dacht dat er bij Kapansky een paar steekjes los waren, maar de man had zijn nut. 'Ja, maar we kiezen een andere plek en er komt een gast bij.'

'Wie?'

'Kun je je ene Silas nog herinneren?'

Kapansky gromde. 'Ja. Elke godvergeten dag. Hij is degene die me in de bak heeft gesmeten. Hij heeft vijftien jaar van mijn leven gestolen.'

Dat had hij uiteraard geweten. Als je politiemensen op je loonlijst had staan, dan hield dat in dat je ook wist hoe je met hen moest afrekenen als dat nodig mocht zijn. Hij kende heel wat van de misdadigers die Silas achter de tralies had gekregen. Kapansky in het bijzonder was erg verbitterd. Dat, gecombineerd met zijn vaardigheden, maakte hem bijzonder geschikt voor dit karwei. 'Hoe zou je het vinden om hem uit te schakelen?'

Kapansky lachte, een schrapend geluid. 'Ik zou jóú betalen.'

Hij grinnikte. Dat had hij ook geweten. 'Ik hoopte al dat je geïnteresseerd zou zijn.'

'Waar?' wilde Kapansky weten. 'Wanneer?'

'Hopelijk vanavond. Ik bel je zodra ik het zeker weet.'

'Ik kan niet wachten. Mag ik hem eerst een beetje pijn doen?'

Hij grinnikte opnieuw. 'Zolang je het maar snel afhandelt en ervandoor gaat. En je moet dat andere karweitje ook opknappen. Silas is alleen maar de slagroom op de taart.'

'Dat eerste karwei komt in orde. Wat Silas betreft, dat wordt snel en buitengewoon pijnlijk.'

Hij dronk de rest van zijn martini. 'Uitstekend.'

Grayson liet de auto tot stilstand komen bij het trottoir voor het gebouw waar McCloud verbleef. Hij was klaar om aan de slag te gaan. Klaar om de waarheid uit Rex McCloud los te peuteren. Hij was het even kwijt geweest. Was een beetje stuurloos geweest. Het feit dat hij zo onderuitgehaald was door Charlie Anderson had hem erger geschokt dan hij zelf in de gaten had gehad.

Maar ik ben er weer, dacht hij. De uitbarsting van Paige had hem op de een of andere manier weer bij zinnen gebracht. Waarschijnlijk omdat ze zo erg gelijk had. Ze had nooit haar doel uit het oog verloren. Dit ging om Crystal Jones en Ramon Muñoz. Dat waren de werkelijke slachtoffers in deze zaak.

Wat de rest betrof... 'Die gaan er allemaal aan,' mompelde hij.

Paige keek op van haar laptop. 'Wat? Wie gaat eraan?'

Ze hadden tijdens de rit door het spitsuur gezwegen. Ze had zich in zichzelf teruggetrokken nadat ze hem deelgenoot had gemaakt van opnieuw een hartverscheurende episode uit haar leven. Ze had haar laptop uit haar rugzak gehaald en gemompeld dat ze op zoek ging naar MAC. Hij gunde haar even de ruimte.

Hij had genoeg om over na te denken. 'Iedereen die heeft gelogen over de moord op Crystal Jones of heeft geholpen Ramon Muñoz de schuld in de schoenen te schuiven. Iedereen die heeft geprobeerd de waarheid te verdoezelen of op de een of andere manier van de hele zaak heeft geprofiteerd.'

'Ook als de familie connecties heeft?'

Hij fronste zijn voorhoofd. 'De boom in met hun connecties.'

Ze knikte. 'Dat lijkt er meer op.'

Haar goedkeuring deed hem goed. 'Levert je zoekactie iets op?'

Ze keek hem vragend aan. 'Wat bedoel je?'

'Je zoekactie naar "I'm a MAC, Loud and Proud".'

'Nee,' zei ze. 'Er is niet veel te vinden over de campagne van senator McCloud. Ik heb ook op eBay gekeken. Soms worden daar politieke hebbedingetjes te koop aangeboden.'

'Dingen van plastic?'

'Iemand kan het in een doos hebben bewaard met een heleboel andere troep en zijn garage hebben opgeruimd. Het was het proberen waard. De slogan zelf is misschien helemaal niet belangrijk. Wat wel belangrijk is, is hoe Crystal het in bezit heeft gekregen. Zeker als ze het via Rex heeft gekregen.'

'Dat zullen we hem moeten vragen, nietwaar?'

'Ik denk het wel.' Ze deed haar laptop dicht en liet hem in haar rugzak glijden. 'Ik heb Winston Heights wel kunnen vinden, die school waar die ring van was. Die staat buiten Hagerstown, de plaats waar Crystal is gearresteerd wegens prostitutie.'

'De buurvrouw zei al dat ze dacht dat Brittany daar familie had.'

'Ze zei ook dat het geen hechte familie was. Aangezien die ring bij het chequeboek zat, zegt mijn gevoel dat hij met de prostitutie te maken heeft. Heb je al iets van Barb van de bank gehoord over op wiens naam die rekening van Crystal stond?'

Grayson keek op zijn telefoon. 'Geen sms'je van haar, maar het is nog maar twee uur geleden dat ik heb gebeld.' Hij had Paige gevraagd Barbs telefoonnummer in zijn adreslijst op te zoeken toen ze onderweg waren naar Betsy's kliniek. Dat Paige haar ogen had toegeknepen toen ze hoorde dat hij Barbs aanbod om iets te komen drinken afsloeg, was niet slecht voor zijn ego, moest hij toegeven.

'Denk je dat ze je nog steeds zal helpen nu je haar hebt afgepoeierd?'

'Ik denk het wel. Ze is trouwens een van Josephs ex-vriendinnen. Als ze met me uit wil, dan is dat omdat ze Joseph weer aan de haak wil slaan.'

'Aha, mijn babysitter. Broeder Joseph. Dat lijkt me nou niet het type dat zich gemakkelijk laat verschalken.'

Hij trok zijn wenkbrauwen op. 'Wat voor type lijkt hij je dan wel?'

'Ik weet het niet precies en ik denk dat hij dat wel prima vindt. Hij heeft iets van dat broeierige, deze-boodschap-vernietigt-zichzelf-gedoe. Iets gevaarlijks.'

Zijn mondhoeken krulden. 'Dat zou hij leuk vinden om te horen.'

'Zoiets vermoedde ik al. Als die Barb ons niet wil helpen, kan hij misschien een beetje bij haar slijmen.'

'O, hij kan zeker zo gemeen en slecht zijn als hij eruitziet. Maar ik denk dat ze wel over de brug komt. Ze is niet zo slim als jij. Ze gelooft nog steeds dat ze hem weer terug kan krijgen.'

'Wat heeft ze gedaan dat ze hem is kwijtgeraakt?'

'Ze voelde zich niet op haar gemak bij Holly. Negeerde haar en maakte haar aan het huilen. Iemand die Holly tegen de haren in strijkt is niet welkom in de familie.'

'Dat mag ik hopen,' zei ze zacht.

'Jij bent met vlag en wimpel geslaagd. Lisa en Holly zijn helemaal weg van je.'

'Ik heb niks speciaals gedaan.'

'Je ging met Holly om alsof ze... niet anders was.'

'Zoals ik al zei, niks speciaals.' Ze hing haar rugzak om. 'Klaar, meneer de officier?'

'Absoluut.'

Grayson was vol verwachting toen hij de lobby van het gebouw binnen liep met Paige naast zich. Na zes jaar zou Grayson eindelijk antwoorden uit dat verwende rijkeluiszoontje krijgen. Hij gaf hun naam op aan de man van de beveiliging die de receptie bemande. Die kopieerde hun identiteitsbewijzen en wuifde hen verder in de richting van de liften. De flat van Rex McCloud bevond zich op de vierentwintigste verdieping. Grayson drukte op de knop voor omhoog terwijl Paige de lijst met bedrijven op de lagergelegen verdiepingen bestudeerde.

'Negentig procent hoort niet bij het familiebedrijf van de Mc-Clouds,' merkte ze op.

'De McClouds bezitten een hoop onroerend goed in de stad. Het meeste verhuren ze. De bovenste drie verdiepingen zijn flats. Ik heb Rex destijds hier, in zijn flat, ondervraagd over het feest. Zes jaar geleden waren ze alleen in de weekenden op het landgoed. Door de week woonde het gezin hier. Ik weet niet of dat nog steeds zo is.'

'Ik wist dat van die flats,' zei Paige. 'De senator en zijn vrouw en jongste dochter Reba wonen hier nu permanent. Ik heb een artikel over Reba gevonden in de archieven van de roddelbladen. Ze hield een soiree voor een van haar goede doelen. Ze gebruiken het landgoed voor de echt grote bijeenkomsten. Dat is wel een verspilling, dat grote huis onderhouden zonder dat iemand er woont.'

De lift bracht hen naar de verdieping van Rex en ze liepen een rijk gedecoreerde hal in.

'Huisarrest,' mompelde Paige. 'Het leven is hard. Geld stinkt niet.'

'Ik weet het.' Het eerdere gevoel van verwachting was afgenomen en had plaatsgemaakt voor een grimmige vastberadenheid. Het was zover. Zijn kans om dingen goed te maken, om de ware moordenaar voor de rechter te slepen. Hij bracht zijn hand omhoog om op Rex' deur te kloppen, maar hield verrast in toen Paige haar hand op de zijne legde en hem tegenhield. 'Wat is er?' vroeg hij.

'Je kunt wel zeggen "de boom in met hun connecties" en dat kan ik wel fantastisch vinden, maar je beseft toch wel dat dit naar buiten komt? Als we vragen gaan stellen over die avond, dan zal Rex ongetwijfeld contact opnemen met zijn advocaat.'

'Die weer contact opneemt met mijn baas,' zei hij kalm. *Die misschien zijn dreigement om alles bekend te maken zal uitvoeren...* Terwijl ze onderweg waren, had hij elk mogelijk scenario de revue laten passeren. Met uitzondering van het scenario waarin Anderson zijn mond dichthield, was de uitkomst van geen ervan goed.

Maar hij wist dat hij op een punt was aanbeland dat de rest van zijn leven zou bepalen. *Ik zal niet met spijt achteromkijken.* En hij zou zich niét laten chanteren. 'Ja. Dat weet ik.'

Er verscheen even een bezorgde blik in haar ogen. 'Weet je het zeker? Dit kan het einde van je carrière betekenen.'

Hij wist niet goed of hij zich geraakt moest voelen door haar bezorgdheid of boos moest zijn omdat ze dacht dat hij zijn carrière belangrijker zou vinden dan gerechtigheid. 'Mijn carrière zou niets voorstellen als ik dit op zijn beloop zou laten.'

Ze fronste haar wenkbrauwen. 'Ik heb geen moment gedacht dat je dit maar zou laten. Maar er zijn misschien manieren om het via wat... diplomatiekere kanalen aan te pakken.'

'Dat zou maanden, misschien wel jaren duren, als het al werkt. En ondertussen rot Ramon weg in de gevangenis en loopt de moordenaar vrij rond in de wetenschap dat hij ermee is weggekomen.' Hij zag de zorg verdwijnen en instemming ervoor in de plaats komen. 'Ik weet wat ik doe, Paige.' *Dat hoop ik tenminste.* 'Maar dank je wel.'

Ze glimlachte en gebaarde naar de deur. 'In dat geval, ga je gang. Ik sta achter je.'

Op zijn kloppen werd opengedaan door Rex zelf, die gekleed ging in niet meer dan een gymbroek, zijn enkelband en een zelfingenomen glimlach. 'Kijk eens aan. Ik dacht dat de portier zich had vergist. Ik krijg niet vaak bezoek.' Hij bekeek Paige met een openlijk wellustige blik. 'Zeker geen bezoek dat eruitziet zoals jij.'

Jaren van drugsgebruik hadden hun sporen achtergelaten op het gezicht van Rex. Hij zag er ondanks de glimlach ingevallen uit. Uitgemergeld. Hij was een knappe jongeman geweest. Nu was hij een aanfluiting.

Grayson had geen greintje medelijden. 'Ik ben Grayson Smith van het Openbaar Ministerie.'

Rex krulde zijn lippen in een grijns. 'Dat weet ik nog wel. Ik heb dankzij jou een tijdje in een afkickkliniek gezeten.'

Paige keek Grayson vragend aan.

'Dat was een deal in ruil voor die bewakingsvideo van het zwemfeest,' zei Grayson. 'Zijn familie zei dat ze die beschikbaar zouden stellen als we hem niet zouden aanklagen voor drugsbezit.'

'Ik gebruikte die avond niet,' beweerde Rex. 'Drank, ja. Coke, nee.'

'We zijn hier niet vanwege dat,' zei Grayson. 'Of tenminste niet helemaal.'

'Waarom zijn jullie hier dan wel? Helemaal?'

'Laat ons erin, dan zullen we dat vertellen.'

Rex wuifde hen naar binnen. 'Natuurlijk. Kom binnen. Niet dat ik jullie zou kunnen tegenhouden.'

'Nee, dat kun je niet,' gaf Grayson toe. Een van de voorwaarden van het huisarrest was dat Rex zich moest onderwerpen aan onaangekondigde doorzoekingen en bezoek van de politie en de rechterlijke macht. Rex draaide zich om en ging hun voor naar een duur ingerichte kamer, compleet met een indrukwekkende thuisbioscoop en biljarttafel. Om opgesloten te zitten op een plek als deze... *Wat was daar de zin van?*

Rex gebaarde naar een lange leren bank. 'Doe alsof je thuis bent. Ik ga even een shirt aantrekken. Als dat goed is, tenminste.'

'Als je het maar snel doet,' zei Grayson. 'We hebben niet de hele dag de tijd.'

Paige zweeg terwijl ze plaatsnam aan een uiteinde van de bank. Grayson ging naast haar staan, zo dichtbij dat hij haar kon aanraken. Maar dat deed hij niet, al was het alleen maar omdat hij zijn handen in zijn zakken had gestoken. Ze wachtten samen tot Rex een kwartier later binnen kwam slenteren. Hij had zich geschoren en gekleed in een zijden overhemd en een lange broek en zag er helemaal uit als de erfgenaam van een enorm fortuin. Hij liet zich in een stoel vallen en legde zijn voeten op de salontafel.

'Sorry dat het zo lang duurde,' zei hij spottend. Hij draaide zijn polsen, waar diamanten glinsterden. 'Ik kon mijn manchetknopen niet vinden. Waar heb ik de eer van dit bezoek aan te danken?'

'Crystal Jones,' zei Grayson.

Rex keek niet-begrijpend. 'Wie?'

'De vrouw die stierf toen ze zes jaar geleden op jouw zwemfeest was,' bracht Paige hem in herinnering.

'O, je bedoelt Ámber. Ik vergeet steeds dat ze Crystal heette. Je weet wel, omdat ze heeft gelógen en zo om op mijn feest te komen. Wat is er met haar?'

'Ik probeer uit te zoeken wat er die avond werkelijk is gebeurd,' zei Grayson.

Rex' gezicht verstrakte en zijn ogen werden zwart van woede. 'Wat er is gebeurd is dat die slet, die loog om op mijn feest te komen, ergens heen ging waar ze niet hoorde te zijn en het met de tuinman heeft gedaan. Die dat kutwijf heeft geneukt en vermoord, waarschijnlijk in die volgorde.'

Paige verstijfde, maar deed er het zwijgen toe.

'Als ik geloofde dat dat waar was, dan zou ik hier niet zijn,' zei Grayson. Er flikkerde iets in de ogen van Rex. Paniek? Angst? 'Er is aanleiding om aan je alibi van die avond te twijfelen, Rex.'

'Meneer McCloud voor jou,' snauwde Rex. Toen dwong hij zichzelf zichtbaar tot kalmte. 'Ik ben die avond niet in de buurt van de tuinschuur geweest. Op de video is te zien dat ik de hele avond bij het zwembad was.'

'Dat zou waar zijn,' zei Grayson, 'als het de juiste tape was geweest.'

Rex kneep zijn wenkbrauwen samen. 'Waar heb je het in vredesnaam over?'

'Die video is niet opgenomen op de avond van de moord op Crystal,' antwoordde Paige. 'Dat staat onomstotelijk vast.'

Rex wierp haar een neerbuigende blik toe. 'En wie ben jij dan wel, Pocahontas?'

Grayson had zin om die aanmatigende grijns van Rex' gezicht te vegen, maar Paige glimlachte hem alleen maar kalm toe. 'De tape is verwisseld, meneer McCloud. Daar is geen twijfel over mogelijk. Wilt u weten hoe ik dat weet? Of wilt u uw energie verspillen aan slappe schimpscheuten?'

'Je bluft,' zei Rex kalm.

'O nee. Ik ben bijzonder serieus. "Pocahontas" is een slappe schimpscheut.'

Rex knarste met zijn tanden. 'Over de tape, trut.'

'Betsy heeft een borstvergroting gehad.' Paige sprak zo terloops alsof ze het over het weer had. 'Zes weken voor het feest. Dat is vastgelegd in haar medische dossier.'

Rex staarde haar vol verbijsterde woede aan. 'Wat?'

'Ze heeft implantaten laten inbrengen,' zei Paige. 'Maar op de video – die buitengewoon atletisch werk van uw kant laat zien, moet ik zeggen – heeft ze nog heel kleine borsten. En de maanstand klopt ook niet.'

'Wat voor maan?' wilde hij weten.

'Die ene daar aan de hemel,' legde ze uit, naar boven wijzend alsof Rex een kind was. 'Verkeerde fase voor de avond dat Crystal is vermoord.' Ze haalde haar schouders op. 'Maar weet je, dat is natuurlijk alleen maar wetenschap en dat soort gelul.'

Rex was duidelijk ziedend. 'Je liegt.'

'Iemand heeft de tape verwisseld,' zei Grayson scherp en Rex' ogen vlogen naar hem. 'Op dit moment kan ik alleen maar aannemen dat jij dat bent geweest. Je alibi is waardeloos. Dus misschien wil je me wel vertellen wat er die avond is gebeurd.'

'Misschien wil jij wel als de sodemieter opdonderen.'

'Ik ben een vertegenwoordiger van justitie. Je staat onder huisarrest. Als je weigert met me te praten, dan zijn daar consequenties aan verbonden.'

Rex leek elk ogenblik te kunnen ontploffen. 'Val dood, Smith. Ik ben de hele verdomde avond bij het zwembad geweest. Ik. Ben. Niet. Weg. Geweest.'

'We hebben getuigen die het tegendeel beweren,' zei Paige.

Rex trok zijn voeten van de tafel. 'Wie?'

Paige bleef doodstil zitten. Ze keek naar Rex zoals ze naar een gifslang zou kijken die op het punt stond om aan te vallen. 'Dat is vertrouwelijke informatie. Maar onze getuige zegt dat je die avond door het dolle was. En dat je op zoek ging naar Crystal. Omdat je zo kwáád was.'

'Wie?' vroeg Rex woedend. 'Wie heeft dat gezegd?'

'Wat heb je gedaan toen je haar had gevonden, Rex? Vertel het eens. Heb je geprobeerd haar te pakken? Heb je geprobeerd haar te laten betálen voor de uitnodiging? Omdat je zo kwáád was?'

'Godverdomme, néé. Zo is het niet gegaan. Wie heeft je dat verteld? Die trut van een Betsy soms?'

Paige negeerde hem en bleef in weerwil van haar woorden op kalme toon spreken. 'Heeft Crystal je afgewezen? Heb je haar toen gewurgd? Was dat een lekker gevoel, Rex?'

Het gebeurde allemaal zo snel dat Grayson het gemist zou hebben als hij met zijn ogen had geknipperd. Rex dook met uitgestrekte handen op Paige af en zijn mond vormde het woord 'Wíé?'

Maar het enige wat eruit kwam was een gesmoorde gil omdat Paige met zo'n vloeiende beweging overeind was gekomen dat het wel ballet leek. Ze boog Rex over de bank met zijn arm op zijn rug. Haar vingers duwden op de drukpunten in zijn hand terwijl ze daar ontspannen bij stond en niet eens hijgde.

Dat was het geilste wat Grayson ooit van zijn leven had gezien en hij kon even alleen maar staren. En blij zijn dat hij zijn colbert aanhad, want hij had plotseling een bijna pijnlijke erectie. *Mijn god.*

'Laat me los,' gilde Rex. 'Ik bel mijn advocaat. Dit is politiegeweld.'

Paige boog zich ver genoeg voorover om in Rex' oor te snauwen. 'Ik ben niet van de politie, lamlul, en er is niets waarvoor je me kunt aanklagen. Je viel me aan en ik heb me alleen maar verdedigd. Dus je kunt maar beter hopen dat ík geen aanklacht tegen jóú indien.' Ze verstevigde haar greep op de duim van Rex toen hij zich bleef verzetten. Zijn lichaam schokte en verstijfde van pijn. 'Dit is wat er gaat gebeuren, Réx. Je kalmeert een beetje en je luistert naar me.' Hij staakte zijn verzet. 'Oké. Ik laat je nu los en jij gedraagt je, hoe vreemd dat misschien ook voor je is. Heb je me begrepen, Réx?'

Hij knikte, nog steeds woedend. 'Laat me los.'

Ze handhaafde de druk op zijn hand. 'Eén verkeerde beweging naar mij of meneer Smith en het is gedaan met je. En ik zou me de volgende keer een beetje proberen te beheersen. Anders kom je in de problemen. O, wacht even. Je zit al in de problemen. Dat is de reden dat we hier zijn.'

'Ik heb haar niet vermoord,' wist hij uit te brengen. 'Laat me los.' Hij snakte naar adem. 'Alsjeblieft.'

Ze liet hem los en Rex hijgde huiverend. Ze stak haar arm uit om hem te helpen, maar hij wierp haar een blik vol haat toe en hees zichzelf overeind. 'Kutwijf.'

'Schelden doet geen zeer,' mompelde ze. 'Wat heb je toch een groot respect voor vrouwen.'

Hij masseerde zijn hand terwijl hij haar een woedende blik toewierp. 'Ik heb die trut niet vermoord. Dat heeft iemand anders gedaan.'

'Dat is heel erg origineel,' zei ze sarcastisch. 'Ga zitten, Rex.'

Hij leek er iets tegen in te willen brengen, maar ging zitten. 'Ik heb haar niet vermoord. Jullie hebben geen bewijs dat ik het wel heb gedaan.' Hij keek naar Grayson met een oorlogszuchtige blik in zijn ogen. 'Jouw carrière is voorbij, Smith. Wanneer mijn advocaten klaar zijn met je, mag je van geluk spreken als je nog steeds je vergunning hebt.'

'Ik zou me meer zorgen maken om die beschuldiging van moord, als ik jou was,' zei Grayson. 'Ik weet dat die tape vervalst is. Ik weet dat je een opvliegend karakter hebt. Je hebt een geschiedenis van drugsgebruik en nu ook nog vertoon van geweld tegen vrouwen met een getuige erbij. Je vloog op mevrouw Holden af met je handen uitgestrekt naar haar keel. Een jury zal daarvan smullen. En dan moet je naar de echte gevangenis. Daar heb je geen manchetknopen nodig.'

'Je hebt alleen maar indirect bewijs,' tierde Rex.

'Wie weet. Er zijn vingerafdrukken in die schuur gevonden die we nooit hebben kunnen vergelijken omdat je toen nog geen strafblad had. We hebben jouw afdrukken niet genomen omdat je een alibi had, maar dat heb je nu niet meer. Dus misschien zijn ze wel van jou. Daar komt nog bij dat we het briefje niet mogen vergeten dat op Crystals lichaam is gevonden. "Tuinschuur, middernacht". Was getekend: "RM".'

Rex sloeg zijn ogen ten hemel. 'Ramon Muñoz, achterlijke idioot.'

Grayson hoorde die beledigende woorden zo vaak, maar hij werd er nog steeds kwaad om. 'Dacht het niet, Réx McClóúd.'

Rex keek alsof de ernst van de situatie voor het eerst echt tot hem doordrong. 'Ik ben onschuldig.'

'Beroemde laatste woorden,' mompelde Paige.

Rex deed zijn mond open om iets te zeggen wat ongetwijfeld niet voor herhaling vatbaar zou zijn, maar bedacht zich. 'Als je me wilt aanklagen, doe dat dan. Anders wil ik mijn advocaat erbij hebben. Jullie komen er wel uit, hè?' Hij stond op en liep de kamer uit.

'Je moet ijs op je hand doen,' riep Paige hem na.

Rex stak zonder zich om te draaien zijn middelvinger naar haar op.

Grayson trok de deur achter hen dicht terwijl zijn hart hevig tekeerging. Paige was fantastisch geweest. En Rex was zo schuldig als de pest.

'Grayson,' fluisterde ze. 'Grootouders, recht vooruit.'

Dat klopte. De voormalige senator en zijn vrouw stonden voor de lift. Mevrouw McCloud zag er koel en gereserveerd uit. De senator leek vermoeid. En verdrietig.

Er was maar één lift voor de suites op de hoogste verdiepingen, dus Grayson en Paige zouden niet in staat zijn de confrontatie met hen uit de weg te gaan als ze het gebouw wilden verlaten.

'De bewaker moet ze hebben ingelicht,' fluisterde Grayson terug. Voorbereid op moeilijkheden liep hij met een neutrale uitdrukking op hen af. 'Senator. Mevrouw McCloud. Ik ben Grayson Smith van het Openbaar Ministerie.'

'Dat weten we,' zei de senator. 'We kennen u nog van het proces.' Hij leunde op een wandelstok die hij in zijn rechterhand geklemd hield. Hij had zijn linkerhand in de zak van een grijze regenjas. Grayson herinnerde zich dat Paige gezegd had dat de senator jaren geleden een beroerte had gehad, waardoor zijn greep verzwakt was.

'Mogen we u vragen wat u hier doet?' vroeg mevrouw McCloud. Ze had blond haar dat stijlvol uit een gezicht was gekamd dat vrijwel rimpelloos was. Ze was begin zestig, maar zag er niet naar uit. Haar jurk was smaakvol en tijdloos, zoals Graysons moeder zou zeggen. Een parelsnoer vervolmaakte haar uiterlijk. Ze was nog steeds de echtgenote van een politicus, ook al was haar echtgenoot allang met pensioen.

'Ik kwam hier om Rex te spreken.'

De senator trok zijn borstelige, witte wenkbrauwen op. 'Waarover?'

'Dat is iets tussen mijn kantoor en Rex. Maar als hij dat met u wil delen, dan is dat uiteraard zijn zaak.'

'Verkeert onze kleinzoon in moeilijkheden?' vroeg mevrouw McCloud. Haar stem klonk beheerst, maar uit haar ogen sprak een onderliggende wanhoop die ze niet helemaal kon verbergen.

De senator liet zijn schouders hangen. 'Wat heeft hij nú weer gedaan? Wat voor problemen kan hij zich in vredesnaam op de hals halen terwijl hij huisarrest heeft? Ik zweer het u, hij wordt onze dood nog eens.'

'Het ging tussen Rex en mij, meneer,' herhaalde Grayson respectvol.

De deur van Rex' flat achter hen ging open. 'Hij denkt dat ik Crystal Jones heb vermoord,' sprak Rex op luide, beschuldigende toon. 'Dat geloof je toch niet?'

De senator fronste geschokt zijn wenkbrauwen. 'Crystal Jones? Dat is gewoon onmogelijk. Dit moet een vergissing zijn. Ze is vermoord door onze tuinman Roberto.'

'Ramon, liefje,' fluisterde mevrouw McCloud. 'Hij heette Ramon Muñoz.'

'Natuurlijk,' zei de senator. 'Ramon. Hij is veroordeeld voor haar moord. U was erbij. U hebt hem aangeklaagd. Waarom zegt u tegen Rex dat u hem verdenkt?'

'Hij ging vrijuit, meneer Smith,' zei mevrouw McCloud, maar haar kin trilde. 'Je kunt veel van onze kleinzoon zeggen, maar een moordenaar is hij niet.'

'Senator, mevrouw McCloud,' Grayson sprak zo kalm als hij maar kon, 'ik besef dat u hierdoor van streek raakt. Ik kan u verzekeren dat dat niet mijn bedoe–'

'Hij zegt dat mijn alibi vals is,' riep Rex. 'Hij zegt dat iemand de bewakingsvideo van de avond van het feest heeft verwisseld. Ik heb tegen hem gezegd dat hij lult.'

'Rex!' zei mevrouw McCloud bestraffend. 'Alsjeblieft.'

De senator keek Grayson onderzoekend aan. 'Wat bedoelt u met dat die video's verwisseld zijn?'

'De tape die het hoofd van uw beveiliging ons heeft gegeven om Rex' alibi vast te stellen is niet gemaakt op de avond dat Crystal Jones werd vermoord.'

De senator schudde zijn hoofd. 'Hoe is dat mogelijk? Dat kan gewoon niet.'

'Ik kan het bewijzen, meneer,' antwoordde Grayson. 'Maar dan moet ik u de video laten zien.'

'Nee,' zei de senator met kracht. 'Ik heb hem de eerste keer al gezien.' Zijn adamsappel ging op en neer terwijl hij probeerde te slikken. 'Dat een dergelijk feest in mijn huis gaande was... Op mijn grond. Schandelijk. We hadden geen toestemming gegeven. We keuren het zeker niet goed.'

'We hebben een einde gemaakt aan die feesten,' snerpte mevrouw McCloud, maar ze was ook geschokt. 'Rex kon zijn eigen gang gaan, vrees ik. Zijn moeder... Die had het vaak druk. Veel te druk.'

'Claire zorgde voor de zaak, liefje,' verzekerde de senator met zachte stem.

Mevrouw McCloud tuitte haar lippen en zei verder niets meer. Blijkbaar was dit een twistpunt.

De senator keek met een mengeling van boosheid, verdriet en frustratie naar zijn kleinzoon. 'Wat heb je gedaan, Rex?'

'Niks,' snauwde Rex vanuit de deuropening. 'Ik heb niets verkeerds gedaan.'

'Dat heb je nooit,' prevelde mevrouw McCloud. 'Het is altijd de schuld van iemand anders.' Ze rechtte haar rug. 'Het alibi van Rex doet niet ter zake, meneer Smith. Ramon is veroordeeld, hoe erg we dat ook vonden. Het bewijs dat tijdens het proces is aangevoerd, was overweldigend. Zelfs al heeft Rex de video's verwisseld, dan nog heeft hij dat meisje niet vermoord.'

'Ik heb de video's niet verwisseld,' zei Rex boos. 'Smith liegt.'

'Rex, zo is het wel genoeg!' blafte de senator. 'Meneer Smith, u herinnert zich ongetwijfeld hoe het in elkaar zat. Dat meisje was onder valse voorwendselen op het feestje van mijn kleinzoon. Ze had gelogen over haar naam en over andere punten van haar leven, met name over haar beroep. Ze heeft mijn tuinman verleid en is vervolgens helaas vermoord. Haar onverstandige gedrag stond er bijna borg voor dat ze vroeg of laat onfortuinlijk aan haar einde zou komen. Dat was slechts een kwestie van tijd. We hadden er niets mee te maken, maar toch werd onze familienaam door het slijk gehaald omdat ze toevallig op mijn terrein aan haar einde is gekomen.'

Met andere woorden, Crystals verdiende loon. Grayson voelde woede opborrelen, maar hij hield zich in. 'Het spijt me van de negatieve publiciteit waarmee u te maken heeft gekregen,' zei hij beleefd, 'maar ik bekijk deze zaak opnieuw. Ik heb reden om aan te nemen dat Ramon Muñoz onschuldig is.'

Mevrouw McCloud snakte hoorbaar naar adem. 'Hoe is dat mogelijk? Jim, het begint allemaal weer van voren af aan. De verslaggevers en fotografen... We moeten hier een eind aan maken voor... Het wordt weer een schandaal.'

'Zover zullen we het niet laten komen.' De senator wierp een woedende blik op Grayson en zijn waarschuwing was duidelijk. 'Ik weet zeker dat iemand bij het Openbaar Ministerie in staat zal zijn om meneer Smith te overtuigen van zijn ongelijk.'

Grayson had geweten dat de McClouds zouden klagen over zijn bezoekje aan Rex. Hij was bereid de gevolgen daarvan te aanvaarden, wat die gevolgen ook mochten zijn. Maar...

De woorden van mevrouw McCloud hadden herinneringen bij hem losgemaakt. Zijn moeder en hij waren destijds overspoeld door verslaggevers en fotografen. Ze hadden hen lastiggevallen. *Me doodsbang gemaakt.* Dat zouden ze opnieuw doen als Anderson het geheim onthulde dat ze zo lang zo angstvallig hadden bewaard.

En? Wat zou dat? De waarheid daarvan trof hem als een mokerslag. *Het doet er niet toe.* Wat voor schandaal er ook zou ontstaan... *verandert niets aan wie ik ben.* Blijven zwijgen echter, zou dat wel doen. En dat zou Grayson niet laten gebeuren.

Hij keek de senator recht in de ogen. 'Meneer, heeft u gehoord wat ik net heb gezegd? Een onschuldige man – een van uw werknemers – zit misschien al jaren in de gevangenis voor een misdaad die hij niet heeft begaan. Dat moet voor u toch iets betekenen.'

Het gezicht van de senator werd rood, of dat was van gêne of woede wist Grayson niet goed. 'Natuurlijk betekent dat wat en als Roberto echt onschuldig is, dan moet de schuldige worden gestraft.'

'Ramon,' mompelde Paige. 'Hij heet Ramon.'

'Ramon,' herhaalde hij ongeduldig en hij wendde zich vervolgens weer tot Grayson. 'Als Ramon onschuldig is, zuiver hem dan van alle blaam. Maar zorg dat u heel zeker van uw zaak bent voor u mijn familie alles opnieuw laat doormaken. Dergelijke dingen zijn zwaar voor mevrouw McCloud. Haar hart is zo groot als de hele wereld, maar niet meer zo sterk als het ooit is geweest.'

'Jim,' zei mevrouw McCloud zacht. 'Alsjeblieft, niet doen. Ik wil niet dat mijn problemen openbaar worden.'

'Hij moet het weten, Dianna. Als hij hiermee verdergaat en er overkomt jou iets...' De senator haalde diep adem. 'Ik zou het niet kunnen verdragen. Ik zou het gewoon niet kunnen verdragen. Jij bent mijn hart.'

Mevrouw McCloud glimlachte zwakjes. 'Jim.'

Grayson wist niet goed of hij nu bedreigd werd of dat er een beroep op hem werd gedaan of dat hem een rad voor ogen werd gedraaid. 'We zullen proberen de negatieve publiciteit tot een minimum te beperken. Maar de videobanden zijn verwisseld en ik moet weten wie dat heeft gedaan en wat diegene daarmee hoopte te bereiken.'

Mevrouw McCloud leek plotseling broos. 'Jim? Beschuldigt hij ons?' fluisterde ze.

'Nee, zo stom zal hij nooit zijn.' De senator priemde zijn vinger op de liftknop en de deuren gingen open. 'Doe geen stomme dingen, Smith. Zorg dat je zeker bent van je zaak. Kom mee, schat.' Hij stapte de lift binnen en hield de deur open voor zijn vrouw.

De deuren gingen dicht en Paige en Grayson staarden elkaar aan.

'Nou,' zei Paige terwijl Grayson op zijn beurt op de liftknop drukte. 'Ik ben benieuwd wat ze nu gaan doen.'

'Wat ze gaan doen,' riep Rex vanuit de deuropening, 'is nog voor je in je auto zit hun advocaten op je dak sturen. Een schandaal voorkomen is het belangrijkste, weet je. Dat is de reden dat ik zo'n grote teleurstelling voor ze ben. Prettige avond nog.' Hij smeet de deur dicht.

'Het waardeloze is dat hij waarschijnlijk gelijk heeft,' zei Grayson. Enkele ogenblikken later gingen de liftdeuren open en hij liep achter Paige aan naar binnen. De deuren begonnen dicht te schuiven toen hij vanuit zijn ooghoek een beweging waarnam. Het was een man in een andere flat die hen vanuit zijn deuropening gadesloeg. Hij zei niets, maar keek alleen maar toe hoe de liftdeuren dichtschoven.

'Dat was Louis Delacorte, de stiefvader van Rex,' fluisterde Paige.

'Dat weet ik. Ik heb hem een keer kort ontmoet tijdens het proces. Ik vraag me af hoelang hij al stond te luisteren.'

'Vanaf het moment dat we de McClouds tegenkwamen. Ik zag hem.' Ze deed er verder het zwijgen toe tot ze het gebouw verlieten, ook al merkte hij dat ze iets op haar lever had. Toen zijn auto in zicht kwam, kwamen haar woorden als een waterval.

'Ik mag die oude man niet,' verklaarde ze. 'Hij insinueerde dat Crystal het verdiende om te sterven en dat de vrijheid van Ramon minder belangrijk was dan de goede naam van zijn familie. Heel egoïstisch.'

'Het zijn wel politici,' zei Grayson.

'En jou zo bedreigen en dan net doen alsof hij dat ter wille van zijn vrouw deed. "Je bent mijn hart," gelul. Ik kon hem wel een klap verkopen.' Toen zuchtte ze. 'Ik besef dat je een enorm risico hebt genomen door daar naar boven te gaan.'

Je weet niet half. Hij was niet bang voor Anderson of voor een schandaal, maar het zou een vreselijk zooitje worden. Maar de grote waarheid telde. 'Het was het enige juiste. Voor Crystal en Ramon.'

Ze keek hem aan. 'Ik wil dat je weet... Voor wat het waard is, ik ben trots op je.'

Zijn borst zwol zo op dat hij even moest wachten voor hij weer adem kon halen. 'Dat is heel veel waard.'

De drang om haar aan te raken werd sterker en overmande hem. Hij gaf eraan toe en ging met zijn hand naar boven langs haar ruggengraat en weer naar beneden. Hij liet zijn arm om haar middel glijden. En slaakte een zucht van opluchting toen zij haar hoofd op zijn schouder liet rusten. Ze legden de rest van de weg in stilte af, een stilte die bij elke stap intiemer en warmer werd.

Hij liet haar instappen en vertrok zijn gezicht toen hij achter het stuur ging zitten. Hij had een vreselijke erectie gekregen toen ze met zo'n vloeiende finesse met Rex afrekende, maar haar woorden hadden hetzelfde effect. Sterker zelfs. Hij wilde haar, meer dan hij ooit iemand had gewild.

Maar het was niet alleen maar willen. Er was sprake van behoefte. Verlangen. Hij ging onopvallend verzitten, maar toen hij naar haar keek zag hij dat ze hem met geloken ogen zat aan te kijken. Opgewonden.

'Als we niet in zo'n drukke straat waren, zou ik je hier ter plaatse tegen de auto nemen,' zei hij met lage, ruwe stem en hij zag haar slikken.

'Dat weet ik,' fluisterde ze en zijn handen omklemden het stuur zodat hij haar niet zou beetpakken. Ze wendde haar blik af. Schraapte haar keel. 'We, eh, hebben Rex niet naar die medaille gevraagd.'

Grayson startte de auto en dwong zichzelf om aan Rex McCloud te denken in plaats van hoe hij bij haar zou binnendringen tot ze allebei bezweet en bevredigd zouden zijn. 'Dat geeft niet. Ik zal hem aan Stevie geven, dan kan zij zien of er vingerafdrukken op zitten. Misschien hebben we mazzel en vinden we die van hem.'

Ze haalde haar laptop uit haar rugzak. 'Ik zal eens zien of er meer informatie is te vinden over de eindexamenklas van 1973 op Winston Heights. We hebben nog een paar uur voor Brittany's dienst in het verpleeghuis begint, als ze tenminste komt opdagen. Voor we haar weer ontmoeten zou ik wel eens willen weten waarom ze die ring in de envelop heeft gestopt. We moeten een manier vinden om de waarheid van haar leugens te onderscheiden en elk stukje informatie kan daarbij helpen.'

'Uitstekend, maar we hebben geen uren de tijd. Je hebt minder dan een halfuur.' Hij keek haar zijdelings aan en zag haar verwarring. 'Uit eten met mijn moeder, weet je nog?'

Haar ogen werden groot. 'Ik dacht dat dat niet doorging. Vanwege... omdat wij... je weet wel... geen relatie krijgen.'

Hij klemde zijn kaken op elkaar, niet bereid om die mogelijkheid nog te aanvaarden. Als hij daar al ooit toe bereid was geweest en dat was eigenlijk niet zo. 'Mijn moeder accepteert geen nee.' Bovendien had hij plannen, dingen die hij moest doen. Dingen die, nu het moment eenmaal was aangebroken, zijn ingewanden in een knoop legden. 'Het duurt maar een paar uur. Het zal haar blij maken.'

Haar ogen gingen naar het scherm van de laptop. 'En dan ben jij van haar af?'

'Nee,' zei hij droog. 'Zelfs een ontmoeting met jou kan dat niet bewerkstelligen.'

14

De voordeur viel met een klap dicht en Adele schrok. Darren was thuis. Ze riep niet naar hem. Ze zei geen woord. Ze wachtte alleen maar aan de keukentafel en staarde naar het glas wijn dat ze uren geleden had ingeschonken maar waar ze nog geen slok van had genomen.

Darren zette zijn attachékoffertje op tafel. Trok zijn stropdas los en ging zitten. Ze had gehoopt dat hij weer gewoon zou doen wanneer hij thuiskwam, maar hij was nog steeds ontoeschietelijk. En kwaad.

'De dierenarts heeft gebeld,' zei ze zacht. 'Het gaat beter met Rusty. Ik heb naar je mobieltje gebeld, maar je nam niet op.'

'Ik weet het.'

'Dat het beter gaat met Rusty?'

'Dat ook,' zei hij zonder emotie.

Ze slikte moeizaam en staarde naar het tafelblad. 'Dus je hebt mijn telefoontjes genegeerd.'

'Ik heb zelf de dierenarts gebeld. Ik heb verder vandaag nog een paar telefoontjes gepleegd.'

Hij deed er verder het zwijgen toe en na een tijdje keek ze op. 'Met wie?'

Zijn uitdrukking was kil. Verhardde. 'Met de klant met wie je gistermiddag die afspraak had. Alleen vertelde ze me dat het een lunchafspraak was en dat je om één uur vertrokken was. Je hebt Allie pas om vijf uur opgehaald. Waar heb je de hele middag uitgehangen?'

Ze staarde hem verbijsterd met open mond aan. 'Je bent mijn gangen nagegaan? Waarom?'

Darren vertrok zijn mond tot een bittere uitdrukking. 'Fout geantwoord, Adele.'

'Ik...' *Was bij mijn psychiater omdat ik geloof dat ik gek aan het worden ben.* Maar ze kon de woorden niet uit haar mond krijgen. 'Ik ben gaan winkelen.' Dat was ook zo, nadat ze bij Theopolis was weggegaan. Ze had doelloos en zonder iets te zien door het winkelcentrum gedwaald.

'Welke winkel?' vroeg Darren ijzig.

'Ik... Dat weet ik niet meer.' En dat was de waarheid.

'Hm. Nou, hoe heet hij, Adele?'

Haar mond viel opnieuw open, maar deze keer omdat ze zelf kwaad was. 'Denk je dat ik een verhouding heb?'

'Wees nou eerlijk tegen me.'

'Dat doe ik. Ik heb geen verhouding. Dat je dat zelfs maar kunt denken...'

'Je slaagt er meestal veel beter in om gekwetst te klinken,' zei hij. 'De zaken liggen zo: je zegt dat iemand je heeft gevolgd en je kwaad probeert te doen. Op elke andere dag zou ik een afspraak met een psychiater voor je hebben gemaakt. Maar mijn hond ligt in de dierenkliniek omdat hij vergiftigd is. Jij wilde die chocolaatjes niet. Jij wist dat er iets mee was.'

'Nee. Dat dacht ik. Maar ik dacht een heleboel dingen.' *Zoals dat jij van me hield.*

'Maakt niet uit. Ik heb je gevraagd waarom iemand je kwaad zou willen doen, maar jij zei dat je het niet wist. Adele, we zijn heel gewone mensen uit Baltimore. We zijn geen beroemdheden. We hebben geen vijanden. Tenminste, dat dacht ik tot vandaag. Ik vroeg me af waarom iemand jou in het bijzonder op de korrel zou nemen.'

'Dat kan toeval zijn.'

Hij lachte, een scherp en vreselijk geluid. 'Stalkers slaan niet zomaar het telefoonboek open om iemand uit te kiezen. Dat gebeurt in films, schat. Niet in het echt. Niet bij ons.'

Hij had haar altijd met tederheid 'schat' genoemd. Nu deed het pijn. 'Dat denk jij.'

'Dat dacht ik, ja. Dat denk ik nog steeds. Als iemand jou stalkt, dan moet je op de een of andere manier zijn aandacht hebben getrokken. Ik vroeg je of er een ander is.'

'En ik zei nee.'

'Zo overtuigend. Lachte je me uit, Adele?'

Ze staarde naar deze man die ze niet kende. 'Nee. Ik vertel je de waarheid.'

'Maakt niet uit. Ik kan geen woord meer geloven van wat je nu nog zegt.'

'Dus jij denkt dat ik een affaire had.' Ze vocht tegen de tranen. 'En wat gebeurde er toen?'

'Dat weet ik niet. Misschien is zijn vrouw erachter gekomen. Misschien is hij een bezitterig type en wou je niet bij me weg. Vanwege Allie. Dus iemand speelt *Fatal Attraction* met je.' Hij balde zijn vuisten. 'Behalve dat ze de boel verkloten en vergif strooien in míjn huis. Allie had het wel binnen kunnen krijgen. Waar zat je verstand?'

'Je hebt het bij het verkeerde eind. Helemaal bij het verkeerde eind.'

'Mijn moeder had gelijk wat jou betreft. Ik ga vanavond naar haar toe. Als ik morgen terugkom van mijn werk, wil ik dat je vertrokken bent.'

Ze staarde hem geschokt met open mond aan. 'Wat?'

'Je hebt me gehoord. Jij bedondert de boel, dus jij vertrekt. Dit is mijn huis. Ik ga deze keer niet weg.'

Ze deed haar mond open, maar was niet in staat een woord uit te brengen. Zijn ex-vrouw had hem bedrogen. Dat had Adele altijd geweten. Zijn ex-vrouw had behalve de hond bijna alles gekregen, inclusief het huis. Maar... ze had nooit gedacht dat hij zoiets zou geloven. *Niet over mij.*

Hij stond te wachten. 'Geen leugens meer, Adele?'

Ze hervond haar stem. 'Ik heb je niet bedrogen.'

'Vertel me dan waar je was.' Hij boog zich voorover. 'Alsjeblieft.'

'Dat heb ik je verteld,' antwoordde ze zwak. 'Ik ben gaan winkelen.'

Hij ging rechtop staan. 'Prima. Als je het spelletje zo wilt spelen.'

'Ik speel geen spelletje,' zei ze wanhopig terwijl ze overvallen werd door een nieuwe angst. 'Je krijgt Allie niet.'

'Let maar eens op. Ik heb al een advocaat genomen. Degene die mijn ex heeft gebruikt om me kaal te plukken. Ik eis de voogdij.'

Paniek kreeg haar in zijn greep. 'Ik heb niets verkeerd gedaan. Je kunt helemaal niets bewijzen.'

Zijn gezicht kreeg een gepijnigde uitdrukking. 'Bewijs me dan het tegendeel. Ik wil het bij het verkeerde eind hebben. Vertel me waar je gistermiddag was.'

Ze dacht wanhopig na. Als ze hem vertelde over Theopolis, dan zou hij dieper gaan graven. Dan kwam hij overal achter. En dan zou hij Allie echt van haar afnemen. 'Ik ben gaan winkelen.'

Hij slaakte een diepe zucht. 'Dat is je definitieve antwoord?'

Haar adem stokte in haar keel en ze knikte.

'Vertrek dan. Ik wil je hier niet meer zien.' Hij pakte zijn koffertje en liep naar de keukendeur. Daar draaide hij zich om en ze zag in zijn ogen hoe erg hij gekwetst was. 'Ik heb je als een vorstin behandeld,' zei hij met gebroken stem. 'Hoe kon je me dit aandoen? Hoe kon je ons gezin dit aandoen?'

Adele rechtte haar rug. Ze had nog een beetje trots. 'Hoe kun je geloven dat ik dat kan?'

Hij schudde zijn hoofd. Zei niets meer. Toen ging hij het huis uit en deed de deur heel zacht achter zich dicht. Het was stil. Hij was weg.

Hij had haar hart verscheurd. *Als je hem alles vertelt, dan kun je hier een eind aan maken.* Of het einde bespoedigen. Ze moest nadenken over wat haar te doen stond. Ze moest een manier bedenken om Allie te behouden.

Ze dwong zichzelf te gaan staan en strompelde, terwijl het wijnglas onaangeroerd bleef staan, de trap op naar haar slaapkamer. Ze haalde een koffer uit haar kast en begon er willekeurig dingen in te stoppen. Ze had geen idee waar ze naartoe zou gaan. Ze schoof een paar dozen aan de kant en ging op zoek naar de fotoalbums die ze de laatste keer dat ze verhuisden had ingepakt.

Haar handen bleven rusten toen ze de doos achter in een hoek van de kast zag. Met een bijna automatisch gebaar haalde ze de inhoud eruit tot ze onderin een kleiner doosje vond. Het was ongeveer zo groot als haar hand. Ze staarde er lange tijd naar. Ze wilde het deksel er niet af halen.

Er zaten geheimen in dat doosje. Dingen die ze zich niet wilde herinneren. Toch had ze het bewaard. *Hoe krankzinnig was dat*, dacht ze bitter. Ze dacht terug aan de zwarte auto van de avond ervoor en schudde haar hoofd. 'Niet gek worden.'

Ze had die woorden vaak in zichzelf herhaald. *Niet gek worden.* Er waren momenten geweest dat ze in haar bed had liggen worstelen terwijl haar armen waren vastgebonden. Er waren kerels in witte jassen geweest die haar medicijnen toedienden met heel lange naalden. *Niet gek worden.*

Uiteindelijk waren ze gestopt met de medicijnen. Ze was niet geesteziek geweest. Maar trauma had haar geest gekneusd, had Theopolis

uitgelegd. Ze moest opnieuw in elkaar worden gezet. Dat was niet gelukt. *Ik val weer uit elkaar.*

Behoedzaam deed Adele het doosje open, dat gesloten was geweest
sinds de dag dat ze het had gekregen. Ze staarde lange, lange tijd naar
de inhoud terwijl ze terugdacht aan die dag. Ze was bedreven geraakt
in het wegstoppen van de herinnering, maar zo nu en dan wist die te
ontsnappen en kwam dan brullend tot leven met een kracht die haar
volledig van haar stuk bracht.

Iemand probeert je te vermoorden. De woorden klonken als een fluis-
tering in haar gedachten en drongen door de paniek die haar in haar
greep leek te krijgen bij de gedachte dat Darren Allie van haar weg
zou nemen.

Ze haalde de kleine medaille uit het doosje. 'Ik ben een MAC,' fluisterde ze. 'Loud and Proud.' Het was begonnen als de mooiste dag van
haar leven. Hij was geëindigd als de zwartste dag. Tot vandaag.

Iemand wil je vermoorden. Darren had haar geloofd. Misschien zou
iemand anders haar ook geloven. Misschien was het eindelijk tijd om
het te vertellen.

Woensdag 6 april, 19.35 uur

Paige keek naar Grayson terwijl hij de auto bestuurde. Hij was in gesprek met Stevie Mazzetti, die het dwangbevel voor Radcliffes video
had bemachtigd. Mazzetti en haar partner waren bezig Radcliffe op
te sporen zodat ze het bevel ten uitvoer konden brengen.

'Iemand zou me aan moeten vallen,' mompelde Paige. 'Dan zou
Radcliffe erbovenop staan.'

Grayson wierp haar een blik toe die zei dat ze niet grappig was. Hij
concentreerde zich weer op het gesprek met de rechercheur en liet
Paige alleen met haar laptop.

Het scherm toonde een zoekscherm waarop ze *Winston Heights 1973*
had ingetikt. Daar zou ze zich zo weer mee bezighouden. Ze was eerder, toen ze van Betsy waren weggereden om met Rex te gaan praten,
een andere zoekactie gestart. De resultaten waren net op het scherm
verschenen toen Grayson voor het gebouw van de McClouds stopte,
dus ze had nog geen tijd gehad om ze te bekijken.

Dat deed ze nu en ze schakelde naar het scherm met de resultaten van de zoekactie naar de achtergrond van Judy Smith. Ze had de dag ervoor gehoord dat Lisa's echtgenoot Graysons moeder zo had genoemd. Wel zo makkelijk, aangezien een zoekactie naar *Graysons moeder* niet veel zou hebben opgeleverd. Helaas gold dat ook voor de zoekactie naar Judy Smith. Graysons moeder trad niet erg op de voorgrond. Ze woonde al achtentwintig jaar op hetzelfde adres. Grayson was vijfendertig. Dat wist ze van een van de artikelen die ze had opgevraagd voor Elena was vermoord.

Dat betekende dat Judy al boven de garage van de familie Carter woonde sinds die foto met de palmbomen was genomen. Een zoekactie naar palmbomen maakte duidelijk dat Florida de enige staat op het vasteland was waar kokospalmen groeiden. Meer in het bijzonder op het zuidelijkste puntje. *Miami.*

Nooit geschoten is altijd mis, dacht ze, en ze tikte *St. Ignatius docent Miami* in, samen met het jaar waarin Judy Smith in de garage van de Carters was getrokken en de twee jaar daaraan voorafgaand. Meer had ze niet.

Maar haar vinger aarzelde en bleef hangen boven *start zoeken*. Het was een inbreuk op zijn privacy. Het was niet Graysons bedoeling geweest dat ze die foto zag. Die had ergens achteraf verstopt gestaan.

Maar ze had hem toch gezien, zonder dat ze kwade bedoelingen had gehad. Ze had tot de zoekactie besloten vanwege één enkele, eenvoudige vraag.

Hoe ben je zo geweldig geworden?

Ze wilde deze man. Niet alleen voor de seks, hoewel haar lichaam er helemaal klaar voor was, want hij was een fantastische man en het was al zo lang geleden. Maar ze mocht hem ook graag. Bewonderde hem. Respecteerde hem. Dat was een combinatie die ze al lang niet meer was tegengekomen.

Ze voelde dat ook hij meer wilde. Maar het zou er nooit van komen als ze wegliep en dat zou ze binnenkort moeten doen, tenzij ze het risico wilde lopen met hem in bed te belanden.

Doe het nu maar. Ze hield haar adem in terwijl ze op de knop drukte. *Eens zien wat dit oplevert.*

Wat het opleverde was... meer dan ze had gehoopt te zullen vinden. Paige gluurde naar Grayson, die aan de telefoon in gesprek was met Stevie en zijn blik vast op de weg gericht hield. Hij concentreerde zich verder uitsluitend op het gesprek en was bezig Stevie te vertellen wat er zich had afgespeeld bij Rex en met zijn grootouders. Op dit moment had hij geen enkele aandacht voor Paige.

Later. Doe dit nou later. Maar ze kon zichzelf er niet toe brengen om niet te kijken. De foto die haar scherm vulde dwong haar te kijken. Om verder te lezen. Het te begrijpen.

Haar zoekactie had een korrelige krantenfoto van Judy Smith opgeleverd waarop ze net zo oud was als op de schoolfoto. Maar ze had een gejaagde blik in haar ogen en haar gezicht was ingevallen. Er was geen spoor van het geluk dat ze die dag onder de palmen had uitgestraald. Wat het ook was dat er was gebeurd, het was gebeurd.

Paige scrolde omlaag naar de krantenkop – DOCENT ST. IGNATIUS SAMEN MET ZOON VERDWENEN. VERMOEDELIJK DOOD. Haar hart begon sneller te slaan terwijl ze verder las. En verder las.

En toen begreep ze het. *O god.* Ze begreep het.

O, Grayson. Hij had geleefd met deze... dít. Al die tijd. *Hij was nog maar een klein jongetje.* Ze bleef naar het scherm staren en haar hart brak.

De auto hield stil. 'Paige?'

O, god. Ze begreep waarom hij het niemand kon vertellen. Níémand.

'Paige?' Hij pakte haar bij de schouder en wreef er zachtjes over. 'We zijn bij het restaurant.'

Ze deed haar laptop dicht en keek zo neutraal mogelijk terwijl ze haar uiterste best deed om niets te laten blijken. 'Ik ben er klaar voor.'

Hij tilde haar kin op en ging met zijn duim over haar onderlip. 'Je ziet eruit alsof je een geest hebt gezien.'

Ze zocht wanhopig naar iets om te zeggen. 'Een artikel over de dood van Elena. Ik... Het kwam allemaal weer boven.' Ze wilde ineenkrimpen vanwege de leugen, maar ze was als verdoofd. 'Even wat lippenstift opdoen.' Ze slaagde er ondanks haar bevende handen in om de stift tegen haar lippen te krijgen.

'Dat heb je helemaal niet nodig.' Hij ging over haar gezicht met een tederheid die haar hart nog verder brak. 'Je bent mooi zoals je bent.'

Ze deed haar ogen dicht. Probeerde zichzelf tot kalmte te manen, maar ze trilde. 'Dank je.'

Zijn hand gleed onder haar haar en hij masseerde haar nek. 'Mijn moeder bijt niet. Je hoeft niet bang voor haar te zijn.'

Ze liet zich door hem aanraken, liet de troost waarvan hij zich niet bewust was tot zich doordringen. 'We moeten gaan. Ik wil haar niet laten wachten.'

Woensdag 6 april, 19.55 uur

Grayson had niet verwacht dat Paige zo zenuwachtig zou zijn. Aan de andere kant, het was blijkbaar heel belangrijk om de moeder van een man te ontmoeten. Hij stapte uit, zei tegen de parkeerbediende dat hij de auto moest laten staan omdat hij niet lang zou blijven en hielp Paige uit de auto.

Ze keek met grote ogen naar hem op. Ze zag nog steeds bleek. 'Blijf je niet?'

'Ik moet naar huis om Peabody uit te laten, weet je nog? Ik ben zo terug.'

'Peabody kan nog wel even wachten. Blijf hier alsjeblieft. Alsjeblieft.'

Haar smeekbede deed zijn maag samenknijpen, maar er waren dingen die hij moest doen. Zijn moeder en hij hadden dit afgesproken toen hij haar vanuit het hotel had gebeld, vlak nadat Anderson zijn bom had laten ontploffen. 'We hebben na het eten misschien geen tijd om hem uit te laten. We moeten naar dat verpleeghuis voor Brittany's dienst begint.'

'O. Oké.' Ze knikte onzeker terwijl hij met haar onder het baldakijn door liep. Ze leek verdwaasd en hij fronste een beetje bezorgd zijn voorhoofd.

'Gaat het wel?'

Ze keek onzeker naar hem op. 'Jawel. Natuurlijk.'

Hij vlocht zijn vingers in haar haar en legde zijn hand om haar hoofd. 'Rustig maar. Ze zal je beslist aardig vinden. En ik blijf niet lang weg. Dat beloof ik.'

Hij ging zachtjes met zijn lippen over de hare om haar te kalmeren. Ze huiverde en ging op haar tenen staan om de kus voort te kunnen zetten op het moment dat hij zich wilde terugtrekken. Hij vergat helemaal waar hij was, greep met zijn andere hand haar haar vast en nam het initiatief van haar over. Hij draaide haar gezicht zo dat hun monden op elkaar pasten. Perfect. Ze paste perfect.

'Grayson?'

De bekende stem drong door de mist en hij verbrak de kus. Hij tilde zijn hoofd net ver genoeg op om Paige's gezicht te kunnen zien. Ze had haar ogen dicht. Haar lippen waren prachtig, een beetje gezwollen. Haar wang een beetje rood door zijn middagbaard. Hij kuste haar daar ook en ging met zijn lippen over haar huid. Ze was warm en rook zo lekker. *Van mij. Helemaal van mij.*

'Grayson!'

Hij rukte zich los. Zijn moeder stond achter Paige en keek tegelijkertijd geamuseerd en geïrriteerd.

'Mam?'

'Mam?' Dat kwam als een piep uit Paige's mond en ze draaide zich met een ruk om, waarbij ze hem een klap gaf met haar rugzak. 'O, shi–' Ze hield zich in en tuitte haar lippen terwijl haar wangen nog een tintje roder werden.

Graysons moeder stak met een glimlach haar hand uit. 'Jij bent Paige. Ik ben Judy.'

'Het spijt me,' wist Paige uit te brengen terwijl ze zijn moeders hand schudde. 'Ik... We waren net... Laat maar.'

'Geeft helemaal niks. Ik ging even mijn lippen bijwerken en wat denk je dat ik zie?' Haar ogen fonkelden. O, zijn moeder vond dit véél te leuk. 'Ik heb een tafel, schat. Waarom ga je niet vast zitten? Ik moet Grayson even spreken, als je het niet erg vindt.'

Paige wierp hem over haar schouder een nerveuze blik toe. 'Ik ga gewoon... naar binnen. Daar.'

'Er zit iemand op je te wachten,' zei zijn moeder tegen haar. 'Holly smeekte of ze mee mocht. Ik hoop dat je dat niet erg vindt.'

Hij kwam tot de conclusie dat zijn moeder een godin was. Niet alleen had ze hem uit een netelige situatie gered, ze had ook kans gezien Paige op haar gemak te stellen.

'Dat is meer dan uitstekend.' Paige was duidelijk opgelucht. 'Ik vind haar wel.'

Hij wachtte tot ze weg was. 'Dank je.'

'Uh-huh,' antwoordde zijn moeder alleen maar. 'Ze is heel knap.'

Hij slaakte een zucht. 'Dat is ze zeker.'

Haar gezichtsuitdrukking werd ernstig. 'Ik dacht dat ik Holly maar het beste bij me kon houden terwijl jij met de familie praat.'

'Dat is een goed idee. Ze zullen willen beslissen hoeveel we haar vertellen. En hoe. En wanneer.'

'Ik zou bij je moeten zijn. Dit is allemaal mijn schuld.'

Hij greep haar bij de schouders en kneep zachtjes. 'Het is jouw schuld dat we nog leven en gezond zijn. Je hebt gedaan wat je moest doen om ons te beschermen. Om mij te beschermen. En geloof maar niet dat er een dag voorbijgaat dat ik je daar niet dankbaar voor ben, ook al zeg ik dat niet altijd met zo veel woorden.'

Ze haalde bevend adem en haar ogen glinsterden. 'Ik mag niet huilen. Ik heb net mascara opgedaan.'

Hij gaf haar een zakdoek en keek toe terwijl zij voorzichtig haar ogen depte. 'Wat ik op het punt sta te gaan doen, te gaan zeggen... Dit zal alles veranderen.'

'Ik weet het,' zei ze. 'Ik heb tegen je gezegd dat je niet bang moest zijn om het te vertellen, gisteren nog maar, maar nu het zover is... Ik ben doodsbang. Zeg tegen Katherine dat ik het appartement zal verlaten als ze dat wil. Ik heb elke dag dat ik tegen haar moest liegen gehaat.'

Hij kende dat gevoel. Toch schudde hij zijn hoofd. 'Ze houdt van je als een zus. Ze laat je heus niet verhuizen. Dat appartement is al bijna dertig jaar je thuis. Alleen al omdat je dit zegt zou Katherine je een draai om je oren geven.'

'Ik weet het. Ik moest het alleen hardop zeggen. Maar ik moet je wel vertellen dat als ik ooit die baas van je te pakken krijg, ik degene zal zijn die de klappen uitdeelt.' Haar ogen fonkelden nu van woede. 'Hij kan zich maar beter nooit vertonen. Mijn zoon chanteren. Te belachelijk voor woorden gewoon...'

'Nou, het gaat om heel wat meer dan alleen ons,' zei hij. 'Hij was ook op de hoogte van andere zaken. Dingen die hem op royement komen te staan als het me lukt ze te bewijzen.' *Hopelijk meer dan alleen royement. Hopelijk voor lange tijd achter de tralies.*

'Zorg dan dat je ze bewijst. De vuile klootzak,' siste ze.

'Mam. Niet zo grof.' Hij gaf haar een kus op haar wang. 'Ga nu maar. Ik bel wel als ik klaar ben om je te vertellen hoe het is gegaan. Eet smakelijk. En ga niet bij het raam zitten.'

'Ik heb om een tafel gevraagd waar jouw Paige veilig zit. Wees ook voorzichtig.'

Paige werd naar een tafel gebracht waar Holly in gedachten verzonken bezorgd voor zich uit zat te staren.

'Hoi Holly.' Paige ging bij haar zitten en legde vervolgens haar hand op die van de jonge vrouw. 'Wat is er aan de hand?'

'Ik ben zo blij dat je er bent,' zei Holly dringend. Ze keek om zich heen. 'Waar is Judy?'

'Buiten met Grayson aan het praten. Wat is er loos?'

'Nou, weet je nog dat je gisteren zei dat je me het kon leren? Je weet wel, karate?'

'Ja.' Paige boog zich voorover. 'Wat is er gebeurd, Holly?'

'Ik moet het gewoon leren. Snel. Nu.'

'Valt iemand je lastig, liefje?' vroeg Paige nuchter.

Holly knikte. 'Er zijn een paar kerels.'

Er liep een koude rilling over Paige's rug. Vrouwen als Holly waren nog kwetsbaarder. 'Waar?' vroeg ze op kalme toon. 'En wie?'

'Bij mijn centrum. Daar ga ik na mijn werk naartoe om mijn vrienden te zien. Ik ben er gisteravond ook heen geweest.'

'Gaan die kerels ook naar het centrum?'

'Ja. Het zijn eikels,' zei ze boos.

'Hebben ze je pijn gedaan?' vroeg Paige, en de moed zonk haar in de schoenen toen ze de schaduw zag die over Holly's gezicht trok.

'Ze duwen me. Ze... porren me. Soms pakken ze me beet. Je weet wel.'

'Je weet toch over seks?' vroeg Paige en Holly's wangen werden rood.

'Ja. Maar dat hebben ze niet gedaan. Maar ze praten er wel over.' Haar mond verstrakte. 'Heel veel. Ze lachen en zeggen wat ze met me gaan doen als ze me alleen te pakken krijgen. Vroeger had ik Johnny. Hij was mijn vriend. Hij had ze wel laten ophouden.'

'O. Maar hij is dood, hè?'

Holly knikte ongelukkig. 'Hij was mijn vriend. Hij hield de slechteriken uit de buurt.'

'En nu ben je bang.'

'Ja. Ik wil ze kunnen schoppen en zorgen dat ze ophouden. Leer het me. Ik kan je betalen. Ik heb geld van mezelf.' Ze fronste opnieuw bezorgd haar voorhoofd. 'Hoeveel kost dat?'

Paige moest er niet aan denken om geld van Holly aan te nemen.

Maar ze wist wat trots was en Holly had recht op haar eigen trots. 'Je zult me echt wel kunnen betalen, dat verzeker ik je. Maar je moet eerst iets voor me doen. Ik wil dat je met je dokter gaat praten en hem een papier laat tekenen waarop staat dat je gezond genoeg bent om te trainen.'

'Dat gaat dagen duren. Ik moet het nu leren, Paige.'

Paige keek haar vriendelijk glimlachend aan. 'Het duurt jaren om het te leren.'

'Jaren?' Holly werd bleek. 'Ik heb geen jaren de tijd. Ik ben nú bang.'

'Daar zullen we wat aan moeten doen. Heb je het de leider in het centrum verteld?'

'Ja,' zei Holly en ze kreeg tranen in haar ogen. 'Hij heeft met ze gepraat. Ze zeiden dat ze maar een geintje maakten. Maar dat is niet waar. Hij geloofde ze. Niet mij.'

Paige besloot dat ze eens even een babbeltje moest maken met die leider. 'Nou, ík geloof je wel. En je kunt altijd maar beter het zekere voor het onzekere nemen. Wat dacht je ervan als Joseph de volgende keer met je meegaat naar het centrum? Dan kan hij tegen die jongens zeggen dat ze moeten ophouden.'

Holly schudde haar hoofd. 'Nee, je mag het niet tegen Joseph zeggen. Hij zou... hij zou kwaad worden.'

'Op jou?'

'Nee.' Ze zei het op een manier alsof Paige iets doms had gezegd. 'Op die jongens. Joseph zou ze slaan en dan in de problemen komen. Dan moet hij naar de gevangenis. Daarom kan ik het niemand vertellen. Ze zeggen het altijd tegen Joseph. Hij mag niet naar de gevangenis. Dan raakt hij zijn baan kwijt.'

Wees gezegend, Holly. 'Dat zou knap waardeloos zijn,' gaf Paige toe. 'En als ik nu eens met je meega?'

Holly's ogen werden groot. 'Zou je dat willen?'

'Absoluut. Ik haat pestkoppen.'

Holly dacht erover na. 'Zou je het de andere meisjes ook willen leren?'

Er viel iets op zijn plaats. Een gevoel van voltooiing, de wetenschap wat ze had gemist. Ze had zich maanden alleen op zichzelf geconcentreerd. Medelijden met zichzelf gehad. De arme karatemeester. Verslagen. Vernederd. Nu was het tijd om weer naar buiten te kijken.

'Dat zou ik zeker. We regelen het wel. Maar we moeten het wel aan je familie vertellen. En ik wil niet dat je daar nog alleen naartoe gaat zolang we dit allemaal nog niet opgelost hebben.'

'Waar alleen naartoe?'

Paige keek op. Judy Smith was net bij de tafel aangekomen en ze had staan luisteren. Judy leek niet veel ouder dan op de foto's die Paige had gezien en even kon Paige alleen maar denken aan de artikelen die ze had gelezen. De hel die Graysons moeder had doorgemaakt. Toen werd haar hoofd weer helder en zag Paige de vrouw die Judy was geworden. Ze had het overleefd. Ze kreeg een warm gevoel, een gevoel van trots vanwege een andere vrouw die had geleden en er sterker uit was gekomen.

Paige boog zich naar Holly en fluisterde in haar oor. 'Het is aan jou. Vertel het of vertel het niet.'

Judy ging zitten en keek Holly met een moederlijk bestraffende blik aan. 'Ik kom er toch wel achter. Dat weet je. Je weet ook dat je me kunt vertrouwen. Ik hoop dat ik dat heb verdiend.'

Holly knipperde verrast met haar ogen. 'Ik vertrouw je, Judy. Ik wil alleen niet dat Joseph kwaad wordt.'

Judy klopte Holly op haar hand. 'Die jongen is kwaad geboren. Laat Joseph maar aan mij over.'

'Oké.' Holly vertelde haar het verhaal terwijl Paige Judy's gezicht zat te observeren. De oudere vrouw was woedend dat iemand haar kind durfde te bedreigen. Want het was duidelijk dat ze Holly zo zag. Paige kon zich voorstellen dat ze achtentwintig jaar geleden net zo had gereageerd toen haar zoontje gevaar liep. Dit was een moederbeer die haar jongen verdedigde, wat er ook van kwam.

Paige was nu al op haar gesteld.

'We moeten ervoor zorgen dat die jongens niet meer naar het centrum komen,' besloot Judy.

'Dat is een begin,' zei Paige. 'Maar er zullen altijd pestkoppen zijn, waar Holly ook naartoe gaat. Gelooft u niet dat het beter is om ons – en onze gezinnen – voor te bereiden om de dagelijkse bedreigingen onder ogen te zien?'

Judy knikte en ze staarde even in de verte. Toen kwam ze weer ter zake. 'Dus, wat gaan we doen, meisjes?'

Holly stak haar kin naar voren, klaar om de strijd aan te gaan. 'Paige gaat me karate leren. Mij en al mijn vriendinnen. Het was mijn idee. Dan kunnen we de jongens die ons lastigvallen in elkaar slaan.'

'Zelfverdediging met karate,' zei Paige. 'Je zult waarschijnlijk nooit in staat zijn om een jongen in elkaar te slaan. Ze zijn gewoon sterker. Maar je zult heel veel over evenwicht leren en over alert zijn en manieren om weg te komen als je wordt aangevallen. Dat is altijd de beste verdediging.'

Holly fronste haar voorhoofd. 'Maar mag ik wel een pak aan?'

Paige glimlachte. 'Een gi? Natuurlijk. En je gaat ook je band verdienen. Maar je mag nooit vergeten dat karate bedoeld is ter verdediging. Niet om mensen in elkaar te slaan. Ook niet als ze dat eigenlijk verdienen.'

Judy legde haar servet op haar schoot. 'Ik denk dat een cursus zelfverdediging een heel goed plan is, Holly. Heel goed dat je dat hebt bedacht.'

Holly straalde. 'Dank je.'

'Misschien kom ik ook wel,' zei Judy. 'Als Paige tenminste kans ziet om deze oude dame een paar nieuwe trucjes te leren.'

Paige keek haar een ogenblik aan. 'Dat wil ik dolgraag proberen, maar ik geloof dat u het uitstekend heeft gedaan in uw eentje. Al die jaren.'

Judy keek geschokt en Paige kon zien dat ze wist dat zij het wist. Judy herstelde zich bewonderenswaardig. 'Toch wil ik een gi van mezelf.' Ze sloeg haar menu open en keek bedenkelijk. 'Ik heb mijn leesbril in de auto laten liggen. Holly, wees lief en haal hem even voor me, wil je?' Ze diepte haar autosleutels op uit haar tas. 'Weet je nog waar de auto staat?'

'Natuurlijk. Ik ben zo terug.'

Judy wachtte tot Holly buiten gehoorsafstand was voor ze zich tot Paige wendde. Ze veranderde in een oogwenk van minzaam in angstaanjagend. 'Paige, je hebt ongeveer drie minuten. Vertel op.'

'Ik weet wat Grayson en u is overkomen in Miami. Het was niet zo moeilijk om daarachter te komen.'

'Hóé?' Het was een gekwelde vraag die vol ongeloof werd gesteld. 'Ik heb geen sporen achtergelaten.'

'Mensen laten altíjd sporen na, mevrouw Smith. Die van jullie bestond uit een foto die Grayson op een schap bij zijn computer bewaart. Hij was zeven en jullie stonden voor de katholieke school St. Ignatius. Het was eenvoudig te vinden. Kostte me minder dan een uur.'

'Ik wist niet dat hij hem had bewaard,' zei ze zacht. 'Stom van hem.'

'Ik zou zeggen dat het een moment is dat hij nooit wil vergeten. Zijn moeder, toen ze gelukkig was. En niet bang.'

Judy's gezicht kreeg een gepijnigde uitdrukking. 'Wat ben je van plan te gaan doen?'

'Dit is wat Grayson had gezegd dat u me niet mocht vertellen, hè?'

Woede vermengde zich met pijn. 'Wat ben je van plan te gaan doen?' vroeg Judy nogmaals.

'Ik zal het nooit verder vertellen. Erewoord. Maar ik kreeg de indruk dat dit hem ervan weerhield relaties aan te gaan. Relaties van romantische aard.'

Ze kneep haar ogen samen. 'En jij wilt wel zo'n relatie? Van romantische aard?'

'Ja,' bekende Paige met al het verlangen dat ze voelde. 'Maar ik wil dat met de ware. Dat hoeft niet uw zoon te zijn, maar ik wil een leven samen met iemand. Dit geheim van hem zal verhinderen dat ik erachter kom of hij de ware is.'

'Je had kunnen wachten,' zei Judy, maar iets van de boosheid was uit haar blik verdwenen.

Niet echt, dacht Paige ongemakkelijk. 'Ik heb fouten gemaakt. Een heleboel fouten. Ik...' Ze keek verlegen naar omlaag. 'Eh, ik voel me aangetrokken tot uw zoon.'

'Natuurlijk ben je dat,' antwoordde Judy alsof dat van haar werd verwacht. 'Dat geldt voor elke vrouw met gezond verstand.'

Oké. 'Hij voelt zich aangetrokken tot mij. Ik denk dat u dat wel hebt gemerkt. Het gaat allemaal heel snel tussen ons. Ik moest weten of er zelfs maar een mogelijkheid bestond dat er iets zou ontstaan, voor we het uit de hand laten lopen. Want ik heb eerder fouten gemaakt. Ik denk dat u dat ook wel begrijpt.'

Judy keek ernstig, maar begripvol. 'Ja, dat begrijp ik.'

'Als hij de ware is en ik zou hem laten lopen vanwege een geheim waarvan u had gezegd dat hij het moest vertellen... nou, ik hoop dat u me niet kwalijk neemt dat ik heb geprobeerd er zelf achter te komen. Maar ik zou het zo weer doen.'

Judy leunde achterover in haar stoel en stak haar kin naar voren. 'Je vertelt het niemand?'

'Niemand. Ik heb u mijn woord gegeven.'

Judy tikte met een gemanicuurde nagel op tafel. 'Zijn baas weet het. Die Anderson.'

Paige mond viel open. 'Wat?' Ze herinnerde zich Andersons zwijgen toen zij haar verhaal vertelde. De manier waarop hij hen had weggestuurd zodat hij onder vier ogen met Grayson kon praten. En Graysons gezicht toen hij bij haar terugkwam. *O.* 'En toch heeft hij aangeklopt,' mompelde ze.

Judy keek niet-begrijpend. 'Waar heb je het over? Waar aangeklopt?'

'We hebben vanavond Rex McCloud geconfronteerd. Hij is de kleinzoon van Jim McCloud. Die was in de jaren negentig senator,' voegde Paige eraan toe toen Judy met gefronste wenkbrauwen bleef zitten kijken.

'Oké. Wat is er met die kleinzoon?'

'Zes jaar geleden is er een meisje vermoord. Het heeft er alle schijn van dat Rex het heeft gedaan, maar iemand heeft dat weten te verdoezelen en een onschuldige man ervoor laten opdraaien. Ik heb tegen Grayson gezegd dat als hij bij Rex aanklopte zijn baas dat te weten zou komen, en dan zou zijn carrière naar de maan zijn.'

'En zijn leven zou veranderen,' zei Judy ruw. 'Zijn baas heeft gedreigd alles over ons te vertellen als Grayson die zaak niet liet rusten.'

'En toch heeft hij aangeklopt.' Ze werd overspoeld door een nieuwe golf van emotie. 'U moet wel vreselijk trots zijn. U hebt een opmerkelijke man grootgebracht.'

Judy keek haar nuchter aan. 'Dank je. Ga je Grayson vertellen dat je het weet?'

'Ik wil dat hij het me zelf vertelt. Als hij dat niet doet, dan weet ik niet wat ik ga doen. Maar ook als het niets wordt tussen ons, dan zal ik het nog niet vertellen. Zo zit ik niet in elkaar.'

Judy knikte instemmend. 'Misschien dat het na vanavond eenvoudiger voor hem wordt om het te vertellen.'

'Hoezo?' vroeg Paige en Judy's blik versomberde.

'Hij gaat het de familie vertellen. Hij wilde dat zij het wisten voor zijn baas het laat uitlekken.'

Paige keek naar de ingang. Holly was terug en leek heel tevreden over zichzelf. 'De familie wist van niks? Na al die tijd?' Dat verbijsterde haar.

Judy vertrok haar gezicht. 'Het leek nooit het juiste moment om het te vertellen.'

'Gaan jullie het Holly niet vertellen?'

'Natuurlijk wel. Maar haar moeten bepaalde... details bespaard blijven.'

Paige dacht aan wat ze had gelezen. 'Dat begrijp ik.'

Judy keek over haar schouder om zich ervan te verzekeren dat Holly nog steeds ver genoeg weg was. 'Ik geloof dat je wel deugt.' Ze keek Paige aan. 'Maar als je mijn zoon óóit kwetst, dan krijg je daar spijt van. Het kan me niet schelen hoeveel zwarte banden je hebt.'

Paige twijfelde er geen moment aan dat Judy Smith haar kon laten lijden. 'Ja.'

'Maar als je hem gelukkig maakt, zal ik voor altijd van je houden.'

Paige slikte. 'Ik geef zelf de voorkeur aan de tweede mogelijkheid.'

'Dat vermoedde ik al.' Judy keek op en glimlachte naar Holly die een met plakband gerepareerde bril ophield. 'Mooi, je hebt hem gevonden.'

'Dit is je oude leesbril. Ik kon die mooie nieuwe niet vinden.'

Judy nam de bril van Holly aan met de ene hand terwijl ze met de andere over de zak van haar jasje streek. Paige vermoedde dat de nieuwe bril daar al die tijd gezeten had. 'Dank je, schat. Ik verga van de honger en Giuseppe heeft de beste carbonara in de hele stad.'

Woensdag 6 april, 20.15 uur

Het telefoontje kwam binnen op het enige nummer dat hij altijd ogenblikkelijk beantwoordde. 'Wat moet er gebeuren?'

'Ze zijn vanavond bij Rex langs geweest. Smith en die vrouw.'

Verdomme. Hij had gehoopt dat ze achter Brittany's chantageslachtoffer in Hagerstown aan zouden gaan. Maar een bezoek aan Rex kwam niet helemaal onverwacht. 'Wat hebben ze tegen hem gezegd?'

'Ze hebben hem verteld dat de bewakingsvideo van het feest verwisseld is. Ze hadden gezien dat er grote verschillen waren bij Betsy Malone. Ze zijn eerst bij haar langsgegaan voor ze naar Rex gingen.'

'Hoe weet je dat?'

'Ik heb zo mijn bronnen. Betsy heeft ze alles verteld. Een soort biecht, zeg maar.' De verachting droop van die woorden. 'Die meid is zwak. Altijd al geweest.'

Dat was beslist waar. Toen Betsy nog verslaafd was, was ze veel gemakkelijker te sturen geweest. Hij slaakte een ongeduldige zucht. 'Wat heeft Rex tegen ze gezegd?'

'Wat je zou verwachten. Dat hij onschuldig is. Dat hij zijn advocaat erbij wilde hebben als ze weer bij hem op bezoek zouden komen.'

Daar moest hij om glimlachen. 'Laat Rex contact opnemen met zijn advocaat.'

'Vind je dit grappig? Ik kan je verzekeren dat het dat niet is. Je zei dat de aanklager geen probleem meer vormde. Je zéí dat hij niet voor moeilijkheden zou zorgen.'

'Hij heeft nog niets onherstelbaars gedaan.' En vanaf een uur of halftwaalf vanavond zou Smith ophouden een probleem te vormen. Hij zou met een heleboel dingen ophouden. Hij zou ophouden te bestaan.

'Houd hem tegen voor hij dat wel doet.'

'Daar kun je op rekenen. Ik moet ervandoor.'

'Wacht. Ik heb nog iets.'

Hij raakte vervuld van afgrijzen. 'Wat heb je gedaan?'

'Niets. Dat is juist het probleem. Die laatste heeft ontzettend veel mazzel. Ze blijft maar in leven.'

'Ik heb je gezegd dat je dat moest laten rusten.'

'Dat kan niet meer. Ze weet het.'

Het afgrijzen werd sterker. 'Wat weet ze precies?'

'Dat ik haar probeer te vermoorden.'

Shit. 'Wacht. Weet ze dat jíj degene bent die haar probeert te vermoorden of alleen maar dat íémand dat probeert?'

'Ik geloof het laatste.'

Hij zuchtte geluidloos. 'Ik neem haar wel voor mijn rekening.' Dat deed hij meestal. 'Waar is ze?'

'Ze heeft ongeveer een uur geleden met een koffer haar huis verlaten. Haar man is eerder vanavond met een kwaaie kop weggegaan. Ik vermoed dat ze ruzie hebben gehad. Ze logeert bij een vriendin op 3468 Bonnie Byrd Way. Belachelijke naam voor een straat trouwens.'

'Waar ben je nu?'

'Op Bonnie Bird Way, een paar huizen bij die vriendin vandaan.'

Jezus christus... 'Ga naar huis. Nu.'

Er viel een onheilspellende stilte. 'Waag het niet me te commanderen. Nooit.'

'Het spijt me,' zei hij berouwvol. 'Ga alsjeblieft naar huis. Ik kan niet hebben dat Adele Shaffer te veel dingen met elkaar in verband brengt. Niet nu.'

'Uitstekend. Zorg voor haar. Regel dit.'

'Doe ik. Wacht op mijn telefoontje.'

Woensdag 6 april, 20.25 uur

Tegen de tijd dat Grayson Peabody had uitgelaten en bij Lisa en Brians Party Palace was aangekomen, zat de hele familie al om de tafel in Brians keuken te genieten van een stoofpot.

De stoel aan het hoofd van de tafel was niet bezet en Grayson keek verrast naar Jack Carter. Het hoofd van de familie zat altijd aan het hoofd van de tafel.

'Jouw bijeenkomst.' Jack wees met zijn vork naar de lege stoel. 'Jouw plek.'

Jack en Katherine Carter zaten naast elkaar. Katherine was degene geweest die hen al die jaren geleden in hun gezin had opgenomen, maar Jack had daar nooit tegen geprotesteerd. Integendeel, de man had hen onder zijn hoede genomen. Wanneer Jack met Joseph naar het park ging om te honkballen, werd Grayson daar automatisch bij betrokken. En wanneer er een sportwedstrijd was of een schoolbijeen-komst, dan waren Jack en Katherine daar altijd bij en dan zaten ze naast zijn moeder te stralen van trots.

Toen het tijd werd om te gaan studeren, was Grayson er getuige van dat Joseph aanmeldingsformulieren voor de beste universiteiten verstuurde. Grayson had voldoende gespaard om naar de plaatselijke universiteit te gaan, al dankbaar dat hij überhaupt in staat was om te gaan studeren. Maar ze zetten zijn wereld opnieuw op zijn kop toen ze hem vertelden dat ze geld opzij hadden gezet in een studiefonds voor Grayson en hun 'andere kinderen'.

Jack en Katherine hadden hem in staat gesteld de man te worden die hij vandaag de dag was. Nu zat Grayson naar zijn familie te staren terwijl zijn hart in zijn keel klopte en zijn maag omdraaide omdat hij op het punt stond hun te vertellen wie hij werkelijk was.

Stel dat ze kwaad zouden worden. Of erger nog, beschaamd of vol walging. Hij wist niet goed of hij dat wel aankon. Maar hij wist dat ze de waarheid van hem moesten horen. Hij wist dat Anderson gauw genoeg van zijn bezoek aan Rex McCloud zou horen, als dat al niet was gebeurd.

'Wat is er aan de hand, Grayson?' vroeg Lisa. Ze zette een bord voor hem neer. 'Je ziet er ziek uit. Ga zitten, schat. Eet.'

'Ik denk niet dat ik een hap door mijn keel kan krijgen,' zei Grayson, die nog steeds stond.

Lisa ging op haar plek naast Brian zitten. 'Wacht niet te lang, anders wordt het koud. Bovendien heb ik maar tot tien uur een oppas.'

'Dan zal ik snel zijn.' Alsof je een pleister van een wond trok. 'Bedankt dat jullie gekomen zijn.'

Zes paar ogen keken hem aan. Jack en Katherine. Brian. Lisa en Joseph en Zoe.

'Ik heb jullie iets te vertellen wat mam en ik jullie al jaren geleden hadden moeten vertellen, maar we konden nooit het juiste moment vinden. In het begin waren we alleen maar bang. We waren dakloos en mam zou zo'n beetje alles hebben gedaan om ervoor te zorgen dat ik veilig was. Later... wilde ik niet dat ze het vertelde. Ik wilde niet dat iemand het wist. En dat spijt me vreselijk.' Hij sloot zijn ogen. 'Ik weet niet eens waar ik moet beginnen.'

Er volgde een lange, diepe stilte. Toen schraapte Jack zijn keel. 'Wat dacht je van "Heel, heel lang geleden was ik een jongetje in Miami"?'

Graysons ogen vlogen open. Zes paar ogen keken naar hem. Niet verrast. Het leek wel een eeuwigheid voor hij een woord kon uitbrengen. Toen zei hij schor: 'Jullie wísten het?'

Katherine glimlachte. 'Al voor ik je moeder die baan als kindermeisje aanbood. Denk je dat ik mijn kinderen zomaar aan een willekeurig iemand zou hebben toevertrouwd? Wat voor moeder denk je dat ik ben?'

'Jullie wisten het,' herhaalde hij. 'En het kon jullie niet schelen?'

'Natuurlijk kon het ons iets schelen,' antwoordde Jack. 'Judy en jij konden ons iets schelen. Wat er is gebeurd was niet jouw schuld. Nooit. Jij wilde het ons niet vertellen en daar hadden we begrip voor. Dat was toen. Nu maak je deel uit van ons gezin en wij zorgen voor elkaar.'

Grayson liet zich langzaam op zijn stoel zakken. Zijn hart ging wild tekeer. 'Hoe?'

'Toen jullie verdwenen was dat landelijk nieuws,' zei Jack. 'Je moeder knipte haar haar af, maar aan jouw uiterlijk viel niet zo veel te veranderen. Toen ze bij ons kwam voor het sollicitatiegesprek had ze jou bij zich. Katherine herkende je in één oogopslag.'

Grayson keek naar Katherine, die haar hoofd schudde bij de herinnering. 'Je was een doodsbang kind met grote groene ogen die dingen hadden gezien die geen mens hoort te zien. Je moeder was wanhopig. Wij waren in staat jullie een veilige plek te bieden. Dus dat hebben we gedaan.'

Graysons keel zat dichtgeschroefd. Tranen prikten in zijn ogen. 'Ik weet niet wat ik moet zeggen.'

'Mam en pap hebben ons kort nadat jullie bij ons waren gekomen het belangrijkste verteld,' zei Joseph. 'We hielden je op school in de gaten. Zorgden ervoor dat niemand een foto van je nam. Tegen de tijd dat je om de andere week op het nieuws "Geen commentaar" stond te roepen, dachten we dat je wel voor jezelf kon zorgen.'

Lisa sloeg haar ogen ten hemel. 'En dan zie je gisteren kans om op YouTube te komen. In één klap wereldberoemd. We vonden dat allemaal buitengewoon ironisch.'

Ze lachten en Grayson voelde een gewicht van zijn schouders rollen. 'Daar heb ik geen moment bij stilgestaan. Ik maak me er sinds de middelbare school al niet meer druk om als ik word gefotografeerd. Godzijdank lijk ik niet op hem.'

'Je lijkt in niets op hem,' beaamde Lisa heftig. 'Ik vlieg iedereen aan die het tegendeel beweert.'

Hoewel ze maar net boven de kolossale lengte van 1 meter 50 uit kwam, zou Grayson zijn geld altijd op Lisa zetten. 'Dank je.'

'We kwamen de rest te weten toen we oud genoeg waren om zelf op onderzoek uit te gaan.' Zoe's ogen kregen een gejaagde blik. 'Ik kan me de dag dat ik die artikelen vond nog goed herinneren. Dat... heeft wat met me gedaan. Het heeft mijn leven veranderd. Dat is de reden dat ik crimineel psycholoog ben geworden.'

'En waarom ik bij de FBI ben gaan werken,' voegde Joseph er zacht aan toe. 'Het heeft ons allemaal veranderd.'

Grayson slaakte een diepe zucht. 'Ik dacht dat jullie boos zouden zijn.'

Katherine stond op, liep naar hem toe en sloeg haar armen om hem heen. 'We houden van je, Gray. We hoopten dat je het ons op een dag zelf zou vertellen. Maar het zou wat ons betreft prima zijn geweest als die dag nooit was aangebroken.'

'Mam zei dat ik moest zeggen dat ze wel weggaat als jullie dat willen.' Hij vertrok zijn gezicht toen Katherine hem een tik op zijn arm gaf, ook al deed dat niet echt pijn. 'Au,' zei hij zonder het te menen.

'Die was voor je moeder. Het idee alleen al.'

'Wat we graag willen weten, Grayson, is: waarom vandaag?' vroeg Jack. 'Waarom vertel je het ons vandaag en op deze manier?'

Grayson keek naar Joseph en zag dat zijn broer er al achter was. Joseph haalde zijn schouders op. 'Het is jouw feestje.'

'Je weet het?' vroeg Jack aan zijn zoon. 'En je hebt niets gezegd?'

'Ik weet het niet zeker,' beweerde Joseph.

Jack snoof. 'Ha. Dus ga jíj de nieuwsgierigheid van een oude man bevredigen, Grayson? Want mijn andere zoon heeft een hevige aanval van pokerface.'

Grayson glimlachte ondanks zichzelf. 'Je wordt nooit oud, Jack. Daar ben je te taai voor.' Hij had plotseling razende honger en hij pakte zijn vork. 'Laat me even wat eten. Dan zal ik jullie daarna bijpraten.'

15

Silas sleepte zichzelf zijn huis binnen en liet zich op de bank ploffen. Er stond geen politie buiten te wachten, dus hij wist dat hij voorlopig veilig was. Grayson Smith had hem niet herkend.

Ik zou me gekwetst moeten voelen, dacht hij droog. *Al die jaren en hij heeft me niet herkend.*

Eerlijk is eerlijk, het was donker. *En ik droeg een masker. En mijn stem klonk misschien een beetje hoger dan normaal.* Dat gebeurt altijd als de adrenaline begint te stromen. Maar toch...

Ik zou hier niet eens moeten zijn. Ik zou door Canada moeten trekken alsof er geen vuiltje aan de lucht is. Maar zolang zijn baas nog ademde, zouden zijn vrouw en kind niet veilig zijn.

Hij pakte zijn zakelijke telefoon, die hij voor iedereen zichtbaar had laten liggen. Hij redeneerde dat als de politie hem op het spoor was, hij net zo goed de verdenking op zo veel mogelijk mensen kon laden. Het telefoonnummer van zijn baas zat in de lijst met gebelde nummers. Een slimme politieman zou het allemaal kunnen uitvogelen. Hij kende slimme politiemensen.

Zijn voormalige partner was een van de slimste. Dat hij tegen haar had moeten liegen deed pijn. Elke keer dat hij een leven had genomen om zijn kind te beschermen, had hij zichzelf voorgehouden dat ze het zou begrijpen. Maar hij wist dat dat niet waar was. Nu kon hij alleen maar hopen dat hij haar niet in een situatie zou brengen waarin zij hem moest neerschieten. Want dat zou ze doen, dat wist hij zeker.

Hij klapte zijn zakelijke telefoon open en keek bedenkelijk. Zijn baas had acht keer gebeld. Er was een bericht achtergelaten. *Een nieuwe opdracht. Ik moet weigeren.* Maar dat zou de man duidelijk maken dat er iets aan de hand was en dat was het laatste wat Silas wilde. Hij drukte op de snelkeuzetoets. 'Met mij,' zei Silas.

'Waar heb je uitgehangen?' De vraag werd niet op vriendelijke toon gesteld.

'Ik had een migraineaanval. Ik heb de hele dag plat gelegen. Ben mijn bed niet uit geweest. Moest steeds kokhalzen.'

'Ik zal je een bos bloemen sturen,' klonk het sarcastisch. 'Je moet om halftwaalf bij verpleeghuis Carrollwood zijn.'

Silas fronste zijn voorhoofd. 'Waarom?'

'Omdat ik wil dat je een verhaaltje voorleest aan die kwijlende idioten daar,' snauwde hij. 'Verdomme, man. Ik wil dat je iemand neerschiet. Weet je nog? Dat is je wérk.'

Silas haalde diep adem om zichzelf tot kalmte te manen en te voorkomen dat hij ook ging snauwen. 'Wie?' vroeg hij.

'Dat vertel ik je wel als je daar bent. Ik heb je een e-mail gestuurd met een kaartje van de plek waar je moet wachten. Bereid je erop voor dat je van een meter of honderd moet schieten. Vragen?'

Een stuk of duizend en de eerste is hoe ik je te pakken kan nemen. 'Nee.'

'Mooi. Dit is je laatste kans, Silas. Als je het weer verkloot heeft iemand een priester nodig. En je zou willen dat jij dat was.'

Silas vertrok zijn gezicht toen de verbinding met een luide klik verbroken werd. Klootzak.

Ga dan niet.

Nee, hij zou wel gaan. Hij moest weten wat die eikel van plan was. Hij vond het verpleeghuis op de kaart. Hij had nog een uur voor hij weg moest. Tijd genoeg om te douchen en te scheren. En iets te eten. Maar eerst Violet bellen om haar welterusten te wensen. Het belangrijkste eerst.

Woensdag 6 april, 23.00 uur

'Zijn we er?'

Grayson keek naar de passagiersstoel, waar Paige eerst het ene oog en vervolgens het andere opendeed, nog steeds half in slaap. Maar ongelooflijk mooi. Ze was vrijwel onmiddellijk in slaap gevallen nadat hij haar had opgepikt bij Giuseppe, waar zijn moeder instemmend had geknikt.

'We zijn er al een minuut of tien,' zei hij. 'Ik heb e-mails zitten lezen.'

Ze geeuwde. 'Ik geloof dat ik in slaap ben gevallen.'

'Daar was je aan toe.' Hij keek haar glimlachend aan. 'Al die vrouwenpraat moet vermoeiend zijn.'

'We hebben het leuk gehad, je moeder, Holly en ik. Maar we hebben je wel gemist.'

Hij was gearriveerd op het moment dat zij vrijwel klaar waren met eten. 'Volgende keer.'

'Waar ben je geweest?'

'Ik ben naar huis gegaan om Peabody uit te laten en toen werd ik afgeleid.' Hij wilde niet liegen, maar hij wilde haar ook niet de hele waarheid vertellen. 'Waar hebben jullie het over gehad?'

'O, van alles en nog wat. Karate en mode. Je moeder en ik gaan samen op jacht.'

Hij fronste zijn voorhoofd. 'Mijn moeder haat jagen.'

Ze lachte zachtjes. 'Op jacht als in op koopjesjacht. Winkelen. Dat vindt je moeder wel leuk.'

'Alsof ik dat niet weet.' Hij ging met zijn vinger langs haar mond. 'Ze vindt je leuk.'

'Dat was wederzijds. En uiteraard hebben we het over jou gehad. Veel. Ze is een trotse moeder.'

Hij speelde met haar onderlip en snakte even naar adem toen ze, nauwelijks voelbaar, aan zijn vinger likte. Hij slikte hevig toen zijn lichaam meteen reageerde.

Echt reageerde. Hij wou dat hij wist wat hij met Paige aan moest. Joseph en Lisa hadden hem onafhankelijk van elkaar bezworen het niet met haar te verknoeien. Zijn moeder had hetzelfde gedaan. In twee dagen was Paige erin geslaagd indruk te maken op iedereen van de familie die ze ontmoette.

Dat verbaasde hem niet. Toen hij haar op tv zag, had ze binnen twee seconden indruk op hem gemaakt.

Hij had nog ongeveer twee uur om een beslissing te nemen, want dat was de tijd die het zou kosten om Brittany Jones te vinden en met haar te praten voor ze teruggingen naar het huis in de stad om de hond van Paige op te halen. Hij zou hen naar het Peabody Hotel brengen, waar hij geacht werd haar onder de hoede van haar partner achter te laten. Bij die gedachte borrelde er een jaloerse woede in hem op en hij wist dat hij haar vannacht niet aan de zorg van een ander zou overlaten. *Ik zal haar zelf bewaken.*

Ze zat naar hem te kijken, de blik in haar donkere ogen was opgewonden en fel. Misschien zouden ze zijn herenhuis nooit uit komen. Hij had een groot bed. Een heel groot bed. Hij werd gekweld door gedachten aan wat hij daar allemaal met haar kon doen. Hij zou ervoor zorgen dat het doorbreken van haar onthouding die achttien maanden waard maakte.

Nee, dat doe je niet. Tenzij je van plan bent met haar verder te gaan. Hij bleef roerloos zitten. Als hij met haar verder wilde, dan betekende het dat hij het haar moest vertellen. Dan moest ze het weten. Dan kon ze altijd nog weggaan als ze dat wilde.

'Wat moet ik toch met je doen?' fluisterde hij.

De blik in haar ogen veranderde. De opwinding bleef, maar die werd getemperd door een tederheid die zijn hart verscheurde. 'Wat wíl je met me doen?' fluisterde ze terug.

Zijn lichaam verstijfde en de adem ontsnapte met een zucht uit zijn longen. Hij aaide over haar wang en zijn hand liefkoosde de gladde huid op een manier waarvan hij inmiddels al wist dat ze die prettig vond. 'Alles,' antwoordde hij schor en hij wist dat het waar was.

Ze bleef hem bestuderen. 'Alles is heel veel,' zei ze zacht.

Hij boog zich naar haar toe. Toen hij haar haar rook, merkte hij dat de draaikolk aan emoties die hij voelde tot rust kwam. 'Dat weet ik.'

Ze overbrugde de afstand tussen hen en ging vluchtig met haar lippen langs de zijne. 'Ik wou dat je er niet zo verdrietig van werd. Ik wil niet dat je verdrietig bent.'

Hij keek verrast op en staarde haar aan terwijl ze zich terugtrok en zich weer op haar plek nestelde. 'Wat stond er in je e-mail?' vroeg ze voor hij iets kon bedenken wat hij kon zeggen.

'Wat?'

'Je e-mail. Je zei dat je bezig was je e-mails door te nemen.'

Hij voelde nog steeds die steek in zijn hart. Zijn lichaam verlangde nog steeds naar haar. Het koste hem de grootst mogelijke moeite om zich te concentreren. 'Stevie en Fitzpatrick hebben Radcliffe opgespoord. Toen ze hem het dwangbevel lieten zien, gaf hij hun zonder tegenstribbelen de computer van Logan. Ze hebben de video nu in het laboratorium, maar ze zijn niet erg optimistisch dat Logan het gezicht van de sluipschutter heeft gefilmd.'

'Dat zou al te makkelijk zijn.'

'Dat is zo. De afdeling Ballistiek heeft het wapen getest dat de recherche in Sandovals auto heeft gevonden en ook het pistool dat is gebruikt bij de moord op Delgado. Er lijkt geen verband te bestaan.'

'Dat zou ook te makkelijk zijn geweest. Hoe zit het met Barb de bankier?'

'Barb is over de brug gekomen. Ze zei dat de rekening van Crystals bankboekje op naam staat van Brittany Jones.'

'Wat? Chanteerde Brittany iemand? Dat slaat nergens op.'

'Brittany's tweede naam blijkt Amber.'

'En dat is de naam die Crystal gebruikte om op het feestje van Rex te komen. Ze heeft ook van Brittany's naam gebruikgemaakt om die rekening te openen. Slim, eerlijk gezegd.'

'Barb zei dat de rekening tot een halfjaar geleden nog steeds actief was. Meer kon ze niet zeggen zonder een gerechtelijk bevel.'

'Dus ofwel hun slachtoffer was er niet achter gekomen dat Crystal dood was, of Brittany heeft hem opnieuw gedreigd,' concludeerde Paige bedachtzaam. 'Die meid is brutaal.'

'Ze is elke maand geld blijven ontvangen. Ze heeft het alleen niet bijgehouden in het boekje.'

'Daarom was ze, als we ervan uitgaan dat ze hetzelfde heeft gekregen als Sandoval, ook in staat om vijftigduizend dollar te betalen aan St. Leo. Ze gebruikte Crystals geld van de chantage voor eten en de huur. Ik vraag me af waarom de betalingen zijn stopgezet.'

'Misschien is het slachtoffer er eindelijk achter gekomen dat Crystal dood is.' Grayson keek op zijn horloge. 'Het is bijna elf uur. Laten we Brittany een bezoekje gaan brengen.'

'Als de receptie doorgeeft dat wij het zijn, gaat ze er misschien vandoor. We moeten een list bedenken.'

Zijn mondhoeken gingen onverwacht omhoog. 'Een list?'

Ze trok een wenkbrauw op. 'Steek je de draak met me?'

'Een beetje maar. Dus, Watson, wat wordt onze list?'

'Waarom ga je ervan uit dat jij Sherlock bent?'

'Daar heb je een punt. Jij mag Sherlock zijn als je dat graag wilt.'

'Als iemand daarbinnen ons herkent van die verrekte nieuwsvideo, dan kunnen we alleen nog maar onszelf zijn. Zo niet, dan ben ik een vriendin van de verpleegopleiding en dan ben jij mijn afspraakje.'

Mijn afspraakje. Het verschafte hem een bijna jongensachtig genoegen. 'Waarom ga je ervan uit dat ik niet ook op die opleiding heb gezeten? Je doet seksistisch.'

'Nee, realistisch. Er zijn niet veel studenten verpleegkunde die zich een pak kunnen veroorloven zoals jij draagt.'

'Bovendien wil je alleen maar graag mijn afspraakje zijn,' zei hij luchtig.

Nu was het haar blik die een beetje verdrietig werd. 'Ja. Dat klopt.' Ze deed abrupt het portier open. 'Kom op. Ik wil weten hoe Crystal aan die McCloud-medaille is gekomen.'

De receptie van het verpleeghuis was geschilderd in ziekenhuiswit. De balie werd bemand door een vrouw die volgens haar naamplaatje Sue heette.

Paige bleef voor de balie staan. 'Hallo. Is Brittany Jones al binnen?'

Sue kneep achterdochtig haar ogen samen. 'Wat moet u van haar?'

'Ik zit bij haar op de opleiding,' zei Paige. 'Ik heb een les gemist en ze zou me haar aantekeningen geven.'

'Hoe heet u?'

'Olivia Hunter.'

Sue trok vragend een wenkbrauw op in de richting van Grayson. 'En hij?'

Paige sloeg bezitterig een arm om Graysons middel. 'Mijn vriendje, David.'

'Mevrouw,' zei Grayson, die zich afvroeg waarom Paige die namen had gekozen. Het kon zijn dat ze de eerste had genoemd die in haar opkwamen, maar het feit dat het de namen waren van haar vrienden die eeuwig geluk hadden gevonden, ontging hem niet. Hij sloeg zijn arm om Paige's schouder.

'Ik zal eens zien of Brittany beschikbaar is.' Ze riep Brittany op en vroeg haar naar de balie te komen. Vervolgens wees ze naar een rij plastic stoelen. 'Jullie kunnen daar wachten.'

Woensdag 6 april, 23.20 uur

Silas keek bedenkelijk. Hij had diep vanbinnen wel geweten wie zijn doelwit zou zijn, maar zijn woede bereikte een kookpunt toen hij langs de zilverkleurige Infiniti reed die op de parkeerplaats van het verpleeg-huis stond. Het was de auto van Grayson Smith. Silas twijfelde er geen moment aan dat Paige Holden bij hem zou zijn.

Het was verdomme een test.

Dat betekende dat zijn baas vermoedelijk ergens in de buurt was en hem in de gaten hield. *Klootzak.*

Maar als zijn baas in de buurt was... Het geweer van Silas was uitgerust met een nachtvizier. Als hij erachter kon komen waar die zak zich schuilhield, dan kon hij vanavond nog een einde maken aan het hele gedoe.

En dan zou hij met zijn gezin ver weggaan. Dat zouden ze aanvankelijk niet zo fijn vinden. Zijn vrouw zou het stadsleven en haar vriendinnen missen. Violet zou haar school en haar speelgoed missen. Maar ze zouden in leven zijn, en samen. Aan de rest konden ze wennen.

Hij reed naar het einde van het parkeerterrein terwijl hij de heuvels erachter observeerde. Er waren veel plekken om je te verstoppen. Als die zakkenwasser daar ergens zat, dan zou het lastig worden om hem te vinden. *Ik moet ervoor zorgen dat hij naar mij komt, dacht hij.* Hij wist nog niet goed hoe hij dat moest bewerkstelligen. Nog niet.

En als hij jou door een vizier bekijkt? Dat idee was belachelijk. Die lul kon nog geen huis raken. *Daarom heeft hij mij 'in dienst genomen'.* Als die lul van plan was Silas uit te schakelen, dan zou hij dat van dichtbij en oog in oog doen. *Behalve dat ik daarop ben voorbereid.*

Silas reed met zijn bestelbus over het parkeerterrein. Geen bewakingscamera's en dat was goed. Hij reed het terrein af. Hij zou hier niet blijven. Hij was niet van plan om Grayson en Paige te doden, maar hij zou het er in ieder geval wel laten uitzien alsof hij een serieuze poging deed. Wanneer er eenmaal geschoten was, zouden de mensen komen toestromen. Geen schijn van kans dat hij daar ging parkeren.

Toen hij aan kwam rijden had hij een toegangsweg gezien. Daar zou hij parkeren en dan een plek tussen de bomen zoeken vanwaar hij kon schieten.

Hij vroeg zich af waarom Grayson Smith in het verpleeghuis was. De moeder van de man was niet ziek. Judy Smith was meer dan in orde. Silas had haar meer dan eens bewonderend bekeken. Uiteraard was hij niet zo'n soort man, zelfs niet als zij zo'n soort vrouw was geweest.

Ze had veel opgeofferd voor haar zoon. Van de paar keer dat hij hen samen had gezien, had Silas de indruk gekregen dat Grayson zich heel goed bewust was van haar opofferingen. Hij vroeg zich ook af hoelang het zou duren voor de klootzak die dacht dat hij eigenaar was van Silas' leven het geheim van Smith zou openbaren.

Hij vroeg zich af of Grayson wel wist hoeveel mensen wisten wie hij werkelijk was.

Dat had voor Silas nooit iets uitgemaakt, maar hij wist dat het voor Grayson wel iets uitmaakte. Zo'n soort man was deze officier van justitie. Toen zijn baas Silas de waarheid over Grayson Smith had verteld was de reden voor de gedrevenheid van de openbaar aanklager pijnlijk duidelijk geworden.

Dat had Grayson ook tot een perfect, onwetend slachtoffer gemaakt. *Welkom bij de club, meneer de officier.*

Woensdag 6 april, 23.35 uur

Paige en Grayson zaten al een halfuur te wachten en Brittany Jones was in geen velden of wegen te bekennen. Sue had haar mobiele nummer gebeld en vervolgens gezegd dat Brittany eraan kwam maar dat ze was opgehouden. Blijkbaar was ze wanhopig op zoek geweest naar een oppas voor haar zoon. Gezien het feit dat Brittany haar eigen omgeving was ontvlucht, had dat logisch geleken. Maar nu was Paige daar niet meer zo zeker van.

Sue wierp nerveuze blikken in hun richting. De laatste keer dat ze naar Brittany's mobiele telefoon had gebeld, had ze zich afgewend zodat ze haar gezicht niet meer konden zien.

Paige boog zich naar Grayson en drukte haar lippen op zijn kaak, net onder zijn oor. Dat maakte deel uit van hun list, maar ze maakte van de gelegenheid gebruik om zijn geur op te snuiven en te genieten van het prikken van zijn stoppels op haar lippen. Nu ze wist wat hij al die jaren zo angstvallig geheim had gehouden, begreep ze hoe moeilijk het voor hem moest zijn om het iemand te vertellen.

Ze kon geduld opbrengen. Grayson Smith was een man die de tijd waard was die het zou kosten om erachter te komen of de vonk die er ontegenzeggelijk was kon uitgroeien tot meer.

En toch heeft hij aangeklopt. Die gedachte bleef maar door haar hoofd spoken. Ondanks het feit dat hij wist dat het bekend zou worden en dat zijn leven voor altijd anders zou worden, had hij toch bij Rex aangeklopt. Omdat dat het juiste was om te doen.

Ze wilde deze man. Hij was knap. Sexy. Intelligent. Vriendelijk wanneer hij dat wilde. Beschermend. Hij had een lichaam dat ze uren wilde verkennen en daarna nog een keer. Maar het was zijn integriteit die haar het meeste aansprak. Dit was echt. *Ik wil hem voor mezelf. Ik wil dat hij mij om dezelfde reden wil.* Ze wilde dat hij haar wilde om dezelfde reden dat David Olivia wilde. *Het is mijn beurt voor nog lang en gelukkig. Dat wil ik met deze man.*

Ze moest heftig slikken om haar hart tot bedaren te brengen. 'Geloof jij dat ze nog komt?' fluisterde ze in zijn oor.

Hij draaide zich om en keek haar aan. Zijn groene ogen keken opgewonden en zijn blik was vol behoefte. En van een verlangen dat ze maar al te goed begreep. 'Ik weet het niet,' fluisterde hij terug en zijn adem voelde warm aan tegen haar hals. Hij ging met zijn lippen over haar oor en ze rilde. 'Probeer eens of je Brittany's mobiele nummer bij Sue los kunt peuteren. Dan bellen we haar zelf.'

Paige stond op en zag dat Sue hen zat gade te slaan en alle fysieke tekens juist interpreteerde. De receptioniste keek naar Grayson op een manier die maakte dat Paige haar de ogen uit het hoofd wilde krabben.

Paige keek haar woedend aan en Sue knipperde onschuldig met haar ogen. 'Het spijt me geweldig,' zei Sue met hese stem. 'Hij is... Je kunt het me niet echt kwalijk nemen, weet je. Het zijn de feromonen.' Ze hield haar linkerhand omhoog, waaraan een ring schitterde in het plafondlicht. 'Ik ben getrouwd. Gelukkig. Echt waar.'

Paige giechelde en de spanning was gebroken. 'Komt Brit echt nog vanavond?' Ze liet haar stem een klein beetje klagend klinken. 'Ik moet die aantekeningen hebben, maar ik zou op dit moment liever andere dingen doen dan op haar wachten. Dat, eh, begrijp je wel.'

'O, zeker,' zei Sue ademloos. 'Dat begrijp ik heel goed. Ik heb tegen haar gezegd dat jullie zaten te wachten. Ze zei dat ze zo komt. Het is sowieso al ongebruikelijk dat ze te laat is. Ze is zo betrouwbaar.'

'Dat weet ik. Dat is ook de reden waarom ik haar om die aantekeningen heb gevraagd. Ze is altijd bij de les. Luister –' Paige dempte samenzweerderig haar stem. 'Ik moet morgenochtend echt vroeg op en ik wil nu echt graag naar huis en... nou ja, je weet wel. Mag ik Brittany's mobiele nummer hebben? Dan kan ik regelen dat ik die aantekeningen morgen ophaal of misschien kan ze ze scannen en naar me mailen.'

Sue aarzelde. 'Ik mag je haar nummer eigenlijk niet geven.'

'Alsjeblieft?' smeekte Paige. 'Je hebt geen idee wat ik op dit moment allemaal misloop.'

Sue zuchtte. 'Ik geloof graag dat hij echt zo ongelooflijk is als hij eruitziet.'

En toch had hij aangeklopt. 'Nog beter,' vertrouwde Paige haar toe.

Sue slaakte opnieuw een zucht en schreef een telefoonnummer op een blaadje van een notitieblok en gaf dat aan Paige. 'Veel plezier. Misschien kun jíj aantekeningen maken en die mij toesturen?'

Paige giechelde opnieuw. 'Dat zou je hart niet aankunnen.' Ze draaide zich om en knikte naar Grayson. 'Alles in orde. Laten we naar huis gaan.'

Grayson kwam overeind en de kamer leek kleiner. Zijn ogen bleven op haar rusten en ze voelde zich... heet. Gloeiend. *Geclaimd.* 'Wat jij wilt.'

Woensdag 6 april, 23.45 uur

Vanaf zijn positie op de met bomen begroeide heuvel zag Silas dat Grayson en Paige het verpleeghuis verlieten. Ze waren alleen. Graysons hand lag op Paige's rug. Zelfs van deze afstand was te zien dat het gebaar van de openbaar aanklager bezitterig was. Silas vroeg zich opnieuw af wat ze daar moesten en hoe dat met de zaak in verband stond. Hij hoopte dat Grayson elk detail van de misdaad zou onthullen, tot en met de betrokkenheid van hun bazen.

Alleen moest Silas er zeker van zijn dat zijn eigen baas zijn mond niet zou opendoen. *Want de gevangenis is echt een heel ongezonde plek voor me.*

Hij drukte zijn ogen tegen het telescoopvizier van zijn geweer en stelde scherp op Grayson, die Paige in de auto hielp. De aanklager kuste haar op de mond en keek toen op, als een roofdier dat een prooi ruikt. Silas nam aan dat hij het gewend was geraakt om over zijn schouder te kijken. In ieder geval op een bepaald moment in zijn leven. *Blijf waakzaam, Grayson. Anders ga je er ook aan.*

Silas verschoof het geweer een paar centimeter van Graysons hoofd en schoot. De kogel ketste met een helder geluid en zonder schade aan te richten van een lantaarnpaal. Grayson reageerde snel. Hij blafte een commando naar Paige en verdween aan de voorkant van de auto. Paige dook omlaag en het portier aan de bestuurderskant werd van binnenuit geopend. Grayson schoot naar binnen en ging ervandoor alsof de duivel hem op de hielen zat.

Mooi. Van nu af aan zouden ze op hun hoede zijn. *En als de baas hier is, dan heeft hij gezien dat ik het heb geprobeerd.* Silas draaide langzaam zijn lichaam zodat hij door het vizier naar de heuvels keek, waar hij zocht naar een schaduw, rollende stenen of wat ook maar de positie van die zak zou verraden.

Nog een keer de trekker overhalen en zijn problemen zouden voorb–

'Geen beweging, smeris.' Kil staal drukte tegen de achterkant van zijn schedel.

Silas verstijfde met zijn vinger nog steeds om de trekker. Het was niet zijn werkgever. Hij kende de stem niet. Het was een mannenstem. Schor en ruw. Vol venijn. Zijn hart begon sneller te kloppen. 'Wie ben je?'

Hij knipperde niet met zijn ogen toen de loop van het pistool harder tegen zijn schedel werd gedrukt. 'Je hebt het recht om te zwijgen,' zei de man. 'Klink ik bekend, sméris?'

'Nee, dat doe je niet.'

'Dat komt omdat een of andere crackfiguur mijn strottenhoofd heeft verbrijzeld toen ik in de arrestantenbewaring zat,' raspte hij. 'Waar jíj me had gestopt. Voor die tijd had ik de stem van een godvergeten koorknaapje. Leg dat geweer weg.'

Geen haar op Silas' hoofd die erover dacht om zijn wapen te laten vallen. Hij liet de loop een paar centimeter zakken, maar hield zijn vinger aan de trekker. 'Wie heeft je gestuurd?' Alsof hij dat moest vragen.

Voor de man antwoord kon geven, dook Silas ineen, draaide zich razendsnel om en zag kans de man de benen onder zijn lijf uit te schoppen. De man sloeg met een klap tegen de grond en voor hij met zijn ogen kon knipperen had Silas hem in beide polsen geschoten. Zijn schreeuw was bijna geluidloos en hij liet zijn pistool op het gras vallen, waar het geen kwaad meer kon. Met een gezicht dat vertrokken was van pijn en haat probeerde hij overeind te komen.

Silas schoot hem in een van zijn knieën en de mond van de man ging wagenwijd open om opnieuw een schorre, vrijwel geluidloze schreeuw te slaken. Silas boog zich voorover. 'Wie ben jij in hemelsnaam?'

'Val dood.'

Het was donker, maar er was voldoende maanlicht om zijn gezicht te zien. Dat kwam hem bekend voor. Silas richtte op de andere knie van de man. 'Vertel me hoe je heet of ik schiet nog een keer.'

'Nee.' Het was een zielig, gorgelend geluid. 'Niet schieten.'

'Ik ken jou. Het is duidelijk dat ik je ooit heb gearresteerd.' Silas had een buitengewoon goed geheugen en de puzzelstukjes in zijn hoofd vielen op hun plaats. 'Harlan Kapansky. Je hebt een heel gezin uitgemoord omdat de vader een gokschuld had. Je hebt vijfentwintig jaar gekregen.'

Kapansky keek woedend naar hem op. 'Ik mocht er eerder uit wegens goed gedrag.' Dat vond hij waarschijnlijk erg grappig, want hij begon hysterisch met gierende uithalen te lachen, waardoor hij nog meer verwilderd en buiten adem raakte.

'Hoeveel heeft hij je betaald om me te vermoorden?'

Duivels leedvermaak vermengde zich met de woestheid in Kapansky's blik. 'Jíj was gratis.'

'Ik was – wát? O god. O mijn god.' Silas' hart stond stil toen een ander stukje van de puzzel op zijn plaats viel. Kapansky was niet zomaar een moordenaar. Hij was bomexpert. Hij legde bommen. Hij had dat gezin vermoord met een autobom.

Grayson en Paige. Silas zette de loop van zijn geweer tegen de knie van Kapansky die nog niet gewond was. 'Heb je een bom onder die auto gelegd die daarnet wegreed?'

Kapansky lachte.

Je moet ze waarschuwen. Silas had de bom niet horen afgaan. Timer. Die vuile rat die hier op de grond lag te kronkelen moest een timer hebben gebruikt. *Waarschuw hen.*

Silas hing zijn geweer over zijn schouder en pakte zijn mobiele telefoons. Hij had Graysons nummer nog in zijn privételefoon. Hij belde met zijn zakelijke mobieltje.

Woensdag 6 april, 23.48 uur

Grayson had zijn hand op Paige's rug gelegd en duwde haar voorover op de passagiersstoel. Hij reed als een bezetene terwijl zij het alarmnummer belde en de situatie uiteenzette.

Sneller. Sneller. Dat was het enige wat hij kon denken. *Haal haar hiervandaan. Zorg dat ze in veiligheid is.*

Paige vroeg de centralist om contact op te nemen met Stevie Mazzetti en keek toen zijdelings omhoog. 'Ze schoten op jóú, Grayson,' zei ze dringend. 'Niet op mij.'

'Ik denk dat ons bezoek aan Rex McCloud een paar slapende honden heeft wakker gemaakt.'

'De centralist zei dat er patrouillewagens onderweg zijn en dat we een goed verlichte plek moeten zoeken en daar moeten wachten.'

'Ja, dag,' bromde hij. Een goed verlichte plek zou de sluipschutter alleen maar een beter uitzicht bieden. Hij bleef rijden. En toen begon het mobieltje in zijn zak te trillen. *Stevie.*

Hij liet Paige los en pakte zijn telefoon. 'Stevie –'

'Ga uit die auto.'

Graysons voet verstijfde op het gaspedaal. Het was die stem. Van gisteravond. De schutter die hem bij zijn naam had genoemd. 'Nee.'

'Verdomme, Grayson, als je leven je iets waard is, ga je nu uit die auto.'

'Je hebt net geprobeerd me neer te schieten,' zei Grayson ongelovig.

'Godverdomme, als ik je had willen raken was je nu dood geweest. Ik deed mijn best om je te missen. Ga uit die auto of jij en je vrouw gaan eraan. Er zit een bom onder je auto. Geloof me maar.'

'Waarom zou ik jou vertrouwen? Wie ben je?'

'Een vriend die geen van jullie twee dood wil zien. Stap nu uit die verrekte auto!'

Grayson kwam plotseling tot rust. Zijn hersenen begonnen te werken. Ze waren in de val gelokt. Brittany was nooit van plan geweest om naar haar werk te gaan. Ze had ervoor gezorgd dat ze daar bleven, hen aan het lijntje gehouden. Hij trapte op de rem en Paige vloekte toen ze haar hoofd tegen het dashboard stootte.

'Eruit,' blafte hij. 'Uit de auto.'

Hij sprong eruit en rende om de auto heen om haar te pakken toen ze struikelde. Hij tilde haar op en dook over de berm het talud af.

Net op het moment dat de auto explodeerde had Grayson zijn armen om haar heen en samen rolden ze de helling af. Hij beschermde haar met zijn lichaam en boog zich over haar heen terwijl stukken verwrongen, brandend metaal op en om hen heen terechtkwamen.

En toen was het stil, het enige geluid was het knetteren van de vlammen.

Grayson deed zijn hoofd omhoog en keek in haar donkere ogen, die groot waren van angst. Haar blik was glazig door de shock. Samen snakten ze naar adem.

'Ben je gewond?' vroeg hij toen hij zijn stem had hervonden.

Ze schudde haar hoofd. 'En jij?'

'Niets aan de hand.'

Ze sloot haar ogen en er verschenen tranen in haar ooghoeken. Ze beefde en haar handen grepen zich vast in zijn overhemd. Hij ging naast haar op zijn knieën zitten en zag met hernieuwde schrik dat het gras om hen heen in brand stond.

'Sta op. We moeten hier weg.' Met een van pijn vertrokken gezicht dwong hij zijn lichaam overeind te komen. Zij kwam overeind met dezelfde soepelheid die hij had gezien toen ze Rex McCloud een toontje lager liet zingen.

Had Rex dit geregeld? Of diens grootouders? Anderson zelfs misschien?

Grayson greep haar hand en samen kwamen ze in beweging. Ze bleven pas staan toen ze bij een groepje bomen buiten bereik van het vuur waren. De grond was gelukkig doorweekt door de regen. Het vuur kwam niet in hun richting.

Paige liet zich op de grond zakken met haar rug tegen een van de bomen. 'Heeft hij je gewaarschuwd?'

'Ja. Het was die insluiper. Van gisteravond. En ik zie nog steeds zijn gezicht niet voor me.'

Ze deed haar ogen dicht terwijl haar handen zich openden en sloten en ze zichzelf zo kalmeerde. 'Bel hem terug. Kijk in je lijst van gesprekken.'

Shit. Daar had ik zelf aan moeten denken. Maar zijn gedachten vlogen alle kanten op en zijn hart ging nog steeds als een razende tekeer. Hij volgde haar voorbeeld en bracht zijn ademhaling zo ver onder controle dat zijn handen niet meer zo erg trilden en hij op zijn zakken kon kloppen op zoek naar zijn mobieltje.

Dat was er niet. Hij keek somber naar het brandende autowrak. 'Ik moet hem hebben laten vallen toen we uit de auto sprongen. Ik moet wachten tot het vuur vermindert en dan maar hopen dat hij niet is gesmolten.'

'Als dat zo is, dan heeft de telefoonmaatschappij het nummer nog. Het geeft niet, Grayson. Het is oké.'

Ze leefden nog, dacht hij grimmig terwijl hij naar de brandende auto keek. Maar het was verre van oké.

'Hij had je mobiele nummer,' zei ze zacht. 'Zelfs ík heb je mobiele nummer niet.'

Hij fronste zijn voorhoofd. 'Dat kan geregeld worden.'

'Dat bedoel ik niet. Aan wie geef je allemaal je mobiele nummer?'

O. 'Niet aan veel mensen. Familie. Een paar vrienden. Collega's. Politiemensen. Advocaten.'

'Die het allemaal weer aan iemand anders gegeven kunnen hebben,' sprak ze dunnetjes.

'Maar hij noemde me bij mijn naam.'

'Klopt. Maar iedereen die de krant leest kent je naam.'

'Brittany wist dat dit stond te gebeuren. Ze heeft ons erin geluisd.'

Paige knikte. 'Ze heeft ervoor gezorgd dat we daar bleven terwijl degene die dat heeft gedaan,' ze wees naar de auto op de weg, die nog steeds brandde, 'de bom plaatste.'

Hij werd verteerd door woede. 'Crystals kleine zusje heeft net een heel grote stap te ver gedaan. Chantage was al erg genoeg, maar poging tot moord...'

Ze bracht zijn gebalde vuist naar haar lippen. 'Het lijkt erop dat je mijn leven alweer hebt gered.' Ze keek naar hem op. 'Wat heb je voor morgen op het programma staan? Het zal niet meevallen om vandaag te overtreffen.'

Hij staarde haar een ogenblik aan, wierp toen zijn hoofd in zijn nek en begon te lachen. En als hij een beetje hysterisch klonk, dan was dat maar zo.

Woensdag 6 april, 23.50 uur

Silas keek neer op het lichaam van Kapansky. Een welgemikte kogel in zijn slaap had een einde gemaakt aan het gejammer van de man. Hij kon het lichaam hier niet laten liggen. Zijn werkgever had Kapansky hierheen gestuurd om hem af te maken. Als hij in de veronderstelling verkeerde dat hem dat was gelukt, ook al was het maar even, dan zou Silas wat meer bewegingsvrijheid hebben.

Dan kan ik achter hem aan en hem verrassen.

Hij zocht snel zijn spullen bij elkaar, pakte Kapansky's wapens en stopte alles achter in zijn bestelbus. Vervolgens sleepte hij het lichaam van Kapansky het bos door. Daarbij trok hij wel een spoor in de aarde, maar daar was op dat moment niets aan te doen.

Kapansky moest een vervoermiddel hebben, maar hij had geen tijd om ernaar op zoek te gaan. Het zou hier binnen de kortste keren wemelen van de politie. Hij legde Kapansky's lijk in het busje, bedekte het met een zeil dat onder de verfvlekken zat, sloeg het achterportier dicht en reed weg.

Toen hij ver genoeg weg was, stopte hij langs de kant van de weg. Zijn hart ging nog steeds tekeer.

Had hij Grayson op tijd gebeld? Hij had de ontploffing gehoord en de bal van vuur gezien. Waren ze eruit gekomen? Hij had gedaan wat hij kon. Ze stonden er nu alleen voor.

Zou hij ze ook gewaarschuwd hebben als hij Rose en Violet niet in veiligheid had gebracht?

Hij was niet trots op het antwoord. Want hij wist dat dat ontkennend zou zijn geweest.

Hij schoof de terechte zelfverachting terzijde en klapte de telefoon open die hij in Kapansky's zak had gevonden. In de lijst van gevoerde gesprekken stond een bekend nummer. Dat was geen verrassing.

Silas was eropuit gestuurd om Grayson en Paige te vermoorden, maar het was een dubbele val. Kapansky had de bom al geplaatst, dus ook als Silas zou hebben gefaald, dan nog zouden Grayson en Paige dood zijn geweest. *En daarna moest Kapansky mij vermoorden.*

Je was op vrije voeten. Silas kon zich voorstellen dat Kapansky had gedroomd van de dag dat hij hem te pakken kon nemen. Helaas had de bajesklant een beetje te lang van het moment genoten. Hij had zijn waakzaamheid net genoeg laten verslappen. Hij was te zelfingenomen geworden. *En ik heb geluk gehad.*

Silas mocht er niet van uitgaan dat hij nog veel langer zo veel geluk zou hebben. Hij gebruikte Kapansky's mobieltje om een korte boodschap naar het bekende nummer te sturen. *Beide karweien geklaard.* Dat zou hem wat tijd geven, vooropgesteld dat Kapansky niet persoonlijk had moeten bellen. Hij moest zijn werkgever laten geloven dat hij dood was. Hopelijk zou die arrogante klootzak dan ook wat minder op zijn hoede zijn.

Silas verwijderde de batterijen uit de telefoon van Kapansky en uit zijn eigen zakelijke mobieltje en haalde er vervolgens voor alle zekerheid de simkaarten uit. Nu kon niemand hem meer opsporen. Hij moest alleen nog van het lijk af.

En daarna moest hij slapen, al was het maar even. Wanneer hij in actie kwam, moest hij een helder hoofd, een vaste hand en zijn vinger aan de trekker hebben.

Woensdag 6 april. 23.58 uur

Zijn telefoon in zijn broekzak ging over. Dat moest Kapansky zijn die zich meldde. Hij vouwde zijn servet en glimlachte naar de gezichten rond de tafel. 'Ik ga even roken. Nee, nee, blijf zitten. Ik ben zo terug.'

Hij wandelde het terras op en deed de openslaande deuren achter zich dicht. Hij stak een sigaret op en nam een trek. Hij keek heimelijk naar het schermpje. *Beide karweien geklaard.* Prima. Grayson Smith en Paige Holden konden niet meer in zaken neuzen die maar beter begraven konden blijven.

Silas vormde geen bedreiging meer.

Brittany Jones had haar werk gedaan. Ze had Smith en Holden lang genoeg in het verpleeghuis vastgehouden om Kapansky de tijd te geven zijn bom te plaatsen.

Nu kon hij haar vermoorden. Hij nam nog een lange trek van zijn sigaret en legde die toen op de balustrade. Hij bekeek zijn overige boodschappen en zag tot zijn tevredenheid dat er precies zoals verwacht een nieuwe sms binnenkwam. *Gesprekken naar verpleeghuis Carrollwood kwamen van het Donnybrook Hotel in Dunkirk, NY.*

Het had zijn bron bij de telefoonmaatschappij minder dan tien minuten gekost om de positie van Brittany te bepalen aan de hand van de gebruikte zendmasten. Dat was nog vergemakkelijkt door het feit dat ze was gestopt om te overnachten. Een kind met je meesjouwen maakte het allemaal een stuk lastiger. Gelukkig hoefde Brittany zich daar niet veel langer zorgen over te maken. Brittany zou zich binnenkort nergens meer zorgen over hoeven te maken.

Hij stuurde een sms naar Kapansky. *Volgende stap. Donnybrook Hotel, Dunkirk, NY.*

Stevie smeet ziedend van woede het portier van haar auto dicht. Toen ze de verkoolde resten van Graysons auto zag, werd ze zo mogelijk nog kwader. Het zou hun het leven hebben gekost.

Haar hart klopte nog steeds in haar keel. Ze had een handjevol vrienden die deel hadden uitgemaakt van het kringetje van Paul en haar. JD was een van hen. Grayson ook. Ze hadden haar hand vastgehouden in de dagen na de moord op Paul. Ze hadden ervoor gezorgd dat ze niet gek werd.

Grayson niet langer in haar leven hebben... Stevie kon en wilde er zelfs niet aan denken.

Ze bleef staan bij het nog steeds smeulende autowrak en hield haar penning omhoog toen een agent naar haar toe kwam. 'Rechercheur Mazzetti. Politie van Baltimore.'

'Smith en Holden zitten achter in mijn patrouillewagen. De technische recherche heeft iets voor u.' De agent wees naar de bestelwagen van de TR die verderop stond geparkeerd. 'Ze zitten daar.'

'We stellen het op prijs dat jullie ons erbij betrekken,' zei Stevie tegen hem. Dit gebied lag een eind buiten hun jurisdictie. 'Toen ik Smith sprak, zei hij dat alles in orde was met hem.' Dat had hij gedaan via een telefoon die hij had geleend van een van de eerste agenten die ter plaatse kwamen, aangezien die van hem ergens tussen de verwrongen resten lag. Hij had weten te ontsnappen, maar het was op het nippertje geweest. 'Gaat het echt wel met hem?'

'Een paar schrammetjes, bulten en blauwe plekken. En zijn pak heeft betere tijden gekend.'

'Hij heeft er zo nog een paar duizend,' zei Stevie opgelucht. 'Bedankt.' Ze trof Drew Peterson van de TR met een man in een witte overall. 'Wat heb je gevonden?'

Drew wees naar de man naast hem. 'Rechercheur Mazzetti, Art Donovan, EOD.'

'Dit zat onder de auto,' zei Donovan. 'Bevestigd met een magneet. Het model is erg algemeen. Hij heeft een kantelontsteker gebruikt. Kwik.'

'Dus de auto rijdt en hobbelt. Het kwik rolt van het ene eind van het buisje naar de andere kant waar de draden zitten. Lost de isolatie van de draden op en stuurt een vonk naar het explosief. En dan... boem.'

'Precies.' Donovan stak zijn gehandschoende hand uit, waar een klokje op lag. 'Deze had ook nog een tijdontsteking. De bom stond op scherp, maar de ontploffing werd uitgesteld. Waarschijnlijk om de bommenlegger de tijd te geven om ongezien weg te komen. De aanklager en de detective hebben verrekte veel geluk gehad.'

Haar hart sloeg opnieuw over. 'Ik weet het. Enig idee wie dit gedaan kan hebben?'

'Iemand die zijn zaakjes kende.' Donovan haalde zijn schouders op. 'Vandaag de dag kan dat een tiener met een internetverbinding zijn. Ik heb een lijst van figuren die in het verleden dit type bom hebben gebruikt. Die zal ik je mailen.'

'Dat stel ik op prijs.' Toen Donovan wegliep, wendde ze zich weer tot Drew Peterson. 'Kunnen we achterhalen waar dat kwik uit die kantelontsteking vandaan kwam?'

'Dat kunnen we proberen, maar ik zou er niet op rekenen. Het is niet iets wat je in een willekeurige winkel koopt, maar als je het maar graag genoeg wilt hebben zijn er meer dan genoeg mogelijkheden in het clandestiene circuit. Het is heel goed mogelijk dat het afkomstig is van een of ander oud instrument of een thermometer die iemand nog had liggen.'

'Shit,' mompelde Stevie.

'Maar we hebben wel andere dingen gevonden,' ging Drew verder. 'Bij het verpleeghuis waar het schot is afgevuurd.'

'Het schot waardoor Grayson en Paige op de vlucht zijn geslagen. Hebben jullie de huls gevonden?'

'Nee, maar er heeft zich daar wel iets afgespeeld,' zei Drew. 'Er heeft een worsteling plaatsgevonden, een persoon heeft een hoop bloed verloren en is weggesleept. Het spoor stopt bij die toegangsweg. Alles wijst erop dat er een groot voertuig heeft gestaan, waarschijnlijk een bestelbus. Geen behoorlijke afdrukken van de banden.'

'Er waren twee mensen daar,' peinsde Stevie. 'Grayson zei dat de sluipschutter heeft gezegd dat hij opzettelijk heeft misgeschoten. Hij was degene die Grayson waarschuwde, dus ik neem aan dat die tweede figuur de bom heeft geplaatst. Ik vraag me af wie van de twee onderuit is gegaan. De bommenlegger of de sluipschutter? Heb je bloedmonsters?'

'Dat was geen enkel probleem. Er was een heleboel bloed.'

'We zitten met vier doden en iemand die probeert een openbaar aanklager op te blazen. Wanneer heb je DNA voor me?'

330

Hij haalde zijn schouders op. 'Ik kan je alleen maar beloven dat we binnen vierentwintig uur meer weten.'

'Prima,' zei ze knarsetandend. 'We zullen de resultaten vergelijken met de DNA-monsters in onze database en met Donovans bommenleggers. Hopelijk vinden we een overeenkomst. Verder nog iets?'

'Een auto, gestolen kentekenplaten.' Zijn wenkbrauwen gingen omhoog. 'Sporen van explosieven in de kofferbak.'

'Dus de schutter heeft gewonnen. De bebloede bommenlegger is weggesleept, anders was hij wel in zijn eigen auto weggereden in plaats van hem achter te laten met sporen van explosieven in zijn kofferbak die te achterhalen zijn.'

'Dat is wat ik ook dacht. We nemen de auto mee, kijken of we vingerafdrukken kunnen vinden en stofzuigen hem om haren te zoeken. En dan maar hopen dat die vent iets heeft achtergelaten. Ik laat het je weten zodra ik iets heb gevonden.'

'Dank je. Ik ga nu met Grayson praten. Als ik dat heb gedaan, ga ik naar het verpleeghuis om de plaats van de schietpartij te bekijken. Bedankt, Drew.'

Ze zwaaide even en liep naar de politieauto waar Grayson met Paige op de achterbank zat. Hij had een snee in zijn voorhoofd, die met zwaluwstaartjes was dichtgeplakt. Zij was in een deken gewikkeld en lag met haar hoofd op zijn schouder. Het verband om haar hals was hagelwit en was waarschijnlijk pas ververst door de bemanning van de ambulance.

Hij had zijn arm om haar heen geslagen en hield haar stevig vast. Ze keken allebei ernstig. Stevie gleed op een van de stoelen voorin. 'We kunnen elkaar zo niet blijven ontmoeten,' zei ze luchtig.

Grayson glimlachte niet. 'Ik ken hem, Stevie. Ik kom er maar niet achter. Ik word er gek van.'

'Ik heb op weg hierheen met Interne Zaken gebeld. Ze hebben de stemsamples nog niet. Dat zeggen ze tenminste.'

Hij keek haar aan en ze zag in zijn ogen de onderdrukte woede. En een gezonde dosis angst die, zo vermoedde ze, voornamelijk vanwege Paige was. 'Wat heeft de TR gevonden?'

Ze vertelde hem over de bom en de plek van de worsteling, waarvan ze aannam dat die had plaatsgevonden tussen de bommenlegger en de schutter. Dat had ze vermoedelijk niet horen te doen waar Paige bij was, maar Stevie vond dat de vrouw het recht op die informatie wel had verdiend. 'Ik laat van me horen zodra ik meer weet. Onder-tussen begin ik met het natrekken van het nummer dat jou heeft ge-beld. Dat kunnen we opsporen aan de hand van jouw belgegevens, als je ons daar tenminste toestemming voor geeft.' Toen hij alleen maar knikte, bestudeerde Stevie de gejaagde blik in zijn ogen. 'Denk je dat je slapende honden hebt wakker gemaakt door bij Rex McCloud langs te gaan?'

'Ja,' zei hij. 'Maar het was Brittany Jones die ervoor heeft gezorgd dat we werden opgehouden bij de receptie van het verpleeghuis terwijl de bom werd geplaatst.'

'De zus van Crystal die je dat interessante bewijsmateriaal heeft ge-geven.' Stevie sloeg gefrustreerd haar ogen ten hemel. 'En dat zat in een envelop die in de auto lag toen die de lucht in ging.'

Hij schudde zijn hoofd. 'Helemaal niet. Ik ben naar huis gegaan om Paige's hond uit te laten en heb de envelop toen in mijn kluis gelegd. Ik breng hem morgen wel even langs.'

'Brittany heeft iets te maken met de scherpschutter die helemaal niet zo scherp lijkt te schieten.' Paige dwong zichzelf tot een glimlach. 'Niet dat je mij hoort klagen, hoor.'

'Hij zei dat hij opzettelijk heeft gemist,' zei Grayson. 'Hij zei dat ik dood zou zijn geweest als hij me had willen raken.'

'Hij schiet heel erg goed als het erop aankomt,' merkte Stevie op. 'Hij heeft Elena Muñoz geraakt en niet jou, Paige. Waarom heeft hij jou niet neergeschoten?'

'Ik weet het niet. Dat heb ik me ook al afgevraagd. Hij had me kun-nen uitschakelen en Elena met een tweede kogel hebben geraakt voor iemand in de gaten had wat er aan de hand was.' Grayson gromde zachtjes van woede en Paige klopte hem geruststellend op zijn knie en keek hem aan. 'Maar dat is niet gebeurd,' fluisterde ze. 'Hij heeft me niet gedood en hij heeft jou vandaag opzettelijk gemist. Hij heeft ons leven gered met dat telefoontje, Grayson. We moeten weten waar-om.'

De temperatuur in de auto leek een paar graden te stijgen. Stevie schraapte haar keel en de twee hielden op met elkaar aan te staren en keken haar weer aan.

'Dank je,' zei Stevie droog. 'Elena staat in verband met Sandoval en Delgado. Logan en zijn moeder staan via die video in verband met de sluipschutter. Hoe heeft Brittany ermee te maken?'

'Ze heeft misschien geld aangenomen van dezelfde persoon die Sandoval heeft betaald,' antwoordde Paige. 'Hij is een verbindende factor. We hebben Brittany verteld dat mensen die met de zaak te maken hadden, werden vermoord. Misschien heeft ze Grayson en mij uitgeleverd om te voorkomen dat degene die haar vijftigduizend heeft betaald ontevreden werd en haar misschien zou vermoorden.'

'Of haar kind,' voegde Grayson eraan toe. 'Haar kind is belangrijk voor haar.'

'Ik laat een opsporingsverzoek uitgaan voor Brittany en haar kind. Hopelijk duikt ze ergens op.'

'Levend,' mompelde Paige.

'Dat zou ideaal zijn,' zei Stevie. 'Jullie zien er aardig verfomfaaid uit. Jij logeert in het Peabody, Paige?'

'Daar staat mijn tas met spullen. Shit. Mijn rugzak lag in de auto.'

'Het spijt me,' zei Grayson zacht. 'Je laptop ook.'

'Ik weet het. Ik maak sowieso elke avond een back-up, dus ik ben niet al te veel kwijtgeraakt. Maar mijn make-uptas zat er ook in. Ik weet dat het stom klinkt dat ik daarmee zit, maar verdomme, ik heb er een hoop tijd in gestoken om al die spullen te kopen.'

'We zorgen wel voor nieuwe,' zei Stevie. 'Mijn zus Izzy verzamelt make-upmonsters van al die demonstraties die ze in warenhuizen geven.'

Het leek er even op dat Paige zou weigeren. Toen boog ze haar hoofd. 'Dat zou heel aardig zijn van je zus. Dank je.'

'Gaan jullie je nou maar opfrissen. Ik zal een van deze agenten vragen om jullie naar de stad te brengen.'

'Bel je wanneer je iets hoort over de bommenlegger of de schutter?' vroeg Grayson.

'Absoluut. We zoeken dit tot op de bodem uit, Grayson.'

Zijn mond werd een dunne streep. 'Daar hou ik je aan.'

16

Donderdag 7 april, 01.45 uur

Grayson had haar niet meer losgelaten, niet één keer sinds het moment dat de ambulancebroeders hen hadden verbonden. Er was bij Paige een hechting losgeraakt toen ze het talud af rolden. *Toen hij me beschermde met zijn lichaam. Me opnieuw beschermde.*

De verpleger zei dat ze naar de spoedeisende hulp moest, maar deze keer had Grayson haar tot haar grote opluchting niet gedwongen om te gaan. Een paar uur in een kleine, witte kamer kon ze op dit moment echt niet aan.

Nu zaten ze achter in de politieauto op weg naar Graysons herenhuis. Hij had zijn arm stevig om haar schouder geslagen. Ze ging met haar bevende hand naar het verband op zijn voorhoofd. Ze kon zichzelf er niet toe brengen naar de spoedeisende hulp te gaan, maar hij zou daar wel naartoe moeten.

'Je had met ze mee moeten gaan,' mompelde ze.

'Ik was niet van plan om zonder jou te gaan.' Hij drukte met een duistere wanhoop die ze maar al te goed begreep, een kus op haar slaap.

Eerst... eerst ging het alleen om mij. Nu verkeerde hij ook in gevaar. Ze vlijde haar hoofd tegen zijn borst. Onder de geur van rook hing zijn eigen geur en ze snoof hem op. Zijn greep verstevigde en ze raakten verzonken in elkaar tot de politieauto voor zijn huis stopte.

De agent draaide zich om en keek hen aan. 'Ik ga mee naar binnen om te zien of alles veilig is.'

'Dat zit wel goed. Ik heb een heel goed alarmsysteem en zij heeft een heel grote hond.'

'De rottweiler,' zei de agent. 'Ik kan hem zien door het zijraam. Mooi dier. Wees voorzichtig.'

Het was stil in huis. Peabody stond in de hal en hield zijn kop een beetje schuin. Alert.

'Brave hond,' zei Paige en het dier ontspande. Grayson zette het alarm uit en deed de lichten aan. Alles was precies zoals ze het hadden achtergelaten. Ze liep naar de deur van de studeerkamer. Alles stond op zijn plaats, inclusief de foto's op het schap boven zijn bureau. Inclusief de foto waarvan hij niet had gewild dat ze hem zag. De foto van het jongetje en zijn glimlachende moeder. Ze draaide zich om en zag dat hij met een grimmige blik naar haar stond te kijken.

'Ik dacht dat ik je kon beschermen,' fluisterde hij heftig. 'Ik wil dat je veilig bent.'

'Dat heb je gedaan.' Ze liep naar hem toe. 'Dat heb je gedaan. Elke keer dat iets of iemand me iets probeerde te doen, heb je me beschermd. Het is lang geleden dat iemand dat heeft gedaan.'

Zijn stemming sloeg onmiddellijk om. Zijn blik werd verhit en ging langzaam langs haar lichaam omlaag en weer terug tot hij haar aankeek. Ze voelde zich verzengd en haar huid voelde te strak aan voor haar botten. Maar ze kon haar blik niet van hem afwenden, als ze dat al zou hebben gewild.

'Het is lang geleden dat iemand een heleboel dingen voor je heeft gedaan. En met je.'

Haar adem stokte in haar keel. Ze wilde iets zeggen. Wat dan ook. Maar haar hart ging als een razende tekeer en ze kon niets meer denken. Hij ging net als de avond ervoor met zijn duim langs haar lippen, de belofte van de zoen die zou volgen. Haar lippen tintelden bij de herinnering aan de zoen buiten bij het restaurant, voor zijn moeder hen onderbrak.

Nu was er niemand om hen te storen. Die gedachte lokte. Verleidde. Tergde.

Grayson deed een stap achteruit en verbrak het contact voor ze kon beslissen wat ze wilde. Hij knipte met zijn vingers naar Peabody en pakte de hondenriem.

'Nee,' zei ze heftig omdat ze zo geschokt was. 'Je kunt niet met hem op straat gaan wandelen. Iemand kan je wel neerschieten. Degene die vanavond geprobeerd heeft je te vermoorden, zal het niet zomaar opgeven.'

'Ik laat hem niet op straat uit. Ik heb een achtertuin met een schutting eromheen. Het is niet groot, maar voorlopig is het voldoende.'

Hij liep om haar heen en ging in de richting van de keuken. Ze draaide zich om met de bedoeling achter hem aan te lopen.

Toen bleef ze stokstijf staan. 'Grayson.' Het kwam eruit als een kreet vol afschuw.

Hij bleef in de deuropening staan, maar draaide zich niet om. 'Niets aan de hand. Maak je geen zorgen.'

Ze rende naar hem toe en stak haar handen naar hem uit, maar trok ze terug voor ze hem kon aanraken. 'Je rug.' Ze wrong haar handen terwijl ze stond te staren. 'Er zitten gaten in. In je jasje. Brándgaten.' Grote gerafelde gaten met verschroeide randen. 'Je zei dat je niet geraakt was.' Ze herinnerde zich hoe ze hadden gerold en hoe hij haar vervolgens had beschermd. 'Je bent verbrand.'

'Niets aan de hand,' hield hij vol. 'Ik droeg –'

Maar ze luisterde al niet meer. Ze greep zijn jasje beet en trok het van zijn schouders. De gaten waren door en door. Dwars door zijn overhemd heen. Ze rukte het overhemd uit zijn broek. Haar handen beefden en ze frommelde onhandig aan de knopen.

Toen besefte ze dat ze niets kon zien door haar tranen. 'Je had naar het ziekenhuis moeten gaan. Waarom ben je niet naar het ziekenhuis gegaan?' vroeg ze met gebroken stem.

Hij bracht haar hand naar zijn lippen. 'Paige. Alles is in orde met me. Ik droeg kevlar.'

Haar adem ging met horten en stoten. 'Kevlar? Hoezo?'

'Soms word ik in de rechtszaal bedreigd door de verdachten of door hun familie, dus heb ik een kogelvrij vest aangeschaft. Ik heb het aangetrokken toen ik eerder vanavond Peabody ging uitlaten, toen jij bij mijn moeder was. Het leek op dat moment... verstandig. Joseph regelt er ook een voor jou. Die moet je dragen. Beloof me dat.'

Ze keek met knipperende ogen naar hem op. 'Kevlar?' herhaalde ze verdoofd. 'Waar zit het?'

'Ik heb het vest uitgedaan toen de verplegers me onderzochten. De TR heeft het meegenomen om de brandresten te onderzoeken.'

Ze knikte mechanisch. *Brandresten.* Ze hoorde zijn geruststellende woorden wel, maar kon ze nog niet geloven en ze trok aan de knopen van zijn overhemd, waarbij er een paar sneuvelden. Ze duwde zijn overhemd omlaag en ontblootte de borst met die prachtige huid.

Ze legde haar handen plat tegen hem aan, ze raakte hem aan omdat ze hem moest voelen. Zijn spieren bewogen onder haar handen en zijn ademhaling veranderde. Stokte. Werd oppervlakkiger.

Haar bewegingen werden trager, niet langer koortsachtig. Ze nam de tijd en raakte hem aan op de manier waarop ze dat de avond ervoor had willen doen toen hij naast haar had gelegen zonder te slapen. Ze drukte haar lippen op zijn brede borst en voelde hoe hij onder haar lippen verstrakte en zijn adem sissend liet ontsnappen. Ze sloeg haar armen om hem heen en haar handen onderzochten voorzichtig zijn rug.

Geen brandplekken. Alleen maar gladde huid. 'Je bent ongedeerd.' Soepele spieren. 'Je bent perfect.'

Hij zei niets, maar pakte haar heupen beet en trok haar tegen zich aan. Hij was opgewonden. Heel, heel erg opgewonden. *Van mij, dit is allemaal van mij.* En ze wilde het allemaal. Ze wilde hem.

Hij kuste haar in de hals, hete, warme kussen die haar heter en natter maakten... overal. Een grote hand kwam omhoog en bedekte haar borst en kneedde zachtjes. Ze sloot haar ogen en kreunde zachtjes. Dit was zo lekker.

'Lekker,' zei hij hees en ze besefte dat ze het hardop had gezegd. Hij kuste haar in de holte van haar schouder, beet haar zachtjes, waardoor ze naar adem snakte. Toen zoog hij hard, gaf haar een zuigzoen. 'Hou me tegen,' fluisterde hij heftig tegen haar huid. 'Tenzij je van plan bent dit af te maken.'

Ze reikte met haar handen naar zijn gezicht en voelde hoe de stoppels haar handpalmen kietelden. Ze wist dat ze hem vanavond niet tegen zou houden. Ze ging op haar tenen staan en kuste hem, een hete zoen met haar mond open die een grommende kreun aan zijn borst ontlokte. Hij knoopte haar jasje los, schoof dat van haar schouders en liet het op de vloer vallen.

'Wees er zeker van,' wist hij uit te brengen. 'Ik doe dit niet als je er niet zeker van bent.'

Ze zei niets, maar maakte met een snelle, geroutineerde beweging haar schouderholster los en liet hem op haar jasje vallen. Hij trok haar overhemd uit en haakte haar beha los met een geoefende beweging waar ze niet over na wilde denken. Nooit.

Hij staarde naar haar borsten en zijn ogen waren donker van begeerte. 'Je bent mooi, Paige.'

Dat had ze eerder gehoord. Te vaak om te kunnen tellen. Maar deze keer... *Laat hem het zijn alsjeblieft. Laat hem degene voor mij zijn.* Ze deed haar ogen dicht en wachtte tot hij haar zou grijpen. Haar zou kneden en knijpen. Maar dat deed hij niet. In plaats daarvan voelde ze zijn hete adem tegen haar huid en toen ze haar ogen opendeed, zag dat hij zich voorover had gebogen en zijn donkere hoofd bij haar borst hield. Haar knieën werden slap.

Ze wachtte op de aanraking van zijn mond. Wachtte tot hij zou zuigen. Maar in plaats daarvan omspanden zijn handen haar middel. Ze werd opgetild en met fabelachtig gemak op de rand van zijn eettafel gezet.

'Ik wil je,' fluisterde hij. Hij zette zijn handen aan weerszijden van haar op het tafelblad zodat ze werd ingesloten. Hij boog zich voorover en kuste haar met een intensiteit die alle lucht uit haar longen zoog. 'Ik heb erover gefantaseerd om je hier, op deze tafel te pakken. De hele middag toen jij naar beelden zat te kijken van mensen die seks hadden in het zwembad. Zeg dat ik je moet nemen. Zeg dat ik je mag nemen. Zég het.'

Ze deed haar mond open, maar de woorden wilden niet komen. Zijn hoofd was vlak bij haar borst, zijn adem warm tegen haar tepel. Maar hij raakte haar niet aan. Nergens.

'Zeg het, Paige. Zeg het.'

Ze slikte moeizaam. 'Doe het. Alsjeblieft.'

Hij lachte, een laag en plagerig geluid. 'Alsjeblieft is aardig, maar je moet zeggen wat ik je opdraag te zeggen.' Hij ging zachtjes met zijn hand tussen haar benen en ze veerde op. 'Zeg dat ik je moet nemen.'

'Alsjeblieft. Alsjeblieft.' Ze jammerde en hij keek op, zijn blik vlijm-scherp.

'Zeg het.' Hij vergrootte de druk tussen haar benen en zijn duim vond de plek die haar naar adem deed snakken. Ze duwde haar heupen omhoog in een poging meer te krijgen. Meer druk, meer van hem.

Hij haalde zijn hand weg en ze protesteerde. 'Grayson.'

'Zeg het.' Hij zocht onder haar broeksband, vond haar holster en legde het pistool en mes weg. Hij trok haar broek omlaag tot op haar knieën en nu was daar alleen nog maar haar zwarte, kanten slip. 'Mooi.' Hij boog zich voorover en kuste de binnenkant van haar dijen, op slechts een paar centimeter van de plek waar ze hem wilde hebben.

'Grayson.'

Hij keek op met een intense, eisende blik. 'Zég het.'

Ze deed haar ogen dicht en haar hart ging als een wilde tekeer. 'Neem me. Alsjeblieft.'

Daarop kwam hij snel in actie. Hij rukte aan de veter van een van haar schoenen, trok die uit en gooide hem weg. Hij kwam ergens in de hal terecht. Het kon haar niet schelen waar. 'Schiet op,' fluisterde ze.

Hij liet de andere schoen aan terwijl hij een broekspijp uittrok, legde haar naakte been over zijn schouder zodat haar benen wijd gespreid waren. Vervolgens gilde ze het uit toen zijn mond zich over het zwarte kant sloot en hij hard begon te zuigen. Ze kwam in een oogverblindende vloedgolf klaar, haar hoofd viel achterover en ze hapte naar adem. *Te vlug.* Het was veel te vlug voorbij. *Te lang geleden.* Ze wilde het uitgillen. Ze wilde vloeken. Maar ze had geen adem meer.

'Nog een keer,' gromde hij. Hij trok haar slip omlaag en liet haar ontblote been los. Eindelijk sloot zijn mond zich over haar borst en hij stak twee vingers diep in haar. Haar lichaam verstijfde terwijl hij zoog, zo intens dat ze lag te sidderen en te kronkelen op de tafelrand. 'Kom, Paige,' beval hij. 'Nog een keer.'

Hij ging naar de andere borst en zoog terwijl zijn duim haar gevoeligste plekje vond. Hij duwde en wreef en zoog en ze kwam opnieuw klaar met een kreet die in haar keel bleef steken. 'Grayson.' Het klonk schor. Nauwelijks herkenbaar als haar eigen stem.

Ze kon alleen maar toekijken terwijl zijn hoofd omhoogkwam. Zijn mond was nat van het zuigen aan haar borsten en zijn vingers glinsterden van haar opwinding. Hij worstelde met zijn riem en liet zijn broek op de grond zakken.

Hij vloekte, boog zich voorover en haalde een condoom uit de achterzak van zijn broek. Tegen de tijd dat hij weer overeind kwam, had hij het condoom om. Hij sloot haar weer in, schoof tussen haar benen en boog over haar heen tot het enige wat ze nog kon zien zijn groene, heel groene ogen waren.

'Zeg het nog een keer,' fluisterde hij. 'Zeg me dat dit is wat je wilt.'

Hij liet haar geen enkele mogelijkheid om hem de schuld te geven, dat begreep ze. 'Ik wil dit,' fluisterde ze terug. 'Ik wil jou. Doe het. Neem wat je –' Ze slaakte opnieuw een kreet, deze keer aangenaam verrast. Hij was groot. Overal. Ze was gevuld en ze kon hem diep in zich voelen.

'Ik wil jou,' gromde hij terwijl hij begon te bewegen. 'Je bent van mij. Begrijp je dat?'

'Ja.' Ze ving zijn stoten op terwijl ze naar hem keek. Naar hen samen. 'Ik begrijp het.'

Hij liet zijn armen onder haar rug glijden, haakte zijn handen om haar schouders en stootte nog dieper. 'Vind je dit lekker?' Hij raakte de plek die een stroomstoot door haar lichaam deed gaan.

'O god, ja. Niet stoppen.'

'Ik zou niet kunnen.' Hij sloot zijn ogen en het zweet parelde op zijn voorhoofd. 'Je voelt veel te lekker. Ik wil je. Ik wil je.' Hij bereikte een ritme en ze liet zichzelf meevoeren. En toen ze klaarkwam was haar schreeuw volkomen geluidloos.

Hij vond haar mond en bedekte die met een zoen. Hij kuste haar tot ze geen adem meer kon krijgen. En toen verstijfde hij, hij gooide zijn hoofd in zijn nek met een grimas die prachtig was om te zien.

Hij legde hijgend zijn wang op haar schouder. Ze was helemaal slap. Ze ging met haar hand door zijn haar en toen over zijn rug. Een keer. Twee keer. Haar hand viel langs haar zij, nutteloos. Lam.

'Ben je oké?' mompelde hij nog steeds buiten adem. Nog steeds diep in haar.

'Ik weet het niet. Ben ik oké?'

Hij deed zijn hoofd omhoog. Keek in haar ogen en haar heftig kloppende hart sloeg over. 'Je bent beter dan ik verdien. Ik heb je net gehad en ik wil je nog een keer.'

Ze streek een lok van zijn voorhoofd. 'Moet ik er elke keer om smeken?'

Een mondhoek ging omhoog. 'Hangt ervan af. Als je me bespringt, dan niet.'

Ze lachte zachtjes, zich er heel goed van bewust dat ze een paar kostbare ogenblikken alleen maar aan hem had gedacht en aan het wonderbaarlijke gevoel dat hij in haar lichaam teweeg had gebracht. Zelfs als het tussen hen op niets zou uitlopen, dan nog waren deze momenten het risico waard geweest. 'Jou bespringen vereist een zachter oppervlak.'

'Ik heb een bed,' zei hij verleidelijk. 'Dat is heel zacht.'

Ze snakte naar adem en haar spieren spanden zich om hem heen tot hij zachtjes begon te kreunen. *Nog een keer.* Ze wilde hem nog een keer. 'Kunnen we eerst even douchen?' vroeg ze.

'Een douche heb ik ook.' Hij kuste haar teder op haar kaak. 'Ga maar vast naar boven. Ik doe de boel hierbeneden op slot en dan ben ik over een paar minuten bij je.'

Silas had het lichaam van Kapansky in de rivier de Patuxent gedumpt, zijn bestelwagen verwisseld voor de auto waar geen zendertje in zat en die dus niet te volgen was en reed nu een garage binnen die hij onder een valse naam had gehuurd. *Ik was een verrekt goeie politieman. Nu heb ik niet te volgen auto's en valse papieren.*

Hij sloot af, pakte zijn slaapzak, schudde die uit en maakte het zich gemakkelijk op de grond. Hij zuchtte toen zijn botten kraakten en zijn spieren protesteerden. Hij moest onder een hete douche, niet op een koude betonnen vloer.

Het was donker. En stil. Te stil. Hij kon zichzelf horen denken. Hij had de pest aan denken. Als hij zichzelf toestond na te denken, dan werd hij overspoeld door spijt over wat hij geworden was. De mensen die hij pijn had gedaan. Het was allemaal begonnen met een keuze die destijds helemaal niet zo vreselijk had geleken.

Hij had moeten voorkomen dat zijn dochter haar leven verknalde.

Ze was zo'n lieve meid geweest, zijn Cherri. En toen kwam de puberteit en daarmee de ruzies. Het huis uit glippen, roken. Jongens. Hij had geen tijd gehad om haar te begeleiden, om haar op het rechte pad te houden. Hij was te druk geweest met boeven vangen. Te druk bezig met een verrekte held te zijn.

De dag dat de nachtmerrie begon... Hij had gedacht dat dat de vreselijkste dag uit zijn leven zou zijn. Hij was er inmiddels achter dat hij het bij het verkeerde eind had gehad. Hij had tv zitten kijken toen twee politiemensen bij hem aanklopten, een man en een vrouw. Ze hadden een huiszoekingsbevel.

Hij had naar boven gekeken. De zeventienjarige Cherri stond boven aan de trap en één blik op haar gezicht had hem duidelijk gemaakt dat ze wist waarom die agenten aan de deur stonden. Er was een overval geweest en de gestolen spullen werden aangetroffen onder het bed van zijn dochter.

Cherri was schuldig. Daar twijfelde hij geen seconde aan. Maar dat ze er ook voor moest opdraaien... Ze zou naar de gevangenis moeten. De dochter van een politieman. Haar leven in de bak zou een hel worden. Dat kon hij niet laten gebeuren.

Al die gedachten gingen door zijn hoofd terwijl zijn dochter in handboeien werd afgevoerd, snikkend en hem smekend haar te helpen.

Nauwelijks een paar minuten nadat de politieauto was weggereden ging de telefoon. En toen volgde het aanbod. Hem verleidend als de slang in de Hof van Eden.

Ik kan zorgen dat het bewijs verdwijnt. Alsof het nooit heeft bestaan. Ik kan ervoor zorgen dat je dierbare dochter nooit de binnenkant van een gevangenis ziet. Maar je moet snel handelen. De patrouillewagen brengt haar naar het bureau. Als ze daar aankomen om haar te boeken, dan is het aanbod van tafel, alsof het nooit heeft bestaan. Je moet snel beslissen, Silas. De klok tikt verder.

Wat moet ik doen? had hij gevraagd.

Wat ik je zeg. Wanneer ik het zeg.

En als ik dat niet doe?

Die twee politiemensen die je dochter hebben meegenomen, hebben diezelfde vraag gesteld. De zoon van die vrouwelijke agent heeft een week in het ziekenhuis gelegen. Een aanrijding, de dader was doorgereden. Ze stelt die vraag niet meer.

Wat ga je doen?

Iemand anders krijgt de schuld.

Wie?

Wat kan jou dat schelen? Kan jou dat wat schelen zolang je dochter in veiligheid is?

Dat was niet het geval. Mocht God hem bijstaan, het had hem niet kunnen schelen.

De stem aan de telefoon had gegrinnikt. *Mocht je je er beter door voelen, degene die de schuld krijgt, heeft al in de gevangenis gezeten. Ze kan voor zichzelf opkomen daarbinnen. Kan je dochter voor zichzelf opkomen?*

Silas deed er het zwijgen toe terwijl hij wanhopig probeerde tot een keuze te komen en toen gaf de stem aan de telefoon de genadeklap. *De dochter van een politieman, in de gevangenis. Ze vreten haar op met huid en haar. De klok tikt, Silas. Ik wil je beslissing horen.*

En dus had hij een beslissing genomen. *Ja.* Hij gooide het eruit voor hij van gedachten kon veranderen.

Uitstekend. Je hoort nog van me.

En zo gebeurde het. Een ander meisje werd de schuld in de schoenen geschoven. En Cherri werd op vrije voeten gesteld. Werd gespaard. Maar het had niet het effect waarop hij had gehoopt. Eenmaal op vrije voeten, was ze er weer vandoor gegaan. Er lagen nieuwe problemen in het verschiet. Nieuw hartzeer en nieuwe problemen voor Rosa en hem. Hij had altijd gedacht dat het niet erger kon worden.

Twee weken later had de stem aan de telefoon opnieuw contact met hem opgenomen. Het was tijd om zijn schuld te voldoen. Het eerste karweitje was zoiets als bij Cherri. Hij moest een jonge man de schuld geven van een misdaad die hij niet had begaan. Maar Silas had het voor zichzelf kunnen rechtvaardigen. De jongen was al een keer veroordeeld. Hij was opnieuw in de fout gegaan. Hij had het misdrijf waarvoor hij werd veroordeeld dan wel niet begaan, maar hij was beslist schuldig aan andere.

Jaren gingen voorbij. De karweien werden lastiger. Zijn eerste moord... Hij had geprotesteerd en zijn werkgever had hem herinnerd aan de politievrouw wier kind door een auto was geraakt. De jongen liep nog steeds op krukken. Dus had hij zijn doelwit gedood en daarna overgegeven. Maar na verloop van tijd was het moorden gemakkelijker geworden.

Hij dacht aan Cherri. Aan Violet. Zelfs nu nog, nu hij wist wat hij wist, zou hij dezelfde beslissing hebben genomen.

Uit gewoonte tastte hij naar de foto in de borstzak van zijn overhemd, ook al was het te donker om het kleine meisje met chocola op haar kin te zien. Hij stak twee vingers in zijn borstzak.

Hij schoot in paniek overeind. *Hij was weg.* De foto van Cherri was weg.

Ik heb hem verloren. Waar? Hij dwong zichzelf rustig adem te halen. Hij ging in gedachten zijn bewegingen na. Hij was thuisgekomen uit Toronto. Had gedoucht en andere kleren aangedaan. Had hij de foto in zijn zak gestopt?

Stel dat ik hem heb laten vallen. Stel dat iemand hem vindt. Als hij hem bij de rivier had laten vallen, dan zou niemand hem vinden. Daar kwam nooit iemand. *Stel dat ik hem in het bos bij het verpleeghuis heb verloren.* Het wemelde daar van de politie. De TR zou hem zeker vinden.

Stel dat de agent die hem vindt uitgerekend de enige is die weet wie het is. Ze zouden uiteindelijk tot de conclusie komen dat Silas ter plaatse was geweest. Dan zou hij ontmaskerd worden.

Dat moest dan maar. Grayson zou zich vroeg of laat toch realiseren wie hij was, dus het maakte eigenlijk niet uit. Als die ene agent de foto vond, dan zou er goed op worden gepast. Dan zou ze hem aan hem teruggeven. Ze wist hoeveel de foto voor hem betekende.

Hij ging weer liggen en dwong zich zijn ogen te sluiten. En te gaan slapen. Hij moest morgenochtend scherp zijn als hij de trekker voor wat hopelijk de laatste keer was zou overhalen. En als zijn werkgever het zo had geregeld dat in het geval van diens dood belastend materiaal openbaar gemaakt zou worden, dan was dat maar zo.

De andere 'stillen' zouden natuurlijk behoorlijk pissig zijn, want hun dossiers zouden dan ook openbaar gemaakt worden, maar dat was hun probleem. Silas moest gewoon iets langer zien te overleven.

Donderdag 7 april, 02.25 uur

'Hmm.' Paige nestelde zich tegen hem aan en legde haar hoofd op zijn schouder. Ze lagen in Graysons bed en haar hand rustte licht op zijn onderbuik. Hij leek niet in staat haar los te laten. Ze waren schoon en hij had haar opnieuw genomen, in de douche. Staand, tegen de gladde wandtegels.

Hij was het niet van plan geweest. Hij was bij haar in de douche gekomen nadat hij haar hond een rondje door zijn achtertuin had laten maken en het huis had afgesloten. Het inschakelen van het alarm had nog nooit zo belangrijk geleken. Nu zorgde het voor haar veiligheid. *Voor mij.* Hij was van plan geweest zich te wassen en het haar dan te vertellen. Alles te vertellen.

Maar hij was niet voorbereid geweest op haar reactie toen ze zijn rug zag. Hij was bont en blauw van wat er allemaal na het exploderen van de auto uit de lucht was komen vallen.

Ze was in huilen uitgebarsten, met lange, gierende uithalen. Hij had haar mond gekust en geprobeerd haar te troosten. Maar hij kon haar niet zoenen zonder te gaan vrijen. Toen had ze hem gesmeekt. Opnieuw. Hij was zijn zelfbeheersing kwijtgeraakt. Hij had ervoor gezorgd dat ze twee keer klaarkwam en had haar snikken laten overgaan in smeekbeden vol genot.

En toen was hij zo ontzettend hard klaargekomen. In haar. Zonder condoom.

Dat had hij nog nooit gedaan. Hij was altijd voorzichtig geweest. Hij had nooit zijn zelfbeheersing verloren. Was nooit een dergelijke verbintenis aangegaan. Want hij had van al die anderen geweten dat het geen blijvertjes waren.

344

Maar deze... de vrouw die tegen hem aan genesteld lag, hem vertrouwde. *Ik wil haar houden. Ik moet het haar vertellen. Nu. Voor dit verder gaat.* Voor hij haar opnieuw zou nemen, opnieuw zijn beheersing zou verliezen. Haar zwanger zou maken.

Zijn hart kneep zo heftig samen dat het pijn deed. Ze tilde haar hoofd op en keek hem aan. Haar blik was vervuld van zorg. 'Wat is er?'

'Ik...' *Ik moet het je vertellen.* Maar er borrelde angst in hem op en hij gooide er het eerste uit wat in hem opkwam. 'We zijn onvoorzichtig geweest.'

Ze beet op haar lip. 'Ik weet het. Maar het is de verkeerde tijd van de maand om... zwanger te raken.'

Hij knipperde met zijn ogen, verbijsterd over het feit dat hij teleurgesteld was. De verkeerde tijd. Plotseling wilde hij wanhopig graag dat het het juiste moment was.

'Ik ben... Het is gewoon...' Hij deed zijn ogen dicht, niet in staat om de juiste woorden te vinden. Hij verdiende zijn brood met het houden van gloedvolle betogen, maar nu, op dit moment, was hij zo bang als een klein jongetje.

Zo bang als het kleine jongetje geweest was.

Ze kuste hem op zijn voorhoofd, naast het verband. 'Wat is er, Grayson?'

'Ik moet het je vertellen.' Hij dwong zich de woorden te zeggen. 'Je moet het weten.'

Ze bleef stil liggen. Toen liet ze langzaam haar adem ontsnappen. 'Hoe kan ik het gemakkelijker voor je maken?'

Zijn borst zwol op en hij werd overspoeld door emoties. *Ik zou van je kunnen houden, Paige Holden.* Nu werd hij nog banger. Hij opende zijn ogen. Ze lag hem aan te kijken met een mengeling van medeleven en tederheid.

'Laat me uitpraten. En als het iets uitmaakt...' Hij zoog zijn longen vol met lucht. 'Als het iets uitmaakt, als je dan weg wilt, ga dan. Maar beloof me alsjeblieft dat je het voor je zult houden.'

'Dat beloof ik,' zei ze ernstig en hij geloofde haar.

Hij knikte terwijl hij zich afvroeg waar hij moest beginnen. Toen haalde hij zijn schouders op. 'Er was eens een jongen in Miami. Hij heette niet Grayson Smith.'

Haar blik veranderde. Er bewoog iets in de onpeilbare diepten van die zwarte ogen. Ze zei niets, dus ging hij verder.

'Die jongen had een moeder. Een fantastische moeder.'

'Judy.'

'Ja. Maar zij heette toen ook niet zo. Ik had een vader. Ik vond hem ook geweldig. Tot we er op een dag achter kwamen dat hij dat helemaal niet was.' Hij haalde opnieuw diep adem en waagde de sprong. 'Ik heet Antonio Sabatero. Ik ben vernoemd naar mijn vader, die veertien jonge vrouwen heeft gemarteld, verkracht en vermoord. De meesten waren van middelbareschoolleeftijd. Een paar nog jonger. Tegen de tijd dat we erachter kwamen, was hij al jaren bezig met moorden.'

Een oneindig lange tijd deed ze er het zwijgen toe, tot ze ten slotte sprak. 'Ik vond al niet dat je er als een Smith uitzag,' mompelde ze. Maar er stond geen afkeer in haar ogen te lezen.

En ook geen verrassing. Het besef raakte hem als een mokerslag. 'Je wist het al.'

Ze knikte. 'Ik was vanmiddag bezig je monitor terug te zetten. Ik stootte mijn hoofd tegen het schap en gooide je foto's om. Ik was ze aan het terugzetten toen ik die ene vond van jou en je moeder. Waarop jullie voor die school stonden. Het was echt niet mijn bedoeling om te snuffelen.'

Het duizelde hem. 'Hoe ben je erachter gekomen?'

'Op de foto stond je voor een bus met "St. Ign" op de zijkant. Er waren palmbomen. Ik telde een en een bij elkaar op en toen ben ik gaan zoeken. Ik moest het weten, want ik stond op het punt om mijn eigen stelregel te verbreken en met je naar bed te gaan. Ik moest weten of je misschien... de mijne kon zijn. Ooit. Misschien.'

De mijne. Dat begreep hij.

Ze fronste haar wenkbrauwen. 'Ben je boos dat ik het wist?'

'Nee.' Hij slikte moeizaam. 'Opgelucht. Ongelooflijk opgelucht.'

'Mooi. Ik maakte me zorgen. Ik weet alleen maar wat ik in een oud krantenartikel heb gelezen. Dat jij een van de lichamen hebt gevonden. Dat er later meer lichamen zijn aangetroffen en dat je vader is gearresteerd. En dat je moeder en jij waren verdwenen. Je was pas zeven jaar. Ik... ik kan me dat nauwelijks voorstellen.'

Hij hoefde zich niets voor te stellen. Elk detail stond hem nog pijnlijk helder voor de geest. 'De krant heeft niet alles gepubliceerd,' zei hij zacht.

Zijn blik veranderde opnieuw en ze zette zich schrap voor iets ergs. 'Vertel het maar. Als je dat wilt.'

346

Hij drukte haar hoofd weer op zijn schouder en ze kroop tegen hem aan met haar hand gespreid op zijn borst. Op zijn hart. Dat opnieuw samenkneep. Ze had het geweten. *En toch ligt ze hier. In mijn bed. Ze wist het en toch vertrouwde ze me. Ze wilde me.*

'Ik had een piratenfilm gezien,' begon hij. 'Ze hadden tussen een paar stenen van een muur een schatkaart gevonden. Ik wist dat er een stenen muur was in een schuur op het land van de buren. De buurvrouw was oud, vrijwel doof en ze zag niet best. Mijn moeder ging elke week bij haar langs om haar eten te brengen. Ik dacht dat de buurvrouw het niet erg zou vinden als ik piraatje ging spelen in haar schuur.'

'Maar je vader had daar het eerst "gespeeld".'

'Ja. Ik vond een loszittende steen. Ik wrikte hem los en dacht dat ik iets kostbaars zou vinden.' Hij hield op, de herinnering zo vers en angstaanjagend als de dag van gisteren.

'Was dat het moment dat je het lichaam vond?' spoorde ze hem zachtjes aan.

Hij staarde naar het plafond terwijl hij vanbinnen verteerd werd door zelfhaat. 'Ze was nog niet dood.'

Hij hoorde hoe ze naar adem snakte. Voelde hoe ze verstijfde. 'O god. Grayson.'

'Hij had haar geslagen en met een mes bewerkt. Ze zat aan de muur geketend. Ze draaide haar hoofd om om me aan te kijken en ze begon te... gorgelen. Het was...' Hij slikte de gal weg die brandend in zijn keel omhoogkwam. 'Dat was het afschuwelijkste geluid dat ik ooit heb gehoord. Ik heb meer moordslachtoffers gezien dan ik me wil herinneren, maar dat geluid... het doet tot op de dag van vandaag het bloed in mijn aderen stollen.'

'Je was pas zeven,' zei een geschokte Paige ademloos. 'Wat deed je toen?'

Hij aarzelde, wilde er niet over praten.

Vertel het haar.

'Ik rende weg,' gaf hij toe. 'Ik rende weg en verstopte me in de kast op mijn kamer. Het meisje probeerde me om hulp te vragen. Ik kwam er later achter dat mijn vader haar tong eruit had gesneden zodat ze niet kon gillen. Ik was doodsbang. Dus rende ik weg.'

'Natuurlijk liep je weg. Je was zéven,' herhaalde Paige beschermend. 'De meeste volwassenen zouden zijn weggelopen en zich hebben verstopt.'

Dat had hij altijd wel geweten, maar dat betekende niet dat het hielp. 'Mijn moeder kwam me zoeken en vond me in mijn kast. Ik bleef maar iets stamelen over een gat in de muur. Meer kon ik niet zeggen, ik kon geen woorden vinden, maar ze wist dat er iets vreselijk fout zat. Ze vond het meisje, maar dat was inmiddels dood.' Hij slikte moeizaam bij de herinnering aan het schuldgevoel. De nachtmerries. 'Ik had me te lang verborgen. Als ik mijn moeder was gaan zoeken en het haar had verteld... dan had het meisje het misschien overleefd.'

'Dat ze het niet heeft overleefd is niet jouw schuld. Maar die wetenschap helpt niet echt, hè? Ik voel me verantwoordelijk voor de dood van Thea, ook al is haar echtgenoot de ware schuldige.' Ze zuchtte. 'Wat deed je moeder toen?'

'Ze waarschuwde de politie. Ze vonden messen met vingerafdrukken.' Hij slikte opnieuw. 'Sperma op het lichaam. In het lichaam. Hij had haar verkracht. Herhaaldelijk. Het waren de jaren tachtig – nog voor er sprake was van DNA-onderzoek. Maar de vingerafdrukken kwamen overeen met die van mijn vader. Het sperma klopte met zijn bloedgroep. En hij bewaarde souvenirs. Sieraden. Een paar daarvan heeft hij aan mijn moeder cadeau gedaan.'

'Monster,' fluisterde ze.

Zijn mond kreeg een bittere trek. 'Ik herinner me dat ze die droeg. Hij maakte er een grote show van en vertelde dat hij een bonus had gekregen op zijn werk en dat hij dat geld besteedde aan zijn "geliefde". Het heeft een hele tijd geduurd voor mijn moeder eroverheen kwam dat ze de sieraden van die meisjes heeft gedragen. Sommige mensen dachten dat ze ervan afwist, dat zij hem had geholpen.'

'Sommige mensen zijn stom,' verklaarde Paige fel.

'Het meisje dat ik had gevonden bleek een studente van de universiteit van Florida die vermist werd. De politie vond bewijs dat er andere meisjes in het vertrek waren geweest waar hij haar had gemarteld. Ze arresteerden hem en begonnen in de omgeving van de schuur te graven. Ze vonden zijn begraafplek ergens in de buurt. Nog eens dertien lichamen.'

'Waarom zijn je moeder en jij verdwenen?'

'Omdat we voor ons leven vreesden. Mijn vader was uitzinnig van woede omdat mijn moeder zijn geheim had ontdekt en omdat ze de politie had gewaarschuwd. Dus liet hij haar boeten. Ter verdediging voerde hij aan dat hij een liefhebbende gezinsman was. Hij kon zoiets nooit hebben gedaan. Hij had per slot van rekening zelf een zoon. Later, toen de bewijzen zich opstapelden en hij wist dat hij er gloeiend bij was, beweerde hij dat mijn moeder ervan af had geweten. Dat ze hem had geholpen.'

'Dat geloofde de politie toch zeker niet?'

'De politie niet, maar er waren genoeg andere mensen die het wel geloofden en ons leven tot een hel maakten. De vader van een van de slachtoffers ging helemaal door het lint. Hij was een van degenen die ervan overtuigd waren dat mijn moeder op de hoogte was geweest. Hij kwam achter mijn moeder en mij aan. Hij wilde mam vermoorden vanwege haar betrokkenheid. Hij zou mij vermoorden vanwege het principe van "oog om oog", omdat mijn vader nog steeds beweerde dat hij van me hield. Het was hem nog bijna gelukt ook.'

'Hielp de politie jullie niet?'

'In het begin wel. We moesten verhuizen. Ons huis en het land van de buren waren maandenlang plaatsen delict terwijl ze verder zochten naar lichamen. De politie stelde bewaking in bij het huis dat mijn moeder huurde en ze wist een straatverbod te krijgen voor die vader van dat slachtoffer. Maar na een paar weken kwamen ze tot de conclusie dat we veilig waren en toen lieten ze ons aan ons lot over.

Er liepen voortdurend mensen te demonstreren omdat mijn moeder niet was aangehouden. Ze werd van verschillende kanten met de dood bedreigd. Dat ging weken zo door. De verslaggevers waren ook in drommen neergestreken en elke keer dat we het huis uit gingen werden we geconfronteerd met microfoons en camera's. Het was een circus, maar ironisch genoeg waren zij onze bescherming. Op een avond gebeurde er ergens iets en de journalisten lieten ons een paar uur met rust. De vader van het slachtoffer drong ons huis binnen en sleurde me uit mijn bed. Hij zette een pistool tegen mijn hoofd en begon me mee te sleuren.'

Ze verstijfde. 'Wat gebeurde er toen?'

'Mijn moeder greep een honkbalknuppel en gaf hem een oplawaai. Ze sloeg die vent bewusteloos.'

'Goed gedaan. Ik mag haar nu nog meer.'

'Hij was van plan ons te vermoorden. Ze wist dat hij niet zou ophouden voor we dood waren. Of hij. Ik herinner me nog hoe ze over zijn lichaam gebogen stond met het pistool in haar handen op zijn hoofd gericht. Ze is zo een hele tijd blijven staan. Haar handen beefden en ze huilde.'

'Maar ze kon hem niet doodschieten,' zei ze zacht.

'Nee. Zo zat ze niet in elkaar. Hij probeerde me iets aan te doen, maar mijn vader had het enige kind van de man wreed behandeld. Mijn moeder had... medelijden. En ze was bang. Ze had de politie kunnen waarschuwden, maar dat had ze al eerder gedaan. Ze zouden de vader van het slachtoffer hebben gearresteerd, maar er waren er nog zo veel meer die ons haatten. Dus pakte ze al het contante geld dat we hadden, gooide de tank vol, en we vertrokken richting het noorden. We lieten alles achter.'

'Behalve die ene foto.'

'Ik had hem verstopt,' bekende hij. 'Mijn moeder had gezegd dat ik niets mocht meenemen, maar ik kon die foto niet achterlaten. Het was mijn lievelingsfoto van haar.'

'Ze was gelukkig op die foto. Ze was toen nog niet bang. Je kon er 's avonds naar kijken en net doen of je nog steeds een kleine jongen in Miami was en dat dit allemaal niet was gebeurd.'

Dat Paige het begreep verbaasde hem niet. 'Ze zal niet blij zijn dat ik hem heb bewaard.'

'Dat weet ze al.'

Dat verraste hem. 'Heb jij het haar verteld?'

'Ze wilde weten hoe ik erachter was gekomen. Ze zei tegen me dat als ik de waarheid ooit zou gebruiken om jou te kwetsen ze me daarvoor zou laten boeten. Dat geloofde ik al voor je me vertelde dat ze met een honkbalknuppel kan omgaan.' Er klonk een droge lach door in haar woorden. 'Nu ben ik dubbel zo bang.'

'Mijn moeder is een taaie.'

'En vreselijk trots op je.' Ze drukte een kus op zijn borst. 'Hoe zijn jullie hier uiteindelijk terechtgekomen?'

'De auto ging stuk en mams geld begon op te raken. We woonden een paar weken in een goedkoop hotel terwijl zij op zoek ging naar werk. We zaten bijna aan de grond toen ze op een advertentie reageerde waarin de Carters vroegen om een kindermeisje.' Hij dacht aan het verhaal dat Paige eerder die avond had verteld. Dat leek een eeuwigheid geleden. 'Maar ze heeft me nooit alleen gelaten. Ze was er op de een of andere manier in geslaagd om nieuwe identiteitsbewijzen voor ons te krijgen. En eten. Ik weet niet hoe, dat heb ik nooit gevraagd.'

'Je moeder zei dat je het ze vanavond ging vertellen – de Carters. Hoe reageerden ze?'

'Ze wisten het al.' Dat had hem op dat moment geschokt. Nu vroeg hij zich af hoeveel mensen op de hoogte waren van het geheim waarvan hij had gedacht dat zijn moeder en hij dat zo goed bewaard hadden. 'Jack en Katherine Carter wisten het al vanaf het begin.'

Paige bleef even stil. 'Dat wist je moeder niet. Ze maakte zich zorgen over wat ze zouden zeggen. Nou, niet echt bezorgd. Eerder... verdrietig, zou ik zeggen.'

'Ze vond het vreselijk om tegen hen te moeten liegen.'

'Ze deed wat ze moest doen om jou te beschermen. Als de Carters echt zo fantastisch zijn als jij beweert, dan begrijpen ze het wel.'

'Dat doen ze ook. Ze hebben ons beschermd.'

'Ik raak steeds meer op ze gesteld.' Paige aarzelde. 'Je moeder zei ook dat je baas heeft gedreigd om dit allemaal aan de grote klok te hangen als je de zaak-Muñoz niet zou laten rusten.'

'Ja, dat klopt,' zei Grayson.

'Is dat de reden dat je het me hebt verteld?'

'Nee. Dat is de reden dat ik het de Carters heb verteld. Maar niet waarom ik het jou heb verteld. Ik wilde dat je wist wie ik werkelijk ben omdat ik begreep dat jij...' Hij maakte zijn zin niet af.

Ze tilde haar hoofd op en de blik in haar donkere ogen was intens. 'Toen je moeder me over je baas vertelde, wilde ik de kop van zijn romp rukken. En toen zag ik weer voor me hoe je bij Rex aanklopte. Ook al wist je wat het je zou kosten. Toen wist ik het zeker.'

Zijn hart sloeg over. 'Wist je wat zeker?'

'Dat het geheim dat je met je meedroeg er niet toe deed. Wat belangrijk was, was de man die je bent geworden. Dat is degene die ik wil. Het kan me niet schelen wie je vroeger was. Het kan me niet schelen wie je vader is. Ik geef om jóú. Ik wil jóú.'

Hij staarde haar aan, keek naar het gezicht dat hem had betoverd vanaf het moment dat ze naar een met kogels doorzeefd busje was gerend terwijl iedereen met een beetje gezond verstand ervandoor zou zijn gegaan. Zijn hart kneep samen in zijn borst, zo erg dat het pijn deed. 'Zeg het nog eens,' fluisterde hij.

Ze ging met haar vingertop over zijn lippen. 'Ik wil jóú.' Ze kuste hem zacht en beet toen even in zijn onderlip. 'Ik wil je,' zei ze binnensmonds en de woorden klonken nu zwoel. Sensueel.

Zijn lichaam kwam ogenblikkelijk tot leven. Hij legde zijn hand om haar achterhoofd en trok haar naar zich toe. Hij kuste haar mond met alle emotie die in hem kolkte. Ze deed haar hoofd omhoog en haar blik was heet. Gulzig. Ze draaide haar heupen tegen hem aan en hij begon te kreunen.

Hij rolde zich om en hield haar onder zich gevangen terwijl hij in zijn nachtkastje naar een condoom zocht.

Ze graaide het uit zijn vingers. 'Doet het pijn als je op je rug gaat liggen?'

'Hangt ervan af. Wat levert het op?'

Haar mondhoeken krulden. 'Op je rug,' commandeerde ze. 'Nu is het mijn beurt.'

Hij gehoorzaamde en negeerde de blauwe plekken terwijl zij schrijlings op hem ging zitten. Hij keek gefascineerd toe terwijl zij korte metten maakte met de verpakking van het condoom en dat bij hem omdeed. Hij vervloekte in stilte het condoom en dacht aan hoe het had gevoeld toen hij in haar klaarkwam. Hoe heet en glad ze was geweest en hoe haar spieren hem hadden uitgemolken.

Later. Wanneer ze alles hadden opgelost zou hij die doos weggooien en haar weer huid tegen huid voelen. Maar nu... Hij klemde zijn tanden op elkaar terwijl zij hem plaagde. Ze liet zichzelf op hem zakken, maar slechts een paar centimeter. 'Paige.'

Ze glimlachte, een glimlach als van een kat in een volière, en hij kon niet anders dan zijn heupen omhoogduwen en proberen zichzelf in haar te persen. 'Het is mijn beurt,' herhaalde ze. 'Ik mag doen wat ik wil.'

Wat ze wilde was hem martelen. Ze liet hem stukje voor stukje bij haar binnen, draaide met haar heupen, en hij werd gek van haar bungelende borsten. Ten slotte hield hij het niet langer uit. Hij trok haar omlaag en vulde haar. Ze snakte naar adem. Toen lachte ze en het was een geluid vol vreugde. Toen begon ze te bewegen.

Ze was het mooiste wezen dat hij ooit had gezien. Ze boog zich over hem heen met een hand aan weerszijden van zijn hoofd en keek hem in het donker aan. 'Je hebt me laten smeken.'

'Twee keer,' hijgde hij en ze likte zijn lippen.

'Kan ik jou laten smeken?' fluisterde ze tegen zijn mond.

'Je kunt me zo'n beetje alles laten doen. Als je maar niet ophoudt.'

'Dat zou ik niet kunnen.' Ze begon sneller te bewegen. Hij voelde dat hij op het punt stond klaar te komen, een dof bonzen onder aan zijn ruggengraat, maar hij wist zich in te houden. Hij moest haar zien. Hij wilde dat zij als eerste zou komen. Plotseling leunde ze achterover zodat ze rechtop zat en hem nog dieper in haar dwong. Ze gilde het uit, haar gezicht was... onvergetelijk.

Hij verloor alle controle en hij rolde haar onder hem en zijn heupen beukten hard terwijl ze verdwaasd naar hem opkeek. Hij haakte een arm onder haar knie, waardoor hij nog dieper kon doordringen in die hete, natte gloed. Zijn lichaam verstijfde. Het werd grijs voor zijn ogen. En toen viel hij.

Hij wist niet zeker hoelang ze daar lagen te hijgen. Hij begroef zijn gezicht in de holte van haar schouder en liet langzaam zijn adem ontsnappen. 'Ik heb het haar nooit verteld,' fluisterde hij.

Ze streek over zijn haar. 'Wat heb je niet aan wie verteld, Grayson?'

'Mijn moeder. Ik heb haar nooit verteld dat het meisje nog leefde toen ik haar vond.'

Ze bleef stilliggen. 'Wil je dat ze het weet?'

'Nee.' Hij keek haar wanhopig aan. 'Ik wil niet dat ze het ooit te weten komt.'

Haar mondhoeken gingen triest omlaag. 'Geloof je echt dat ze dan minder van je zal houden?'

'Nee. Maar het zou haar kwetsen. De wetenschap dat het al die jaren aan me heeft gevreten.'

'Waarom vertel je het mij dan?'

'Ik wil dat je het hele verhaal kent. Zodat je een beslissing kunt nemen.' Hij aarzelde. 'Of ik de jouwe kan zijn.'

Haar blik verzachtte. 'Je was een kind. Als ik je dat zou aanrekenen, dan was ik je tijd niet waard. Laat de kleine Antonio zijn geheim maar bewaren. Hij heeft niets verkeerd gedaan. Hij was ook een slachtoffer.'

'Niet Antonio.' De woorden kwamen er hard en boos uit. 'Mijn moeder noemde me Tony.'

Ze liefkoosde zijn wang. 'Grayson, je had je verleden kunnen afreageren op iedereen die zwakker was dan jij. Maar dat heb je niet gedaan. Je komt op voor de slachtoffers. Je bent een eerzame vent, hoe je jezelf ook wenst te noemen. Je moeder is trots op je. En dat geldt ook voor mij.'

Zijn keel kneep dicht. 'Dank je.'

'Graag gedaan. Nu moet je gaan slapen. We hebben een drukke dag voor de boeg. Ik wil dat we dit achter de rug hebben zodat we met de hond kunnen gaan wandelen zonder bang te hoeven zijn dat iemand op je schiet.'

17

Stevie stapte uit de lift van het Peabody Hotel. Ze wilde even kijken of alles in orde was met Grayson en Paige voor ze naar huis ging om een paar uur te slapen. Alleen maar om te zien of ze heelhuids waren gearriveerd. Het was een beetje paranoïde, dat wist ze wel. En veel te beschermend. Maar Grayson was haar vriend en de aanblik van dat rokende autowrak had haar erger geschokt dan ze wilde toegeven.

Stevie legde haar oor tegen de deur van de suite die hij voor Paige had geboekt. Of ze lagen te slapen, of ze waren er niet. Ze hoorde een televisie in de aangrenzende kamer, dus er was wel iemand wakker.

Ze klopte zachtjes. Toen de deur openging, moest ze zich ervan weerhouden om een stap achteruit te doen. Het was niet Grayson Smith. En hier was ze niet op voorbereid.

Stevie keek op en stond oog in oog met de man die ze bijna een jaar niet had gezien, maar niet had vergeten. Hij had tegen haar gelogen, had haar onderzoek belemmerd. Hij had federale documenten vervalst en waarschijnlijk dingen gedaan die nog tien keer zo erg waren, maar ze hadden met zijn hulp wel de moordenaar te pakken gekregen.

Hij had zonder het te weten haar dochter in gevaar gebracht, maar toen hij daarachter kwam had hij het juiste gedaan. En haar dochter was nu veilig.

Clay Maynard had haar destijds geïntrigeerd. En nu stond hij daar. Weer.

'Meneer Maynard,' zei ze zacht. 'Ik had u hier niet verwacht.'

Hij fronste zijn voorhoofd, maar dat zag ze nauwelijks. Zijn borst was ontbloot en de trainingsbroek die hij aanhad hing laag op zijn heupen. Ze was niet uit op een man, maar kijken stond vrij. *O jee.*

'Rechercheur Mazzetti. Ik had u hier ook niet verwacht. Waar is Paige?'

Haar ogen vlogen omhoog, onmiddellijk weer geconcentreerd. 'Ik dacht dat ze hier was.'

'Dat is ze niet. Smith was niet van plan bij haar te blijven, dus heeft ze mij gevraagd hier te komen. Maar ze is niet komen opdagen. Ze heeft niet gebeld en ze neemt geen van haar telefoons op.'

'Nou, haar telefoons doen het op dit moment niet zo erg goed.'

'En waarom dan wel niet?' wilde hij weten.

'Grayson Smith en zij waren vanavond betrokken bij een incident. Graysons auto is opgeblazen. Haar telefoon is mee de lucht in gevlogen.'

Clay deinsde met open mond achteruit. 'Wat, verdomme?'

'Ik wil er hierbuiten niet over praten. Mag ik?' Ze gebaarde naar de kamer.

Hij deed onmiddellijk een stap achteruit en zette de deur verder open. 'Natuurlijk. Kom binnen.'

Op de keukenbar lagen vier handvuurwapens. Hij was bezig geweest de wapens schoon te maken en er lag een keurig gevouwen olielap naast.

Stevie had respect voor een man die goed voor zijn spullen zorgde.

Hij had zijn armen stevig over elkaar geslagen en zijn wenkbrauwen gingen ongeduldig omhoog terwijl zij de kamer in zich opnam. Op zijn linkerbiceps had hij een tatoeage. SEMPER FI.

'Het was een autobom,' zei ze ter zake komend. 'We weten niet wie hem heeft geplaatst. Nog niet. We hebben wat stukjes van dat ding gevonden en we zijn op zoek naar de identiteit van de maker. Graysons auto ligt in stukken. Ze zijn er net op tijd uit gekomen.'

Clays mond verstrakte. 'Iemand wil niet dat ze erachter komen wie Elena heeft vermoord.'

'Het heeft inderdaad met die zaak te maken.'

'En meer ga je me niet vertellen.'

Ze keek hem geduldig aan. 'Jij bent vroeger ook politieman geweest. Verwachtte je echt dat ik iets zou zeggen?'

'Nee.' Hij spuwde het woord er bijna uit. 'Waar is Paige nu?'

'Een patrouillewagen heeft hen naar het huis van Grayson gebracht om Paige's hond op te halen en daarna zouden ze hierheen komen. Ik weet dat ze veilig zijn afgezet. Ik denk dat ze besloten hebben daar te blijven.'

'Dan zou Paige me hebben gebeld.'

'Ik denk zomaar dat ze het daar misschien wel te druk voor had.'

Hij sloeg zijn ogen ten hemel. 'Shit. En het ging zo goed met haar.'

Ze keek hem fronsend aan. 'Wat wil je daarmee zeggen?'

'Ze wachtte op de ware jakob. Twaalf uur geleden was dat niet meneer Smith. Haar hormonen hebben de overhand gekregen.'

'En dat is jou nog nooit overkomen?' vroeg ze, omdat ze de behoefte voelde om Paige te verdedigen.

'Een keer of twee,' zei hij droog.

'Met haar?' drong ze aan. *Hou je kop*, zei ze tegen zichzelf. *Laat gaan.*

Hij keek haar woedend aan. 'Nee. Ze is mijn partner. Ik doe het niet met partners.'

'Mooi zo. Grayson is mijn vriend. Ik wil niet hebben dat ze spelletjes met hem speelt.' Niet dat ze dacht dat Paige dat zou doen. Het was gewoon de beste uitweg die ze kon bedenken.

'Jouw vriend kan wel voor zichzelf zorgen,' zei Clay op vriendelijke toon, alsof hij haar gedachten kon lezen. 'Wil je eens even bij je vriend natrekken of hij nog steeds mijn partner in bezit heeft?'

Met haar laatste restje waardigheid koos ze Graysons nummer thuis.

Toen de telefoon voor de vierde keer overging nam hij versuft op. 'Stevie?'

'Is Paige bij jou?'

'Ja.' Dat werd met zo veel tevredenheid gezegd dat ze bijna moest glimlachen. 'Hoezo?'

'Omdat ik bij het Peabody Hotel ben langsgegaan om te kijken of alles in orde was met jullie. Haar partner is hier en hij is doodongerust.'

'O.' Dat kwam er als een zucht uit. 'Dat spijt me. Ze... heeft er niet aan gedacht. Sst,' zei hij zacht en Stevie wist dat het niet tegen haar was. 'Het is Stevie. Ga maar weer slapen.'

'Nou, dat geeft antwoord op mijn overige vragen,' zei Stevie droog.

'Het spijt me, Stevie. Dat was echt heel aardig, om even bij het hotel langs te gaan. Heb je nog nieuws?' vroeg Grayson, die nu meer bij de tijd was.

'Op dit moment nog niet, nee.'

'Omdat Maynard bij je is?'

'Ja.' Ze keek op naar de grote, donkere man die haar aandachtig gadesloeg.

'Bel me morgenochtend. Ik heb je een paar dingen te vertellen.'

'Dingen die met de zaak te maken hebben?'

'Ja en nee. Ik heb je verteld dat Anderson afwist van Muñoz. Nou, hij weet ook dingen van mij. Persoonlijke dingen die hij dreigt tegen me te gebruiken als ik doorga met deze zaak.'

Haar hart begon als een razende tekeer te gaan. 'En toen vanavond – beng!'

'Precies. Ik zal je alles vertellen wanneer we onder vier ogen zijn. Ga nu maar slapen. Met mij gaat het meer dan uitstekend.'

Ze keek met gefronste wenkbrauwen naar de telefoon toen hij de verbinding had verbroken en keek toen naar Clay. 'Met Paige is alles in orde.'

'Dat had ik al begrepen.' Hij keek haar onderzoekend aan. 'Hoe gaat het met je kleine meid?'

Ze knipperde met haar ogen. Die vraag had ze niet verwacht. 'Veilig. Gelukkig.'

'Ik heb de foto van haar gekregen die je gestuurd hebt, op die vakantiekaart. Dank je.'

'Ik wist niet zeker of ik hem wel moest sturen. Ik wilde niet dat je een verkeerde indruk zou krijgen.'

Zijn wenkbrauwen gingen omhoog. 'Wat voor verkeerde indruk?'

'Dat hij... van mij kwam.'

'Hm. Ik snap het.'

'Nee,' zei Stevie triest. 'Dat denk ik niet.'

'Je bent weduwe. Je echtgenoot is vermoord.' Hij haalde zijn schouders op toen ze hem aanstaarde. 'Ik heb je nagetrokken. Want ik was ook nieuwsgierig.'

Ze had kunnen ontkennen dat ze nieuwsgierig was geweest, maar hij zou meteen hebben geweten dat ze loog. 'Ik ben een alleenstaande moeder met een baan die toch al te veel eisen stelt aan haar dochter.'

Hij bleef haar gadeslaan en verbrak het oogcontact niet. 'Je zei toen dat je misschien ooit mijn hulp nodig zou hebben. Bij een zaak. Op een moment dat je informatie moest hebben waar niet op een gebruikelijke manier aan te komen was.'

'Of wettig.'

'Hoe je het noemen wilt. Maar je hebt het nooit gevraagd.'

'Bijna wel,' gaf ze toe. 'Verschillende keren.'

'Maar?'

Ze wendde haar blik af. 'Ik weet het niet.'

'Het aanbod geldt nog steeds. Geen voorwaarden. Geen verwachtingen.'

Ze keek hem weer aan. Ze nam een besluit en hoopte dat ze daar geen spijt van zou krijgen. 'Dank je. Ik zou je daar wel eens aan kunnen houden.'

'Deze zaak? Corrupte politiemensen?'

'En misschien ook openbaar aanklagers. Graysons baas om mee te beginnen. Hij wist dat Muñoz erin geluisd was.'

'Wil je dat ik zijn baas natrek? Discreet?' vroeg hij.

Ze knikte. 'Hij heet Charlie Anderson. Ik kan me niet voorstellen dat hij bij Muñoz uit liefdadigheid de andere kant op heeft gekeken. Er moet ergens een geldspoor zijn.'

'Wil je dat ik eens in zijn bankgegevens snuffel?'

Ze bleef even stil. Ze was zich er heel goed van bewust wat ze hem vroeg. Toen zag ze in gedachten de smeulende wrakstukken van Graysons auto en alle twijfel verdween. 'Ja, graag. Maar niemand mag het weten. Zelfs Grayson en Paige niet.'

'Waarom wil je hen erbuiten houden?' vroeg Clay.

'Omdat Grayson me zou tegenhouden. We hebben geen gerechtelijk bevel om in Andersons financiële gegevens te snuffelen en Grayson is een idealist. "Onrechtmatig bewijs", zoals hij dan zegt.'

'Als je bijna opgeblazen wordt, wil je nog wel eens heel anders tegen de zaken aan kijken.'

Ze slaakte een zucht. 'Dat is maar al te waar. Maar hou het voorlopig voor jezelf. Erewoord?'

Hij knikte. 'Niemand zal erachter komen. Ik laat van me horen zodra ik iets heb.'

'Dank je.' Ze liep in de richting van de deur. 'Heb je mijn mobiele nummer nog steeds?'

'Ja,' antwoordde hij zonder te aarzelen.

'Mooi. Bel me dan als je meer weet.' Ze deed de deur open, maar hij kwam achter haar staan en duwde met zijn armen aan weerszijden van haar de deur zachtjes dicht.

'Ik heb je nooit bedankt,' zei hij zacht, 'voor het feit dat je de moordenaar van Nicki te pakken hebt genomen. Je hebt haar familie rust gegeven en daar zijn we je erg dankbaar voor.'

Ze keek naar hem op. Hij was veel te dichtbij. En haar hart ging beslist veel te heftig tekeer. 'Dat was mijn werk. Ga slapen, meneer Maynard. Je nieuwe partner kan niets overkomen.'

Hij deed zonder nog iets te zeggen de deur open. Stevie wachtte tot ze in de hotellobby was voor ze haar hand tegen haar borst drukte om haar hart tot bedaren te brengen.

Donderdag 7 april, 07.15 uur

Het schelle gerinkel van de telefoon wekte Grayson uit een diepe slaap. Het duurde even voor hij zich herinnerde waar hij was, maar de warme vrouw in zijn armen was de eerste aanwijzing. Ondanks de pijn in zijn rug strekte hij met een glimlach op zijn gezicht zijn hand uit naar de telefoon.

De volle laag krijgen van neerkomend brandend metaal was iets wat wat hem betrof niet voor herhaling vatbaar was.

'Hallo?' fluisterde hij in de hoorn terwijl hij Paige's zwarte haar streelde en haar hoofd zachtjes terugduwde op zijn borst toen ze slaperig opkeek.

'Vond je het niet nodig om te bellen?' Het was zijn moeder en ze was kwaad. 'Je vond het blijkbaar niet belangrijk genoeg om me te vertellen dat je bijna was opgeblazen? Dat heb ik op het nieuws moeten horen.'

Hij vertrok zijn gezicht. 'Dat was gisteravond laat. Het leek me geen zin hebben om je wakker te bellen om te vertellen dat alles in orde was met me.' Bovendien werd hij op dat moment volledig in beslag genomen door wat hij met Paige op de eettafel aan het doen was. En in de douche. En in zijn bed. *Dat was het beste van allemaal.*

'Ben je echt ongedeerd? Ze hadden het over lichte verwondingen.'

'Ik ben in mijn rug geraakt door een stuk van de auto, maar ik heb alleen maar blauwe plekken. Ik had een kogelwerend vest aan.'

'Een ko–' Ze hield abrupt haar mond en slaakte een duidelijk hoorbare zucht. 'Ik wil je vanochtend zien.'

Hij dacht aan alles wat hij moest doen. 'Ik doe mijn best.'

'Grayson.' Haar stem trilde. 'Ik wil je met eigen ogen zien.'

'In dat geval kom ik. Beloofd.'

'Oké. Hoe gaat het met Paige? Die zakkenwasser van een verslaggever zei dat ze bij je was.'

'Zakkenwasser?' Hij grinnikte. 'Mam toch.'

'Zo noemde Paige hem. Is ze gewond?'

Hij keek omlaag naar die prachtige goudkleurige huid. Paige legde haar kin op zijn borst en keek naar hem terwijl hij lag te praten. 'Een paar schrammetjes. Verder maakt ze het goed.'

'Ik begrijp het.' Hij vermoedde dat zijn moeder dat inderdaad deed. 'Heb je het haar verteld?'

'Ze wist het al. Maar dat wist jij ook al.'

'Klopt. Ze is een slimme meid. Ik kan er niet bij dat je die foto hebt bewaard.'

'Ik moest wel. Daarna... was je zo verdrietig. Je huilde voortdurend. Ik had die foto om me je te herinneren zoals je voor die tijd was. Soms hield ik hem alleen maar in mijn handen en dan deed ik net of het allemaal niet was gebeurd.'

Ze zweeg even. 'Ik heb een paar van je babyfoto's bewaard. Ik kijk er elke keer naar wanneer Lisa weer een baby krijgt en dan denk ik hoe het zou zijn om oma te worden.' Haar stem kreeg een wrange klank. 'Ik wacht al heel lang, weet je.'

Hij sloeg zijn ogen ten hemel. 'Mam.'

'Ik weet het. Ik weet het. Het is te vroeg. Maar ik mag toch wel dromen?' Ze schraapte kort haar keel. 'Ik heb eerst geprobeerd je mobiel te bereiken voor ik naar het vaste nummer belde. Hij schakelde meteen naar de voicemail.'

'Ik heb hem laten vallen toen ik bij de auto vandaan rende. Die ligt behoorlijk in de kreukels. Ik ga vandaag een nieuwe telefoon kopen. Paige heeft ook een nieuwe nodig. En een laptop.'

'Klinkt alsof jullie een hoop te doen hebben vandaag. Ik zal je nu met rust laten.'

'Maar ik kom vanmorgen nog langs, dan kun je controleren of al mijn vingers en tenen er nog aan zitten.'

Ze gniffelde slapjes. 'Ik wacht op je. Ik hou van je, jongen.'

'Ik hou ook van jou, mam.' Hij legde de hoorn op de haak en gaf de telefoon aan Paige. 'We hebben het nieuws weer gehaald. Je vrienden in Minnesota zullen ongerust zijn.'

Ze ging rechtop zitten en trok het laken omhoog zodat haar borsten bedekt waren. Hij trok zachtjes aan het laken, maar ze hield het vast, wat een teleurgestelde uitdrukking op zijn gezicht bracht. 'We hebben dingen te doen vanmorgen,' zei ze nuffig. 'Als ik je je gang laat gaan liggen we hier de hele dag.'

'Daar kan ik wel mee leven,' bromde hij, maar ze schudde haar hoofd.

'Je hebt je moeder beloofd dat je langs zou gaan. Nou stil, dan kan ik Olivia even bellen.' Ze belde en vertrok haar gezicht op dezelfde manier als hij had gedaan. Ze hield de hoorn een paar centimeter van haar oor terwijl er een stroom creatieve verwensingen uit klonk. Toen dat een beetje verflauwde hield ze de hoorn voorzichtig weer tegen haar oor. 'Nee, je hoeft niet te komen. Er is niets met me aan de hand. Grayson heeft het grootste deel van de klap opgevangen. Met hem is ook alles goed.'

Hij trok weer aan het laken en ze keek hem boos aan. 'Hou daarmee op,' zei ze kortaf. 'Jij niet,' zei ze tegen haar vriendin. Toen zuchtte ze. 'Ja, hij is hier.' Ze gaf hem de telefoon. 'Nu zijn de rapen gaar. Ze wil je spreken.'

'Met Smith.'

'Dat mag ik hopen,' zei Olivia droog, 'aangezien je in haar bed ligt.'

'Technisch gesproken ligt ze in mijn bed.'

'Daar hoef je niet zo trots over te doen.' Haar stem kreeg een harde klank. 'Luister, ik heb je nagetrokken. Je bent een fatsoenlijke aanklager. Maar dat wil nog niet zeggen dat je ook een fatsoenlijke vent bent.'

'Ik vlei me met de gedachte dat ik dat wel ben.'

'Nou, de tijd zal het leren. Kwets haar niet.'

'Ik zal mijn best doen.'

'Je best doen is niet genoeg.'

Grayson verstijfde. Hij drukte de hoorn tegen zijn oor. *Je best doen is niet genoeg.* Hij had iemand anders diezelfde woorden horen uitspreken, op dezelfde ongeduldige manier. Langer dan een jaar geleden.

Acht uur geleden had diezelfde stem hem gezegd dat hij zijn auto moest stilzetten en eruit moest. 'O, god.'

'Wat?' wilde Olivia weten en er kroop ongerustheid in haar stem. 'Wat is er aan de hand?'

Paige nam de hoorn van hem over. 'Wat heb je net tegen hem gezegd?' Ze luisterde en fronste haar voorhoofd. 'Is dat alles? "Je best doen is niet genoeg"?' Ze keek hem aan. 'Wat betekent dat?' vroeg ze.

Je best doen is niet genoeg. 'Ik weet wie het is,' zei hij alleen maar.

'Liv, ik moet ophangen. Alles is oké, maar ik kan het nu niet uitleggen. Ik bel je later nog.' Ze hing op, gooide de telefoon op het bed, ging op haar knieën zitten en nam zijn gezicht in haar handen. 'Wie?'

'Silas Dandridge. Gepensioneerd politieman.' Hij deed zijn ogen dicht. 'Ik moet het bij het verkeerde eind hebben.

'Maar je weet dat dat niet zo is.'

'Ja. Het is zijn stem. Ik had hem alleen in geen jaar gehoord.'

'Je moet Stevie bellen.'

Hij staarde Paige als verdoofd aan. 'Hier gaat ze aan kapot. Ze zal me niet geloven.'

'Hoezo?'

'Hij was haar partner.'

Donderdag 7 april, 07.20 uur

Stevie liep wankelend de keuken binnen en geeuwde. 'Dat ruikt lekker.'

Haar zus Izzy stond bij het fornuis pannenkoeken te bakken. 'Weet ik. Er is verse koffie.'

'Goeiemorgen, mama.' De zesjarige Cordelia zat al keurig aan tafel en haar bord was bijna leeg.

'Goeiemorgen, schat.' Stevie schonk een kop koffie in en ging bij het papierwerk over de zaak zitten, waar Izzy een keurige stapel van had gemaakt. 'Ik wilde gisteravond even vijf minuten dutten voor ik dit ging lezen.'

'Toen ik beneden kwam lag je op de bank te ronken als een kettingzaag,' zei Izzy.

'Als een heel grote kettingzaag,' stemde Cordelia nuchter in. 'Je snurkt nog harder dan opa.'

'Nietes,' ontkende Stevie. Ze zag Izzy en Cordelia een blik van verstandhouding wisselen.

'Wat jij wilt, baas,' zei Izzy. 'Ik heb wat make-up voor je vriendin bij elkaar gescharreld.'

'Dank je. En ze is Graysons vriendin om precies te zijn.'

'Dat werd tijd voor hem,' verklaarde Izzy. 'Cordy, tijd om je klaar te maken voor school.' Cordelia gehoorzaamde mopperend. Izzy zette een bord neer voor Stevie. De pannenkoeken hadden stukjes chocola in de vorm van ogen en een glimlachende mond. 'Omdat jij zo chagrijnig doet.'

'Hoe kun je zo verrekte vrolijk doen?' mompelde Stevie.

Izzy boog zich samenzweerderig voorover. 'Omdat ik het min of meer regelmatig doe, liefje. Zou je ook eens moeten proberen. Voor je te oud bent om er nog van te genieten.'

Stevie zag meteen Clay Maynard voor zich, maar zette het beeld van zich af. 'Hou je mond. Dat je pannenkoeken lekker zijn wil nog niet zeggen dat je je met mijn leven mag bemoeien.'

'Mijn pannenkoeken zijn geweldig en jij hebt geen leven.'

De deurbel ging, gevolgd door Cordelia's 'Ik ga wel' en een kreet van vreugde. 'Oom JD.'

JD was een van Pauls beste vrienden geweest en hij was Cordelia's peetvader. Dat Stevie en hij het jaar daarvoor elkaars partner waren geworden, was voor een deel geluk en voor een deel te danken aan slim manoeuvreren van Stevies kant. JD was toe geweest aan verandering. Die had hij gevonden in een nieuwe richting van zijn carrière en een nieuwe liefde in zijn leven.

'JD doet het ook,' zei Izzy op samenzweerderige toon. 'Hij is niet chagrijnig.'

Stevie sloeg haar ogen ten hemel. 'Hou je nou je mond?'

JD kwam de keuken binnen met Cordelia op zijn heup. 'Ik ruik pannenkoeken!'

Izzy lachte. 'Ik moet Cordelia naar school brengen. Maar er is nog beslag genoeg voor een stuk of tien pannenkoeken als dat chagrijnige type daar zo vriendelijk wil zijn wat in de pan te schenken.'

JD keek twijfelachtig naar Stevie. 'Dat kan ik dan maar beter zelf doen.' Hij gaf Cordelia een dikke pakkerd. 'Geen stoute dingen doen vandaag.'

'En als je het wel doet, moet je zorgen dat je niet betrapt wordt,' voegde Izzy daaraan toe. 'Kom op, meid. We moeten gaan.'

JD keek toe terwijl ze vertrokken en goot toen wat beslag in de pan. 'Waarom ben je vandaag chagrijnig?'

Omdat ik het al jaren niet meer doe. 'Omdat ik in geen twee nachten heb geslapen.'

'Want?'

'Want ik heb aan de zaak van Grayson gewerkt.'

'En daar ga je me nu alles over vertellen, hè?'

'Ja.' Ze kwam overeind. 'Ga zitten. Ik zorg wel voor de pannenkoeken. Jij laat ze altijd verbranden.'

'Ik ben snel afgeleid.'

'Ja hoor. Je hebt gewoon graag dat anderen voor je koken en dit is jouw manier van hulpeloos doen.' Zijn grijns maakte haar duidelijk dat ze de spijker op de kop had geslagen. 'Het zit zo.'

Zijn grijns verdween als sneeuw voor de zon toen ze hem bijpraatte.

'Mijn god,' prevelde hij. 'De baas van Smith heeft vuile handen?'

'Ik kan me niet voorstellen dat Grayson vuile handen heeft.' Ze zette een bord voor hem neer. 'Maar er is wel sprake van een dreigement. Ik zag het in zijn ogen toen hij gisteren met Anderson had gesproken. En gisteravond vloog zijn auto in de lucht.'

'Misschien zaten ze achter Paige aan.'

'De vent die de moeder van Logan heeft neergeschoten heeft hém gebeld. Hém gewaarschuwd. En op hém geschoten. Ik heb Graysons telefoongegevens opgevraagd. Het nummer dat hem belde was van een prepaid.'

'Dat had ik wel verwacht. Ik zou graag een kijkje willen nemen op de plaats delict.'

'De bom heeft de auto aan flinters geblazen. Er is niet veel meer van over.'

'Nee, die plek in het bos waar dat bloed is aangetroffen. De plek waarvandaan het schot dat Grayson heeft gemist is afgevuurd. Daar lag de sluipschutter op de loer. Ik wil het zien.'

Hij was ooit scherpschutter in het leger geweest, tijdens zijn eerste loopbaan. Misschien dat hem iets opviel wat de anderen over het hoofd hadden gezien. Bovendien scheen nu de zon. De TR kon in het donker iets hebben gemist.

Stevie knikte. 'Eet je bord leeg, dan gaan we.'

Donderdag 7 april, 07.30 uur

De mond van Paige viel open van de schok. Ze wist niet zeker of ze echt had gehoord wat ze dacht dat ze had gehoord. 'De pártner van Stevie heeft je gisteravond gebeld?'

'Haar voormalige partner. Ze is nog maar een jaar een team met JD. Daarvoor had ze Silas Dandridge als partner.'

'Hoelang?'

'Jaren. Nog voor Stevies echtgenoot en zoontje werden vermoord.'

Ze floot zachtjes. 'Weet je het zeker?'

'Nee. Dat weet ik niet.' Grayson ging met een hand door zijn haar. 'Wat moet ik tegen Stevie zeggen? De man die je met je leven vertrouwde is een kille moordenaar?'

'Misschien kan ik online iets vinden waar zijn stem op te horen is. Een oud interview of iets dergelijks. Dan kun je jezelf overtuigen voor je het haar vertelt. Dan moet ik wel je computer gebruiken, want die van mij ligt in stukken. Waar zijn mijn kleren?'

'Beneden, waar je ze hebt laten liggen. Neem mijn kamerjas maar.' Hij trok een trainingsbroek aan. 'Ik zal voor je inloggen op mijn computer en dan laat ik de hond uit. Het is licht, dus dat zou geen probleem moeten zijn.'

'Ik maak me geen zorgen om Dandridge. Hij heeft je al twee keer gespaard. Ik maak me zorgen om de man die de bom heeft geplaatst. En over die vent op de foto die Sandoval betaalde. Ik maak me zorgen over waar Brittany Jones is en wat ze aan het bekokstoven is. Laat Peabody maar weer in de achtertuin. Ik zal Clay vragen of hij een eind met hem wil gaan lopen.' Ze beet op haar lip. 'O, verdorie. Clay heeft de nacht in het Peabody Hotel doorgebracht. Hij maakt zich waarschijnlijk zorgen over me.'

'Nee, dat doet hij niet. Stevie heeft hem daar gisteravond gezien. Hij weet dat alles in orde is.'

'Mooi. Laten we dan Silas Dan–' Woest geblaf verscheurde de stilte en Paige werd bleek. 'Peabody.' Ze wilde haar pistool pakken, maar realiseerde zich toen dat ze Graysons kamerjas aanhad. 'Shit.' Ze gooide de deur open en rende de trap af.

Hij zat haar op de hielen, maar was niet dichtbij genoeg om haar tegen te kunnen houden. 'Paige, stop.'

Ze bleef halverwege de trap abrupt staan. Hij kegelde haar bijna omver en dat zou hebben betekend dat ze allebei voorover de hal in waren gedoken.

Daar stond Joseph, doodstil, met zijn rug tegen de voordeur. Het pistool in zijn hand was op Peabody gericht, die met ontblote tanden een diep gegrom liet horen.

'Peabody, af,' zei Paige snel en de hond gehoorzaamde ogenblikkelijk.

Josephs schouders gingen omlaag. Hij liet zijn pistool zakken en keek met opgetrokken wenkbrauwen naar het tweetal op de trap. 'Ik denk dat ik maar niet meer onaangekondigd op bezoek kom.'

'Ik dacht dat je het alarm had aangezet,' zei Paige tegen Grayson.

'Hij kent de combinatie.' Grayson liep langs haar heen de trap af. Hij pakte de hondenriem van het haakje naast de deur. 'Kom, Peabody.'

'Waarom gromt die verrekte hond niet naar hém?' wilde Joseph weten.

'Omdat ik tegen hem gezegd heb dat Grayson deugt,' zei Paige terwijl ze Graysons kamerjas strakker om zich heen trok.

'Ben je van plan om hem te vertellen dat ik ook deug?'

'Dat weet ik niet. Daar ben ik zelf nog niet helemaal uit.'

'Ik heb je spullen van het hotel meegenomen.' Hij deed de voordeur open en pakte de koffer en de zak hondenbrokken van de stoep. 'Ik heb ook mobiele telefoons voor jullie. Het zijn niet jullie oude nummers, maar jullie moeten het er maar mee doen tot er vervangende telefoons van jullie providers zijn.' Hij hield een plastic tasje van een drogisterij omhoog. 'En een tandenborstel voor jou.'

Paige kwam langzaam de laatste treden af. Ze was zich er heel goed van bewust dat ze onder de kamerjas niets aanhad en dat Joseph dat wist. In zijn ogen schitterde een lach, ook al stond de rest van zijn gezicht stoïcijns.

'Ik zou tegen Peabody kunnen zeggen dat je voorwaardelijk deugt,' zei Paige voorzichtig. 'Vanwege de tandenborstel.'

'En als ik koffie voor jullie zet?'

'Dan zal ik je voor altijd aanbidden.' Hij lachte en Paige knipperde met haar ogen. Zijn gezicht werd compleet anders wanneer hij lachte. Ze herinnerde zich dat Graysons moeder had gezegd dat hij boos geboren was en ze vroeg zich af wat daar de reden van was. 'Uiteraard gaat het hele verhaal niet door als de koffie niet deugt.'

'Ik had niet anders verwacht.' Hij nam haar van top tot teen op. 'Gaat het wel met jullie?' vroeg hij, plotseling weer ernstig. 'Ik ben naar die plek geweest. Er is niks meer over van de auto.'

'We zijn ongedeerd. We hebben geluk gehad. Als die waarschuwing een halve minuut later was gekomen...' Ze liep achter hem aan naar de eetkamer, waar hij bleef staan. Ze voelde haar wangen rood worden. Haar kleren lagen overal. De broek van Grayson lag op een hoop waar hij hem had laten zakken – op de grond, naast de tafel. Daarnaast lag haar broek en een enkele schoen. Ze had geen idee waar haar andere schoen was terechtgekomen.

Joseph kuchte, maar Paige wist dat het een ingehouden lach was.

'Toe maar, zeg het maar,' zuchtte ze.

'Ik zou niet durven.' Hij liep de keuken in, wat haar in staat stelde snel haar kleren bij elkaar te rapen.

'Ik ben zo terug,' riep ze. 'Ik moet me aankleden.'

'Ja, eh, doe dat,' zei Joseph en ze keek even in de richting van de keuken. Zijn schouders schudden terwijl hij koffie afmat. Hij lachte zo hard dat de inhoud van de maatlepel op het aanrecht terechtkwam en hij opnieuw kon beginnen.

'Hoelang duurt het voor je zussen hiervan horen?' vroeg ze vanuit de deuropening.

'Tien minuten, hooguit een kwartier. Minder als ze allemaal online zijn.'

'Geweldig.' Ze nam de bijeengeraapte kleren en haar koffer mee naar boven.

Donderdag 7 april, 07.45 uur

'Bedankt dat ik hier vannacht heb mogen logeren.' Adele ging op een kruk aan de eetbar in Krissy's keuken zitten terwijl haar vriendin koffiezette. 'Ik weet niet waar ik anders naartoe had gemoeten.'

Ze had Krissy leren kennen kort nadat Darren en zij terug waren verhuisd naar Baltimore. Krissy's baby was ongeveer net zo oud als Allie en ze hadden samen op zwangerschapsgymnastiek gezeten. Maar het feit dat Krissy net een akelige scheiding achter de rug had, telde op dit moment zwaarder. Toen Adele de avond ervoor klaar was met het inpakken van haar tas, had ze Krissy gebeld in de hoop dat ze bij haar terechtkon voor een slaapplaats en goede raad.

Over hoe je een scheiding aanpakte, als het daarop uit zou draaien. Hopelijk zou Darren kalmeren en beseffen dat hij overhaast had gereageerd. *En hopelijk bedenk ik een manier om hem de waarheid te vertellen.*

Adele was niet van plan persoonlijke zaken met Krissy te delen, zoals de medaille die ze in haar tas bij zich had. Ze had de hele nacht liggen woelen terwijl ze probeerde te bedenken wat haar nu te doen stond. Wie ze om hulp kon vragen.

Dat de medaille en de aanslagen op haar leven met elkaar te maken hadden, was vergezocht. Het lag meer voor de hand dat de moordenaar haar naam gewoon uit het telefoonboek had gepikt, ook al beweerde Darren dat zoiets alleen in televisieseries voorkwam. Alleen... *Ze dreigden je te vermoorden als je het vertelde. Dus dat heb ik nooit gedaan.* Ze had Theopolis jaren geleden alleen het minimale verteld toen hij haar behandelde vanwege haar zelfmoordpogingen. Zelfs hij was niet op de hoogte van namen, plaatsen en data.

Als ze het nu vertelde, had dat misschien alleen maar tot gevolg dat ze haar leven weer op de rails kreeg. De hemel wist dat ze dat moest zien te bewerkstelligen, al was het maar om haar kind te behoeden. *Voor mij.*

Ze woog in gedachten alle opties tegen elkaar af, alles van de politie tot de media tot Darren alles vertellen zodat zij overal vanaf zou zijn. Ze besloot uiteindelijk tot het eerste, maar wel met een tussenstap ingebouwd. De politie zou haar verhaal nooit geloven als ze niet met bewijzen kwam. Ze had niet eens de doos bewaard waarin de chocolaatjes waren verpakt. Ze zouden denken dat ze volslagen getikt was.

Dus ergens vlak voor het licht werd, had ze besloten een privédetective in de arm te nemen om erachter te komen wie haar probeerde te vermoorden. Als ze eenmaal bewijs had, dan kon ze naar de politie stappen. Als de medaille er iets mee te maken had, dan zou ze het ook aan de pers vertellen.

In de tussentijd zou ze zich op het ergste voorbereiden. Ze moest een manier vinden om te voorkomen dat Darren de voogdij over Allie zou krijgen. *Dat zal niet gebeuren.*

'Ik kan niet geloven dat Darren dat heeft gedaan.' Krissy schonk met gefronste wenkbrauwen koffie in. 'Ik mocht hem graag.'

'Ik voel me zo gekwetst dat hij denkt dat ik hem heb bedrogen. Dat hij het ergste van me dacht.'

Krissy aarzelde. 'Hij heeft geen bewijs, hè? Geen foto's of zo.'

'Nee,' zei Adele heftig. 'Omdat ik niets verkeerds heb gedaan.'

'Misschien is hij alleen maar van streek vanwege zijn hond.'

'Dat geeft hem nog niet het recht om me zo te behandelen.'

'Nee, dat is zo. Dit is niks voor hem. Hij heeft je altijd als een prinses behandeld.' Ze haalde haar schouders op en gaf Adele een visitekaartje. 'Mijn advocaat. Hij was goed, maar duur.'

Adele zette zich schrap. 'Hoe duur?'

'Zijn voorschot was vijfduizend. Maar hij is echt goed,' zei ze toen Adele zichtbaar schrok. 'Als Darren zo irrationeel doet, kun je dat misschien tegen hem gebruiken.'

Maar ik heb me als eerste irrationeel gedragen. En Darren zou ervoor zorgen dat iedereen dat te horen kreeg.

'Misschien wel. Maar toen jij bezig was met die scheiding, had jij toen foto's?'

'Nou en of. Mijn alimentatie werd meteen verdubbeld toen mijn ex die foto's zag. Hij wilde niet dat ze in de openbaarheid kwamen. Ze waren...' Krissy nam een slokje van haar koffie, '... desastreus.'

'Hoe ben je aan die foto's gekomen?'

'Ik heb een privédetective in de arm genomen. Dat was het geld meer dan waard.' Krissy schreef een adres op een velletje papier. 'Voor het geval je tot de conclusie komt dat je wel wat munitie kunt gebruiken.'

Adele fronste haar voorhoofd. 'Dit is niet in het beste deel van de stad.'

'Je moet er gewoon niet 's avonds naartoe gaan. Hij zei dat de lage huur zijn tarieven ook laag houdt.'

'Bedankt. Ik zal hem bellen.'

Donderdag 7 april, 07.45 uur

'Koffie en het ochtendblad, meneer?'

'Ja. Graag. Laat de kan maar staan. Dit is een dag voor twee koppen koffie.'

Hij had al hardgelopen op de lopende band in zijn privésportzaal. Hij had gedoucht en was toe aan een stevig ontbijt voor hij aan het werk ging. Alles weer normaal. Normaal was goed.

Het was prettig de routine weer op te kunnen pakken. Geen busjes die verongelukten. Geen in scène gezette zelfmoorden. Geen Silas Dandridge die in het gareel gehouden moest worden. En geen privédetective en openbaar aanklager die iedereen lastigvielen.

Het dienstmeisje legde de krant naast zijn laptop, schonk koffie voor hem in, schoof de gordijnen voor het grote raam weg en verliet discreet buigend het vertrek zoals ze elke normale ochtend deed.

Hij maakte het zich gemakkelijk in zijn stoel en bekeek zijn mobiele telefoon. Hij fronste zijn voorhoofd. Hij had een sms verwacht van Kapansky. De man zou inmiddels in Dunkirk in New York moeten zijn. Brittany Jones hoorde op dit moment dood te zijn. Hij toetste Kapansky's nummer in.

Zijn frons werd dieper toen hij meteen werd doorgeschakeld naar de voicemail. Kapansky had zijn telefoon uitgezet. De man zou toch beter moeten weten.

Een akelig voorgevoel knaagde aan zijn normaal gesproken uitstekende humeur. Hij vouwde zijn krant open en las de kop met een mengeling van woede, vrees en ongeloof. OPENBAAR AANKLAGER OVERLEEFT BOMAANSLAG.

Wel verdomme. Hij las het artikel en zijn woede kreeg al snel de overhand boven de andere emoties. Het werd alleen maar erger. Zowel Smith als de vrouw had de aanslag overleefd door een paar seconden voor de explosie uit de auto te springen. Hoe konden zij dat hebben geweten? Er was geen enkele mogelijkheid dat ze het hadden geweten.

Tenzij ze gewaarschuwd waren. Hij kwam overeind en ijsbeerde door de kamer. Silas. *Het moest Silas zijn geweest.* Maar Kapansky had hem gedood. Hij bleef plotseling staan en het bloed stolde in zijn aderen.

Tenzij Kapansky had gefaald. Hij had Kapansky opgedragen hem de avond ervoor te sms'en. Hij was in het gezelschap geweest van gerespecteerde mensen met het doel zichzelf een alibi te verschaffen. Hij had geen telefoontje willen krijgen dat mensen zich zouden herinneren. *Ik had hem moeten laten bellen.*

Ik had ervoor moeten zorgen dat ik zijn stem te horen kreeg.

Nu was Silas op het oorlogspad. Zijn volgende doel was... *Ik. Hij denkt dat zijn gezin veilig weggestopt zit. Dus komt hij nu achter mij aan.* Hij draaide zich om en besefte hoe Silas het zou aanpakken.

Van grote afstand. Met een geweer. *Verdomme.*

Hij dook naar de grond, rolde door en drukte zich plat tegen de muur onder het raam dat de hele breedte van de kamer besloeg. Precies op dat moment spatte het glas boven hem uiteen. Stukken glas vlogen als hagelstenen door de lucht en vingen het zonlicht in duizenden prisma's.

De eerste ogenblikken daarna was het stil, toen hoorde hij de straatgeluiden van vijfentwintig verdiepingen lager. De deur werd opengesmeten en het dienstmeisje keek met een doodsbleek gezicht naar binnen.

'Achteruit,' blafte hij.

Ze gehoorzaamde en sprong een meter achteruit. 'Moet ik de politie bellen?'

'Nee.' Hij slikte moeizaam en ging voorzichtig rechtop zitten maar zorgde er wel voor dat zijn hoofd onder de vensterbank bleef. 'Bel het glasbedrijf. Zorg dat ze het raam vervangen. Daarna moet je de rommel opruimen.'

Het dienstmeisje knikte onzeker. 'Moet het een speciaal soort glas zijn?'

'Ja.' De schok ebde weg en maakte al snel plaats voor woede. 'Zo kogelwerend als ze maar te pakken kunnen krijgen. O, en Millie? Het was een vogel. De grootste vogel die je ooit van je leven hebt gezien. Begrepen?'

Ze knikte opnieuw. 'Ja, meneer.'

Hij wachtte tot ze weg was voor hij door de kamer kroop, waarbij hij zijn best deed om de scherpe stukjes glas die overal op het tapijt lagen te vermijden. Silas had een hele reeks cruciale fouten begaan.

Kapansky vermoorden was daar een van. Niet dat Kapansky het waard was om over te treuren, maar het betekende wel dat Brittany Jones nog steeds in leven was. Maar zij was niet meer dan een ergernis. Zolang hij haar bleef betalen, zou ze haar mond wel houden.

Dat hij de aanklager en de detective had gewaarschuwd was ernstiger, maar nog steeds behapbaar. Ze zaten achter Rex aan en dat was wat hem betrof prima. *Lulhannes van een waardeloze junkie. Laten ze hem maar oppakken.* Deze keer zou niemand hem te hulp snellen. Geen advocaten die zijn verdediging op zich zouden nemen. Misschien zou hij eindelijk zijn verstand krijgen en de man worden die zijn familie nodig had.

Nee. Rex zal altijd Rex blijven, met die zilveren paplepel die uit zijn reet steekt. *Rex McCloud is mijn verachting niet waard. Dus laten die privédetective en de aanklager hem maar beschuldigen.*

En als de openbaar aanklager moeilijk ging doen over die autobom, dan was er een geldspoor waar hij zijn tijd aan kon besteden. Dat zou uiteindelijk het verlies betekenen van een sleutelfiguur aan de andere kant van de tafel, maar hij had nog andere contacten in de pijplijn. Een nieuwe sleutelfiguur creëren zou niet zo heel moeilijk worden.

En als de detective en de aanklager dichterbij bleven komen? *Dan schakel ik hen zelf wel uit.* Hij kon het in ieder geval niet erger verkloten dan Silas had gedaan.

Hij ging staan, borstelde zijn kleren af en schudde het glas uit zijn haar. *Van alle cruciale fouten die Silas heeft begaan, is mij kwaad maken de ergste.* Silas dacht dat zijn gezin in veiligheid was, lekker knus in hun hotelkamer in Toronto. *Daar komt hij nog wel achter.*

Hij liep weg bij de kamer en pleegde een telefoontje met zijn mobieltje.

'Pearson's Aviation.'

'Ik wil een privévlucht boeken van BWI naar Toronto. Steve Pearson is altijd mijn piloot.'

'Ik zal u met hem doorverbinden.'

'Dank u.' Steve Pearson zag altijd kans om ergens heen te vliegen zonder allerlei vervelende registraties achter te laten. *Ik wil niet dat iemand weet dat ik daarheen ga of daar ben geweest. Want als je iets goed gedaan wilt hebben, moet je het zelf doen.*

'Met Steve. Ik kan u daar vanochtend naartoe vliegen. De duur van de vlucht is veertig minuten.'

'Uitstekend. Op de terugweg zal ik minstens één passagier bij me hebben.'

'Geen probleem. Wanneer zie ik u op de startbaan?'

Hij moest al dat glas nog uit zijn haar zien te krijgen. 'Hooguit anderhalf uur.'

'Ik zal er zijn.'

18

Donderdag 7 april, 07.45 uur

Paige, die zich meer op haar gemak voelde nu ze echte kleren aanhad, voegde zich bij Grayson en Joseph in de keuken. Grayson zat mistroostig in zijn koffie te staren. Er lag een splinternieuwe laptop op tafel.

Joseph wees ernaar en elke glimlach was van zijn gezicht verdwenen. 'Van jou, tot je zelf een nieuwe hebt gekocht. Grayson zei dat je iets moest opzoeken.'

Ze ging zitten en trok de laptop naar zich toe. 'Dank je. Jij zou dit waarschijnlijk een stuk sneller kunnen vinden.'

'Waarschijnlijk wel. Maar ik hoor dat je goed bent in het opduikelen van informatie. Ik bak de omeletten,' zei hij voor ze kon reageren. 'Wil jij ook?'

'Graag.' Ze logde in op haar database met nieuwsberichten terwijl Joseph een kop koffie voor haar inschonk. *Dandridge, Silas*, tikte ze in, en ze begon de resultaten door te nemen. Ze keek naar Grayson. '"Je best doen is niet genoeg." Waarom deed die zin je ergens aan denken?'

'Dat zei hij altijd als hij een arrestatiebevel wilde en ik zei: "Ik zal mijn best doen." Hij zei het volledige citaat.'

Joseph keek op van de eieren die hij aan het kloppen was. 'Welk citaat?'

'Het komt uit *The Empire Strikes Back*,' zei Grayson. 'Yoda zegt het.'

'"Doe het of doe het niet. Je best doen is niet genoeg." Mijn karateleraar zei dat ook altijd.' Paige richtte haar aandacht weer op het scherm. 'Hier heb ik een archieffoto van Dandridge.' Ze draaide de laptop zo dat hij het scherm kon zien.

'Dat is niet de man die Sandoval heeft betaald, maar hij is net zo lang als de man die Logan meesleurde. Zelfde handen. Silas heeft handen als kolenschoppen.'

Joseph vouwde de omelet dicht. 'Zou je hebben geloofd dat Silas in staat was om zo te moorden?'

'Nee,' zei Grayson zonder aarzelen. 'Ik kende hem als eerlijk. Toegewijd zelfs.'

'Wat wil dat zeggen, toegewijd?' vroeg Joseph.

'Hij raakte altijd gepassioneerd als hij in een zaak geloofde. Toen Paul werd vermoord, was hij er voor Stevie zoals geen van ons dat had gekund. Hij was haar partner.'

'Waardoor is hij dan zo veranderd?' vroeg Paige zacht.

'Ik weet het niet. Het kost me al mijn zelfbeheersing om niet naar zijn huis te bellen, alleen maar om zijn stem nog eens een keer te horen. Ik moet weten of ik gek ben of dat ik gelijk heb.'

'Geef me een paar minuten.' Ze at haar ontbijt en zocht ondertussen in de video's en nieuwsberichten die tevoorschijn kwamen als resultaat van de zoektocht op de naam Silas Dandridge. Uiteindelijk vond ze een oud fragment waarop hij iets zei. 'Hij is geïnterviewd door de lokale pers naar aanleiding van een moord.' Ze drukte op play en Grayson sloot zijn ogen en luisterde aandachtig.

'Geen commentaar. Met vragen kunt u terecht bij de afdeling Public Relations.'

Ze keek naar zijn gezicht en wist genoeg.

'Het is hem,' zei Grayson hees. 'Ik moet het Stevie vertellen. We moeten hem oppakken.'

Paige wierp een snelle blik in Josephs richting en ze zag dat hij dezelfde bedenkingen had als zij. 'Wacht,' waarschuwde ze toen Grayson zijn mobieltje wilde pakken. 'Ik geloof je, maar wie verder nog? Het is jouw woord – en op dit moment heeft je baas je weggezet als iemand die niet in staat is Moordzaken voor zijn rekening te nemen.'

'Ze heeft gelijk,' zei Joseph. 'Als je hem nu oppakt zal hij alleen maar ontkennen. Probeer eens te bedenken waarom een prima politieman plotseling zo heel erg fout wordt. Zorg eerst dat je bewijzen hebt.'

'Misschien werd zijn gezin bedreigd,' opperde Grayson. 'Of misschien werd hij gechanteerd.'

'Dat is allebei mogelijk,' zei Joseph. 'Wat weet je over het gezin van deze man?'

'Hij is getrouwd en heeft een dochter,' probeerde Grayson zich te herinneren. 'We spraken nooit veel over de thuissituatie of over familie. We gingen allebei helemaal voor ons werk. De enige keren dat ik hem buiten het werk zag was 's morgens in de sportschool. En twee keer op de schietbaan.'

Paige zag de flikkering van triest besef in zijn ogen. 'Goeie schutter, zeker?' vroeg ze.

'Heel erg goed. Hij had dat schot dat Elena Muñoz heeft gedood kunnen uitvoeren. Makkelijk.' Graysons mond werd een harde streep. 'Trek zijn achtergrond eens na. Alsjeblieft.'

'Hij is zesenvijftig jaar,' zei ze toen de resultaten doorkwamen. 'Vrouw, Rose, negenenveertig, dochter, Cherri, vijfentwintig, en dochter Violet, zeven.'

'Zoek Cherri eens op,' vroeg Grayson. 'Hij heeft Rose en Violet wel eens genoemd, maar Cherri nooit.'

Een onderwerp op de eerste pagina met zoekresultaten deed Paige zuchten. 'Cherri is zeven jaar geleden gestorven in West-Virginia. Ze was achttien. Ik krijg zo het overlijdenscertificaat. Ze is in Maryland getrouwd toen ze zeventien was. De bruidegom was Richard Higgins, negentien.'

Ze scrolde verder. 'Hier heb ik iets. Cherri is acht jaar geleden in Maryland gearresteerd wegens een gewapende overval. De beschuldiging is ingetrokken. Grayson, kun jij in je systeem de details over deze zaak vinden?'

'Dat zal zeer waarschijnlijk niet lukken. Ik heb vermoedelijk nog steeds geen toegang. Maar Daphne wel.'

Grayson belde Daphne terwijl Paige op haar onderlip beet en zich weer over haar database met nieuwsberichten boog. *Cherri Dandridge Higgins*, tikte ze in, waarna ze er *West-Virginia* en *Richard* aan toevoegde.

Er verscheen een artikel. Een kort stuk van maar vier alinea's. Maar het was genoeg.

Paige keek verontrust op naar Grayson en zag dat hij haar met de telefoon tegen zijn oor stond gade te slaan.

'Ik sta in de wacht. Ik wacht tot Daphne de zaak heeft opgeroepen. Wat heb je gevonden?'

'Hoe Cherri is gestorven.'

Grayson boog zich over haar schouder om mee te kunnen lezen. 'O mijn god,' zei hij zachtjes. 'De politie is naar het Vista Motel geroepen nadat verschillende gasten het alarmnummer hadden gebeld omdat ze luid gegil hadden gehoord uit een kamer op de eerste verdieping. De agenten trapten de deur in en troffen daar Richard Higgins aan die instak op een vrouw op het bed.'

'Cherri?' vroeg Joseph.

'Ja,' zei Grayson. 'Toen Higgins de agenten zag, ging hij ze met het mes te lijf. Hulpsheriff Derrick Thomas vuurde drie schoten af, die Higgins in de borst raakten. Higgins was op slag dood. Het slachtoffer, geïdentificeerd als Higgins' echtgenote Cherri Higgins, werd per helikopter overgebracht naar het universiteitsziekenhuis in Morgantown, waar ze later is overleden. Getuigen uit het motel verklaarden dat het slachtoffer hoogzwanger was, misschien wel al negen maanden.'

Joseph trok een gezicht. 'Shit. Zat hij onder de dope of zo?'

'De verslaggever vermoedt van wel,' zei Paige. 'Volgens het artikel heeft de politie zakjes oxycodon gevonden die schijnbaar bedoeld waren voor de handel. Hier staat ook dat ze twee ampullen PCP hebben gevonden.'

'Waarschijnlijk voor persoonlijk gebruik,' vermoedde Grayson. 'Een jaar of tien geleden doken overal in Baltimore plotseling PCP-labs op.'

'Dat kan ik me herinneren,' zei Joseph. 'PCP kan dergelijk gewelddadig gedrag veroorzaken. Maar als zij zwanger was, wat is er dan met de baby gebeurd?'

'Dat staat er niet in,' antwoordde Paige.

'Violet.' Grayson sprak zacht. 'Ze is zeven jaar, net zo oud als Cherri's baby nu zou zijn. Violet moet Cherri's dochter zijn.'

'Dat klinkt logisch. Silas heeft zijn kleindochter mee naar huis genomen en grootgebracht als zijn eigen kind,' mompelde Paige. Ze draaide zich om toen Grayson plotseling rechtop ging staan. Daphne was blijkbaar weer aan de lijn.

'Ik ben er nog,' zei hij in de telefoon. Zijn wenkbrauwen gingen omhoog. 'Maar dat is interessant.' Hij luisterde en schudde toen zijn hoofd. 'Dat zou ik ongelooflijk moeten vinden, maar dat doe ik niet. Luister, wees heel voorzichtig als je vanavond naar huis gaat. Laat de bewaker met je meelopen naar je auto. Nog beter, neem een taxi. Ik wil niet dat je iets overkomt.'

Hij hing op en liet zich in de stoel naast Paige zakken. 'De beschuldiging vanwege de gewapende overval van Cherri is ingetrokken toen de verdenking op een andere vrouw viel. Het gestolen geld werd aangetroffen in een kast in de slaapkamer van die andere vrouw, samen met het wapen dat bij de overval was gebruikt.'

'Laat me raden,' zei Paige ademloos. 'In een laars?'

Hij lachte, maar er klonk geen humor in door. 'Nee. Dat zou een beetje te veel van het goede zijn geweest, hè? Maar dat is nog niet alles. Raad eens wie Cherri's advocaat was?'

Paige kneep haar ogen tot spleetjes. 'Bob Bond?'

'Jij mag nooit meer raden.' Grayson wendde zich tot Joseph. 'Bond was ook de advocaat van Ramon Muñoz. En de openbaar aanklager die de aanklacht heeft geseponeerd? Niemand minder dan mijn baas.'

Josephs gezicht werd rood. 'Klootzak. We krijgen hem wel, Grayson. Allebei.'

Paige zag kans haar eigen woede in toom te houden, maar slechts ternauwernood. 'Bond zul je niet te pakken krijgen. Hij is dood. Zelfmoord.'

Grayson keek haar fronsend aan. 'Hoe weet je dat?'

'Ik heb zijn kantoor gebeld toen ik net met het onderzoek voor Maria en Elena was begonnen. Ik wilde hem spreken om erachter te komen of er losse eindjes waren waarvan hij tijdens het proces van Ramon wilde dat hij ze had onderzocht of dat hij me aanwijzingen kon geven. Je weet wel, dingen die hij zou hebben gedaan als Ramon een betalende klant was geweest,' voegde ze er zuur aan toe.

'Werkte Ramons advocaat pro Deo?' vroeg Joseph.

'Nee,' zei Grayson. 'De McClouds betaalden hem. Bond was advocaat bij het kantoor dat altijd voor de senator werkte.'

'Waarom zouden de McClouds voor Ramons verdediging betalen?' vroeg Joseph.

'Maria vertelde me dat de McClouds gesteld waren op Ramon. Dat ze wilden dat hij de best mogelijke verdediging zou krijgen. Alleen...' Ze zweeg even. 'De senator kon zich gisteravond niet eens Ramons naam herinneren. Hij noemde hem Roberto. Ik geloof nooit dat hij voor de rekening opdraaide.'

'Misschien heeft mevrouw McCloud betaald,' zei Grayson. 'Ik kan me voorstellen dat ze het gewoon als een stukje liefdadigheid zag. Of het uit schuldgevoel heeft gedaan, zeker als ze wist dat de bewakingsvideo was verwisseld. Als ze wist dat Ramon onschuldig was, dan hoopte ze misschien dat Bond hem vrijuit kon laten gaan.'

'Die tweede reden kan ik geloven,' zei Paige. 'Maar Maria zei dat toen Ramon eenmaal was veroordeeld de McClouds alle steun hebben stopgezet. Maria en Elena hebben een andere advocaat in de arm genomen voor het hoger beroep, maar die had geen succes. Ze hebben geprobeerd een advocaat te krijgen die gespecialiseerd is in de heropening van zaken waarin sprake is van een justitiële dwaling, maar die was al voor jaren volgeboekt.'

'En Elena kwam naar mij toe,' zei Grayson zacht.

Paige legde haar hand op de zijne. 'Wat had je kunnen doen? Waarom zou je haar toen hebben geloofd? Het bewijs tegen Ramon was overtuigend.'

Zijn gezicht verstrakte. 'Het heeft jóú niet overtuigd.'

'Dat deed het wel. Dat is de reden dat ik tegen Elena heb gezegd dat we meer moesten hebben. Ik had Clay beloofd dat ik de zaak zou laten rusten als het nieuwe bewijsmateriaal niet heel erg duidelijk was.' Plotseling zag ze het beeld van Elena's bebloede lichaam voor zich. Ze verzette zich er niet tegen, maar liet het haar woede aanwakkeren alvorens het terzijde te schuiven. 'Maar het bleek zo ontzettend duidelijk te zijn dat Silas haar vermoordde.'

'Dus hoe is Silas van een toegewijde politieman plotseling een moordenaar geworden?' wilde Joseph weten.

'Laten we eens aannemen dat Cherri schuldig was aan die gewapende overval,' zei Grayson. 'Iemand legt ergens bewijsmateriaal neer met als gevolg dat een andere vrouw wordt beschuldigd. Misschien is Silas betrokken bij het intrekken van de aanklacht tegen zijn dochter, maar misschien ook niet.'

'Maar op een bepaald moment wordt hij gechanteerd om te helpen Ramon erin te luizen, of hij voldeed zijn rekening,' zei Paige. 'Het loopt allemaal op rolletjes. Ramon wordt veroordeeld. Er is verder niets aan de hand tot Elena langs de bar van Sandoval komt en ziet dat de zaak is opgeknapt terwijl hij zich dat eigenlijk niet zou kunnen veroorloven. Maria en zij nemen mij in de arm en Elena ziet kans een kopie te maken van Sandovals "verzekeringsfoto's". Ze moet uit de weg worden geruimd. En dat geldt ook voor Sandoval en Jorge Delgado.'

'Maar wie heeft je dan in de garage aangevallen?' vroeg Joseph.

Paige haalde haar schouders op. 'En wie is die vent die Sandoval betaalde? Wie heeft hem om te beginnen betaald om Ramon erin te luizen? Rex? Zijn ouders? Zijn grootouders?'

'En heeft Rex Crystal Jones vermoord?' vroeg Grayson met zachte stem. Hij ging staan. 'Geef me een kwartier om me aan te kleden. We hebben nog een hele serie feestgangers die we opnieuw moeten ondervragen. Iemand moet die avond hebben gezien dat Crystal bij het zwembad wegging. Het enige wat we hoeven te doen is die persoon vinden.'

Ze pakte zijn hand en hield hem tegen. 'Hoe zit het met Stevie? We moeten het haar vertellen.'

'Ik weet het,' zei hij met een strak gezicht. 'Ik bel haar wel vanuit de auto.' Hij liep op een holletje de trap op en liet Paige alleen met Joseph.

Ze beet op haar lip. 'Hij heeft geen auto. Niet meer.'

'Ik heb een auto voor hem te leen.' Joseph gooide een set sleutels op tafel. 'Een zwarte Escalade. Staat voor de deur. Jullie zullen me wel thuis moeten afzetten.'

Paige keek hem onderzoekend aan. 'Ik weet het, weet je. Van zijn vader...'

Hij knikte alleen maar. 'Ja. Dat heb ik gehoord. En?'

'Voor het geval je bang bent dat ik het iemand zal vertellen, dat doe ik niet.'

'Ik geloof je. Hij ook. Voor hem is in iemand geloven iets enorms. Kwets hem niet.'

'Ik zal –' Ze had bijna gezegd: *Ik zal mijn best doen.* Maar *je best doen* was echt niet genoeg in dergelijke zaken. 'Dat zal niet gebeuren.'

Donderdag 7 april, 08.45 uur

'U hoort nog van me, mevrouw Shaffer.' Privédetective Dupree schudde haar de hand ten teken dat hun korte onderhoud ten einde was. 'Wees voorzichtig.'

Adele borg haar chequeboek weg. Het voorschot voor de privédetective had een flink gat geslagen in haar spaargeld, ondanks de redelijke tarieven die hij door zijn lage kantoorhuur kon hanteren. 'Ik doe mijn best. Bedankt dat u me vanmorgen hebt willen ontvangen. Ik weet dat het kort dag was.'

'Graag gedaan. Wat gaat u nu doen?' vroeg hij.

'Ik weet het niet. Op zoek naar een flat, denk ik.'

'Of u zou uw echtgenoot de waarheid kunnen vertellen. Hoe dan ook, ik zal het plan dat we hebben besproken in werking zetten.'

Darren de waarheid vertellen was geen optie, ook al wilde ze dat graag. Ze had die ochtend al geprobeerd hem te bellen om met Allie te praten zodat haar lieveling haar stem aan de telefoon kon horen. Maar hij had haar telefoontjes genegeerd. Ze zou naar het huis van zijn moeder gaan voor ze op jacht ging naar een flat. En als het even kon zou ze haar lieveling meenemen.

Ze pakte de tas met de camera's die ze van Dupree op haar auto moest monteren. Die zouden iedereen die haar probeerde te volgen vastleggen. Dat was de goedkoopste oplossing die hij had. Ze kon het zich gewoon niet veroorloven om zich door hem te laten schaduwen. Hopelijk zou ze op tijd in de gaten hebben dat iemand haar volgde en het alarmnummer kunnen bellen voor ze haar weer van de weg af reden.

'Ik laat weten waar u me kunt bereiken zodra ik onderdak heb gevonden.'

Hij liet haar uit en liep met haar mee het gebouw uit. 'Ik heb vanochtend nog een afspraak met een andere klant. Ik begin later vandaag aan uw zaak. Aarzel niet om me te bellen als u opnieuw wordt bedreigd.' Hij knikte zakelijk en liep in de tegengestelde richting van waar zij haar auto had geparkeerd.

Adele liep naar haar auto die in een steegje om de hoek stond.

Ze had de autosleutel al in het slot toen ze voelde dat er iemand achter haar stond. Ze keek op en zag het gezicht weerspiegeld in het portierraam. Het gezicht uit haar nachtmerries. Ze deed haar mond open om te gillen, maar het enige geluid dat ze wist uit te brengen was een hese kreet toen ze bevangen werd door een vlammende pijn.

Een mes. In mijn rug. Haar handen klauwden aan het raampje. *Vecht.* Ze draaide zich om en keek voor het eerst sinds die dag haar nachtmerrie recht in het gezicht. Een enorme woede kwam in haar op en ze dook naar voren. Toen viel ze op haar knieën.

Ze keek verdoofd omlaag. Het mes zat nu in haar buik. De pijn kwam een duizendste van een seconde later. 'Ik ga dood,' mompelde ze.

'Ja, dat klopt.'

Adele keek op terwijl haar blik vertroebelde. 'Wees vervloekt,' wist ze uit te brengen. 'Ik had een leven. Ik heb een leven voor mezelf gemaakt.'

Het mes werd uit haar lichaam getrokken en schoongeveegd aan Adeles jasje. 'Dat was nou juist het probleem.'

Adele voelde de voet nauwelijks die tegen haar schouder werd gezet en haar met haar gezicht tegen het asfalt drukte.

Allie. Ze zou haar lieveling nooit meer in haar armen houden.

Ze was niet meer in staat haar hoofd op te tillen en keek toe terwijl haar tasje van haar arm werd gerukt. Ze was niet in staat dit een halt toe te roepen. *Net als op die dag.*

Achter haar werd haar auto gestart en ze kon de achterlichten vanuit haar ooghoek zien, het beeld vertroebeld door haar tranen. Adele was alleen. *Zo blij dat ik Allie niet heb meegenomen.* Ze probeerde zich naar de weg te slepen. Maar alles werd donker.

Donderdag 7 april, 08.50 uur

'Hier is het.' Stevie bleef staan bij het politielint dat een gebied afbakende aan de rand van het bos bij het verpleeghuis.

JD liep langs de buitenrand, dook toen onder het lint door en staarde naar de met bloed bevlekte bodem. 'De sluipschutter stond hier. Het is de enige plek met een vrij schootsveld naar de lantaarnpaal die hij in plaats van Smith heeft geraakt.'

'Hij zei tegen Grayson dat hij hem expres heeft gemist.'

'O, hij heeft absoluut met opzet gemist,' zei JD. 'Een scherpschutter met staar zou dat schot nog hebben kunnen doen. Het schot waarmee Elena Muñoz is gedood, was best wel een uitdaging. Maar dit zou kinderspel zijn geweest.' Hij ging op zijn hurken zitten om het bloed dat was achtergebleven te bestuderen. 'Er waren twee mensen, de schutter en de bommenlegger. Ik ga ervan uit dat het bloed van de bommenlegger is, aangezien er nog genoeg leven in de schutter zat om Grayson te bellen.'

'Daar ga ik ook van uit. De TR heeft monsters van het bloed genomen, maar we krijgen de uitslag van het onderzoek niet eerder dan morgen. De bomexpert heeft me een lijst van veroordeelden gegeven die dezelfde soort ontsteking hebben gebruikt. Ik heb DNA-gegevens klaar om te vergelijken.' Ze keek in de richting van de weg. 'De schutter komt er op een bepaald moment achter dat de bom op scherp staat. Wanneer? En hoe?'

'In ieder geval nadat Grayson was weggereden. Als hij het eerder had doorgehad, zou hij de auto hebben tegengehouden door een band lek te schieten in plaats van nog te wachten en hem op te bellen.'

'Maar waarom op Grayson schieten met de bedoeling hem te missen?' vroeg ze. 'Waarom dat toneelstukje?'

'Iemand hield hem in de gaten? Misschien wist hij dat die andere vent er was.' JD kwam overeind. 'Klopt het dat Grayson de stem van de sluipschutter eerder heeft gehoord?'

'Hij weet zeker van wel, maar hij kan zich niet herinneren waar en wanneer.' Stevie dook onder het politielint door en ging naast JD staan om de bloedplekken te bekijken. 'Het is op sommige plekken meer.'

'Wie er ook is neergeschoten heeft daar een tijdje liggen bloeden.' JD wees. 'Arm, arm en knie?'

Ze keken allebei op toen Drew Peterson van de TR naderde. 'Er was nog een vierde schot in het hoofd. Daar liggen hersenrestanten.' Drew wees naar een merkteken. 'We hebben drie kogels gevonden in de grond. Ik heb ze naar Ballistiek gestuurd.'

'De overlevende heeft de gewonde weggesleept,' zei Stevie, die om beter te kunnen zien met gebogen hoofd langs het spoor liep dat in de aarde en bladeren was ontstaan. Iets trok haar aandacht. Het was bijna wit. Ze bukte om het van dichtbij te bekijken. 'Zijn jullie hier klaar? Mag ik hier graven?'

'We hebben foto's genomen. We zijn nog niet met de stofkam door dat stuk geweest.' Drew ging met een zeef in zijn hand naast haar op zijn hurken zitten. Hij schepte de aarde rond het witte papier in de zeef. Hij schudde tot er alleen een foto op portefeuilleformaat overbleef.

'Kan die hier al voor gisteravond zijn terechtgekomen?' vroeg JD.

Drew schudde zijn hoofd. 'We hebben eergisteren behoorlijk veel regen gehad. Als hij hier voor gistermorgen al lag, dan zou hij nu zo'n beetje uit elkaar vallen, maar hij is nog intact. Hij ziet eruit als een foto van een klein meisje. Een oude foto, te oordelen naar het haar en de kleren die ze aanheeft.'

Stevie trok rubberhandschoenen aan en pakte de foto voorzichtig beet. Ze hield hem in het licht.

En fronste haar voorhoofd. Ze had die foto eerder gezien. 'Nee,' zei ze binnensmonds.

'Wie is het?' vroeg JD.

Ze zei niets, ze kon haar ogen niet geloven. Ze werd overvallen door een golf van misselijkheid. Ongeloof. Pure, onvervalste ontkenning. Ze draaide de foto om, volledig van haar stuk toen ze in een hoek *Cherri* zag staan in een kinderlijk handschrift. Haar keel kneep dicht.

'Wie?' vroeg JD opnieuw, op vriendelijke toon.

'Ze heet Cherri,' fluisterde ze. 'Cherri Dandridge.'

Drew ademde scherp in. 'Dandridge? Silas? Dat kan niet.'

JD kneep zijn wenkbrauwen samen. 'Silas? Je oude partner? Is dit zijn dochter?'

'Ja.' Stevie kwam als verdoofd overeind met de foto in haar hand. 'Ik kan het niet geloven, JD. Niet Silas. Dat kan niet.'

'Kan hij dat schot dinsdag hebben gelost? Zou hij Elena Muñoz hebben kunnen raken?'

Stevie knikte verdoofd. 'Met zijn ogen dicht. Hij had deze foto altijd bij zich. Hij verloor Cherri een jaar voor we partners werden. Vermoord. Ik raakte Paul en onze zoon een paar maanden later kwijt. Ook vermoord. Silas heeft me geholpen door te gaan.' Haar stem trilde en brak. 'Ik weiger te geloven dat hij in koelen bloede moordt.'

'Er moet een andere verklaring zijn,' zei Drew. 'Ik heb Silas Dandridge mijn hele loopbaan gekend. Hij zou zoiets als dit nooit doen.'

'Laten we dan met hem gaan praten,' stelde JD voor. 'We moeten achterhalen hoe die foto van zijn dochter op deze plaats delict is terechtgekomen.'

'Hij had hem altijd bij zich,' mompelde Stevie. 'In het zakje van zijn overhemd.' Haar mobieltje ging over. Het was een nummer dat ze niet herkende, dus liet ze het gesprek naar de voicemail gaan. 'Hij heeft nog een kind. Violet is een jaar ouder dan Cordelia.' Haar mobieltje ging opnieuw over, hetzelfde nummer. Stevie nam geïrriteerd op. 'Mazzetti.'

'Stevie. Met Grayson.'

Stevie deed haar ogen dicht. Hoe kon ze Grayson vertellen wat ze net te weten was gekomen? Hij had bezworen dat hij de stem van de man eerder had gehoord. Als het Silas was... *God, het kan Silas niet zijn*. Maar als hij het was, dan zou Grayson zijn stem kennen. En Silas zou Grayson niet laten sterven. Tot zover klopte het.

'Je hebt een nieuw nummer,' zei ze toonloos.

Even was het enige wat ze kon horen verkeersgedruis, met op de achtergrond het geluid van een claxon. Toen de diepe zucht van Grayson. 'Ik weet wie het is, Stevie.'

De toon van zijn stem brak haar hart. 'Ik ook,' fluisterde ze.

'Het spijt me, Stevie. Het spijt me zo verschrikkelijk. Hoe ben jij erachter gekomen?'

'Hij was hier. Bij het verpleeghuis. Hij heeft een foto van zijn dochter laten vallen.' Haar ogen prikten. 'Hoe ben jíj het te weten gekomen? Herinnerde je je van wie die stem was?'

'Ja, uiteindelijk. Paige heeft een nieuwsclip gevonden waarop hij sprak, zodat ik er zeker van kon zijn voor ik het je vertelde. Het... Hij was het, Stevie.'

Er ging sidderend een snik door haar lijf. 'Nee. Hoe kan dat? Hij heeft die arme vrouw vermoord, Grayson.'

'En Delgado waarschijnlijk ook.'

Stevie dacht aan het tafereel en aan het bloed dat overal op het Dora-behang zat. Het bericht op de spiegel. En het wapen dat in de buurt van het huis van de familie Muñoz was gedumpt. Haar afgrijzen verdriedubbelde. 'Hij heeft de gebroeders Muñoz erin geluisd.'

'Ik weet het. Hij had een dochter. Cherri.'

Ze keek naar de foto in haar hand. 'Die is acht jaar geleden gestorven.'

'Acht jaar geleden werd een aanklacht tegen Cherri wegens een gewapende overval ingetrokken. De gestolen spullen werden aangetroffen in de slaapkamerkast van een andere vrouw.'

'Net als bij Ramon,' mompelde ze.

'Ja. De advocaat van Cherri heeft ook Ramon Muñoz verdedigd. Silas is er op de een of andere manier in meegesleurd. Ik weet niet hoe of waarom, maar dat hij iemand anders de schuld in de schoenen schuift van de moord op Delgado is niet in tegenspraak met zijn werkwijze.'

Ze werd bevangen door een ijzige kalmte. 'We moeten hem vinden. Ik laat een opsporingsverzoek uitgaan.'

JD tikte haar op de schouder. 'Kunnen we zijn dochter gebruiken om hem te lokken? Violet, bedoel ik.'

'Ik vermoed dat ze zijn kleindochter is,' zei Grayson, die de vraag van JD had gehoord. 'Cherri was zwanger toen ze werd vermoord.'

'Dat heeft hij me nooit verteld. Ik weet alleen dat Rose en hij kort na het overlijden van Cherri een baby hebben geadopteerd.' Ze dacht na over wat Grayson de avond ervoor had gezegd. Dat hij haar een paar dingen moest vertellen. Persoonlijke dingen. 'Ik vraag me af wat ik allemaal niet weet over jóú.'

'Laten we met elkaar afspreken. Voor de lunch. Dan zal ik het vertellen. Ik wil dat je het weet. Wat ga je aan Silas doen?'

'Hem vinden,' zei ze kil. 'En als hij geen verdomd goed alibi heeft, dan sla ik hem in de boeien en slinger ik hem in de bak, net als ieder ander. Ik bel zodra ik iets weet.'

Donderdag 7 april, 09.10 uur

Grayson tikte met een zucht tegen het oortje van zijn handsfree en verbrak de verbinding. Paige had naar zijn gezicht zitten kijken, het hare vol medeleven.

'Ze wist het al?' vroeg ze. 'Hoe?'

'Silas heeft gisteravond een foto van Cherri verloren op de plaats delict bij het verpleeghuis.' Hij haalde diep adem. 'Ze huilde. Ik heb haar niet meer horen huilen sinds Paul en haar zoon werden vermoord.'

'Ze heeft ergere stormen doorstaan dan dit,' zei Paige op vriendelijke toon. 'Ze komt er wel doorheen.' Ze klopte hem op de arm. 'Je zei dat we feestgangers gingen opzoeken. Met wie beginnen we?'

'Met Brendon DeGrace. Hij was destijds Rex' beste vriend. Ik heb hem gistermiddag gevonden. Hij werkt bij een beleggingsfirma in de stad. Maar eerst gaan we naar mijn moeder.'

'O. Bestaat er een kleine kans dat Joseph zijn mond heeft gehouden over hoe hij ons vanochtend heeft aangetroffen?'

Hij wierp haar een blik toe en zag dat haar wangen aantrekkelijk roze waren. 'Geen schijn van kans.'

'Verdomme, daar was ik al bang voor.'

'Ze mag je al. Het komt wel goed.' Hij zweeg even terwijl hij probeerde in gedachten alles op een rijtje te krijgen. 'Hoe ben je erachter gekomen dat de advocaat van Ramon zelfmoord heeft gepleegd?'

'De receptioniste van het advocatenkantoor zei dat Bob Bond was overleden toen ik belde om een afspraak met hem te maken over Ramon. Ik heb zijn overlijdensakte opgevraagd om er zeker van te zijn dat ze me niet voorloog. Daar stond "zelfmoord" op.'

'Weet je hoe hij het heeft gedaan?'

Ze keek verrast op. 'Nee, waarom?'

'Omdat Bond een los eindje moet zijn geweest, net als Sandoval. Die ook zelfmoord heeft gepleegd. Zogenaamd dan.'

Ze klapte haar laptop open en ging op zoek. 'Hier heb ik een artikel dat een dag na de dood van Bond is verschenen. Ze hebben hem hangend aan het plafond van zijn slaapkamer aangetroffen. Aan beddenlakens.'

'Net als Sandoval.'

'Precies zoals Sandoval. We kunnen de patholoog vragen of hij de autopsieverslagen wil bekijken. Om te zien of er overeenkomsten zijn.'

'Ik zal het vragen als jij het nummer opzoekt. Ik had het nummer in mijn lijst van contacten, maar ik heb er nog maar een paar in mijn nieuwe telefoon gezet.'

Ze zocht het nummer op en belde. 'Mortuarium op lijn een, meneer,' zei ze met een stalen gezicht.

Hij begon bijna te glimlachen toen de telefoon werd opgenomen door een receptioniste. 'Dokter Mulhauser, alstublieft.'

'Die is er vandaag niet. Kan ik u doorverbinden met zijn voicemail?'

'Nee, ik moet een lévend mens spreken.' Toen Paige haar keel schraapte, drong tot hem door wat hij had gezegd. 'Ik bedoel een dokter, in persoon. Geen voicemail. Is dokter Trask aanwezig?'

'Die is hier.' De receptioniste klonk alsof ze zat te gniffelen. 'Ik verbind u door.'

De telefoon ging een paar keer over en werd toen opgenomen. 'Met dokter Trask. Wat kan ik voor u doen?'

Trask werkte meestal met Daphne, maar de keren dat Grayson met haar te maken had gehad, had hij haar slim en efficiënt gevonden. En niet zo bureaucratisch als haar collega's. Dat ze met Stevies partner JD verloofd was, maakte haar betrouwbaar. 'Met Grayson Smith.'

'Hé, hallo. Ik hoorde dat je gisteravond bijna een gast van ons was geworden.'

Hij verstijfde nog steeds wanneer hij dacht aan wat er had kunnen gebeuren. 'Het scheelde maar een haartje. Maar dat is niet de reden dat ik bel. Ik vroeg me af of je iets afweet van het recente overlijden van ene Denny Sandoval.'

'Dat was mijn zaak. De man die zich zogenaamd verhangen heeft.'

'Geloof je niet dat hij dat heeft gedaan?'

'Nee. Hij had een grote hoeveelheid kalmerende middelen in zijn systeem. Volgens mij kon hij zich niet eens rechtop houden, laat staan dat hij zijn hoofd in een strop heeft kunnen steken. Ik denk dat hij al dood was voor hij werd opgehangen. Maar hij is eerst gewurgd, dus het is lastig te zeggen.'

'Wat is je beste gok?'

'Hij had kalmerende middelen gekregen, is herhaaldelijk verstikt, gewurgd en toen opgehangen. Alleen al op basis van de hoeveelheid kalmerende middelen verklaar ik het tot moord. Ik moet het alleen nog op papier zetten.'

'Herhaaldelijk verstikt? Hoe?'

'Ik vermoed dat het met een kussen is gedaan. Na zijn dood zijn plekken rond zijn mond zichtbaar geworden. Die zitten op meerdere plaatsen en daarom geloof ik dat de verstikking een paar keer is herhaald.'

'Hij is gemarteld.'

'Dat was ook mijn gedachte. Ik heb geen dons in zijn longen aangetroffen, maar het zou kunnen dat het kussen van kunststof was. De rechercheurs die met de zaak zijn belast zouden moeten weten wat voor kussen hij had. Dat waren Morton en Bashears. Waarom wil je dat allemaal weten?'

'Ik vermoed dat dit te maken heeft met een andere zaak. Kun je ene Bob Bond voor me nagaan? Hij heeft zich ook verhangen.'

'Geef me een paar minuten om het dossier op te vragen. Je hebt zeker niet toevallig een datum van overlijden?'

Hij keek naar Paige. 'Datum van overlijden van Bob Bond?'

'17 september. Vier jaar terug. Vraag of ze ook het autopsieverslag van Crystal Jones wil opzoeken. Vraag haar of er iets... vreemds is.'

'Dat heb ik gehoord,' zei Lucy voor hij de vraag kon doorspelen. 'Is dat de vrouw die ik op televisie heb gezien? Degene die bijna met jou de lucht in is gevlogen?'

'Ja,' antwoordde Grayson op zijn hoede.

'Goed dat je haar bent tegengekomen,' zei Lucy. 'Daphne maakt zich zorgen om je. JD ook, trouwens.'

Hij wist niet hoe hij daarop moest reageren. 'Kun je dit mobiele nummer zien?'

'Nee, je bent doorverbonden. Geef me het nummer. Ik zal die verslagen opduikelen en dan bel ik je.'

Hij noemde zijn nieuwe nummer, bedankte haar en verbrak de verbinding. 'Ze verklaart de dood van Sandoval tot moord. Hij zat vol kalmerende middelen, maar hij is eerst verschillende keren verstikt.'

'Iemand wilde graag informatie. De geheimzinnige man die de betaling deed misschien?'

'Een redelijke veronderstelling,' zei Grayson. De telefoon in zijn hand ging over en hij schrok. Hij keek naar het nummer dat hem belde. Daphnes mobiele nummer. 'Hoi, Daphne. Wat is er?'

'Je wordt ontboden,' deelde Daphne hem mee. 'Door Reba McCloud.'

De tante van Rex die de leiding had over de liefdadigheidstak van het familiebedrijf. 'Waarom?' vroeg hij.

'Omdat Hare Majesteit niet blij is met het feit dat je haar neef lastigvalt en dat je de familienaam door het slijk haalt met je "ongefundeerde insinuaties". Ze wil je persoonlijk spreken om je ervan te overtuigen dat je verkeerd bezig bent.'

'Mijn insinuaties zijn verre van ongefundeerd. En het was trouwens helemaal geen insinuatie. Ik heb Rex een smerige leugenaar genoemd.'

'Hé, ik geef de boodschap alleen maar door. Wil je haar nummer?'

Hij zuchtte. 'Geef maar.' Hij herhaalde het hardop en Paige schreef het op. 'Ik zal haar haar gal laten spuwen. Misschien zegt ze zelfs iets wat ik tegen Rex kan gebruiken. Wanneer en waar?'

'Elf uur vanmorgen, in haar kantoor in de stad. Ik zal het adres sms'en.'

'Dat hoeft niet. Ik weet waar het is. Heb je Anderson vandaag nog gezien?'

'Helaas wel,' mopperde ze. 'Berg dit op, haal dat, zorg dat deze vent minder straf krijgt. Sommige van die kerels zijn meervoudige verkrachters. Ik word er misselijk van. Ik weet dat we proberen de kosten binnen de perken te houden, maar soms lijkt het wel of het allemaal van zijn rekening betaald moet worden.'

De bankrekening van Anderson. Paige had aangeboden om de financiën van de man na te gaan en uit te zoeken of hij was betaald om de andere kant op te kijken bij de zaak tegen Muñoz. Gisteren had Grayson nog geweigerd. Onrechtmatig bewijs. Vanmorgen kwam hij in de verleiding om haar haar gang te laten gaan.

Grappig hoe je anders tegen de dingen aan ging kijken wanneer je bijna vermoord was.

Maar misschien was er toch nog een wettige manier. Hij was nu op de hoogte van het feit dat Anderson betrokken was bij in ieder geval één andere zaak waarbij met bewijs was geknoeid – het laten vallen van de aanklacht tegen Cherri Dandridge. Eén kon toeval zijn. Bij twee was er rook. Nog een paar gevallen en er was sprake van een oplaaiend vuur.

En dan heb ik grond voor een gerechtelijk bevel. 'Daphne, ik moet iets uitzoeken.'

'Dat kan ik voor je doen.'

'Nee, dat zou de aandacht op je kunnen vestigen. Dat is te gevaarlijk. Ik moet weer in het systeem kunnen.'

'Ik weet niet zeker of me dat lukt. Maar stel dat ik je de toegangscode van iemand anders geef...'

Zijn wenkbrauwen gingen omhoog. 'Van wie?'

'Van Anderson.'

Grayson grijnsde vals. 'Ik betaal een jaarvoorraad haarlak voor je.'

Daphne lachte. 'Wacht op mijn sms. Ik zorg dat je krijgt wat je hebben wilt. Denk aan de haarlak. Extra volume, extra sterk. Extra alles.'

Hij verbrak glimlachend de verbinding.

'Dat zou je vaker moeten doen,' zei Paige zacht. 'Glimlachen.'

'Misschien ga ik dat ook wel doen.' Hij bracht haar hand naar zijn lippen. 'Ik heb je nog niet bedankt voor gisteravond.'

'Welk deel van gisteravond?' vroeg ze met hese stem en het grootste deel van het bloed in zijn hoofd stroomde de andere kant op.

'Alles. Maar voornamelijk omdat je niet geschokt was door het verhaal over mijn vader.'

'Je hebt niet in de hand wie je ouders zijn. Ik weet niet eens wie mijn vader was.'

'Ik wou dat ik dat ook niet wist.'

'Wat is er met je vader gebeurd, als je het niet vervelend vindt dat ik het vraag.'

Grayson haalde zijn schouders op. 'Hij heeft de doodstraf gekregen.'

'O. Is hij... Hebben ze... Leeft hij nog?'

'Nee. Vijftien jaar geleden is er kanker bij hem geconstateerd. Het ging heel snel. Ik moet zeggen dat het een opluchting was.'

'Dat begrijp ik.'

'Je moeder?' vroeg hij. 'Leeft zij nog?'

'Ik weet het niet. Het kan me niet schelen.'

'Jawel, dat kan het wel,' zei hij op vriendelijke toon. 'Al was het maar om te wensen dat ze anders was geweest.'

'Soms,' gaf ze toe. 'Maar mijn grootouders waren dol op me. Jij had je moeder en de familie Carter. We hebben het nog niet zo slecht gedaan, wij twee.'

'Je zult je grootouders wel missen.'

'Dat is zo. Maar mijn vrienden hebben me erdoorheen gesleept. Zij zijn nu mijn familie.'

Hij wierp haar een nieuwsgierige blik toe. 'Ik heb je gevraagd waarom je hierheen bent gekomen terwijl al je vrienden in Minnesota zitten. Je zei dat je het daar benauwd kreeg. Dat begrijp ik nu. Maar waarom hiernaartoe? Ik bedoel, ik ben blij dat je er bent, maar waarom Baltimore?'

'Vanwege Clay. Ik was vorig jaar zo rond de feestdagen echt ten einde raad. Je weet wel, topkarateka op de knieën gedwongen en zo.'

'Dat is normaal, denk ik,' zei hij.

'Misschien. Maar het schiet niet op. Ik was rusteloos en... bang. Ik hield Peabody steeds bij me. Op een ochtend werd ik wakker en bekeek mezelf eens goed in de spiegel. Het stond me niet aan wie er terugkeek, dus besloot ik het allemaal anders aan te pakken. Ik had geen idee waar ik naartoe zou gaan. Ik begon gewoon mijn spullen in te pakken en toen vond ik het visitekaartje dat Clay me had gegeven op de bruiloft van een paar wederzijdse vrienden, lang voor afgelopen zomer. Ik nam aan dat het het lot was dat me een draai om mijn oren gaf. Ik belde hem om te vragen of hij een baan voor me had en kwam er toen achter dat zijn vorige partner vermoord was. Hij had een nieuwe partner nodig en ik wilde een nieuwe start maken.' Ze haalde haar schouders op. 'Dus ik denk dat ik gewoon te laf was om te blijven.'

'Jij bent geen lafaard, Paige Holden.' De woorden kwamen er veel verhitter uit dan zijn bedoeling was geweest. Hij dwong zichzelf tot kalmte. 'Je bent misschien wel de dapperste vrouw die ik ken, na mijn moeder.'

Haar donkere ogen schitterden vol emotie. 'Dat is nogal een compliment. Dank je.'

Hij kuste opnieuw haar hand. 'Jij zei dat je het wist toen ik bij Rex aanklopte. Ik wist het toen je naar Elena rende. De meeste mensen zouden de andere kant op zijn gerend.' Hij sloeg af naar de oprijlaan van de Carters en drukte op een knop van de afstandsbediening, waardoor de grote ijzeren poort openzwaaide. 'Oost west, thuis best.'

Paige's ogen werden groot. 'Wauw. Dít is thuis?'

Het huis van de Carters was een groot landhuis, elegant, maar niet overdadig. 'Ik weet nog dat ik het huis voor het eerst zag,' zei Grayson. 'Ik dacht dat het huis een appartementengebouw was. Toen mijn moeder vertelde dat er maar één gezin in woonde was ik verbijsterd.'

'Ik ben geen klein jongetje, maar ik ben ook verbijsterd. Hoe komen de Carters hieraan, als ik zo brutaal mag zijn? Wat doet meneer Carter?'

'Toen hij opgroeide was hij zo'n nerd die in zijn vaders garage dingen fabriekte. Hij ging naar het MIT en studeerde af in de biomedische technologie. Zijn afstudeerproject was een nieuw soort gewricht voor kunstknieën. Zijn ontwerp won een prijs en werd gekocht door een orthopedisch bedrijf. Toen hij klaar was met zijn studie namen ze hem in dienst. Tien jaar later was hij eigenaar van dat bedrijf. Biomedisch onderzoek is nog steeds de kernactiviteit, maar ze zijn ook actief in robotica, afstandsbesturing en de ontwikkeling van software.' Grayson glimlachte vertederd. 'En Jack fabriekt nog steeds dingen in zijn garage.'

Hij wees naar de garage, waar met gemak tien auto's in konden. 'Dat is zijn werkplaats. Het appartement erboven is waar ik ben opgegroeid. Mam woont daar nog steeds. We blijven niet lang. Lang genoeg om haar ervan te overtuigen dat ik echt nog leef. Daarna moet je me alles vertellen wat je over Reba McCloud weet. Ze heeft ons ontboden.'

Donderdag 7 april, 09.45 uur

Zijn telefoon ging over en hij liet het gesprek naar de voicemail gaan. Hij had zich voorbereid op wat hij zou gaan doen zodra hij in Toronto aankwam. Ze zouden over tien minuten landen. Hij was klaar.

Niet opgetogen, maar klaar. Het was nooit eenvoudig als je met kleine kinderen te maken had. Hij had het meisje levend nodig. Voor de vrouw maakte het niet uit. Als het te lastig werd om haar mee naar huis te nemen, zou hij haar achterlaten. Als dat het geval was, dan zou hij een laatste foto maken voor het fotoalbum van Silas. Want vanaf het moment dat Silas op hem had geschoten, was dit veel meer geworden dan simpelweg een einde maken aan een zakelijke relatie.

Hij wilde Silas laten lijden.

Hij zag hem in gedachten voor zich, woedend omdat hij had gemist, maar zeker in de wetenschap dat hij het zonder problemen nog een keer kon proberen omdat zijn gezin in veiligheid was.

Binnen een uur zou hij Silas Dandridge op zijn knieën hebben. *En dan komt hij naar me toe.*

Zijn mobieltje was opgehouden over te gaan, maar begon opnieuw. Hij keek op het display en voelde de behoefte om te kreunen. Maar dat deed hij uiteraard niet. 'Goeiemorgen,' zei hij opgewekt.

'Je nam niet op. Je neemt altijd meteen op.' Dat was altijd al een ongeschreven regel tussen hen geweest.

'Ik was... bezig.'

'Hè? Nou, je hoeft niet bézig te zijn vanwege mij. Ik heb haar voor mijn rekening genomen.'

Hij ging rechter zitten. 'Wie?'

'Adele Shaffer. Je zei dat je voor haar zou zorgen, maar dat heb je niet gedaan. Dus heb ik het zelf gedaan. Zij was alleen over. Nu is er niemand meer die het kan doorvertellen.'

Hij sloot zijn ogen en de ader in zijn slaap klopte. 'Wat heb je verdomme gedaan?'

Hij voelde de ijzigheid door de telefoon komen. 'Waag het niet ooit nog eens zo'n toon tegen me aan te slaan.'

'Het spijt me,' zei hij zo oprecht als hij kon opbrengen. 'Wat heb je gedaan?' herhaalde hij op beleefdere toon.

'Ik heb haar neergestoken. Ze is dood.'

Zijn maag draaide om. *Dit kan ik vandaag niet gebruiken.* 'Waar? Wanneer?'

'In een steegje. Ongeveer een uur geleden.'

'Heeft iemand je gezien?'

'Natuurlijk niet. Ik heb haar auto ergens anders neergezet. Ik heb drie verschillende taxi's genomen naar mijn eigen auto.'

'Weet je zeker dat ze dood is?'

'Ik heb niet gewacht tot ze haar in een lijkenzak stopten, nee. Maar ze haalde geen adem meer.'

'Heeft ze je gezien?'

'Ja.'

Er liep een rilling over zijn rug. 'Maar je weet niet zeker of ze dood is?'

'Ze is dood. Geloof me maar. Ik heb dit vaak genoeg gedaan om het zeker te weten.'

En ik heb vaak genoeg de rommel achter je opgeruimd om beter te weten.
Twee van elke drie keer was je slachtoffer nog niet dood. Hij kon alleen
maar bidden dat Adele Shaffer bij de dertig procent hoorde die zonder
zijn hulp doodging.

'Ben je teruggegaan om te zien of ze ergens naartoe was gebracht?'
vroeg hij.

'Teruggaan naar de plaats van de misdaad?' Hij vertrok zijn gezicht
bij het horen van de spottende geamuseerdheid in die vraag. 'Ik ben
niet achterlijk.' Er viel even een stilte. 'Prima. Ze zijn er.'

Hij boog zich voorover. Hij hoorde sirenes op de achtergrond. 'Wat
gebeurt er?'

'Een ambulance en twee politieauto's. Zij is er ook aan.'

Ook? Wel verdomme. 'Wie? Waar ben je?'

'Een eindje bij het huis van Betsy Malone vandaan.'

Hij hield zijn stem vlak. 'Wat heb je gedaan?'

'Ervoor gezorgd dat ze geen geheimpjes meer kan verklappen. Maar
dat had jij gisteravond moeten doen. Je hebt niet veel succes de laatste
tijd, hè?'

Het misselijke gevoel werd erger, maar hij hield zijn stem kalm. 'Integendeel. De zaken gaan grotendeels volgens plan.'

'Dus de aanklager is dood?' De geamuseerdheid maakte plaats voor
verachting. 'O nee. Dat is hij niet.'

Hij klemde zijn kaken op elkaar. 'Dat komt nog. Laat hem voorlopig
zijn tanden maar in Rex zetten. Ik heb een paar dringende zaken die
eerst geregeld moeten worden.'

'Ga jij je "dringende zaken" maar regelen. Ikzelf heb persoonlijk alles
op mijn lijstje afgewerkt. Ik denk dat ik aan een rondje golf toe ben.
Als je wilt weten waar de aanklager en de detective op dit moment
uithangen, dan hoef je dat alleen maar te vragen.'

'Waar?' vroeg hij terwijl hij zijn woede nauwelijks kon bedwingen.
'Waar zijn ze nu?'

'Op weg naar Reba. Ze heeft ze op het matje geroepen.'

Hij deed er enkele ogenblikken het zwijgen toe en probeerde te bedenken wat de uitkomst van die ontmoeting zou zijn. 'Ze zal Rex verdedigen. De eer van de familie hooghouden. Dat verandert verder weinig.'

'Dat weet ik. Maar voor het geval je het karwei dat je hebt laten
liggen af wilt maken, ze gaan daar over niet al te lange tijd weg. Een
fijne dag nog.'

De verbinding werd verbroken en hij staarde naar de telefoon in zijn hand. *Reba. Dat had ik kunnen weten.* Maar er was niet veel waarover hij zich druk hoefde te maken. Reba was net als tofoe. Geluidloos, kleurloos. Ze hield alleen maar een stoel warm. Grayson Smith zou niet meer te weten komen dan dat de familie McCloud in alle opzichten van onbesproken gedrag was.

En dat zou de vastberadenheid van Smith om Rex te laten boeten voor de moord op Crystal Jones alleen maar doen toenemen. En dan zou deze zaak zijn afgehandeld.

19

'Weet je het zéker, rechercheur Mazzetti?' vroeg inspecteur Hyatt.

Stevie stond samen met Hyatt en Gutierrez van Interne Zaken in de woonkamer van Silas terwijl rechercheurs van IZ het huis van de familie Dandridge doorzochten. Ze kon de spanning horen in de anders zo bijtende toon van haar baas. Dit was ook voor hem niet gemakkelijk. Hyatt had Silas vertrouwd. *Net als ik.*

Ze wilde nog steeds geloven dat ze het bij het verkeerde eind hadden. Dat Silas erin was geluisd. Maar nu ze het wist, vielen zo veel kleine dingen plotseling op hun plaats. Silas was zo bedreven geweest in het vinden van bewijs dat verder iedereen over het hoofd had gezien. Ze noemden hem 'De Vinder'.

Dus, wist ze het zeker? Dat wilde ze helemaal niet. Maar het was wel zo.

'Ja. Grayson Smith en ik zijn op verschillende manieren tot dezelfde conclusie gekomen.'

Grayson was geschokt geweest door de ontdekking. *Net als ik.* Ze zag kans te blijven functioneren, maar alleen door het lichaam van Delgado voor zich te zien zoals het daar in die badkuip had gelegen met het bloed en hersenen overal op het Dora-behang. *Silas. Hoe kon je?*

Zijn huis was leeg. Het leek erop dat er geen koffers waren ingepakt, de auto's van het gezin stonden nog in de garage. Het huis gaf hetzelfde gevoel als de woning van Delgado, al lag hier geen dode man in de badkuip. Overhaast verlaten. Opzettelijk.

Haar mobieltje zoemde. 'Een sms van JD,' zei ze tegen Hyatt. 'Hij is op de afdeling Dactyloscopie. Ze hebben een vingerafdruk geïdentificeerd van de auto die de TR achter de plaats delict heeft gevonden.'

'Die auto met sporen van explosieven in de kofferbak?' vroeg hij.

'Ja. De afdruk komt overeen met Harlan Kapansky. Hij staat op Donovans lijst van bommenleggers.' Ze vertrok haar gezicht toen de volgende sms binnenkwam. 'Kapansky is gearresteerd door Silas Dandridge.'

Hyatt zuchtte. 'Verdomme. Het wordt steeds erger. Waar hangt Fitzpatrick nu uit?'

'Op weg naar de centrale om de telefoontjes van gisteravond naar het alarmnummer af te luisteren. Er was een vrouw zo dichtbij dat ze kon zien dat Paige en Grayson ongedeerd waren. Misschien heeft ze nog iemand gezien.'

'Inspecteur.' Het was brigadier Doyle, die aanwezig was geweest in de hotelkamer toen Paige haar verhaal deed. *Gisteren nog maar.* 'Er zit een kluis in de vloer van zijn slaapkamer.'

'Ik zal er een techneut bij halen,' zei Gutierrez.

'Wacht.' Stevies hart klopte in haar keel. Ze riep het artikel op dat Paige haar per e-mail had toegestuurd. 'Probeer 12-1-05 eens. Cherri is op 12 januari 2005 gestorven. En toen is Violet geboren.'

'Uitstekend.' De uitdrukking op Hyatts gezicht was kil geworden. Mensen dachten dat het hem allemaal niets deed. Maar Stevie wist dat het tegendeel waar was. Hij was nu al langer dan zes jaar haar meerdere. Hij kon een vreselijke lul zijn, maar de man was geweldig betrokken.

Toen Doyle naar boven ging liepen Hyatt, Gutierrez en zij achter hem aan. Doyle knielde op de vloer waar een kleedje opgerold terzijde was gelegd. Hij draaide aan het cijferslot. Het slot sprong open.

'Verdomme,' fluisterde Stevie. 'Ik had gehoopt dat het niet zou werken.'

'Ik weet het,' zei Hyatt zacht. 'Maak maar open, alsjeblieft.'

Doyle wierp hun een meelevende blik toe en begon vervolgens spullen uit de kluis te halen. Tien handvuurwapens. Tién. Hij keek op. 'Bij allemaal is het serienummer verwijderd.'

Stevie knikte en haar keel deed pijn. Had Silas wegwerpwapens verzameld? 'Dit wist ik niet.'

'Ik weet dat je het niet wist,' zei Hyatt. 'Dit wordt een geweldige nachtmerrie.'

'Ja, dat klopt,' antwoordde ze gespannen. Elke zaak waar Silas en zij samen aan hadden gewerkt zou onder de loep worden genomen. *Ik zal onder de loep worden genomen.* Met hoeveel van hun zaken had hij geknoeid? Hoeveel moordenaars waren vrijuit gegaan? *Silas, ik zou je op dit moment kunnen vermoorden zonder me ook maar een ogenblik schuldig te voelen.*

Doyle haalde een gebonden boekje tevoorschijn. 'Een bankboekje.' Hij bladerde erin. 'De eerste stortingen dateren van zeven jaar geleden. De rekening is van een bank op de Turks- en Caicoseilanden.' Doyle knipperde even met zijn ogen. 'Er staat een kwart miljoen op. Zo te zien is er nooit geld af gehaald. Dat is alles.'

'Waar kan hij zijn?' vroeg Gutierrez.

Stevie schudde haar hoofd. 'Ik heb geen idee. We hadden ons favoriete eettentje. We gingen samen naar de schietbaan. Maar verder gingen we niet veel met elkaar om. Ik had het druk met Cordelia en Rose en hij waren druk met de opvoeding van Violet. Ik heb de school van Violet gebeld. Ze zeiden dat ze er niet was en dat ze niets gehoord hadden. Hij heeft verder geen familie.'

'Had hij een favoriete plek waar hij op vakantie naartoe ging? Een huisje ergens?' drong Gutierrez aan.

'Dat had hij zeker,' zei Hyatt, 'voor Cherri stierf. Ergens in het noorden – Canada. Dat is alles wat ik weet.'

'Wist je dat Violet zijn kleindochter is?' vroeg Stevie aan Hyatt.

'Ja. Rose en hij waren kapot van Cherri's dood. Die baby was zijn redding. Toen Cherri vrijuit ging bij die overval was hij vreselijk opgelucht. Hij hoopte dat ze iets van zichzelf zou maken. Haar tweede kans zou grijpen. Als ik nu niet hier zou staan en dit allemaal met mijn eigen ogen zou zien... dan zou ik het niet geloven.'

Doyle kwam overeind. 'Wat is de volgende stap?'

'We laten een opsporingsbevel uitgaan.' Hyatt keek grimmig. 'Dan arresteren we hem. We trekken ook dat geld na.'

'En we laten de wapens onderzoeken door Ballistiek,' zei Stevie. 'Hij heeft ze achtergelaten zodat we ze zouden vinden. Ik vermoed dat die ook een verhaal vertellen.' Ze zuchtte. 'We moeten ook Rose en Violet zien te lokaliseren. Ze zijn op de vlucht of Silas heeft ze ergens verstopt. Als we ze vinden, kunnen we hem lokken.'

'We kunnen het mobiele nummer van Rose in Silas' dossier vinden,' zei Hyatt.

'Ik zoek het wel op,' zei Doyle. 'Wie belt Rose Dandridge?'

'Dat doe ik,' antwoordde Hyatt.

'Nee,' zei Stevie tegen hem. 'Laat mij dat doen. Als ze denkt dat we

Silas op de hielen zitten, klapt ze misschien dicht. Ik kan haar naar die clown vragen die ze laatst voor het verjaardagsfeestje van Violet heeft gehuurd. Cordelia is binnenkort jarig. Misschien dat Rose zo'n telefoontje wel accepteert.'

Donderdag 7 april, 10.25 uur

Vanaf de bestuurdersplaats van de Escalade wierp Paige voor misschien wel de honderdste keer sinds ze bij Graysons moeder waren weggegaan een blik op zijn gezicht. Ze hadden van plaats geruild. Paige bestuurde de auto op weg naar de afspraak met Reba zodat Grayson de handen vrij had om op Josephs laptop Anderson na te trekken in de database van het Openbaar Ministerie.

Daphne had hem Andersons gebruikersnaam en wachtwoord gegeven en een telefoontje naar Joseph had bevestigd dat geen enkel onderzoek dat Grayson deed via de mobiele internetkaart die hij hun had gegeven naar hen kon worden herleid. Het had geen zin om zich in de kaart te laten kijken als dat niet nodig was.

Paige had Joseph gevraagd of ze de kaart mocht houden als alles achter de rug was en hij had alleen maar gelachen. Ze nam aan dat dat 'nee' betekende.

Grayson had zijn blik al een halfuur niet van het scherm losgemaakt, volledig in beslag genomen door wat hij vond. En wat het ook was dat hij had gevonden maakte hem aan zijn gezicht te zien niet blij.

Een blikkerige trompetstoot doorboorde plotseling de stilte in de auto en deed hen allebei opschrikken.

Graysons hoofd kwam met een ruk omhoog en hij keek woedend. 'Wat was dat, verdomme?'

'Ik was het niet.' Ze had de claxon niet aangeraakt. 'Ik denk dat het uit de laptop kwam. Misschien heb je mail.'

Hij keek even en liet toen geïrriteerd zijn adem ontsnappen. 'Klopt. Joseph heeft hem op trompetgeschal gezet voor als er een nieuwe mail binnenkomt. Het is een mailtje van JD Fitzpatrick. Hij zegt dat ze een verdachte van de bomaanslag hebben. Het gaat om ene Harlan Kapansky, die jaren geleden is gearresteerd door Silas, tot vijfentwintig jaar is veroordeeld en vorig jaar wegens goed gedrag op vrije voeten is gekomen.'

'Dan moeten we achter het geld aan,' zei ze. 'Iemand heeft hem betaald om ons te vermoorden. De kans bestaat dat iemand heeft betaald om Ramon de schuld te geven zodat Rex vrijuit zou gaan.'

'En Cherri Dandridge,' zei Grayson grimmig. 'En al die anderen die vrijuit gingen toen iemand anders de schuld kreeg.'

Ze wierp een blik op de computer op zijn schoot. Blijkbaar had zijn zoektocht in de database van het Openbaar Ministerie vruchten afgeworpen. 'Hoeveel heb je er gevonden?'

'Charlie Anderson en Bob Bond hebben in de acht jaar voor Bonds dood in tien zaken de strijd met elkaar aangebonden. In vijf gevallen werd de aanklacht geseponeerd omdat ontdekt werd dat iemand anders het had gedaan. Er waren bewijzen gevonden die tot de veroordeling van een ander heeft geleid.'

Paige knipperde met haar ogen. 'De helft? Wauw. Dat is nogal wat. Waarom is dat niemand opgevallen?'

'Niemand was ernaar op zoek en ze hebben het uitgespreid over acht jaar. Dit zijn de zaken die uiteindelijk tot een aanklacht hebben geleid. Ik moet toegang hebben tot een ander deel van de database om de zaken te vinden die helemaal niet zijn voorgekomen.'

'Bij die vijf zaken was die van Cherri Dandridge,' zei Paige. 'Hoe zit het met die andere?'

'Drie gaan om overvallen en/of gevallen van geweld. Eén gaat om verkrachting,' voegde hij er bitter aan toe. 'De meeste verdachten waren jong en kwamen uit rijke gezinnen die het zich konden veroorloven om hun vrijheid te kopen.'

'Hoe vaak heb jij in de rechtszaal de strijd aangebonden met Bond?'

'Alleen die ene keer met Ramon. Hij is een jaar daarna overleden.'

'Anderson heeft jou belast met Ramons zaak. Waarom heeft hij hem niet zelf gedaan?'

'Deels omdat het de potentie had om veel aandacht te trekken, zeker wanneer we erachter zouden komen dat Rex geen alibi had. Iemand zou kunnen doorhebben dat hij het eerder had gedaan.' Hij aarzelde. 'Maar Anderson zei dat mijn gedrevenheid mij de perfecte keuze maakte om het proces te doen.'

'Waarom?' vroeg ze, ook al wist ze het antwoord al.

'Ik kijk naar elke moordenaar die ik aanklaag en zie dan de jonge vrouw voor me die mijn vader aan de muur had geketend en die me probeerde te smeken om haar te helpen. Het was in Ramons zaak niet anders. Ik vervolgde hem zoals ik dat altijd deed. Genadeloos. En door dat te doen heb ik een onschuldige man achter de tralies gezet en zijn vrouw tot daden gedreven die haar dood zijn geworden. Daar zal ik mee moeten leven.'

'Maar je wist niet dat Ramon onschuldig was. Als je dat wel had geweten, zou je hem nooit hebben aangeklaagd. Je bent geen machine, Grayson. Onze geschiedenis, onze levenservaring... dat blijft allemaal bij ons. Het wordt een deel van wie we zijn. Jij vervolgt moordenaars met een bijna religieuze toewijding, dat is waar. Maar die toewijding die tegen Ramon heeft gewerkt heeft in het voordeel gewerkt van een heleboel slachtoffers en hun familie. Hoeveel moordenaars heb je niet opgeborgen?'

'Tientallen. Ik neem tenminste aan dat het moordenaars zijn.'

'Aha. Daar zit de zere plek. Je zelfvertrouwen is aangetast. Dat van mij ook. Ik verloor meer dan een vriendin op de avond dat Thea stierf. Ik raakte ook een stuk van mezelf kwijt. Het deel dat brulde.' Ze glimlachte verdrietig. 'Mijn oude sensei zei dat ik een tijger in me had. Nu is het een bang poesje dat in geen negen maanden een voet in een dojo heeft gezet.

Ik moet mezelf zien te hervinden, Grayson. En jij ook. Ja, een van de mannen die je achter de tralies hebt gezet was onschuldig, maar tientallen anderen waren wel schuldig. Door hen weg te stoppen heb je de wereld beter gemaakt. Je hebt recht gehaald voor de doden. Blijf op je beoordelingsvermogen vertrouwen. Ik heb je dinsdagochtend in de rechtszaal gezien met de familie van het slachtoffer. Je leefde met ze mee. Maria zei dat je ook met haar meeleefde. Het is je gedrevenheid, je compassie en je persoonlijke integriteit die je zo goed maken in wat je doet.'

Ze hoorde dat hij zich omdraaide en wist dat hij haar profiel zat te bestuderen. Ze hield haar ogen op de weg. 'Ik heb je zien vechten.' Zijn stem was hees. 'Dat was geen bang poesje daar in die garage dinsdag en ook niet toen je Rex McCloud een toontje lager liet zingen.'

'Dat was allemaal instinct en reflexen. Heel anders dan de tijger. Ik mis de tijger echt.' Ze schraapte haar keel. 'We zijn er bijna. Je wilde dat ik je vertelde wat ik gelezen heb over Reba McCloud.'

'Vertel me maar wat ik moet weten,' zei hij op zachte toon, toegevend aan haar poging om van onderwerp te veranderen.

'Ik heb je dinsdagavond al een heleboel verteld. Het is het verhaal van twee dochters, Claire en Reba.'

'Je zei dat Claire het geld verdient. En dat Reba het weggeeft. Maar wat heeft Reba te maken met de problemen van Rex? Ze is zijn moeder niet, ze is zijn tante.'

'Uit wat ik heb gelezen begrijp ik dat Reba altijd het brave meisje van de familie is geweest. Het leven van Claire is wat kleurrijker. Claire sloeg helemaal los toen ze nog een tiener was, liep weg van huis, trouwde met een knul van een rockband. Rex werd vijf maanden later geboren. Ze is later van die rocker gescheiden, thuisgekomen en met Louis getrouwd, de zoon van een oliebaron uit Texas. Grote artikelen over het huwelijk in de roddelbladen. Een heleboel roddels over haar wilde tijd en over de rocker en hoe ze nu tot rust was gekomen en weer was opgenomen in de boezem van haar familie.'

'Toen ik ze ontmoette leek Louis aardig aan de leiband van Claire te lopen.'

'Claire had een heleboel mensen aan de leiband. Ze stond bekend om haar hardheid in zaken – Gordon Gekko op hoge hakken. Maar ze heeft een heleboel geld verdiend voor de beleggers. Nu heeft ze de leiding over de zaken van de familie hier en in het buitenland.'

'Ik wist dat ze het bedrijf runde, maar ik had me niet gerealiseerd dat dat zo omvangrijk was.'

'Ze had tot een paar jaar geleden nog niet de leiding over de internationale holdings. Die was in handen van haar tweede echtgenoot, de stiefvader van Rex. Maar weet je nog dat ik je vertelde dat Louis bedankt werd? Hij had een hoop geld verloren door slechte beleggingen, dus nu werkt hij voor Reba en hij wordt door de meeste mensen beschouwd als een stroman.'

'Heb je dit allemaal op internet gevonden?' vroeg Grayson.

Ze knikte. 'Terwijl ik zat te wachten tot de echtgenoten van Clays cliënten hun stoute dingen deden waarvoor wij betaald werden om ze vast te leggen op film en foto. Een deel hiervan komt uit de kranten. Een ander deel van geboorte- en overlijdenscertificaten, trouwaktes en scheidingspapieren. Ik heb gewoon alles bij elkaar geveegd. Zo moeilijk was dat eerlijk gezegd niet. Ik probeerde alles te achterhalen wat ik maar kon over Rex en de McClouds, omdat ik wist dat Rex Crystals afspraakje was, maar nauwelijks werd genoemd tijdens het proces.'

'Je dacht dat ik hem een speciale behandeling gaf,' zei Grayson, maar zonder boosheid.

'Dat klopt. Op dat moment. Toen ik de zaak begon te reconstrueren, viel mijn oog op Rex. Ik wilde weten uit wat voor familie hij kwam dat dergelijk gedrag getolereerd werd.'

'Hoe zit het nou met Reba?'

'Zoals ik al zei was Reba het brave meisje van de familie. Ik moest informatie over Rex hebben en ik heb overwogen met haar te gaan praten. Ik dacht dat ze vanwege al die liefdadigheidsactiviteiten misschien eerder geneigd zou zijn om iets om Crystal Jones te geven.'

'Heb je haar ooit gesproken?'

'Nee, dat is er nooit van gekomen. Dus, het verhaal van Reba. Dianna en Jim McCloud trouwden toen Claire acht jaar was, Reba werd een jaar later geboren. Terwijl Claire haar wilde tijd beleefde met haar rocker, bleef Reba dicht bij huis. Ze ging naar de plaatselijke middelbare school en universiteit en ging toen voor het Vredeskorps naar West-Afrika. Kameroen, geloof ik.'

'O. Ze was echt het brave meisje van de familie.'

'Precies. Reba ging uit huis tegen de tijd dat Rex veertien was.'

'Betsy zei dat hij zich in die tijd begon te misdragen en toen naar de militaire academie werd gestuurd.'

'Misschien had Reba een gunstige invloed op Rex. Toen Reba terugkwam uit Afrika, richtten zij en haar moeder die non-profitorganisatie op. Dianna ging met pensioen en nu heeft Reba de leiding. Ze heeft veel goed werk verricht hier in de stad. Volgens haar website, in ieder geval.' Paige minderde vaart en zocht een lege parkeerplek voor de suv. 'Het zal niet meevallen om een plekje te vinden voor dit ding. Waarom moet Joseph in zo'n grote auto rijden?'

'Dit is een auto met een alarm dat afgaat als iemand aan de wagen komt. Als ik dat activeer begint de auto te gillen als iemand hem aanraakt. Of als er bommen onder worden geplakt.'

'O. Dat vind ik wel fijn.'

'Dat vermoedde ik al. Kijk, daar is plaats. Je hoeft niet eens in te parkeren.'

Ze keek hem geërgerd aan. 'Ik kan anders uitstekend inparkeren.' Toch was ze blij dat ze dat niet hoefde te bewijzen. Ze stapte uit de auto en haar aandacht werd getrokken door beweging aan de zijkant van het gebouw. Daar stonden twee mannen op een platform die bezig waren een raam dicht te timmeren dat nog niet kapot was toen ze daar de avond ervoor waren. 'Moet je dat zien.'

Hij kwam bij haar staan op het trottoir en keek naar boven. En keek nog eens. 'Dat is een bal geweest die behoorlijk fout is gegaan. Ik heb medelijden met het kind dat die bal moet gaan terugvragen.'

Ze keek hem onzeker aan. 'Je maakt een grapje, hè?'

Hij lachte. 'Ja. Als een kind een bal zo hoog kan slaan, staan de honkbalteams voor hem in de rij. Het moet een vogel zijn geweest.'

Ze keek opnieuw omhoog terwijl hij het autoalarm aanzette. 'Een kanjer van een vogel.'

'Dus,' zei Grayson, 'om even samen te vatten waarom we ontboden zijn: we hebben iemand van de McCloud-clan ervan beschuldigd Rex behulpzaam te zijn geweest bij moord omdat we hebben aangetoond dat de bewakingsvideo vals was en dat kon alleen een familielid hebben geregeld.'

'En dat moet Reba dwarszitten. Een schandaal is slecht voor de zaken. Zowel voor die van Reba als voor die van Claire,' zei ze terwijl hij zijn hand op haar rug legde en half achter haar ging lopen. Hij schermde haar opnieuw af. Ze keek hem fronsend aan. 'Je draagt vandaag geen kevlar.'

'Jawel, dat doe ik wel,' antwoordde hij. 'Ik heb nog een oud vest. Het zit een beetje strak om de schouders, maar dat overleef ik wel. Joseph heeft er ook een voor jou opgescharreld, een reserve van een van de vrouwelijke agenten met wie hij samenwerkt. Hij is het op dit moment aan het halen. Als we hier klaar zijn zien we hem weer bij mij thuis om het vest op te pikken. Tot die tijd ben ik je lijfwacht.'

De ondeugende manier waarop hij dat zei deed haar glimlachen. 'Je bent een slechterik. Daar hou ik van.'

'Zoiets dacht ik wel,' mompelde hij.

'Wat is je plan straks bij Reba in haar kantoor?'

'Erachter komen waarvoor ze me echt heeft laten komen. Ik betwijfel of ze haar tijd zou verspillen om me alleen maar een standje te geven. De McClouds zijn overgeschakeld naar de stand schandaalbeperking.'

'Denk je dat ze zal proberen je om te kopen?'

'Of me bedreigen. Of misschien probeert ze te weten te komen wat ik weet. Ik wil haar vooral over haar familie aan het praten zien te krijgen, misschien dat ik daar wat wijzer van word. Iemand heeft die videobanden verwisseld. Misschien dat Rex in zijn eentje heeft geopereerd, maar als hij hulp heeft gekregen van de familie, dan moet ik dat weten. Iemand heeft voor die vijftigduizend dollar gezorgd waarmee Sandoval is betaald. Hoe meer ik kan elimineren, hoe makkelijker het wordt om straks een gerechtelijk bevel te krijgen om achter het geldspoor aan te gaan.' Hij liep achter haar aan de lobby in. 'Volgens Daphne is Reba's kantoor op de negende verdieping.'

Donderdag 7 april, 10.25 uur

Dokter Charlotte Burke stapte vermoeid bij de tafel vandaan. 'Malone, Betsy. Tijdstip van overlijden, 10.25 uur.' Ze sloot voorzichtig de ogen van de vrouw. 'Wil jij haar opknappen? Haar ouders zitten buiten te wachten.'

'Natuurlijk,' zei de verpleegster. 'Gaat het wel, Burke?'

'Nee. Deze vrouw ziet kans af te kicken, is helemaal clean, en dan neemt ze een overdosis en stikt in haar eigen braaksel. Wat een verspilling.' *Soms zit het mee en soms zit het tegen*, hield ze zichzelf voor. Het maakte deel uit van het werk op de spoedeisende hulp. Maar ze had er een hekel aan wanneer het tegenzat.

'Je hebt er eerder vandaag een doorheen gesleurd, die onbekende vrouw met de steekwonden.'

'Dat moeten we nog afwachten. Maar we hebben haar in ieder geval stabiel genoeg gekregen om te worden geopereerd.'

'Ze was dood toen ze haar binnenbrachten, maar jij hebt haar teruggehaald. Je hebt het geweldig gedaan.'

'Ze heeft hard geknokt om te blijven leven. Ik hoop dat ze de operatie doorstaat en voldoende bijkomt om ons te vertellen wie ze is. Maar ik moet het nu de ouders van deze vrouw gaan vertellen. Daar heb ik zo'n hekel aan.'

Ze zette zich schrap en duwde de klapdeuren open. De Malones draaiden zich onmiddellijk om en staarden haar vol verdriet aan. *Ouders weten het altijd*, dacht ze.

'Het spijt me heel erg,' zei ze zacht. 'We hebben haar niet kunnen redden.'

De knieën van mevrouw Malone begaven het en er ging een snik door haar hele lichaam. Meneer Malone ving haar op en hield haar dicht tegen zich aan. 'Dank u,' wist hij uit te brengen. 'We hebben gezien dat u het heeft geprobeerd. We... we hoopten gewoon dat ze het deze keer zou redden. We hebben onze dochter een tijdje terug gehad.'

'De verpleegster brengt u zo naar haar toe. Neem zo veel tijd als u wilt.' Met een zwaar gemoed liep Burke naar haar bureau om het dossier van de volgende patiënt te pakken. 'Heb je al iets gehoord over de onbekende vrouw die wordt geopereerd?' vroeg ze de verpleegster die de balie bemande.

'Nog niet. Maar ik zal zo nog even bellen.'

'Graag. Ze wilde zo graag blijven leven. Ik hoop dat het haar lukt.' Burke stak het volgende dossier onder haar arm en rechtte haar rug.

Soms zit het mee en soms zit het tegen. *Ik heb er een hekel aan wanneer het tegenzit.*

Donderdag 7 april, 10.45 uur

Ze waren te vroeg bij het kantoor van Reba. Grayson, die hoopte dat Reba hun dingen zou vertellen of dat nu haar bedoeling was of niet, liep op de receptioniste af.

'Ik ben Grayson Smith en dit is mijn compagnon Paige Holden. We hebben een afspraak met mevrouw McCloud. We zijn een beetje te vroeg, maar ik hoop dat ze ons nu kan ontvangen.'

'Als u even wilt wachten, dan laat ik mevrouw McCloud weten dat u er bent.'

Grayson ging op de bank in de wachtruimte zitten terwijl Paige rondliep en de kunstwerken en foto's aan de muur bekeek. Hij maakte van de gelegenheid gebruik om op adem te komen en alleen maar naar haar te kijken. Ze bewoog soepel en niets wees erop dat hij haar nog geen twaalf uur geleden van een talud had laten rollen. Of haar daarna in zijn bed had laten rollen. Als dit achter de rug was, was hij van plan dat nog een keer te doen. En nog een keer en nog een keer.

Hij genoot ervan om naar haar te kijken, in de wetenschap dat er onder die kleding dodelijke wapens en heerlijke rondingen verborgen zaten. Ze was bij een groepje foto's blijven staan en bekeek ze een voor een, alsof ze een student was in een kunstmuseum. En omdat hij haar gadesloeg zag hij het onmiddellijk toen haar lichaam zich even spande en vervolgens weer ontspande terwijl zij naar de volgende muur liep. Uiteindelijk had ze alle kunst bekeken en ze ging naast hem zitten.

Hij boog zich naar haar oor en deed alsof hij haar hals kuste. 'Wat zag je daar?'

Ze sloeg hem speels van zich af. 'Niet hier.' Ze pakte haar mobieltje uit haar zak en tikte een bericht in. Hij leunde achterover en deed alsof hij zijn ogen even rust gunde terwijl hij wachtte tot ze klaar was.

Zijn mobieltje in zijn zak zoemde. Ze had op de verzendknop gedrukt, maar ze zat nog steeds te typen. Zijn telefoon maakte nog drie keer het zoemende geluid voor ze eindelijk klaar was met typen en aan een spelletje scrabble op haar telefoon begon. 'Is "xylofoon" met l-o of l-a?' vroeg ze verveeld.

'L-o.' Hij bekeek zijn telefoon. En moest zijn uiterste best doen om zijn gezicht neutraal te houden.

2 foto's aan muur aan andere kant. Groep kinderen. 12 jaar. Met medailles.

I'm a MAC, Loud and Proud. MAC = McCloud Alliance for Children.

Een liefdadigheidsfonds voor kinderen. Onder leiding van de familie McCloud.

1 foto genomen in 1984. CJ was toen nog niet geboren. Andere van 1999. CJ toen 13.

Zijn hart ging sneller kloppen. Crystals vastberadenheid om bij Rex McCloud in de buurt te komen kwam nu in een heel ander licht te staan. *Waarom was ze die avond naar het feest gegaan?*

'Meneer Smith,' zei de receptioniste stijfjes. 'Mevrouw McCloud kan u nu ontvangen.'

Donderdag 7 april, 10.55 uur

De krantenfoto's deden Reba McCloud geen recht, vond Paige toen ze in de stoel naast die van Grayson ging zitten. Haar haar was gekapt in een glad Frans model en het glom als goudkleurige zijde. Ze had iets van Grace Kelly over zich, ongrijpbaar mooi. Als Paige zich niet vergiste was de jurk die ze droeg een Chanel. En op het gebied van kleren vergiste Paige zich maar zelden.

Reba streek het haar achter haar oor en de tientallen diamantjes op haar horloge fonkelden in het zonlicht. 'Dank u voor uw komst, meneer Smith.'

Grayson, op en top de beschaafde openbaar aanklager, boog even zijn hoofd. 'Ik vond het niet meer dan mijn plicht.'

Er verscheen een cynische trek rond Reba's mond. 'Uw plicht ten opzichte van wie?'

'Ten opzichte van de waarheid,' zei hij bot. 'Zes jaar geleden is op het landgoed van uw familie een jonge vrouw vermoord. Ze was de gast van uw neef.'

Haar mond werd een streep. 'Mijn neef kreeg in die tijd veel te veel vrijheid, meneer Smith. Dat heeft hem beschadigd. Rex is een drugs-verslaafde en een dief. Maar hij is geen moordenaar. Hij had een alibi voor die avond, een bewakingsvideo van het feest dat gaande was en dat hij nooit heeft verlaten. Hoe onsmakelijk de activiteiten ook waren, hij was tamelijk druk op het tijdstip van het overlijden van dat meis-je.'

'De tape is verwisseld,' zei Grayson. 'Ik neem aan dat Rex u verteld heeft dat we dat weten.'

Paige zag een kleine flikkering in Reba's ogen die Graysons woorden bevestigde. 'Mijn ouders zeiden dat u dat beweert,' zei Reba. 'Ik geloof het niet.'

'We hebben een getuige,' ging Grayson verder, 'die zegt dat Rex die avond is weggegaan bij het zwembad om het slachtoffer, Crystal Jones, te zoeken. De getuige zegt dat hij kwaad was. Heel erg kwaad.'

'Ik ken de getuige over wie u het heeft,' antwoordde Reba koel. 'Bet-sy Malone is ook een verslaafde en niet in het minst geloofwaardig. Laat me duidelijk zijn, meneer Smith. U richt uw pijlen op de ver-keerde familie.'

'Ik richt mijn pijlen op niemand,' zei Grayson. 'Ik zoek gerechtig-heid voor een dode vrouw. Als de feiten naar uw neef wijzen, dan ga ik daarachteraan. Als iemand die bewakingsvideo heeft verwisseld en de bewakingsfirma is door uw familie betaald, dan ga ik daar ook ach-teraan.'

'Mijn ouders zijn modelburgers,' zei ze met kille woede in haar stem, 'die meer voor de gemeenschap hebben gedaan dan tien andere filan-tropen bij elkaar. Dat u ons beschuldigt is schandalig. En fout.'

Paige had het gevoel dat Reba elk woord geloofde van wat ze zei. *I'm a MAC.* Ze wilde het vragen, maar hield zich in. 'Heeft u een alternatieve theorie voor de verwisselde video? Want hij ís verwisseld. Daar is geen twijfel over mogelijk.'

'Omdat Betsy Malone dat zegt?' vroeg Reba schril.

'Nee, mevrouw,' zei Paige kalm. 'Omdat de maan in de video in de verkeerde fase was voor de nacht van de moord. Ik zal het u graag laten zien als u nog steeds niet overtuigd bent.'

Reba's wangen werden rood. 'Dat betekent nog niet dat Rex haar heeft vermoord of dat mijn ouders betrokken zijn bij het verdoezelen van de feiten.'

'Als ik zo bot mag zijn, dat is precies wat ik denk dat het betekent, mevrouw McCloud,' zei Grayson. 'En door deze feiten aan het licht te brengen, heb ik iemand kwaad gemaakt. Heel erg kwaad.'

Reba's ogen schoten vuur. 'Ik heb gelezen dat u gisteravond op het nippertje de dans ontsprongen bent. Wat vreselijk akelig voor u.' Alle oprechtheid in haar woorden werd tenietgedaan door haar woede. 'Maar om zelfs maar te suggereren dat mijn familie betrokken zou zijn bij een dergelijke misdaad... Meneer Smith, als u niet inbindt, wordt u het middelpunt van een aanklacht wegens laster.'

'Dat zou niet voor het eerst zijn. Maar ik ben bereid om, zoals mevrouw Holden het noemde, alternatieve theorieën te overwegen. Heeft u een alternatieve theorie? Is misschien een andere gast verantwoordelijk voor de dood van Crystal Jones en de daaropvolgende verwisseling van de bewakingsvideo's?'

'Ik ken geen andere namen dan alleen Betsy en ik ken haar alleen maar omdat Rex en zij na die avond verschillende keren samen zijn gearresteerd. Ik was tijdens dat feest niet eens op het landgoed. Ik zat hier, in mijn appartement.'

'Uw zus was daar die avond ook niet, als ik me goed herinner.'

'Claire was waarschijnlijk het land uit. Dat was ze in die tijd meestal. Nu houdt ze kantoor in New York. Ze komt eens per maand naar Baltimore om mijn vader bij te praten.'

'Hoe zit het met de vader van Rex?' vroeg Paige.

'Zijn vader nam een overdosis toen Rex tien was,' zei Reba effen. 'Zijn stiefvader heeft zich niet zo veel aan zijn opvoeding gelegen laten liggen. Hij kan u ook niet helpen met de bijzonderheden van die bewuste avond.'

Paige verzachtte haar verzoek door erbij te glimlachen. 'We moeten iemand zien te vinden die er die avond bij was. Iemand, maakt niet uit wie, die ons een andere richting kan wijzen. Een onschuldige man is zes jaar van zijn leven kwijtgeraakt. We willen niet dat iemand anders hetzelfde overkomt, met inbegrip van Rex. Dus alle hulp die u ons kunt geven zal zeer worden gewaardeerd. En zal worden nagegaan.'

'Waarom zou ik u geloven?'

'Omdat we het juiste willen,' zei Paige geduldig. 'Maar als u dat moeilijk te geloven vindt... iemand heeft geprobeerd ons op te blazen. Hoe eerder we erachter komen wie Crystal Jones heeft vermoord, hoe eerder we degene kunnen identificeren die gehakt van ons probeert te maken.'

Reba's achterdocht leek niet te zijn weggenomen, maar ze gaf toch antwoord. 'Ik herinner me dat mijn vader de bewaker bij de poort Les noemde. Ik weet niet of dat een afkorting is voor Leslie of Lester. Les staat niet meer aan de poort. Hij is een jaar na de moord met pensioen gegaan. Dat is alles wat ik weet.'

Dat is alles wat ze kwijt wil. En ze wisten al dat Lester Neil kort na zijn pensionering was overleden. Paige vermoedde dat Reba dat ook wist. Het was tijd voor een hogere versnelling.

'Dank u,' zei Paige. 'Ik heb over uw vader gelezen. Hij heeft een hoop goed werk verricht. Ik wil hem niet door het slijk halen, beslist niet.'

'Maar vader heeft meer goed werk verricht dan men weet,' vertelde Reba gedreven. 'Tegenwoordig grijpt elke politicus het kleinste dingetje dat hij doet aan om zichzelf op te hemelen. Mijn ouders runden verschillende liefdadigheidsinstellingen zonder dat iemand daarvan op de hoogte was. Ze deden het omdat ze dat als hun plicht zagen. Ze waren niet uit op bewieroking en publiciteit.'

Yes. Daar was de opening waar ze op had zitten wachten. 'Ik ben niets tegengekomen over de programma's voor kinderen, maar ik zag de foto's in de wachtruimte. MAC heette het, geloof ik?'

Reba's kin ging omhoog. 'Mijn favoriete programma. Mijn ouders sponsorden elk jaar een stuk of tien scholen in over de hele staat verspreide districten. Ze gaven geld voor spullen en boeken en excursies. Elke school werd vertegenwoordigd door een kind en mijn ouders gaven elk jaar een groot kinderfeest op het landgoed. Het ging om behoorlijk arme kinderen in beroerde omstandigheden. De meesten kregen nooit een fatsoenlijke maaltijd. Mijn ouders gaven ook geld aan de gezinnen.'

'Ik neem aan dat het moeilijk was om een keuze te maken tussen de scholen,' zei Paige, 'aangezien er zo veel in behoeftige omstandigheden verkeerden.'

'Het was een loterijsysteem. De school profiteerde en de kinderen en hun gezinnen ook.'

'Ik wou dat ik in zo'n programma had gezeten,' zei Paige quasizielig. 'Mijn grootouders hebben me opgevoed, maar we zaten altijd krap. Hoelang heeft dat MAC-programma gelopen?'

'Zestien jaar. Ik heb daarbuiten foto's hangen van de eerste en de laatste klassen. MAC heeft een verschil betekend in het leven van een heleboel kinderen.'

'Het concept bevalt me wel. Ik heb bewondering voor het werk dat uw familie voor kinderen heeft gedaan. Ik probeer op dit moment zelf ook een non-profitorganisatie op te zetten. Een school.'

Reba's ogen werden groot van ongeloof. 'U hebt wel lef, eerst ons beschuldigen en vervolgens om mijn hulp vragen.'

'Wat zou u gedacht hebben als u had geweten dat die alibivideo van Rex vals was?' vroeg Paige. Reba zweeg en tuitte haar lippen. 'U doet goed werk, mevrouw McCloud, net als uw ouders voor u. Ik vlei me met de gedachte dat ik ook goed werk heb gedaan. Dat kunt u opzoeken.'

'Dat heb ik al gedaan,' zei Reba koel. 'Ik weet wat u hebt gedaan. Ik weet ook wat u is overkomen.'

Paige moest zich inhouden om niet terug te deinzen. Reba's pijl had doel getroffen, maar Paige weigerde dat te laten merken. Ze wilde meer informatie over de McCloud Alliance for Children, maar ze aarzelde om meer vragen te stellen voor het geval de toch al argwanende Reba nog achterdochtiger zou worden.

Paige had wel een idee hoe ze meer informatie over MAC kon achterhalen. Grayson was heel stil geworden en had de leiding van het gesprek aan haar overgelaten – en daar zou ze hem later voor zoenen.

'Ik ben misschien wel vrijpostig, mevrouw McCloud, maar ik zie een gelegenheid en ik krijg u misschien nooit meer te spreken. Ik wil graag een vechtsportschool oprichten voor kinderen en ouderen met een handicap. Ik heb een sponsor die bereid is te zorgen voor de financiering, maar ik moet ook publiciteit zien te krijgen en hulp van iemand met ervaring bij het opzetten van het project.' Paige zag dat Reba's ogen begonnen te glimmen bij het noemen van de financiering.

'Een gezamenlijke onderneming van ons zou er bovendien op duiden dat uw familie meewerkt aan het onderzoek en eventuele twijfels wegnemen.'

Reba trommelde met haar vingers op het bureau. Paige zag de radertjes in haar hoofd rondgaan. 'Noem eens één liefdadige instelling die ik heb helpen financieren, mevrouw Holden.'

'Ik kan er wel tien noemen.' Ze begon namen van Reba's liefdadige ondernemingen op te ratelen tot de vrouw haar hand omhoogstak.

'Oké. U heeft uw huiswerk gedaan voor u hierheen kwam. Kom maar met een voorstel.' Reba ging staan. 'In de tussentijd ga ik ervan uit dat u ophoudt met die ongefundeerde beschuldigingen aan het adres van mijn familie.'

'We blijven zoeken naar de waarheid.' Paige sprak zacht. 'Maar als we een andere geloofwaardige verklaring kunnen vinden, dan zoeken we dat uit. Erewoord.'

'Dank u,' zei Reba ijzig. Ze deed de deur open. 'Een prettige dag.'

Paige wachtte op het trottoir terwijl Grayson de suv controleerde. 'Alles in orde. Stap in.' Toen hij zijn portier had dichtgeslagen draaide hij zich naar haar toe. 'Wat was dat allemaal in vredesnaam?'

Paige maakte haar gordel vast. 'We hebben het belang van Crystals medaille ontdekt en ik heb de basis gelegd voor verder onderzoek naar het MAC-programma, los van het onderzoek naar Rex. We moeten weten wat het programma inhield en of en wanneer Crystal daar deel van uitmaakte, maar dat durfde ik niet op de man af te vragen. Reba zou zijn dichtgeklapt.'

'Hoe denk je meer te weten te komen over dat programma?'

'Ik ben van plan om terug te komen in gezelschap van mijn sponsor. Zag je hoe Reba keek toen ik zei dat de financiering rond is?'

Hij wreef over zijn voorhoofd. 'En wie mag die rijke sponsor dan wel zijn?'

'Nou, dat weet ik nog niet. Maar ik verzin wel iets.' Ze klapte haar laptop open. 'Nu we weten wat het inhoudt, ga ik op zoek naar dat MAC-fonds.' Ze keek hem van opzij aan. 'Ben je boos op me?'

'Nee. Ik ben alleen... overdonderd.'

Ze glimlachte. 'Ik zou niet graag willen dat je je ging vervelen.'

'Weinig kans.' Hij keek haar onderzoekend aan. 'Meende je dat van die school?'

'O, zeker. Dat was niet gelogen. Je zus Holly wordt mijn eerste leerling. Je moeder vond het een geweldig idee.' Ze beet op haar lip. 'Vooral gezien de omstandigheden.'

Grayson fronste zijn voorhoofd. 'Wat voor omstandigheden?'

Daar gaan we. 'Holly is op het centrum lastiggevallen door een paar kerels. Die vriend waar ze het dinsdag bij Lisa over had, die is overleden? Hij beschermde haar.'

Grayson kneep hard in het stuur. 'Wie? Wie valt haar lastig?'

'Kun je even rustig doen? Straks krijg je nog een hartaanval. Er is niets met haar gebeurd.'

'Geen mens komt met zijn vingers aan Holly.'

'Niemand heeft aan haar gezeten. Ze durfde niets te zeggen omdat ze bang was dat Joseph zijn zelfbeheersing zou verliezen en zou worden gearresteerd. Zorg nou dat ze niet ook nog ongerust hoeft te worden over jou.'

Hij zuchtte. 'Oké. Holly heeft de dingen veel beter door dan we wel eens denken. Joseph zou inderdaad zijn zelfbeheersing verliezen als hij dit wist. En dat is nooit, echt nooit goed.'

'Ik heb gezegd dat ik met haar naar het centrum ga. Die jongens zo bang maken dat ze haar met rust laten. Maar ze zal soms alleen zijn en ze moet weten hoe ze kan ontsnappen als ze wordt aangevallen.'

'Ik weet het. Ik wil niet toegeven dat ze kwetsbaar is.'

'Ze is een volwassen vrouw. Je moet dergelijke dingen onder ogen zien.'

'Ik zal één oog dichtknijpen,' mompelde hij. 'Dank je,' voegde hij er met zachte stem aan toe. 'Voor je bezorgdheid.'

Ze klopte hem op de arm. 'Holly vroeg of ik andere meiden bij het centrum ook kon lesgeven. Ik zei, natuurlijk. Je moeder zei dat ze ook meedoet, maar ik denk dat ze alleen het pak wil.'

Hij gniffelde. 'Mijn moeder ten voeten uit.'

'Holly gaat op donderdag naar het centrum. Dat is vandaag. Ik ben van plan om vanavond mee te gaan, tenzij we bezig zijn, je weet wel, met misdaad bestrijden en zo.'

'Ik ga met je mee. Als een van die knullen ook maar even naar haar kijkt op een manier die me niet aanstaat, dan sla ik hem helemaal in elkaar.'

Paige zuchtte. 'Ik wist wel dat je dat zou zeggen. Nou, wat gaan we nu doen? Lunchen met Joseph en dan verder met het ondervragen van de mensen op de gastenlijst van het zwembadfeest of achter het MAC-fonds aan?'

'Het fonds. Als Crystal een van die kinderen in het programma is geweest, dan heeft ze eerder contact gehad met de McClouds. En dan is ze vóór het feest van Rex al op het landgoed geweest.'

'Grayson, geloof je nog steeds dat Rex Crystal Jones heeft vermoord?'

Hij aarzelde een fractie van een seconde. 'Ja.'

'Maar?' vroeg ze.

'Maar op dit moment wil ik graag weten waarom Crystal die medaille had en waarom ze zo graag naar dat feest wilde.'

'Ik ook. We zouden het Rex kunnen vragen. Maar die heeft zijn advocaten gebeld en zal dus niet met ons willen praten.'

'Misschien wel, misschien niet.' Hij keek naar haar. 'Ik vond het merkwaardig dat Reba zei dat we het onderzoek moesten staken. Dat zou normaal gesproken van de advocaten van Rex zijn gekomen.'

Ze tuitte nadenkend haar lippen. 'Is het mogelijk dat hij nog geen advocaat heeft?'

'Dat is heel goed mogelijk. Ik vraag me af of dit voor de familie de druppel is die de emmer doet overlopen.'

'Mooi. Het wordt tijd dat ze hem in zijn sop gaar laten koken.'

'Je hebt niet gezegd of jíj nog steeds denkt dat Crystal Jones door Rex is vermoord.'

'De kinderen op die foto waren nog maar twaalf,' zei ze bezorgd.

'Ja, ik weet het.'

'Dus denk jij wat ik denk?' vroeg ze en hij haalde zijn schouders op.

'We hebben Crystal die al eens is gearresteerd wegens tippelen. Ze chanteert een man, maar gaat naar een feest om het grote geld binnen te halen. We hebben Brittany die ons bankafschriften geeft die de chantage aantonen en een plastic medaille.'

'Ze heeft ook geholpen om ons op te houden toen we in het verpleeghuis waren,' zei Paige.

'Ik denk dat Brittany van twee walletjes eet. Ik heb haar maar twee keer geloofd. De eerste keer was toen ze zei dat ze het erg vond dat haar zus dood was.'

'En de tweede keer toen ze zei dat zij het enige was wat haar zoon had.'

Hij knikte. 'Dat kwam gemeend over. Ze besteedt vijftigduizend aan een privéschool voor haar zoons kleuterschool terwijl zij nachtdiensten draait in het verpleeghuis. Dat slaat nergens op, tenzij de enige die ertoe doet haar zoon is. Ze zal alles doen en alles zeggen om hem te beschermen.'

'Ze is sluw, Brittany bedoel ik. Ze geeft ons net genoeg om achter de McClouds – de hele familie, niet alleen Rex – aan te gaan. Waarom? Ze heeft een bedoeling. Ik voel het.'

'Ik weet het. We moeten goed opletten hoe deze draad met die hele rotzooi verweven is.'

Paige fronste haar voorhoofd. 'Brittany zei dat Crystal was aangerand. Stel dat er iets met haar gebeurd is toen ze twaalf was. Toen ze een "MAC, Loud and Proud" was. Stel dat iemand haar daar heeft gemolesteerd.'

'Dan zitten we met een heel groot probleem.'

'We hebben Brittany's mobiele nummer. We kunnen haar bellen en het vragen. We hebben allebei een ander telefoonnummer dat niet met ons in verband staat, dus ze zal niet weten dat wij het zijn die bellen. Misschien neemt ze op.'

'Stevie heeft het nummer al verschillende keren gebeld. Brittany reageert niet.'

'Ze is op de vlucht,' zei Paige. 'Dat zou ik ook doen als ik in haar schoenen stond. Vooral omdat ze bijna onze dood is geworden. Ik zou absoluut voor mij op de vlucht slaan.'

'Laten we eens uitzoeken of Crystal inderdaad een van die MAC-kinderen is geweest,' stelde Grayson voor. 'Als dat zo is, dan levert dat een heleboel motieven voor haar om naar dat feest te gaan. En motieven voor degene die haar heeft vermoord.'

'We kunnen beginnen bij Crystals middenschool. Daar vragen of ze een MAC-kind was.'

'Maar we weten niet waar Crystal op de middenschool heeft gezeten.'

'Daar kan ik wel achter komen. Ik zal een paar telefoontjes moeten plegen. Drie, hooguit vier.'

'Ga je gang. Ik wil wel eens zien hoe je dat voor elkaar krijgt,' zei hij en ze begon te grijnzen.

'Een uitdaging. Hoe kan ik daar nou niet op ingaan? Telefoontje nummer één, Winston Heights High School, waar die schoolring vandaan kwam.' Ze zocht de website van de school met het telefoonnummer. 'Dat is het netnummer van Hagerstown en de kans bestaat dat Crystal daar op de middelbare school heeft gezeten.'

'Maar je wilt de middenschool.'

'Sst.' Ze koos het nummer met haar nieuwe mobieltje. 'Hallo? U spreekt met Mary Johnson. Ik ga de achtergrond na van een mogelijk nieuwe werkneemster. De sollicitant heet Jones, Crystal. Ze zou in 2004 eindexamen hebben gedaan... Natuurlijk heb ik even. Dank u.'

Grayson leek niet onder de indruk. Nog niet.

De vrouw van de school kwam weer aan de telefoon. 'Ze heeft nooit examen gedaan?' zei Paige. 'Is ze soms naar een andere school gegaan? ... Ik begrijp het. Ze was een vroegtijdige schoolverlater. Dat is zorgwekkend. Ik zou haar sollicitatie moeten verscheuren, maar ik mocht haar wel. Ik zou haar graag een tweede kans geven. Mag ik u nog iets vragen? Ze heeft op haar sollicitatieformulier ingevuld dat ze de middenschool op de Samuel Ogle School heeft gevolgd. Het zou geweldig zijn als u dat in ieder geval kunt bevestigen... Dat heeft ze niet? Waar heeft ze dan de middenschool gedaan? ... Longview Ridge. Hartelijk dank voor uw hulp.'

Paige verbrak tevreden de verbinding. 'Ik heb haar middenschool.'

'Ja, maar je weet niet of die school geld uit het mac-fonds kreeg en of zij een van de leerlingen was.'

'Een beetje meer vertrouwen graag. Telefoontje nummer twee naar de bibliothecaresse van de middenschool.'

'Waarom de bibliothecaresse?'

'Omdat alle kinderen daar vroeg of laat komen en omdat bibliothecaresses zich niet druk hoeven te maken over zaken als privacy zoals ze bij de administratie wel moeten doen. Bovendien heeft de bibliothecaresse vast geprofiteerd van het mac-programma, maar zeer waarschijnlijk zelf geen rechtstreeks contact gehad met de stichting, dus hoeven we ons geen zorgen te maken dat ze de McClouds op de hoogte brengt van ons gesnuffel.'

'En als het nou niet meer dezelfde bibliothecaresse is?'

'Dan kom ik wel achter de naam van de oude en dan bel ik haar. Stil,' siste ze toen hij zijn mond opende om opnieuw een tegenwerping te laten horen. Paige riep de website van de middenschool op en koos het centrale nummer. 'Mag ik de schoolbibliotheek, alstublieft?' Ze werd doorverbonden en een oudere dame nam op. Uitstekend.

'Met de bibliotheek. U spreekt met mevrouw White.'

'Hallo, mevrouw White. Ik ben Brittany Jones.' Graysons ogen werden groot. Hij deed zijn mond open, maar Paige gebaarde dat hij stil moest zijn. 'Mijn zus zat veertien jaar geleden bij u op school. Ze heette Crystal. Kunt u zich haar herinneren?'

'Even nadenken,' zei mevrouw White. 'Dat moet zijn geweest in... 1998? Dat was het jaar dat we de nieuwe computers kregen. Natuurlijk kan ik me Crystal herinneren. Ze had prachtige blonde krullen. Net gesponnen goud. Echt, als ik me goed herinner. Hoe gaat het met haar?'

'Eh, nou... ze is dood, mevrouw. Ze is zes jaar geleden vermoord.'

'O, hemel,' bracht mevrouw White geschokt uit. 'Wat vreselijk. O, lieve hemel.'

'Het wás vreselijk,' beaamde Paige. 'Ik was onlangs aan het verhuizen en toen kwam ik een paar van haar spullen tegen. Ik was eerder gewoon niet in staat om ze te bekijken, begrijpt u?'

'Dat begrijp ik,' zei mevrouw White verdrietig. 'Och, arm kind. Wat erg om dit te horen.'

'Crystal las me altijd voor. Door haar ben ik dol op boeken. Een van de dingen die ik tegenkwam tussen haar spullen was een boek uit uw bibliotheek. Dat is de reden dat ik u bel. Ik zou het graag willen houden, als u dat goedvindt. Dan stuur ik u een vervangend exemplaar.'

'Natuurlijk, kindje, natuurlijk. Dat is prima. Als er nog iets is wat ik voor je kan doen...'

'Misschien wel, mevrouw White. Iets anders wat ik in haar doos vond was een soort medaille. Van plastic. Ik weet nog dat ze hem kreeg toen ze bij u op school zat, maar ik kan me niet meer herinneren waarom. Hij is nogal beschadigd, maar er staat M-A-C op.'

'M-A-C?' De bibliothecaresse zweeg even. 'O, MAC. Dat was een liefdadigheidsprogramma onder leiding van een van de politici van de staat. McNeal. McGee. McNogiets. In de jaren negentig kozen ze een paar scholen die een jaar lang financiële steun kregen. Zo zijn we aan de nieuwe computers gekomen. Die zijn inmiddels allemaal verouderd. We hebben ze al twee keer vervangen.'

'Weet u nog waarom Crystal die medaille kreeg?'

'Ik neem aan dat die aan haar is uitgereikt op het feest van de liefdadigheidsinstelling. Elke school werd vertegenwoordigd door één kind. Dat feest werd gehouden bij die politicus thuis. Ik herinner me dat ze ijs kregen. De kinderen moesten een opstel schrijven met hun foto erbij en de stichting koos dan een kind.' Mevrouw White slikte hoorbaar. 'Crystal kreeg een nieuwe jurk. Die was blauw en ze was er zo trots op. Ze droeg hem de dag voor het feest naar school om me hem te laten zien. Ik denk dat jullie niet zo vaak een nieuwe jurk kregen. Met dat haar van haar... ze was net een porseleinen pop.'

Paige voelde dat haar keel samenkneep. 'Dank u. Dit betekent veel voor me.'

'Voor mij ook. Het is fijn om te weten dat ze een van mijn boeken heeft bewaard.' Er klonk een betraande lach. 'Ook al is die ondeugd na al die tijd een fortuin aan boete schuldig.'

'Ik stuur u een vervangend exemplaar,' beloofde Paige. Ze beëindigde het gesprek en staarde naar haar telefoon tot haar ogen ophielden te prikken. Grayson zag er ook uitgeput uit.

'Ze was erbij.' Paige knipperde haar tranen weg. 'Ze kreeg zelfs een nieuwe jurk. Er is daar toen iets gebeurd, Grayson. Iets waardoor ze acht jaar later op de avond van het feest terugging.'

'Iets waarvan ze dacht dat het haar een heleboel geld zou opleveren.' Hij zuchtte. 'Het is plotseling allemaal een stuk ingewikkelder geworden. Als er toen inderdaad iets is gebeurd, kan iedereen op het landgoed het hebben gedaan. En het is veertien jaar geleden.'

'Voor alle duidelijkheid, we hebben het allebei over aanranding. Seksueel van aard.'

'Dat zegt mijn gevoel. Dit wordt vreselijk lastig om zelfs maar aan te beginnen, laat staan om te bewijzen. Veertien jaar en niemand die aangifte heeft gedaan? Dat is geen goede combinatie.'

'Er is niemand om aangifte te doen, want ze is dood,' zei Paige gefrustreerd. 'Je geeft het toch niet op?'

'Nee, verdomme. Ik begin nog maar pas.'

20

Donderdag 7 april, 11.30 uur

Silas begon ongeduldig te worden. Hij hield de voordeur van zijn werkgever al de hele ochtend in de gaten tot hij naar buiten zou komen. Maar de enigen die hij had gezien, waren Grayson Smith en zijn privédetective die het gebouw binnen gingen, om een halfuur later weer tevoorschijn te komen. *Als jullie eens wisten hoe dichtbij jullie werkelijk waren.*

Zijn vinger aan de trekker jeukte. Hij keek op naar zijn persoonlijke mobieltje. Dat gold ook voor de vinger voor de herhaaltoets. Hij probeerde al een uur zijn vrouw te pakken te krijgen. Ze was te laat met zich melden. Misschien werd ze ergens opgehouden waar ze niet kon bellen. In een winkel, of zo. Violet moest nieuwe kleren hebben. Moest alles nieuw hebben.

Eindelijk ging zijn mobieltje over en hij bracht het naar zijn oor. 'Rose.'

'Nee. Niet Rose. In de verste verte niet.'

Zijn borst kneep samen. Zijn longen weigerden zich te vullen. 'Nee,' fluisterde hij.

'O, jawel.'

'Wat heb je met haar gedaan?'

'Wat gedaan moest worden. Zeg eens gedag, liefje.'

'Papa?' snikte Violet. 'Waar ben je. Mama is –' Ze werd abrupt tot zwijgen gebracht.

'Violet!' schreeuwde Silas.

'Nee, ik ben het weer,' zei zijn werkgever poeslief. 'De kleine Violet is gaan slapen. Maak je niet druk, alleen maar een narcosemiddeltje. Ze overleeft het wel – áls je meewerkt. Dat vertoon van drift van vanochtend stond me niet erg aan, Silas.'

'Blijf met je vingers van mijn kind.'

'Maar ik heb al aan haar gezeten.'

'Klóótzak.' Er welde een snik van woede en wanhoop op in zijn keel. 'Vuile, gore klootzak.'

'O, Silas, je denkt toch niet... Ik moest haar beetpakken om haar het hotel uit te krijgen waar je haar had verstopt. Ik heb niet op díé manier aan haar gezeten. Schaam je.'

Silas haalde moeizaam adem. 'Wat wil je?'

'Dat is een stuk beter. Ik wil Smith en die detective dood hebben. En daarna wil ik jou, ongewapend.'

'Je wilt ruilen? Mij tegen mijn gezin? Voor Rose en Violet?'

'Natuurlijk. Nou ja, Violet in ieder geval.'

Zijn hart stond stil. Stond gewoon... stil. 'Rose?' fluisterde hij.

'Ze heeft hard gevochten. Je kunt trots op haar zijn. Prima politie-echtgenote.'

Silas kreeg geen lucht. Hij kon geen lucht krijgen. *Rose.* 'Je liegt.' Hij moest wel liegen.

'Kijk maar eens naar je andere mobieltje. Ik heb je net een sms gestuurd.'

Silas deed wat hem was opgedragen en hij proefde gal in zijn keel. Het was een foto. Rose die in elkaar gezakt op de grond lag, haar hoofd onder het bloed. Woede kwam als een geiser in hem omhoog en verblindde hem. 'Ik maak je af, vuil hoerenjong.'

'Silas,' maande zijn baas hem op vriendelijke toon. 'Je moet het kind niet met het badwater weggooien. Dat wil het gezegde in ieder geval. Ik wil Smith en Holden dood hebben. Ik wil dat het snel gebeurt, voor ze nog meer problemen veroorzaken. Ik wil het vandaag nog achter de rug hebben.'

'En als het langer duurt?'

'Je hebt tot middernacht. Daarna... heb je een kleine kist nodig.'

Hij werd bevangen door een paniek die hem bij de keel greep. 'Hoe heb je ze weten te vinden?'

'Je vond het goed dat Violet haar pop meenam. Ik ben in haar kamer geweest. Het was heel simpel om een zendertje in de pop te stoppen.'

'Juist.' Hij sloot zijn ogen. 'Doe haar geen pijn. Alsjeblieft.'

'Ik vind het prettig wanneer je alsjeblieft zegt. Ik vind het nog prettiger wanneer je me gehoorzaamt. Dus, Silas, doe wat je gezegd wordt.'

De verbinding werd verbroken en Silas staarde verdoofd naar zijn telefoon.

Ik heb haar vermoord. Ik heb Rose vermoord. Hij had nog nooit zijn hand tegen zijn echtgenote opgeheven, maar hij had haar desalniettemin vermoord. *Mijn schatje. Die klootzak heeft mijn schatje.*

Hij sloeg zijn handen voor zijn gezicht en nam een besluit. *Het spijt me, Grayson. Ik heb geen andere keuze.* Hij had nog nooit een vriend vermoord. Vandaag zou de eerste keer zijn.

Donderdag 7 april, 11.45 uur

Grayson en Paige troffen Joseph aan op de veranda van het herenhuis, waar hij kwaad naar Peabody achter het raam naast de deur zat te kijken. Peabody zat met licht ontblote tanden naar hem te staren.

Paige moest om de situatie lachen, maar Joseph was niet blij.

'Die hond van je is een rotbeest.'

'Mijn hond is een schatje,' zei ze. 'Hij mag je gewoon niet.'

Joseph kneep zijn ogen samen. 'Dat zou hij wel doen als jij zei dat het moest.'

Ze haalde haar schouders op. 'Ik zal het tegen hem zeggen zodra ik zeker weet dat ík je wel mag.'

Grayson wist vrijwel zeker dat dat al het geval was, maar dat ze het leuk vond Joseph te jennen. Met drie zussen was Joseph het meer dan gewend om op stang te worden gejaagd. Diep in zijn hart vond hij het zelfs wel leuk. Hij wist dat zijn broer Paige diep in zijn hart graag mocht. Bij elke andere man dan Joseph zou Grayson jaloers zijn geweest.

'Vroeg of laat zou je willen dat je aardiger tegen me was geweest,' gromde Joseph.

Paige sloeg haar ogen ten hemel. 'Heb je niet, zeg maar, een baan of zo?'

'Ik heb inderdaad, zèg maar, een baan of zo. Een waar ik me op dit moment mee bezig zou moeten houden, behalve dat Romeo hier graag wil dat zijn Julia in leven blijft.'

'Aardig zijn voor elkaar, jullie,' zei Grayson vriendelijk. Joseph had een heel belangrijke baan, maar was zo van zijn stuk door de bomaanslag dat hij vrij had genomen, een feit dat zijn moeder hem die ochtend in vertrouwen had verteld. *Paige heeft haar waakhond, ik heb de mijne.*

Dat roerde hem. *Ik ben een gezegend mens.*

Grayson deed de deur van het slot en liet hen binnen terwijl hij Peabody achter de oren krabde. 'Paige, hij heeft een cadeautje voor je meegebracht. Het minste wat je kunt doen is tegen Peabody zeggen dat hij vriendjes moet worden.'

Joseph hield een papieren zak op. Paige keek erin en haalde vervolgens een kogelwerend vest tevoorschijn, dat ze aan haar pink omhooghield. 'Wat alle meisjes dit seizoen dragen.'

'Wat alle meisjes die in leven willen blijven dit seizoen dragen,' verbeterde Joseph. 'Ik heb hem van een collega geleend. Probeer er geen vlekken op te maken. Je weet wel, bloed en zo.'

Paige werd weer ernstig. 'Dank je. En ik heb niet tegen Peabody gezegd dat hij je niet mocht vertrouwen. Hij went meestal heel snel aan mensen, maar er is iets aan je geur wat hem bang maakt.'

Joseph keek geschokt. 'Ik maak hem bang? Hoezo. Ik ben dol op honden. Honden zijn meestal dol op mij.'

'Het is meer dat hij bang is voor mij.' Ze trok haar wenkbrauwen op. 'Al dat pure gevaar, weet je wel.'

'Het gedoe met dit-bandje-vernietigt-zichzelf.' Joseph meesmuilde. 'Dat krijg ik vaker te horen.'

Paige keek woedend naar Grayson. 'Je hebt hem verteld wat ik heb gezegd.'

Grayson haalde zijn schouders op. 'Hij is familie. Kom,' zei hij zacht. 'Trek eens aan. Alsjeblieft.'

Ze liet snuivend haar ongenoegen blijken, maar ging toch naar boven met het vest in haar hand. Grayson keek haar na, zijn blik gericht op haar kont. Hij keek weer naar Joseph maar zag dat zijn broer haar ook stond na te kijken. Grayson schraapte zijn keel.

Joseph grijnsde alleen maar. 'Hé, vanmorgen kwam ze spiernaakt onder jouw badjas de trap af en ik heb niet eens even gegluurd. Ik geloof dat ik wel te vertrouwen ben.'

'Dat weet ik wel. Het is dat pure gevaar, weet je.'

Joseph grinnikte. 'Ik weet het, ik weet het. Vrouwen worden er gek van.' Hij hief zijn hoofd en zijn blik flitste naar het raam naast de deur. Hij bleef even zonder iets te zeggen staan kijken. Toen liet hij zachtjes zijn adem ontsnappen. 'Grayson, er komt een vrouw je pad op in een gifgroen pak en bijpassende hoge hakken van een centimeter of tien. Haar benen komen zo'n beetje tot haar schouders.'

Grayson kende maar één vrouw die het lef had om gifgroene pakken te dragen.

'Daphne?' Grayson deed de deur open. Ze had een stomerijhoes met daarin een pak in haar ene hand en een mand met een handdoek erover in haar andere. 'Wat doe jij hier?'

'Je spullen van de stomerij thuisbezorgen, liefje,' zei ze lijzig. Ze wierp één blik op Joseph en bleef staan. 'Nou, nou, nou. Ik wist niet dat je gezelschap had.'

Ze bekeek Joseph vol interesse, een reactie waar Grayson al aan gewend was sinds Joseph en hij op de lagere school zaten. De dames gaven altijd de voorkeur aan Joseph. *Behalve Paige. Die geeft de voorkeur aan mij.* Die gedachte maakte hem warm.

'Ik had jou hier ook niet verwacht.' Grayson deed de deur dicht. 'Joseph, mijn assistente Daphne Montgomery. Daphne, mijn broer Joseph Carter.'

Daphne nam Joseph op door het brilletje op het puntje van haar neus. 'Ik zou je dolgraag een hand geven, schat, maar de mijne zijn op dit moment een beetje vol.' Ze stak Grayson de stomerijhoes toe. 'Als je zo vriendelijk zou willen zijn.'

Grayson nam zijn pak aan en hing het in de kast terwijl zij Joseph de hand schudde.

'Heel aangenaam kennis te maken, meneer Carter.' Ze duwde Joseph de mand in zijn handen. 'Muffins met maanzaad. Zelf gebakken. Dat zijn Graysons lievelingsmuffins, maar er is genoeg voor iedereen. Zou je ze even naar de keuken willen brengen?'

Joseph deed wat hem was gevraagd en keek over zijn schouder om Daphnes benen nog eens goed te bekijken voor hij de keuken binnen ging. Dat was ook Graysons reactie geweest toen hij Daphne voor het eerst in een van haar minirokken zag. Het gerucht ging dat ze danseres in Las Vegas was geweest, maar als dat waar was, dan stond het niet in haar cv.

Ze had altijd wat passender kleding op kantoor voor de dagen dat ze naar de rechtbank moest, dus Grayson had geen reden om zijn beklag te doen over haar gifgroene pakken. Hij was uiteindelijk gewend geraakt aan haar neonkleurige garderobe, maar dat was niet meegevallen.

'Die broer van je zegt niet veel,' was Daphnes commentaar toen ze alleen waren.

Grayson moest tot zijn eigen verrassing lachen. 'Ik moet zeggen dat ik je gemist heb.'

'Maar natuurlijk heb je me gemist, liefje,' zei ze spottend. 'Ik zorg altijd voor een beetje leven in de brouwerij.'

Hij werd weer ernstig. 'Je bent niet echt hiernaartoe gekomen om mijn spullen van de stomerij te brengen. Wat is er aan de hand?'

'Stevie zei dat ze hier met je had afgesproken, dus ik hoopte al dat ik je te pakken zou krijgen. Je bent de afgelopen dagen zo'n bezig baas-je.' Ze haalde een kleine envelop uit haar handtas. 'Die is voor jou be-zorgd. Persoonlijk. Van ene Mal de kabelman.'

Graysons ogen werden groot. 'Het vriendje van Brittany? Wat zit erin?'

'Ik heb geen röntgenogen, Grayson,' bitste ze. 'Maak zelf maar open.'

Grayson keek op en zag dat Joseph tegen de deurpost van de keuken geleund stond met een halve muffin in zijn hand. De andere helft zat in zijn mond. Hij keek met grote interesse toe.

Grayson scheurde de zijkant van de envelop open en er gleed een sleuteltje uit. 'Sleutel van een kluisje. Geen briefje. Wat heeft Mal de kabelman gezegd?'

'Niet veel. Brittany heeft hem gebeld om te vertellen waar hij die sleutel kon vinden en gevraagd of hij die bij jou wilde afgeven. Hij mocht hem niet per post sturen, maar moest ervoor zorgen dat iemand ervoor tekende.'

'Heb je getekend?' vroeg Joseph en ze knikte.

'Ja. Mal leek niet zo blij met alles. Hij had niet geslapen. Ik vroeg hem waar Brittany naartoe was. Hij zei dat hij de hele nacht had rond-gereden om haar te vinden.'

'Ze is ondergedoken,' zei Grayson. 'Hoe laat heeft ze volgens Mal gebeld?'

'Nadat jouw auto de lucht in was gegaan. Ik zou ook bang zijn. En zij zit nog met een kind en zo.'

'Het past,' kondigde Paige aan terwijl haar voetstappen krakend van de trap kwamen. 'Maar het beperkt wel mijn keuze in kleding aan-zienlijk.' Ze kwam tevoorschijn en hield een hand tegen de V-hals van haar shirt, waar het vest zichtbaar was. Haar ogen werden groot. 'Jij moet Daphne zijn.' Met uitgestoken hand liep ze de laatste treden af. 'Leuk om je eindelijk te ontmoeten. Ik ben Paige.'

Daphne schudde Paige stevig de hand. 'Het is een genoegen om de vrouw te ontmoeten die ervoor gezorgd heeft dat meneer hier eindelijk eens een paar dagen vrij neemt. Ik kan niet zeggen dat de manier waarop me aanstaat, maar ik vind het resultaat prima.'

Paige lachte en wierp vervolgens Joseph over haar schouder een blik toe. 'Haar vind ik leuk.'

Iemand klopte aan de voordeur en Daphne wrong zich in bochten om door het zijraam te kunnen kijken. 'O, Stevie is er.'

'Ze komt de bankafschriften en de medaille van Crystal halen,' zei Grayson.

Daphne deed de deur open. 'Kom binnen, schat. Je ziet er niet uit.'

'Dank je,' antwoordde Stevie. 'Ik ook van jou.'

Daphne haalde haar schouders op. 'Ik ben gewoon eerlijk.'

Toen Stevie Paige in de gaten kreeg, hield ze een plastic tasje omhoog. 'Make-up van mijn zus Izzy.'

Paige greep het tasje vast alsof er een schat in zat. 'Dank je. Ik voel me de hele dag al zo naakt.'

Joseph schraapte zijn keel en Grayson wierp hem een waarschuwende blik toe alvorens zich tot Stevie te wenden. 'Ik neem aan dat het nog niet gelukt is om Silas te vinden?' zei hij en ze schudde met een doffe, bezorgde blik haar hoofd.

'We hebben een opsporingsverzoek gedaan. Gewapend, voorzichtig benaderen. Net als bij elke andere moordenaar. Rose neemt ook niet op. Kom alsjeblieft met een beetje goed nieuws.'

Grayson en Paige wisselden een blik. 'Dat hebben wij net zomin,' zei Grayson.

'Eerder het tegenovergestelde,' voegde Paige er met een zucht aan toe.

'Laat maar horen.' Stevie ging vermoeid aan de eettafel zitten. 'Ik ben er klaar voor.'

Grayson, Paige en Daphne gingen bij haar aan tafel zitten. Joseph bleef in de deuropening naar de keuken staan en luisterde toe terwijl zij vertelden over hun bezoek aan Reba in haar kantoor, de ontdekking van het MAC-programma en over de bibliothecaresse die bevestigde dat Crystal inderdaad een van de kinderen was geweest die in 1998 op het landgoed waren uitgenodigd.

'Daar is iets met haar gebeurd,' zei Paige. 'Iets wat ervoor gezorgd heeft dat ze acht jaar later terugkwam met de bedoeling een heleboel geld binnen te halen. Het valt niet mee om niet het ergste te denken.'

'Dat is walgelijk,' zei Daphne. 'En verdomde triest.'

'Maar het gebeurt.' Stevie keek somber. 'Maar al te vaak.'

'Ik wil de archieven van het MAC-liefdadigheidsfonds inzien,' vertelde Grayson. 'Maar zonder een levende eiser is onze enige hoop dat er nog andere slachtoffers waren en iemand zich meldt.'

'Je gaat ervan uit dat Crystal is misbruikt.' Joseph sprak zacht. 'Stel dat dat niet waar is, wat dan?'

'We moeten nog steeds zien uit te zoeken wie haar heeft vermoord,' zei Grayson. 'Voorlopig is dat Rex, maar met wat we tot nu toe hebben lukt het me nog niet eens om hem in staat van beschuldiging gesteld te krijgen. Ik denk niet dat er na al die tijd nog fysiek bewijs te vinden is. Ik moet een getuige vinden die niet stoned of dronken was die avond en die Rex uit de tuinschuur heeft zien komen met de bebloede snoeischaar en ik denk niet dat dat gaat gebeuren.'

Joseph wees naar het sleuteltje. 'De zus weet iets. Brittany.'

'We hebben voor haar en haar kind ook een opsporingsverzoek laten uitgaan,' zei Stevie. 'Als ze haar eigen auto gebruikt, dan heeft ze binnenwegen genomen. Ze is langs geen enkele tolpoort gekomen.'

'Ze heeft ook geen creditcards gebruikt,' wist Paige te melden en iedereen staarde haar aan. 'Wat? Dat is niet zo moeilijk. Mijn telefoon piept als een van haar creditcards wordt gebruikt.'

'Ze is ondergedoken,' zei Daphne. 'Waarschijnlijk doodsbenauwd dat ze zal worden opgeblazen. Jammer dat we niet weten bij welke bank ze haar kluisje heeft.'

'Misschien weten we dat wel.' Grayson liep naar zijn kluis en haalde de envelop tevoorschijn die Brittany hun een dag eerder had gegeven. 'Crystal had een rekening op Brittany's naam en Brittany heeft die tot een halfjaar geleden aangehouden. Misschien is de kluis daar.'

'We zullen een huiszoekingsbevel moeten hebben om hem te kunnen openen.' Stevie keek naar Daphne.

'Schrijf maar op, liefje. Ik zorg wel dat een rechter het tekent.'

'We moeten ook een gerechtelijk bevel hebben voor Brittany's bankrekening,' herinnerde Grayson zich. 'Daar had ik gisteravond om willen vragen, maar het werd een beetje druk.'

'Mag ik die sleutel even zien?' vroeg Paige en toen Grayson hem aan haar gaf, hield ze hem tegen het licht. 'Herinner je je die kleine afdrukken nog in het lint van die medaille? Ik durf te wedden dat ze overeenkomen met de tanden van dit sleuteltje. Brittany bewaarde de sleutel bij de medaille. Ze heeft hem bewust achtergehouden.'

'Wat is die meid van plan?' vroeg Stevie zich af.

'Dat is de reden dat we toegang moeten krijgen tot dat liefdadigheidsfonds,' zei Grayson. 'Brittany kletst een eind weg, maar ze heeft ons die medaille gegeven met een bepaalde reden.'

'Ik kan wel naar Reba's kantoor gaan,' opperde Daphne rustig. 'Ik kan net doen of ik Paige's sponsor ben.'

Alle ogen gingen haar richting uit en er viel even een ongemakkelijke stilte. Grayson wist niet goed wat hij moest zeggen. 'Daphne, ik, eh, waardeer dat, maar jij bent... gedenkwaardig. Als iemand je ooit in de rechtszaal heeft gezien, dan word je meteen doorzien.'

Daphnes mondhoeken gingen omhoog. 'Gedenkwaardig, dat staat me wel aan.' Ze pakte haar enorme oranje handtas van de vloer. 'Ik zie je later wel. Nee, blijf zitten. Ik kom er wel uit.'

Grayson vertrok zijn gezicht toen de deur achter haar dichtging. 'Ik heb haar gekwetst.'

Paige gaf hem een klap tegen zijn arm. 'Denk je? Je meent het.'

'Maar ze is gedenkwaardig.' Grayson wreef over zijn arm. 'Au.'

'Geen enkele vrouw wil op zo'n manier "gedenkwaardig" worden genoemd,' zei Joseph bestraffend. 'En zeker niet een vrouw als zij.'

Stevie wierp Grayson een medelijdende blik toe. 'Dat zul je moeten goedmaken, maar vraag me alsjeblieft niet hoe. Je staat er alleen voor.'

'Geweldig.' Hij staarde somber naar de deur. 'Ik bedenk wel iets. Wat doen we tot die tijd aan Reba McCloud en de boeken van MAC?'

'We zullen een undercoveroperatie moeten opzetten,' zei Stevie, 'maar dat kost tijd.'

'Hoeveel tijd?' wilde Joseph weten.

'Hoezo?' Stevie hield haar hoofd schuin. 'Had je iets anders in gedachten?'

'Een vaag idee. Waarschijnlijk onuitvoerbaar.'

Grayson keek hem onderzoekend aan. 'Wil jij het doen? Wil jij onze sponsor zijn?'

'Als we niemand anders kunnen vinden. Ik heb de bankrekening waar Reba naar op zoek is en een zus die gebaat is bij de school van Paige. Ik zou geloofwaardig zijn als sponsor.'

'Als ze niet je loopbaan natrekt. "FBI" valt nogal op.' Paige klopte hem op zijn arm. 'Als ik echt met mijn school begin, klop ik bij jou aan voor het geld.'

Joseph fronste zijn voorhoofd. 'Ik dacht dat het alleen maar voor de schijn was.'

'Nee, dat is het niet.' Ze keek naar Stevie. 'Hoeveel tijd kost het om een undercoveroperatie op te zetten?'

'Een dag of wat.'

Grayson knikte. 'Doe het maar,' zei hij tegen Stevie. 'Als je wilt.'

'Ik zal ermee beginnen zodra ik terug ben op het bureau. Tot die tijd staat Kapansky boven aan mijn lijstje, want hij is de beste link die we hebben met de man die betaald heeft voor de aanslag op jullie.'

'Als hij nog leeft,' zei Paige. 'Misschien heeft Silas hem vermoord.'

Stevie deinsde terug. 'Afgaande op het bloedverlies is Kapansky vrijwel zeker dood. Maar als hij kans heeft gezien te overleven, dan had hij dringend behoefte aan medische hulp. Hij is niet bij ziekenhuizen in de buurt geweest, dat heb ik nagetrokken. Ik heb zijn flat doorzocht. Geen bankafschrift te vinden.'

'Zijn geld vinden kan wel een tijdje in beslag nemen,' zei Grayson. 'Veel ex-gevangenen zetten een rekening op naam van een familielid zodat we er niet aan kunnen komen.'

'We trekken op dit moment zijn naaste verwanten na. Hij heeft een moeder, maar die werkt tot nu toe niet erg mee.'

'Wie houdt zich met haar bezig?' vroeg Grayson.

'Morton en Bashears.'

Paige sloeg haar ogen ten hemel. 'Geweldig. Het zou best kunnen dat die twee erbij betrokken zijn.'

'Dat denk ik niet,' zei Stevie. 'Bashears wilde het feit dat Sandoval geen zelfmoord heeft gepleegd in de openbaarheid brengen. Er werd hem te verstaan gegeven dat als hij ook maar één woord zou zeggen, hij zijn pensioen zou kwijtraken. Ik denk niet dat ze dat kunnen waarmaken, maar het is wel nogal een dreigement. Maar ik had uiteraard ook nooit durven dromen dat Silas erbij betrokken was, dus misschien zie ik het allemaal niet zo goed.'

'Je hebt jezelf niets te verwijten. Stevie,' zei Grayson.

'Waarom zou ik?' vroeg ze bitter. 'Interne Zaken doet dat wel voor me. Hyatt gelooft dat ik er niets van afwist, maar met IZ weet je het maar nooit. Hoe zit het met jouw baas, Grayson? Hij wist van Muñoz. Hij is er beslist bij betrokken.'

'Dat klopt.' Grayson bracht hen op de hoogte van de resultaten van zijn onderzoek naar de zaken waarin Anderson en Bond hadden opgetreden. 'Daarvan waren er een stel doorgestoken kaart en dat moet ik iemand vertellen. Alleen wel aan de juiste persoon.'

'Denk je dat zijn superieuren het weten?' vroeg Joseph, die op de stoel ging zitten die was vrijgekomen door Daphnes vertrek.

'Ik weet het niet. Tot die tijd wil ik er zeker van zijn dat ik niet met de verkeerde praat. Als ik hem officieel aangeef, dan krijgt hij dat vroeg of laat te horen en dan laat hij alles verdwijnen wat tegen hem gebruikt kan worden.'

'Met inbegrip van mensen?' vroeg Joseph nuchter.

'Misschien wel. Dat hij opdracht heeft gegeven voor de aanslag van gisteravond is meer dan eens bij me opgekomen. Hij zou zelfs de man op de foto kunnen zijn die Sandoval uitbetaalt.' Hij trok een gezicht. 'Ik moet iets eten. Mijn maag is al aan het rommelen sinds we hier binnenstapten.'

'Ik heb vleeswaren meegenomen voor het geval iemand zin heeft in een sandwich,' zei Joseph.

Grayson keek hem dankbaar aan. 'Ik waardeer het heel erg wat je allemaal hebt gedaan.'

Joseph haalde zijn schouders op. 'Ik heb nog helemaal niets gedaan.'

'Nieuwe telefoons, nieuwe laptop, ons je auto lenen.' Paige trok even aan het boord van haar kogelwerende vest. 'Mijn nieuwste ondergoed. Je hebt heel veel gedaan, Joseph. Ik weet dat je een belangrijke baan hebt en dat je ten behoeve van ons vrij hebt genomen. Dank je.'

'Toch mag je die afgeschermde internetkaart niet houden.' Joseph voelde zich duidelijk niet op zijn gemak bij alle lof. 'Ik ga het brood en beleg halen.'

Stevie kwam ook overeind. 'Ik moet ervandoor. Ik heb werk te doen.'

'Je moet wel eten, Stevie,' zei Joseph. 'Je ziet er echt belabberd uit. Je haalt al twee nachten door.'

'Dat geldt ook voor hen.' Stevie wees naar Grayson en Paige.

'Maar zij hebben seks,' voerde Joseph aan en Paige verslikte zich. 'Dat is verkwikkend. Je moet eten, net als de rest van ons die geen seks krijgen.'

Stevie lachte en Grayson wist dat dat Josephs bedoeling was geweest. 'Ik maak mijn sandwich wel om mee te nemen. Ik moet echt terug, dan kan ik beginnen aan de operatie om tot de intieme kring van Reba door te dringen.'

Silas was ongerust. En er klaar voor. Maar zijn handen waren klam. *Ze weten dat ik het ben.* De politie had een opsporingsverzoek uit laten gaan. *Alsof ik de eerste de beste doodgewone crimineel ben.* Maar was dat niet zo?

Hij keek vanaf zijn positie op het dak van het huis tegenover de woning van Grayson Smith naar de straat. Er zat één goede kant aan die oude herenhuizen in Baltimore – veel ervan hadden een borstwering langs de dakrand, perfect om je achter te verbergen. Het huis dat Silas had uitgekozen was hoger dan de twee aan weerszijden. Niemand kon hem zien, niet van de voorkant en niet van opzij.

Belangrijker nog, het had een zwart dak. Heel geschikt om in op te gaan. Vooral als de politie de zoektocht vanuit de lucht zou voortzetten. En dat zou vroeg of laat gebeuren. *Ik moet overal op voorbereid zijn.*

Hij hoefde alleen maar geduld te hebben, want het andere positieve punt aan het huis van Smith was dat het geen garage had. De auto's stonden gewoon langs de stoep geparkeerd. Smith en Holden zouden uiteindelijk een keer het huis moeten verlaten.

Ze waren binnen, samen met een andere man. Hij was groot, maar niet zo groot als Smith, die schouders had zo breed als een schuurdeur. Het zou geen enkel punt zijn om Smith door het hart te schieten. Maar die tweede vent blokkeerde steeds zijn uitzicht.

Silas kon door de ramen aan weerszijden van de deur in het huis kijken. Alles wat hij nodig had, was een vrij schootsveld op ofwel Holden, ofwel Smith. Als hij de een had neergeschoten zou de ander zijn geliefde te hulp schieten. Zo zat de mens nu eenmaal in elkaar.

Hij zou die andere vent ook moeten vermoorden, want als hij iemand in leven liet, dan zou die het alarmnummer bellen. Dat kon Silas niet gebruiken. Hij moest de mogelijkheid hebben om te ontsnappen. Hij moest zijn werkgever laten boeten. Want Silas was absoluut niet van plan zichzelf te ruilen tegen Violet. Hij zou die klootzak doden en zijn kind bevrijden. Of doodgaan bij die poging.

Je best doen is niet genoeg. Hij zou Violet bevrijden. En dan zouden ze met z'n tweeën ver weg gaan. Om te herstellen. *Rose, het spijt me zo.* Hij moest haar lichaam hebben. Haar begraven. Rouwen. Maar rouw was een luxe die hij zichzelf niet kon toestaan. Hij moest wachten, zijn vinger klaar houden. Zodra Grayson of Paige zich voor dat raam vertoonde, moest hij schieten.

Hij moest doden. Dat zou geen punt moeten zijn. Hij had er al zo veel vermoord.

Maar toch had hij klamme handen en zijn lichaam beefde. Hij zag voor zich hoe Stevie zijn kluis had gevonden, het bankboekje en de wapens had aangetroffen. Ze zou ballistisch onderzoek op de pistolen laten doen en al die zaken kunnen sluiten. De families rust geven.

Hij hoopte dat hij haar carrière geen schade had berokkend. Want dat zou niet eerlijk zijn. Ze was de beste rechercheur die hij ooit had gekend. *Beslist beter dan ik.* Ze verdiende dit niet. Dat gold ook voor Smith. Hij was een verrekt goede aanklager. Hij had alleen de verkeerde tegen de haren in gestreken. Charlie Anderson was altijd op zoek geweest naar een kans om Smith te vermorzelen.

Het was jammer dat Grayson zo'n achilleshiel had. Hij kon er niets aan doen wie zijn vader was. *Maar we hebben allemaal onze kwetsbare punten. Die van mij was Cherri. Ik zou mijn leven voor haar hebben gegeven.* Silas wist dat hij dat voor dit allemaal voorbij was misschien wel zou doen.

Donderdag 7 april, 13.05 uur

'Wat nu?' vroeg Paige terwijl ze de restanten van hun lunch opruimde. Stevie was terug naar het bureau en nu waren alleen zij, Grayson en Joseph, die geen aanstalten maakte te vertrekken, nog in huis. Terwijl ze Joseph gadesloeg, was ze tot de conclusie gekomen dat hij ernstig geschokt was door het feit dat ze maar net aan de dood waren ontsnapt. De broers waren dol op elkaar, ook al waren ze geen bloedverwanten.

Als ze niet al tot de conclusie was gekomen dat ze Joseph mocht, dan zou dat de doorslag hebben gegeven.

'Ik ga Charlie Anderson vragen of hij met me wil afspreken,' zei Grayson.

'Wat?' Joseph ontplofte bijna. 'Je zei dat je hem niet wijzer wilde maken.'

'Dat ben ik ook niet van plan. Ik ga proberen hem af te kopen. Luister, hij heeft gedreigd dat hij mijn geheim aan iedereen zou vertellen als ik mijn handen niet van de zaak Muñoz af trok. Hij weet niet dat ik het iedereen die ertoe doet al heb verteld. Ik ga mijn voordeel doen met de ontploffing van gisteravond en tegen hem zeggen dat ik nog eens goed heb nagedacht. Ik ga hem geld bieden om zijn mond te houden. Als hij erop ingaat, dan heb ik mijn bewijs.'

Paige's eerste reactie was net als die van Joseph, maar ze bleef kalm. 'Stel dat hij jouw omkopingspoging gebruikt om jou van corruptie te beschuldigen. Dan heeft hij ook zijn bewijs.'

'Daar heb ik aan gedacht,' zei Grayson effen. 'Ik vraag Stevie of ze ervoor wil zorgen dat Hyatt ook bij die bespreking is en voor Anderson komt vertel ik ze allebei de waarheid. Over mijn naam.' Hij haalde zijn schouders op. 'Zo'n geheim is het nu ook weer niet. Iedereen weet het al.'

'En als Anderson je probeert te vermoorden?' vroeg Joseph. Hij was een beetje bleek geworden.

'Ik moet het weten, Joseph.'

'Mag ik je dan tenminste beschermen?' vroeg Joseph.

'Oké, maar ik wil het vanmiddag afhandelen. Als hij erachter komt dat ik bij Reba ben geweest, dan is mijn beslissing om toe te geven aan zijn dreigement niet geloofwaardig meer. Ik wil de bom ter sprake brengen. Zijn gezicht zien.'

'Weet je het wanneer hij liegt?' vroeg Paige.

'Ik denk het wel. Ik moet het proberen.'

'Je krijgt afluisterapparatuur,' stelde Joseph.

'Oké. Tuig me maar op.' Ze bespraken de details en raakten daar zo in verdiept, dat ze allemaal schrokken van de klop op de deur. Grayson boog zich over de tafel om door het zijraam te kunnen kijken. 'Verwachtte jij een vrouw, Joseph?'

'Ikke niet. Blijf hier. Ik kijk wel wie het is.' Hij deed de deur een klein stukje open. 'Ja?'

'Ik ben op zoek naar mevrouw Holden.' De stem van de vrouw klonk afgemeten. Beschaafd.

'Mag ik vragen waar het over gaat?' vroeg Joseph. Zijn eigen stem klonk anders, hoorde Paige. Normaal gesproken was het een zware stem, maar hij was plotseling heel minzaam geworden. Haar nieuwsgierigheid was geprikkeld.

'Ik heb een zakelijk voorstel. Mag ik binnenkomen?'

'Natuurlijk,' zei Joseph, en de vrouw gleed op haar heel dure schoenen de hal binnen. Haar jurk was net zo kostbaar. Elegant. Haar blonde haar was op dezelfde Franse manier gekapt als bij Reba het geval was geweest.

Het zouden de Vrouwen van Stepford kunnen zijn, dacht Paige. Vervolgens leunde ze achterover toen het haar begon te dagen. Ze kon haar ogen niet geloven en ze moest zich tot het uiterste inspannen om niet in lachen uit te barsten. Grayson had nog niet in de gaten wie hij voor zich had. Joseph deed de deur dicht zonder ook maar een ogenblik zijn blik van de vrouw af te wenden.

'Ik ben Paige Holden,' zei Paige, die het spelletje meespeelde. 'En u bent?'

De vrouw glimlachte. 'Ik heb begrepen dat u een sponsor zoekt voor een non-profitorganisatie.'

Grayson kwam langzaam overeind. 'Hoe kunt u dat weten?'

'Ik heb Reba gesproken. Ze heeft me een paar bijzonderheden verteld. Ik zou graag meer willen weten.'

Paige grinnikte. 'Grayson, je moet beter kijken. Nog beter.'

Hij deed wat hem werd gezegd en zijn mond viel letterlijk open. 'Dáphne?'

Daphne glimlachte, niet de open, heerlijk warme glimlach die Paige eerder had gezien, maar een heel ingetogen, beschaafde glimlach. De vrouw was verbluffend goed.

Paige stond op en liep om Daphne heen. Ze wees naar de jurk. 'Mc-Queen?'

'Ja,' antwoordde ze zedig. 'Je hebt er oog voor.'

'Een luxe smaak, maar geen geld, vrees ik.' Paige kwam dichterbij en bestudeerde Daphnes vlekkeloze make-up. 'Je ziet er tien jaar jonger uit. Wat heb je precies gedaan?'

'Tot nu toe zichzelf opgemaakt om er tien jaar ouder uit te zien,' zei Joseph zacht.

Daphne nam hem nadenkend op. 'Jij hebt er ook wel oog voor.'

'Maar waarom?' vroeg Paige. 'Waarom zou je er elke dag ouder uit wíllen zien?'

Grayson ging abrupt zitten. 'Het gaat om Ford, hè? De make-up, het haar.'

'Wie is Ford?' wilde Joseph weten.

'Mijn zoon.' Daphne volhardde in haar beschaafde houding. Haar waardigheid. 'Hij is negentien.'

'O,' zei Paige ademloos terwijl ze in haar hoofd aan het rekenen sloeg. 'Jij bent, wat, vijfendertig?'

'Zo ongeveer,' mompelde ze. 'Ik was op twee weken na zestien toen hij geboren werd. Als je dat geweten had, Grayson, wat zou je dan van me hebben gedacht?'

'Ik zou niet anders over je hebben gedacht,' zei Grayson. 'Misschien beter. Jonge moeder, heeft haar zoon opgevoed tot een aardige jongeman. Ik ben een beetje boos op je dat je dacht dat ik minder over je zou denken.'

'Dat zou jij misschien niet hebben gedaan, maar anderen hebben dat wel gedaan. Ze twijfelen aan je verstand en of je wel in staat bent om beslissingen voor jezelf te nemen. Ze denken dat je wispelturig bent. En stom. En irritant.'

'Dat zou ik niet hebben gedacht.'

'Je vindt me irritant.'

'Dat is waar,' gaf hij toe. 'Maar alleen maar omdat je me bemoedert. En omdat je maar perzikgebak voor me bleef maken. En je haar trekt bijen aan.'

'Was dat lekker?' vroeg Joseph. 'Dat perzikgebak, bedoel ik.'

'Het beste van heel Riverdale, West Virginia,' antwoordde Daphne. 'Het spijt me, Grayson. Ik had niet mogen aannemen dat je minder over me zou denken. Maar mensen hebben dat wel gedaan.'

'Nu moet ik alles weten ook,' zei Paige. 'Hoe kom je aan die kleren?'

'Die zijn van mij. Uit mijn vorige leven. Ik was getrouwd. Toen gescheiden. Jongere secretaresse, het oude liedje. Je denkt dat het jou niet zal overkomen, tot het gebeurt.'

'Zwijn,' mompelde Paige.

Daphne glimlachte. 'Goed geformuleerd. De echtgenoot wilde een bepaald soort vrouw. Ik wilde graag behagen. Ik ben mezelf in die tijd kwijtgeraakt. Na de scheiding werd ik weer wie ik eerst was. Compleet met bijenlokkend suikerspinkapsel. Wat je nu ziet is maar schijn. Wat je vanmorgen zag ben ik.'

'De jij van vanmorgen vond ik leuk. Maar ik wil wel kleren lenen van de schijndame.'

Daphne lachte hees. 'Wanneer je maar wilt. Ik heb kasten vol kleren die ik in geen jaren gedragen heb. En dat is nog nadat ik het meeste heb weggegeven aan de liefdadigheid.'

'Vertel, heb je echt met Reba gesproken?' vroeg Grayson. 'Of was dat ook maar schijn?'

'O, ik heb haar echt wel gesproken. Ze zal intussen wel mijn banksaldo en mijn sociale status hebben nagetrokken en tot de conclusie zijn gekomen dat ik heel aantrekkelijk ben als sponsor.'

'Hoe heb je dat voor elkaar gekregen?' vroeg Paige.

Daphne wierp haar een knipoog toe. 'Omdat ik rijk ben, liefje,' zei ze op haar lijzige manier. 'Stinkend rijk.'

'Je hebt het zwijn uitgekleed, goed gedaan.'

Er flikkerde iets in Daphnes ogen. 'Paige, we hebben over anderhalf uur een afspraak met Reba. Ben je van plan om dat aan te houden? Want ik kan je kevlar zien.'

'Waag het niet om zonder het vest de deur uit te gaan,' beval Grayson. 'En waag het niet om daar alleen heen te gaan. Ik ga met jullie mee.'

'Reba mocht je niet,' zei Paige. 'Je hebt haar familienaam bezoedeld.'

'Ik ga wel mee,' opperde Joseph.

'Nee, want jij moet Grayson beschermen als hij de confrontatie met Anderson aangaat.' Paige stak haar hand uit naar Graysons gezicht en raakte even zijn voorhoofd aan naast de wond van de avond ervoor. 'Ik ga nergens alleen heen. Beloof me dat jij dat ook niet doet.'

Hij draaide zijn gezicht en drukte zijn lippen op de binnenkant van haar arm. 'Beloofd.'

Daphne keek bedenkelijk. 'Wat is dat voor halfbakken plan? De confrontatie met Anderson aangaan?'

'Het is maar voor een kwart gebakken,' zei Joseph. 'Zeg tegen hem dat je bij Guiseppe wilt afspreken.'

'Wie is Guiseppe?' vroeg Daphne fluisterend aan Paige.

'Italiaans restaurant,' fluisterde Paige terug. 'Geweldige carbonara.'

'Ik wil Giuseppe of zijn familie niet in gevaar brengen,' zei Grayson tegen Joseph.

'Maak je geen zorgen. Ik heb zijn restaurant al een paar keer gebruikt. Hij... vindt het niet erg.'

Dat was alles wat Joseph zei en hoewel Paige graag meer wilde weten, vroeg ze er niet naar.

'Ik bel Anderson,' zei Grayson. 'Ik zal ook tegen Stevie zeggen dat we geen undercoveroperatie hoeven op te zetten. Maar alleen als je niet alleen gaat.'

'Ik zal Clay vragen,' stelde Paige voor. 'Hij kan net doen of hij Daphnes lijfwacht is. Hij houdt zich toch al met beveiliging bezig, dus hij komt geloofwaardig over. En capabel.' Ze ging op haar tenen staan en drukte een kus op zijn wang toen hij niet overtuigd leek. 'Maak je niet druk. Het komt goed. Ga nu maar bellen.'

Ze keek hem na en belde toen met Clay. Hij was kortaf, zoals gebruikelijk, vooral toen hij hoorde van Graysons ontmoeting met Anderson. Maar uiteindelijk stemde hij ermee in.

'Mijn partner is hier binnen twintig minuten,' zei ze tegen Daphne. 'Terwijl we wachten, moeten we onze aanval plannen. Je moet je nieuwsgierig tonen naar het MAC-programma.'

'Ik kan vreselijk nieuwsgierig zijn. Wat willen we precies bereiken?'

'Ik wil de namen van de kinderen, het jaar waarin ze aan het programma hebben deelgenomen en de school waar ze op zaten. Dan kan ik uitzoeken waar ze nu uithangen. En ik wil de groepsfoto's. Het programma heeft zestien jaar gelopen met twaalf kinderen per jaar. Dat zijn een heleboel potentiële slachtoffers. Daarna gaan we op zoek naar patronen, overeenkomsten. Alles wat in het oog springt.'

'Je gaat er nog steeds van uit dat Crystal is misbruikt,' zei Joseph. 'Misschien heeft ze iets gezien. Misschien een moord.'

'Geloof je dat echt?' vroeg Paige.

'Nee, maar als je maar naar één ding zoekt, zou je iets anders wel eens over het hoofd kunnen zien.'

'Begrepen.' Paige dacht aan wat er komen ging. 'Ik zal een minicamera nodig hebben. Ik maak liever foto's van de dossiers dan dat ik ze botweg steel.'

'Ik heb wel een camera die je kunt gebruiken,' bood Joseph aan.

Paige glimlachte. 'Dat had ik op de een of andere manier wel verwacht.'

Grayson kwam weer de kamer binnen, zijn lichaam gespannen. 'Anderson heeft ingestemd met een ontmoeting. En ik heb Stevie de waarheid verteld.'

'Hoe reageerde ze?' vroeg Paige zacht.

'Ze was nogal verbijsterd. Toen kwaad omdat Anderson dat tegen me zou gebruiken. Toen ziedend omdat ik haar dat al niet jaren geleden heb toevertrouwd.' Hij glimlachte flauw. 'Toen heb ik over Daphne verteld. Toen ik ophing sputterde ze nog wel, maar ze was niet meer kwaad.'

Daphnes ogen werden groot. 'Waar heb je het over?'

'Nog een keer,' mompelde Grayson en hij keek Daphne aan. 'Ik vertrouw je.'

Daphne plukte opgelaten aan haar jurk. 'Ik heb jou ook vertrouwd.'

'Klopt. Maar mijn geheim is een beetje zwarter dan het jouwe. Mijn vader was Antonio Sabatero. Hij heeft veertien vrouwen vermoord. Mijn moeder en ik hebben het lichaam van zijn laatste slachtoffer ontdekt en... we moesten aan die situatie zien te ontsnappen. Ze heeft me beschermd. Ze heeft me verstopt. Ze heeft onze naam veranderd. Anderson is erachter gekomen. Hij heeft gedreigd het bekend te maken als ik deze zaak niet zou laten rusten.'

Daphne liet zich op een stoel zakken. 'Oké. Jij wint. Jouw geheim is groter dan het mijne.'

'Ik ga uitzoeken wat het kost om zijn stilzwijgen te garanderen,' voegde Grayson eraan toe.

'Maar stel dat hij niet hapt?' vroeg Daphne.

Paige keek Grayson aan en hield zijn blik gevangen. 'Radcliffe heeft al bijna twaalf uur geen verhaal meer gehad. De arme man krijgt misschien wel ontwenningsverschijnselen. Je zou hem een verhaal kunnen vertellen waar hij wat mee kan.'

Graysons glimlach was zo scherp als een scheermes. 'Jij bent echt slecht. Dat is te gek.'

Paige gaf hem een lichte kus op zijn lippen. 'Als Anderson niet ingaat op jouw omkoping, roep hem dan ter verantwoording over het regelen van die zaken met Bond. Geef hem de kans om het uit te leggen. En laat Radcliffe hem dan in het vijfuurjournaal aan stukken scheuren. Maar je moet er wel op voorbereid zijn dat jouw eigen verhaal in de openbaarheid komt. Als je Anderson in een hoek drijft zal hij zijn dreigement zeker waarmaken.'

'Ik ben er klaar voor. Het wordt elke keer gemakkelijker om het verhaal te vertellen.'

'Oké, aan de slag dan. We hebben veel te doen en het minste is nog wel dat ik me moet verkleden zodat je mijn nieuwe ondergoed niet meer kunt zien.'

'Wil je in mijn kast snuffelen?' vroeg Daphne.

'O, dat is wel heel verleidelijk,' mompelde Paige. 'Maar nee.' *Tijd om volwassen te worden, meid.* 'Ik denk dat als ik een presentatie ga houden voor een school voor vechtsporten, ik er ook maar beter uit kan zien als een vechtsporter.'

Graysons glimlach werd warm en er blonk trots in zijn ogen. 'Je gaat de gi uit de mottenballen halen?'

Ze knikte heftig. 'Ja.'

'Compleet met bloedvlekken?' vroeg hij.

'Ik heb nog een reserve-gi. Die is... schoon. Ik zou de gi uiteindelijk toch hebben moeten aantrekken. Zonder kan ik Holly en de anderen niet lesgeven. Ik doe het nu alleen gewoon wat eerder. Bovendien, als jij in de openbaarheid treedt met je verhaal, dan wil ik ook in het reine komen met dat van mij.'

Donderdag 7 april, 13.15 uur

Stevie staarde een volle minuut strak voor zich uit nadat ze het gesprek met Grayson had beëindigd. Bij alle geheimen waarvan ze had gedacht dat hij ze haar zou toevertrouwen, hoorde zeker niet het feit dat hij de zoon was van een seriemoordenaar. Maar het gaf wel antwoord op een heleboel vragen en niet in het minst op de vraag waar zijn toewijding aan slachtoffers en hun familie vandaan kwam.

Ze pakte de aanvraag voor een undercoveroperatie die ze net had opgesteld en scheurde hem langzaam in tweeën. *Daphne?* Stevie kon het niet geloven tot ze het met eigen ogen zag.

Haar goede humeur verdween. Hij had een afspraak met Anderson.

Woede vermengd met een gezonde dosis angst nam bezit van haar. Stevie wist dat Grayson wel voor zichzelf kon zorgen. Ze had hem in de sportschool zien boksen. Ze wist ook dat hij met een vuurwapen kon omgaan.

En Joseph zou op de achtergrond een oogje in het zeil houden, maar toch...

Ze dacht aan Clay Maynard. Ze vroeg zich af of hij iets over Anderson te weten was gekomen. Ze staarde naar haar mobieltje terwijl ze de moed probeerde te verzamelen om hem te bellen.

De man deed iets met haar. Dingen waar ze nog niet aan toe was. Nu niet en misschien wel nooit. Maar dit was voor Grayson. Elk stukje informatie dat Grayson had wanneer hij naar die afspraak ging zou hem sterker maken. *Hij zou hetzelfde voor mij doen.*

Haar mobieltje begon te zoemen. *Het is hem.* Uiteraard was hij het. 'Mazzetti,' zei ze kortaf.

'Met Maynard. Wist je dat jouw vriendje over twee uur een afspraak heeft met zijn baas?'

'Ja. Dat heeft hij me net verteld. Ik stond op het punt om jou te bellen. Heb je al iets gevonden?'

JD wierp haar over hun bureaus een vragende blik toe. Stevie schudde alleen maar haar hoofd.

'Ja, dat heb ik,' zei Maynard. 'Maar hoe ik het te pakken heb gekregen was niet zo heel erg fraai.'

'Dat verbaast me niets.'

'Het is maar dat je straks niet bij mij komt uithuilen.'

'Het ligt meer voor de hand dat ik je dan in de boeien sla.' Haar wangen werden rood. 'Je weet wel wat ik bedoel.'

Zijn gegniffel was als gesmolten chocola. Zondig en zacht. 'Wil je die informatie of niet, Mazzetti? Je laatste kans om je af te keren van onrechtmatig verkregen bewijs.'

Ze aarzelde ongeveer een seconde. 'Vertel op.'

'Ik heb drie bankrekeningen op Andersons naam gevonden. Twee waren goed gevuld. De derde was een stuk leger. De twee vette rekeningen kwamen samen op een totaal van een half miljoen.'

'O,' zei ze ademloos. 'Wacht.' Ze gaf JD een teken dat ze later bij hem terug zou komen, liep vervolgens naar een lege vergaderkamer en deed de deur achter zich dicht. 'Kun je nagaan waar dat geld vandaan kwam?'

'Nog niet. De helft van het totaalbedrag komt van dezelfde plek. Allemaal overboekingen van dezelfde rekening. De laatste overboeking dateert van vier jaar geleden.'

'Toen advocaat Bob Bond stierf. Grayson heeft bewijs gevonden dat ze samen processen regelden.'

'Dat verklaart een hoop. De andere helft is in de loop van de afgelopen vier jaar op verschillende tijdstippen en van verschillende rekeningen gestort. Die geldstroom natrekken zal niet meevallen. Maar ik vermoed dat je die derde, kleinere rekening interessanter zult vinden.'

'Hoezo?'

'Daar stond gisteren nog veertigduizend dollar op. Vanmorgen is er een overboeking gedaan van dertigduizend. Dat geld is overgemaakt naar een rekening op naam van Doris Kapansky.'

'De moeder van Harlan. Anderson heeft die aanslag geregeld. Ik zou eigenlijk geschokt moeten zijn.'

'Nu moet je een manier zien te vinden om op een wettige manier aan die informatie te komen.'

'Ik bedenk wel iets. Dank u wel, meneer Maynard. Heel erg bedankt.'

'Je moet eigenlijk mijn assistente bedanken, die angstwekkend goed begint te worden met dat computergedoe. Ik moet ervandoor. Ik speel lijfwacht voor Paige. We gaan naar Reba McCloud.'

'"I'm a MAC, Loud and Proud",' mompelde ze. Ze liep terug naar haar bureau om JD te zoeken. 'Ik moet lunchen.'

'Je hebt net een sandwich op,' protesteerde hij. 'Je hebt de helft aan mij gegeven.'

'Nou en, ik heb nog steeds honger,' zei ze, en ze zag dat hij het begreep. 'Kom mee.'

Toen ze in de auto van JD zaten, vertelde ze hem wat ze te weten was gekomen. 'We moeten naar dat restaurant voor het geval Anderson iets doet waarvoor we hem kunnen arresteren. We kunnen Grayson nog treffen voor hij zijn huis uit gaat en de taken coördineren.'

21

Donderdag 7 april, 13.45 uur

Grayson stond voor de spiegel en deed zijn das goed terwijl Joseph aan zijn jasje trok om ervoor te zorgen dat er geen draden zichtbaar waren.

'Je bent zover.' Joseph deed een stap achteruit. 'Hoe voelt het aan?'

'Ik voel niet eens dat er een microfoontje zit,' zei Grayson. 'Hoe ga je alles opnemen?'

'De apparatuur staat in het kantoor van Giuseppe. Ik maak er af en toe gebruik van.'

'Ik eet al jaren bij Giuseppe. Hoe komt het dat ik niet wist dat hij een agent is?'

'Omdat hij dat niet is. Ik heb een tijdje geleden iets voor hem gedaan en hij is me dankbaar.'

Grayson rolde met zijn schouders in een poging het kogelwerende vest comfortabel te laten zitten. 'Ik ben klaar.'

'Weet je het zeker?' vroeg Paige vanuit de deuropening.

Sinds Stevie had gebeld met de onthulling dat Anderson echt degene was geweest die Kapansky had betaald om de bom te plaatsen, was Paige bang. Grayson maakte zich er meer zorgen om dat hij bij Giuseppe over de tafel zou duiken om Anderson met zijn blote handen te wurgen.

Hij zou ons hebben vermoord. Paige hebben gedood. Alleen al bij de gedachte balden zijn handen zich als vanzelf tot vuisten. Eén klap en die klootzak zou van de wereld zijn. Alleen wist Grayson niet zeker of hij het bij één klap zou kunnen laten. In gedachten had hij de schedel van de man al verschillende keren tot een bloederige pulp geslagen.

'Ik weet het zeker,' zei hij. 'Ik zou ook niks kunnen doen en de komende week of maand voortdurend over mijn schouder kijken om te zien of iemand ons wil vermoorden. Maar ik heb geen zin om op zo'n manier te leven.'

'Ik ook niet. Ik ben precies om die reden naar Baltimore gekomen. Joseph, wil je ons, zeg maar, even alleen laten? En je oortelefoontje uit laten?'

Joseph legde zijn oortelefoontje op het dressoir. 'Jullie hebben vijf minuten. En maak, zég maar, geen rommeltje van de kleren. Hij draagt een microfoon.' Hij deed de deur achter zich dicht.

Paige sloeg haar armen losjes om Graysons middel. 'Ik wil je kleren niet overhoophalen,' mompelde ze.

'Jammer. Ik wou dat je dat wel deed.'

Ze keek naar hem op, haar blik somber. Zijn plagerijtje had haar angst geen greintje verminderd. 'Toen dit allemaal begon, ging het om mij, maar nu gaat het om jou. Ik kan er niks aan doen dat ik me daar toch verantwoordelijk voor voel.'

'Ik weet het. Ik heb hetzelfde gevoel. Maar als dit allemaal niet was gebeurd, zou je niet naar mijn rechtszaal zijn gekomen. En dan had ik dit nooit gedaan.'

Hij boog zijn hoofd en kuste haar lang en innig tot hij voelde dat haar lichaam zich overgaf en hij wist dat hij in ieder geval voor dit moment haar zorgen een beetje had weggenomen.

'Grayson,' fluisterde ze toen hij zijn hoofd terugtrok, 'laat je niet vermoorden, oké?'

Hij voelde een lach opborrelen en kon die niet tegenhouden. 'Oké.'

Ze keek hem boos aan. 'Dit is niet grappig.'

'Ik weet het. Het spijt me. Ik lach je niet uit. Ik had alleen nooit gedacht dat "Laat je niet vermoorden" de woorden waren die ik op een moment als dit zou willen horen.'

Haar mondhoeken gingen in een flauwe glimlach omhoog. 'Wat zou je willen horen?'

'"O, schat, o, schat, laten we naar bed gaan" is een optie. "Neem me" zou het ook wel doen.' Hij kuste haar opnieuw, ernstiger dit keer. 'Maar "Laat je niet vermoorden" is op de een of andere manier perfect. Dus, Paige, laat je niet vermoorden, oké?'

'Oké. Wanneer dit allemaal achter de rug is, zal ik die "O, schat"-tekst zo vaak zeggen als je maar wilt.'

Buiten klonk het geluid van een autoportier dat werd dichtgeslagen. 'Er is iemand. Clay of Stevie.'

'Laten we gaan dan.' Ze draaide zich om naar de deur, maar hij pakte haar bij de hand.

'Wacht, eh, ik heb nog even een momentje nodig.'

Ze wierp een blik op de bobbel in zijn broek en haar ogen werden groot. 'O. Wauw. Dat meen ik.'

'Je helpt niet echt.'

Ze keek op en er blonk iets ondeugends in haar blik, een welkome afleiding van de angst die er eerder in te lezen was geweest. 'Zonde om dat te verspillen.' Ze likte haar lippen.

Zijn hersenen raakten van de kook. 'De bedrading zit alleen maar boven de gordel.'

Een harde klop op de deur deed hen opspringen als betrapte tieners.

'Clay is er,' riep Joseph luid aan de andere kant van de deur. 'En waag het niet om mijn bedrading overhoop te halen, Paige.'

Paige lachte en Grayson kreunde. 'Ik zie je beneden,' zei ze. Toen deed ze de deur open en keek Joseph pruilend aan. 'Spelbederver.'

'Verdomme, tieners hebben meer verstand dan jullie twee.' Joseph wees naar Grayson. 'Jij, opschieten en leeglopen. Stevie komt zo om ons in de gaten te houden terwijl we de stad door rijden.' Hij deed zijn oortelefoon weer in. 'Voor het geval er iets gebeurt.'

'"Voor het geval" is afknapper genoeg om leeg te lopen.' Zijn mobieltje ging over en Grayson keek op het display om te zien wie er belde. 'Ik ben over een paar minuten beneden,' zei hij tegen Joseph. 'Met Smith,' beantwoordde hij de telefoon.

'Grayson, met Lucy Trask. Sorry dat het zo lang heeft geduurd. Ik kreeg vanmorgen plotseling nog een paar lichamen en we zijn onderbezet. Ik heb het dossier van Bob Bond gecheckt, dat zelfmoordgeval van vier jaar geleden. Hij had op het moment van overlijden een grote dosis slaapmiddelen in zijn bloed. Net als bij Denny Sandoval en ongeveer dezelfde hoeveelheid.'

Grayson zuchtte. 'Daar was ik al bang voor. Bedankt dat je dat voor me hebt uitgezocht.'

'Wacht. Hang nog niet op. Ik moet je nog vertellen over een ander geval.'

Dat deed ze en Grayson staarde naar zijn spiegelbeeld terwijl hij haar woorden tot zich liet doordringen. 'Weet je het zeker?'

'Ja. Het spijt me dat ik degene ben die je dat moet vertellen,' zei Lucy. 'Ik vond dat je het moest weten.'

'Dank je,' zei Grayson zacht. Hij ging toen naar de anderen toe.

'Ik kreeg een telefoontje van Lucy Trask.' Hij liet zich op een stoel vallen. 'Toen Bob Bond stierf had hij hetzelfde slaapmiddel in zijn lichaam als Sandoval en dezelfde hoeveelheid.'

'Dat vermoedden we al,' zei Paige. Ze ging op haar hurken naast zijn stoel zitten. 'Wat is er?'

'Er is vanochtend een dode naar het mortuarium gebracht. Een overdosis. De lijkschouwer vond resten van chocola met slaapmiddel in haar maaginhoud. De politie vond een doos waar de chocola in had gezeten op haar nachtkastje.' Hij slikte. 'Daarnaast lag mijn visitekaartje.'

Paige ging zitten, haar donkere wenkbrauwen gefronst. 'Toch niet Brittany?'

'Nee. Betsy Malone. Ze is dood. Ze heeft met ons gepraat en nu is ze dood.'

'O, mijn god,' fluisterde Paige. 'Ze was net afgekickt. Wel godverdomme.'

'Oké,' zei Daphne. 'Wie is Betsy Malone?'

'Ze was een vriendin van Rex,' antwoordde Paige. 'Ze kwamen samen voor op de video waar de McClouds mee kwamen bij wijze van alibi voor Rex. Betsy heeft gisteravond met ons gesproken. Ze zei dat ze dacht dat Rex het misschien had gedaan. Dat wist Reba. Dat wist ze voor we vanochtend bij haar waren.'

Even deden ze er allemaal een ogenblik het zwijgen toe. Toen vroeg Clay: 'Wil je hiermee verdergaan, Paige? Je hoeft niet door te gaan als je dat niet wilt.'

'Ze wil er niet mee doorgaan.' Grayson wierp haar een wanhopige blik toe. 'Dat wil je echt niet.'

'Dat wil ik wel.' Paige stak haar kin omhoog. 'Betsy had een onbezorgd leven en dat heeft ze verknald. Maar ze verdiende het niet om te sterven. Ik moet gaan.'

Donderdag 7 april, 14.00 uur

Hij liet de grote sporttas op het bed vallen en maakte de rits ver genoeg open om te kunnen controleren of Violet Dandridge nog ademde. Dat was het geval. 'Laat haar in de tas,' beval hij.

'Ze is mooi.'

Hij keek op en zag hoe zijn jongste pressiemiddel met berekenende blikken werd opgenomen. 'Ze is niet voor jou. Ze is van Silas Dandridge.'

'Ik dacht dat je Silas zou vermoorden.'

'Dat doe ik ook. Maar ik moet hem bij mij zien te krijgen voor hij een heleboel rotzooi veroorzaakt die ik dan weer mag opruimen. Over opruimen gesproken, je hebt geluk gehad. Adele Shaffer is dood.'

'Dat is geen geluk. Ik ben grondig.'

'Adele leefde nog toen je bij haar wegging,' zei hij met zo veel geduld als hij kon opbrengen. 'Ze is op weg naar het ziekenhuis overleden.' Zijn bron bij de hulpdienst was er zeker van geweest. Helaas had hij geen bron meer in het mortuarium. Hij moest vlug een nieuwe zien te vinden.

Schouderophalen. 'Alles in orde, dus.'

'Nu wel. Luister, ik heb dit al eerder gezegd. Mensen overleven het soms als ze in hun lichaam worden gestoken. Als je iemand snel wilt doden, dan pak je de halsslagader of je neemt een pistool en schiet ze door het hoofd. Anders laat je allemaal rommel achter, die weer moet worden opgeruimd. Door mij.'

'Je bent betaald voor al het opruimen dat je hebt moeten doen.'

En hij was goed betaald, maar belangrijker nog was de toegang tot de macht geweest. Zijn berusting had hem invloed en controle gebracht die hij nooit had kunnen vinden in het krot waar hij vandaan was gehaald. *I'm a mac,* dacht hij, *Loud and Proud.*

'Je weet dat ik je gulheid waardeer,' mompelde hij.

'Dat vraag ik me wel eens af.'

Hij liet de rits van de tas zo ver open dat het kind kon ademen. 'Laat haar met rust. Alsjeblieft.'

'Maar ze is zo mooi. Wat ga je met haar doen als haar vader dood is?'

'Dat weet ik nog niet. Ze heeft mijn gezicht niet gezien.' Hij had de vermomming die hij in Toronto had gedragen pas afgedaan nadat hij haar had verdoofd. 'Ik vermoord haar als dat nodig is, maar liever niet.'

'Geef haar aan mij.'

Hij schudde zijn hoofd omdat hij wist wat er dan met het kind zou gebeuren. *Ik heb ook mijn tekortkomingen, maar een seksuele afwijking hoort daar niet bij.* 'Ze is te jong.'

'Ze worden allemaal groter. Je moet alleen geduld hebben.'

'Ik heb geduld,' zei hij geïrriteerd.

'Nee, dat heb je niet. Dat heb je nooit gehad. Dat is een van je meer aantrekkelijke kwaliteiten. Je wilt wat je wilt, wanneer je het wilt. Dus heb je risico's genomen. Daar ben je voor beloond. Maar je bent daardoor ook iets schuldig en je hebt je afhankelijk gemaakt. Van mij, bijvoorbeeld.'

Hij slikte het scherpe antwoord dat op het puntje van zijn tong lag weer in. 'Ze is je type niet.'

'Ik merk dat we minder kieskeurig worden naarmate we ouder worden. Vind je ook niet?'

Hij zag de geamuseerde schittering en wist dat hij uit zijn tent werd gelokt. 'Ik ben over een uur terug om te zien hoe het met haar gaat. Geef haar nog maar een pil als ze wakker mocht worden. Maar niet meer dan één.'

'En chocola?' De schimpscheut werd op spottende toon gebracht. 'Ik heb nog wat over.'

Hij knarste met zijn tanden. 'Dat is niet grappig.'

De geamuseerdheid verdween. 'Waarom zou ik je helpen haar te verstoppen als ik haar toch niet mag hebben?'

Hij haalde diep adem en dwong zichzelf tot een glimlach. 'Omdat je van me houdt?' vroeg hij luchtig.

Er volgde een lange stilte, die werd verbroken door gegniffel. 'Je hebt geluk dat dat nog steeds waar is.'

Donderdag 7 april, 14.00 uur

Verdomme. Silas knarste met zijn tanden toen weer iemand het huis van Smith binnen ging. Smith en Holden waren nog steeds niet naar buiten gekomen. Ze waren zelfs niet in de buurt van het raam bij de deur geweest.

En mijn tijd raakt op. Een uur geleden was er een vrouw naar binnen gegaan en zopas een derde man. Er bevonden zich nu vijf mensen in het huis.

En die klootzak heeft nog steeds mijn schatje. Zijn gedachten kwelden hem op allerlei manieren. Violet kon gewond zijn geraakt. *Ik vermoord hem. Als hij een haar op haar hoofd krenkt, dan snij ik hem helemaal open.*

Violet... o, god. Zijn hart ging tekeer en zijn handen beefden. *Hou daarmee op. Hou op met aan hem te denken en richt je aandacht op die verrekte voordeur.*

Waar niemand door naar buiten kwam. Hij haalde bevend adem en nam een besluit: *De volgende die naar binnen gaat of naar buiten komt schiet ik neer.* Als de anderen kwamen toesnellen om te helpen, zou hij ze allemaal neerschieten. En dan zou hij er als een haas vandoor gaan.

Er kwam een auto aangereden die voor het huis van Smith stopte. Een grote vent stapte uit.

Dat was een politieman, zag Silas. De man bewoog zich als een politieman.

Silas boog zich een beetje voorover, hield de man in het vizier en zijn vinger aan de trekker. Hij oefende zachte druk uit op de trekker en mikte op de basis van de schedel van de man.

Haal over, verdomme. Haal die verdomde trekker over. Voor Violet.

Zijn handen beefden. Beefden. Een portier sloeg dicht, maar hij bleef door zijn telescoopvizier kijken. Bleef op de politieman richten die naar de voordeur van Smith liep.

Hij haal de trekker over, precies op het moment dat een tengere brunette in zijn schootsveld kwam. Zijn hand maakte een onverhoedse beweging en het raam ging aan diggelen. *Stevie. O god.* Het was Stevie.

De man op de stoep bij de voordeur liet zich op zijn buik vallen en rolde weg. Hij ging tegen een dun boompje zitten. Dat moest JD Fitzpatrick zijn, de nieuwe partner van Stevie. Fitzpatrick drukte een hand tegen zijn schouder en toen hij hem weghaalde zag zijn handpalm rood.

Stevie rende met getrokken pistool naar haar auto. Richtte het naar boven, naar het dak. *Naar mij. Wegwezen.* Hij liet het geweer liggen en rende gebukt naar de rand van het dak. Hij sprong en kwam op de brandtrap terecht. Hij ging met vijf treden tegelijk de trap af.

'Stop! Politie.' Stevie zat achter hem. Hij pakte zijn revolver uit zijn schouderholster, draaide zich om en vuurde op de grond tussen hen in.

'Silas!' Ze huilde. Stevie huilde. 'Verdomme. Blijf staan!'

Hij kwam bij de auto die hij een straat verderop had geparkeerd en ging op zijn hurken zitten. Hij richtte zijn revolver op Stevie, die maar een paar stappen achter hem was. 'Laat je wapen vallen.'

Ze kwam glijdend tot stilstand. 'Waarom, Silas?' Ze legde haar pistool niet op de grond.

'Dwing me niet om de moeder van jóúw kind te vermoorden. Laat je wapen vallen en ga achteruit, want ik zweer dat ik je anders neerschiet.' Hij klonk wanhopig. 'Ik wil je niets aandoen.'

Ze staarde hem aan, geschokt. Kapot. Verraden. Langzaam legde ze haar wapen op de grond.

'Zorg dat ik je handen kan zien. Schop het pistool hierheen.' Ze schopte het wapen naar hem toe terwijl ze haar handen opgestoken hield. Hij pakte het en stapte in zijn auto. 'Het spijt me,' zei hij.

Hij durfde maar drie straten verder te rijden. Ze had waarschijnlijk zijn kenteken al doorgegeven. *Dump die auto. Pik een andere.* Hij ging systematisch te werk, vond een auto en kreeg hem aan de praat. Hij reed weg. Hij had gefaald. Smith en Holden waren nog in leven.

En die klootzak heeft nog steeds mijn kind.

Clay smeet de deur open en gaf dekking aan Joseph en Grayson terwijl zij JD naar binnen sleepten. Het raam lag in diggelen. Peabody was aan het blaffen en JD bloedde.

Paige stuurde Peabody naar een hoek van de kamer, weg van de glasscherven, en sleepte vervolgens een stoel naar een hoek van de eetkamer, bij de ramen vandaan. 'Zet hem op die stoel.'

Daphne had het alarmnummer al gebeld. 'De ambulance is onderweg.'

'Er is niets aan de hand. Stevie is achter hem aan gegaan.' JD wilde naar de deur lopen, maar wankelde.

Grayson pakte hem bij een arm en dwong hem te gaan zitten. 'Waar ben je geraakt?'

'Mijn partner is daarbuiten,' zei JD heftig. 'Ik heb wel erger meegemaakt. Laat. Me. Gaan.'

'Ik dek haar wel.' Met die woorden ging Clay er op een holletje vandoor.

'Wat is hier precies aan de hand?' wilde Joseph weten. 'Is dat die Silas? Die politieman?'

'Hij is scherpschutter.' Grayson pakte zijn wapen uit het holster op zijn rug. 'Maar Silas heeft zich in bochten gewrongen om mij niet te doden. Het slaat nergens op dat hij nu wel probeert me te vermoorden. Ik neem de straat aan de linkerkant. Joseph, jij gaat naar rechts.'

Paige beet op haar lippen toen de broers de straat op renden. Ze wilde Grayson smeken om te blijven waar hij was. Maar ze wist dat hij moest gaan. Ze richtte haar aandacht op JD. Hij bloedde. Hevig. Ze rende naar de keuken om handdoeken te halen.

Toen ze terugkwam had Daphne JD zijn jas uitgetrokken. De zweetdruppels stonden op zijn doodsbleke gezicht. Zijn overhemd was doordrenkt met bloed. Daphne had zijn overhemd al losgeknoopt, waardoor de wond, een paar centimeter van de rand van zijn kogelvrije vest, zichtbaar was.

'Het is niet heel ernstig.' Daphne dwong zichzelf krachtig te klinken. 'Niet meer dan een schram.'

JD staarde haar aan. Zijn blik begon al wazig te worden. 'Jij bent het echt, hè? Ik wilde Stevie niet geloven.'

'Morgen ben ik er weer in mijn schreeuwende kleren en mijn suikerspinkapsel.'

'Vind ik een stuk leuker.' JD was nauwelijks verstaanbaar. 'Verdomme, ik heb wel erger meegemaakt.'

'Ik neem dit wel voor mijn rekening,' zei Paige tegen Daphne. 'Jij bent gekleed voor Reba.'

'Dat is nou de reden dat ik van eenvoudige kleding hou,' zei Daphne kortaf. 'Zo ben ik volstrekt nutteloos.'

'Dat zul je niet meer zijn als we eenmaal in Reba's kantoor staan.' Paige drukte een handdoek tegen JD's wond. 'Hoe komt het toch dat ik het gevoel heb dat ik dit allemaal al eens eerder heb gedaan?' mompelde ze.

'Omdat hij je derde bloedende slachtoffer is van deze week,' antwoordde Daphne droog. Maar Paige liet zich niet voor de gek houden. De stem van de vrouw beefde.

'Daphne is van haar stuk, dus dan moet het wel ernstig zijn. Hoeveel bloed heb ik verloren?' mompelde JD.

'Veel,' zei Paige botweg. 'Het zou kunnen dat de kogel een slagader heeft geraakt. Ga op de grond liggen.' Ze hielp hem op het tapijt te gaan liggen, knielde naast hem neer en bleef met haar ene hand druk uitoefenen terwijl ze met haar andere een kussen van een stoel trok. Ze gaf het kussen aan Daphne. 'Breng zijn voeten omhoog.'

'Werk je in de verpleging?' vroeg hij. Zijn stem werd dikker.

'Nee. Maar ik heb net zo'n gat in mijn schouder. Daar hou je een mooi litteken aan over.'

'Past wel bij al die andere.'

'Ik bel Lucy,' zei Daphne. 'Dan kan ze naar de spoedeisende hulp komen.'

'Verdomme, nee,' bezwoer hij, maar zijn stem werd zwakker. Hij bloedde nog steeds. Hevig. Paige drukte de handdoek harder tegen de wond. 'Niet in haar toestand,' voegde hij eraan toe. Hij deed zijn ogen dicht. 'Zei ik dat hardop? Nee toch, hè. Ik mocht het niemand vertellen.'

'Ik heb niks gehoord.' Daphne dwong zichzelf te glimlachen. 'Heb jij iets gehoord, Paige?'

'Geen woord.'

Daphne wierp een blik naar buiten. 'Stevie komt terug. Clay is bij haar.'

'Is ze ongedeerd?' vroeg JD.

'Geen schrammetje. Jij bent de enige die bloedt als een rund, liefje.'

Stevie en Clay kwamen het huis binnen en stapten voorzichtig over de glasscherven. Stevie zag er geschokt uit en het kleine beetje kleur dat ze nog in haar gezicht had gehad, verdween toen ze JD zag. 'O god.'

'Ik heb het onder controle,' zei Paige gespannen. 'Hij gaat niet dood. Laat haar gaan zitten voor ze flauwvalt.'

'Ik val niet flauw,' snauwde Stevie. Maar ze liet zich naast JD op haar knieën vallen. 'Het was Silas.'

Paige keek verrast op. 'Wat? Weet je het zeker?'

'Verdomd zeker. Ik heb hem achternagezeten. Hij... richtte op mijn hoofd.'

JD klopte haar onhandig op haar been. 'Ik mag je vorige partner niet zo erg.'

Stevie liet een verrast lachje horen dat meer klonk als een snik. 'Ik ook niet.'

'Waar is Silas?' vroeg Paige, die aan Grayson dacht die nog steeds buiten naar hem aan het zoeken was.

'Hij is ontsnapt,' zei Clay.

'Ik heb zijn kenteken doorgegeven, maar hij heeft waarschijnlijk al een andere auto.' Stevie had weer een beetje kleur in haar gezicht. 'Hoeveel bloed heeft hij verloren?'

'Het bloeden wordt minder,' zei Paige. 'Een beetje. Hij gaat niet dood.'

'Ik ga niet dood,' herhaalde JD nadrukkelijk.

'Grayson en Joseph zijn terug,' kondigde Daphne aan.

De broers keken grimmig. 'Geen spoor van hem te bekennen,' zei Grayson.

'Hij beefde,' zei Stevie. 'Silas, bedoel ik. Daarom heeft hij gemist.'

Grayson fronste zijn voorhoofd. 'Was het Silas? Wat zei hij?'

Stevie leunde achterover. 'Hij zei tegen me dat hij "de moeder van jóúw kind" niet wilde vermoorden. Rose heeft geen enkele keer opgenomen. Dit is niet goed. Silas was wanhopig. Hij smeekte me hem niet te dwingen mij iets aan te doen.'

'Hij zei hetzelfde tegen mij toen hij Logan had. Stel dat ze zijn kind hebben.'

'Dat is mogelijk,' zei Stevie. 'Violet was gisteren niet op school. Maar dinsdag was ze er wel.'

'Maar dat verklaart die andere moorden nog niet,' zei Grayson.

'Hij had naar mij kunnen komen. Mij om hulp kunnen vragen.' Stevie slikte. 'Maar dat heeft hij niet gedaan.'

'De verpleegkundigen zijn hier,' kondigde Joseph aan. 'Geef ze de ruimte.'

'Ik ga met je mee naar de spoedeisende hulp,' zei Stevie tegen JD.

'Nee, dat doe je niet.' JD had vermoeid zijn ogen gesloten. 'Jij moet Grayson beveiligen. Ik ga niet dood. Dat heeft Paige zelf gezegd. Bovendien zal Lucy naar het ziekenhuis komen en de kans is groot dat ze dan gaat huilen. Ze vindt het vreselijk als iemand haar ziet huilen. Dus ga je werk maar doen. Jullie allemaal.'

'Oké,' stemde Stevie in. 'Ik handel de zaken hier wel af. Zodra de plaats delict hier is afgezet, ga ik ook naar het restaurant. Ik heb Hyatt al bijgepraat en hij wacht daar op je, Grayson. Paige, Daphne en jij gaan naar Reba.'

'Ik zal Peabody in de slaapkamer stoppen,' zei Paige. 'Maar laat hem niet alleen, oké?'

'Ik zorg dat het huis in de gaten wordt gehouden.' Stevie kwam overeind. 'Wegwezen.'

Silas reed niet ver. Er waren niet echt plekken waar hij zich kon verstoppen. Het zou niet lang duren voor het nieuws van zijn mislukte aanslag op het herenhuis van Grayson op televisie te zien zou zijn.

Hij had geprobeerd een politieman te vermoorden. Nu zou geen mens in het korps hem nog willen helpen. Zeker Stevie niet. Hij probeerde het beeld van haar gezicht uit zijn gedachten te bannen, maar het enige wat hij bereikte was dat hij beelden voor zich zag van het ergste wat er met Violet kon gebeuren.

Hij trok een honkbalpet diep over zijn ogen en vond een steegje. Hij liet er de auto achter, die toch al snel als gestolen zou worden opgegeven. Hij verborg zich in de schaduw, leunde tegen de bakstenen muur en deed zijn ogen dicht. *Wat moet ik doen?* Grayson was nu gewaarschuwd. Paige Holden en hij zouden hem geen tweede kans geven om hen neer te schieten.

Niet dat ik ze met mijn geweer te pakken zou kunnen nemen. Dat had hij achtergelaten. Hij had er nog meer in zijn opslagruimte, maar die was kilometers hiervandaan. Hij had twee handvuurwapens bij zich. Daar zou hij het voorlopig mee moeten doen.

Een diep gebulder deed hem met een ruk opkijken en zijn ogen zochten de steeg af terwijl hij zich tegen de muur drukte. Het gebulder kwam abrupt ten einde en een man duwde een motor van de straat de steeg in. De man zette de motor op de standaard, kwam overeind en nam zijn helm af.

Silas dacht niet na, hij handelde alleen maar. Hij gleed uit de schaduw en sloeg de man hard met de kolf van zijn pistool achter op zijn hoofd. De motorrijder zeeg ineen en Silas legde hem zonder geluid te maken voorzichtig op de grond. Hij trok de man diens leren jas uit en hees zich erin. Vervolgens zette hij de helm op, pakte de sleutels van de plek waar de man ze had laten vallen, startte de motor en reed weg.

De frisse lucht hielp de muizenissen uit zijn hoofd te verjagen. Hij wist nu waar hij zich kon verstoppen om plannen te maken en te doen wat hij moest doen om zijn kind te redden voor het te laat was.

'We hebben nogal bekijks,' mompelde Daphne terwijl ze stonden te wachten op de lift die hen naar Reba's kantoor zou brengen. 'Societydame en ninjameisje in gezelschap van een dreigende lijfwacht.'

Dat klopte. Daphne droeg haar jurk van McQueen en Paige was gehuld in haar gi. Ze werden begeleid door Clay, die geheel in het zwart gekleed was en net als iemand van de geheime dienst een oortelefoontje in één oor had. Dat oortje was in werkelijkheid een digitaal opnameapparaat. Alles wat werd gezegd zou worden vastgelegd.

'Klinkt als een televisieserie,' mompelde Paige terug. 'Een heel slechte televisieserie.'

'Ik heb niets dreigends,' zei Clay binnensmonds.

Paige wierp hem een meesmuilende blik toe. 'Echt wel, meneer Ik-zeg-helemaal-niks.'

'Ik heb niets dreigends,' herhaalde Clay maar er klonk een glimlach door in zijn stem. 'Ik ben gewoon een zwijgzaam type.'

Paige gniffelde, maar toen de liftdeuren dichtgleden keek ze met gefronste wenkbrauwen naar Daphne. 'Ze zal doorhebben dat je aanklager bent en voor Grayson werkt.'

'Dat zou kunnen, als ik mijn echte naam gebruikte. Maar vandaag ben ik mevrouw Travis Elkhart, voornaam Elizabeth. De huidige mevrouw Travis Elkhart is de stoeipoes die mijn huwelijksservies gebruikt, maar er hebben genoeg foto's van mij en mijn ex in de roddelbladen gestaan om er voor Reba mee door te kunnen. Daphne is de jurist. Elizabeth is de vrouw die ik achter me heb gelaten.'

De deuren gingen open en Paige liep naar de receptioniste, wier ogen groot werden toen ze hen zag. 'We komen voor mevrouw Mc-Cloud.'

De receptioniste staarde vol verwarring naar Paige's gi. 'Ik zal zeggen dat u er bent.'

Daphne ging zitten, sloeg haar benen over elkaar en legde haar handen zedig gevouwen op schoot. Paige zag dat Clay stond te staren op een manier waarvan hij dacht dat het discreet was. Ze kon het hem niet kwalijk nemen. Daphne had geweldige benen. Paige zat met honderd vragen over de man die haar in de steek had gelaten, maar ze slikte ze in en ging in de houding naast Clay staan.

Ze trok even aan de zoom van het jasje van haar gi en hoorde het bekende geluid van de stof. *Ik heb te lang in de stilte van mijn gedachten geleefd*, dacht ze. Het werd tijd om weer in de buitenwereld te vertoeven. Haar vrienden hadden gezegd dat ze geduld moest hebben en dat die dag ooit zou aanbreken.

Paige had niet verwacht dat dat zo goed zou voelen.

'Hou je van mojito's?' vroeg ze aan Daphne.

'En van martini's. En van margarita's. En van een heleboel cocktails die met een andere letter van het alfabet beginnen.' Daphnes wenkbrauwen gingen omhoog. 'Waarom?'

'Ik heb twee heel goede vriendinnen in Minneapolis. We gingen soms een avond serieus mojito's drinken, onze geheimen vertellen en de mannen afkatten die ons niet goed hadden behandeld.'

Daphnes mondhoeken gingen omhoog. 'Klinkt als een leuke meidenavond.'

'Ik sta hier, hoor,' mompelde Clay.

'Als jij nog nooit de reden bent geweest voor een mojito-meltdown, dan slaat dit allemaal niet op jou.' Paige was verrast toen ze zijn bijna gekwetste blik zag. 'Ben je dat wel eens geweest?'

'Niet dat ik weet,' antwoordde hij serieus. 'Maar ik heb wel een paar keer aan de ontvangende kant gestaan. Kerels gaan niet roddelen. Die kroppen het op. En worden in hun eentje dronken.'

Daphne keek meelevend. 'Je mag met ons meedoen. Ik discrimineer niet.'

'Mojito's zijn niet direct mijn ding,' zei hij droog.

Daphne glimlachte alleen maar. 'Ik weet zeker dat ik wel iets kan bedenken wat beter bij je smaak past. Mijn moeder maakt een heel smakelijke gin-tonic. Heftig wat de gin betreft.'

'Hoe heftig?' vroeg Clay.

'Geen tonic,' zei Daphne ingetogen. 'En de gin is van eigen makelij. Sst.'

De receptioniste kwam met een dienblad in haar handen naar hen toe. 'Kan ik u een glaasje water aanbieden?'

Paige ontnuchterde onmiddellijk, al bleef de beleefde glimlach intact. Beelden van de dode Betsy Malone verschenen voor haar ogen. 'Nee, dank u.'

'Dat geldt ook voor ons,' zei Daphne. 'Maar toch bedankt.'

Clay knikte zwijgend.

'Mocht u van gedachten veranderen, dan laat u het maar weten. Mevrouw McCloud kan u nu ontvangen.'

Donderdag 7 april, 15.35 uur

Anderson was aan de late kant. *Ik hoop wel dat hij nog komt.* Grayson moest er niet aan denken dat hij helemaal voor niks al die apparatuur aan zijn lijf had gehangen. Hij ging in Guiseppes vertrek voor privé-etentjes aan de tafel zitten, die gedekt was met prachtig servies en fraaie glazen. Achter hem ging de deur naar de keuken open.

'Anderson komt net binnenwandelen.' Joseph sprak op gedempte toon. 'Hyatt is er ook. Hij heeft een mannetje in het plafond verstopt dat Anderson in de gaten houdt. Stevie blijft in de eetzaal voor het geval hij besluit voortijdig te vertrekken. De achteruitgang wordt ook in de gaten gehouden.'

'Als het je lukt om hem iets te laten bekennen, dan zit er een rechter klaar om een dwangbevel voor Andersons financiële gegevens te tekenen,' zei Hyatt van achter de rug van Joseph. 'Wij zijn hier aan de andere kant van de deur.'

De keukendeur ging dicht. Enkele ogenblikken later ging de deur tegenover Grayson open en Charlie Anderson kwam verwaand binnengestapt.

Hij denkt dat hij me heeft waar hij me hebben wil. Verkeerd gedacht, zak.

Grayson gebaarde naar de lege stoel tegenover zich. 'Bedankt voor je komst, Charlie.'

Charlie ging zitten. 'Ik hoorde dat je spannende dingen hebt meegemaakt bij jou thuis.'

'Ja.' Alles was via de politieradio te volgen geweest. Het had geen zin om te proberen het te verbergen. 'Silas Dandridge heeft rechercheur Fitzpatrick neergeschoten – in een poging mij te pakken te krijgen.'

'Ik had toch gezegd dat je dit moest laten rusten, maar jij moet het altijd zo nodig beter weten. Als je naar mij had geluisterd...'

Andersons stem klonk glad en Grayson kon hem wel wurgen. Maar hij hield zijn toon nederig. Een beetje bang, zelfs. 'Ik heb het verkloot. Ik had inderdaad naar je moeten luisteren. Ik ben beïnvloed door een vrouw. Ik had Rex McCloud met rust moeten laten. Nu is mijn leven naar de maan. Iemand heeft de afgelopen 24 uur al twee keer geprobeerd me te vermoorden. Ik kap ermee.'

'Verstandig. Maar te laat. Ook al laten ze je met rust, en dat zullen ze niet doen, dan nog zal ik me aan mijn belofte houden. Jij bent doorgegaan, ik vertel alles.'

Grayson onderdrukte zijn afkeer. Hij boog zich voorover en liet iets van wanhoop blijken. 'Ik zal alles doen wat nodig is om degene die ik kwaad heb gemaakt tevreden te stellen. En ik bedoel echt álles. Ik kan goed werk verrichten van achter de tafel van de aanklager. Op een heleboel verschillende manieren.'

'Luister je niet? Ook als je niet wordt geschorst, dan zal geen enkele rechtbank je nog accepteren als je familiegeheim eenmaal bekend wordt. Dat wordt een mediacircus. ZOON VAN SERIEMOORDENAAR HANTEERT ZWAARD DER GERECHTIGHEID,' zei Anderson op dramatische toon. 'Elke verdediger die je tegenover je krijgt zal meteen beginnen over vooringenomenheid en de rechter zal geen andere keuze hebben dan daarmee instemmen. Het is afgelopen met je.'

Dat zou best eens waar kunnen zijn. Maar Grayson had geen tijd om erover na te denken. Hij moest gebruikmaken van Andersons arrogantie om hem te krijgen waar hij hem hebben wilde. Dan zou hij de bewijzen van Stevie gebruiken om hem op de knieën te krijgen. Hij liet nerveus zijn adem ontsnappen. 'Stel dat je het niet vertelt.'

Anderson staarde hem aan. 'En waarom zou ik dat niet doen?'

'Ik ben niet onbemiddeld.'

Er blonk een lach in Andersons ogen die doorklonk in zijn stem. 'Je wilt me betálen? Grayson, ik ben verbijsterd. Ik zou nooit geld van je aannemen. Dit gesprek is afgelopen.'

Grayson wachtte tot Anderson was opgestaan voor hij iets zei. 'Waarom zou je geen geld van me aannemen? Je neemt het wel van die anderen aan.'

Anderson verstijfde. 'Ik heb geen flauw idee waar je het over hebt.'

'Het geld van Bob Bond was goed genoeg toen jullie samen processen regelden.'

'Dat hebben we niet gedaan,' beweerde Anderson. Maar zijn blik was veranderd. Hij was bang. *Mooi.*

'Mijn stieffamilie is in goeden doen. Maar dat wist je al, aangezien je zo veel van me afweet. En zelfs als ik niet van hen leen, dan nog heb ik goed geïnvesteerd. Ik kan meer betalen dan Bond deed. Veel meer.' Hij haalde zijn chequeboek tevoorschijn. 'Hoeveel, Charlie?'

Anderson stak zijn kin in de lucht. 'Ik ben niet te koop.'

'Dus je hebt het gratis gedaan? Dat vind ik moeilijk te geloven. Hoeveel rijke families hebben hun kind kunnen laten wegkomen met inbraak en drugsgebruik dankzij jouw "hulp"? Hoe zal dat eruitzien als het allemaal bekend wordt? De politie zal de dood van Bob Bond beschouwen als moord en de zaak zal worden heropend. Dan krijgen we toegang tot zijn bankgegevens. Hoeveel kan herleid worden naar jou?'

Grayson wilde zijn baas het kwart miljoen op Andersons buitenlandse rekeningen in het gezicht slingeren, maar strikt gesproken wist hij daar niets van af. Niet genoeg in ieder geval. Hij wist niet zeker hoe Stevie aan die gegevens was gekomen, maar toen ze tegen de politie had gezegd dat ze Kapansky's moeder onder de loep moesten nemen, hadden ze de betaling van Anderson ontdekt.

Dus de belangrijkste informatie, de dertigduizend voor Kapansky, kon hij wel gebruiken. Het was bewijs via de achterdeur, maar daar kon Grayson wel mee leven.

'Bob Bond heeft zelfmoord gepleegd,' zei Anderson, maar zijn blik zei dat hij de waarheid kende.

'Nee, dat is niet waar. Hij is net zo gestorven als Denny Sandoval. Verdoofd en toen opgehangen. Vertel eens, Charlie, hoe ver ben jíj bereid te gaan om jóúw geheimen te bewaren?'

Anderson haalde een paar keer diep adem. 'Dus nu ga jíj míj chanteren. Da's helemaal mooi.'

Grayson had het eigenlijk over de bom gehad waar Anderson voor had betaald, maar hier kon hij ook wat mee. 'Interessante woordkeuze. We zouden kunnen zeggen dat we quitte staan. Ik vertel jouw smerige geheimen niet door als jij de mijne niet openbaar maakt.'

Er bewoog een spiertje in Andersons kaak. 'Dat zouden we kunnen zeggen.'

'Dat zou kunnen, ware het niet dat we nog met die dertigduizend zitten.'

De man knipperde even met zijn ogen. 'Waar heb je het over?'

'De dertigduizend dollar die je hebt overgemaakt naar de rekening van de moeder van Harlan Kapansky. Ik zie dat je weet wie Kapansky is.'

Anderson trok wit weg. 'Nee. Je liegt.'

'Weet je niet wie hij is?' zei Grayson spottend. 'Dan is het helemaal stom om zijn moeder te betalen.'

'Ik heb hem niet betaald. Daar weet ik niets van. Je liegt.'

'Nee, ik lieg niet. Ik heb de bankafschriften, voor het geval je die zou willen zien. Jouw naam staat duidelijk geregistreerd als degene op wiens naam de rekening staat waar de dertigduizend dollar vandaan kwam. Waarom zou ik liegen?'

'Om mij in een kwaad daglicht te stellen zodat niemand me gelooft wanneer ik alles over jou vertel.'

'Ik denk dat al dat gesjoemel met die processen je al genoeg in een kwaad daglicht stelt, Charlie. Daar heb je mijn hulp niet bij nodig. En als ik zou liegen over Kapansky, en dat doe ik niet, dan gaat de vent die hem werkelijk heeft betaald vrijuit. Misschien dat hij het nog een keer probeert. Het slaat nergens op dat ik zou liegen.'

Anderson aarzelde. 'Nee. Dat kan niet. Ik heb Harlan Kapansky niet betaald.'

'Controleer het dan zelf. Het is jouw bankrekening.'

Anderson haalde zijn telefoon tevoorschijn en veegde een zweterige handpalm af aan zijn broek. Hij tikte langzaam een hele reeks cijfers in en zijn gezicht werd lijkwit. 'Wel godverdomme.'

'Ik zei het toch?'

'Die rekening is niet van mij. Ik heb Kapansky niet betaald. Ik heb niet betaald om jou te laten vermoorden.'

Ja, dag. Maar hij zou het spelletje meespelen. 'Wie dan wel?'

'Ik moet even nadenken.' Anderson ging met zijn handen door zijn haar. 'Toen Bond stierf, was er nog iemand bij dat kantoor. Iemand die de zaakjes regelde. Niet alleen met mij. Ik kan namen noemen van andere strafpleiters die deals hebben gesloten. Maar ik heb níét betaald om je te laten vermoorden.'

Grayson fronste zijn voorhoofd. Anderson klonk bijna geloofwaardig. 'Wie is die regelaar?'

'Dat weet ik niet. Ik heb hem nooit gesproken.'

'Hoe zit het met Muñoz? Wiens idee was het om mij de aanklager in zijn proces te laten zijn?'

Anderson draaide zich om naar de deur.

'We hebben zo veel tegen je,' zei Grayson zacht. 'Het is beter als je meewerkt. Misschien kunnen we zelfs een afspraak maken.'

Andersons liet zijn schouders hangen. 'Van mij. Het was mijn idee.'

'Wie heeft Sandoval en Brittany Jones afgekocht?'

Verrassing en haat blonken in Andersons ogen. 'Bond.'

Grayson probeerde Bob Bond voor zich te zien. Er was geen schijn van kans dat Bond de man op de foto was waar Elena de hand op had weten te leggen. De man op de foto was veel te mager. 'De foto die we hebben kan Bond niet zijn. Je hebt de foto gezien, dus dat weet je.'

'Dat moet een van Bonds knechtjes zijn geweest. Stom genoeg om zich te laten fotograferen.'

'Dat geldt ook voor jou.'

Anderson keek veel te kalm naar de hoeken van het plafond. 'Die zijn goed verstopt.'

'Dat is wel het idee, ja,' zei Grayson niet onvriendelijk.

Wat daarop volgde gebeurde zo snel dat Grayson het niet kon tegenhouden. Anderson haalde een pistool uit zijn jaszak, stak de loop in zijn mond en haalde de trekker over. Het geluid van het schot was oorverdovend en de stilte die daarop volgde was dat misschien nog wel meer.

Grayson rende om de tafel heen en liet zich op een knie naast Anderson zakken. Joseph en Hyatt kwamen met getrokken pistool door de ene deur binnengestormd en Stevie door de andere. Boven hun hoofd werd een plafondtegel opzijgeschoven. Een man in gevechtskleding keek net zo verbijsterd naar beneden als de rest.

Anderson had geen hartslag. Grayson legde de arm van zijn baas op de vloer en ging staan terwijl hij naar het lichaam staarde dat een paar seconden eerder nog een volledig hoofd had gehad. 'O mijn god,' fluisterde hij.

Lange tijd bleef iedereen zwijgend naar het lichaam van Anderson staren. Vervolgens keken ze elkaar aan. Grayson liet zich op de dichtstbijzijnde stoel zakken. 'Ik had niet moeten zeggen dat hij gefilmd werd.'

'Hij wist dat Bond en de anderen vermoord zijn. Hij wist dat hij de volgende zou zijn.' Joseph kneep hard in Graysons schouder. 'Mijn hart stond stil toen hij dat pistool trok.'

'Hij heeft er echt een bende van gemaakt,' zei Grayson dof. 'Giuseppe zal behoorlijk kwaad zijn.'

'Dat regel ik wel,' bromde Joseph.

'We moeten die regelaar te pakken zien te krijgen,' zei Stevie. 'We moeten erachter komen wie er niet deugt bij dat kantoor.'

'Het is een advocátenkantoor,' zei Hyatt. 'Het zijn allemaal advocáten. Ze deugen geen van allen. Dat bedoel ik niet persoonlijk, Grayson.'

'Zo vat ik het ook niet op. Het kan iedereen zijn bij die firma, daarom moeten we een personeelslijst hebben. Ik kan wel een dagvaarding voor hun administratie regelen, maar die zullen ze aanvechten, al was het maar uit principe. Dat gaat wel even duren. We moeten iemand binnen het kantoor zien te vinden die ons informatie geeft over het personeel en hoe de vlag er daar in het algemeen bij hangt. Off the record, natuurlijk. Iemand die vertrouwd wordt door een verdediger.'

Stevie keek Hyatt aan. 'Misschien kent Thomas Thorne iemand.'

Hyatt trok een gezicht vol afkeer. 'Ik mag die man niet.'

'Hij heeft rechercheur Skinner het leven gered,' bracht Stevie hem op vriendelijke toon in herinnering.

'Ik ben verschillende keren met Thorne in de rechtszaal geweest,' zei Grayson. 'Hij is een enorme eikel, maar ik heb hem nog nooit op een leugen betrapt. Ik praat wel met hem.'

'Maak maar een afspraak,' zei Stevie, 'dan ga ik met je mee. Als hij niet op kantoor is, dan is hij over een paar uur waarschijnlijk in de club. En als hij niet naar ons wil luisteren, dan stuur ik Lucy op hem af. Aangezien JD in verband met dit alles net is neergeschoten, denk ik dat Lucy heel erg overtuigend zal zijn.'

'Wie is Lucy?' vroeg Joseph. 'En waarom is zij zo overtuigend?'

'Lucy is de patholoog-anatoom,' zei Grayson. 'Ze is ook de verloofde van JD.'

'En ze is samen met Thorne en een van hun vriendinnen eigenaar van een nachtclub, verklaarde Stevie. 'Zij krijgt als enige Thorne zover dat hij meewerkt.'

'Het kan me niet schelen wie ervoor zorgt dat die klootzak meewerkt,' blafte Hyatt. 'Regel het gewoon.'

'Ik bel Thorne wel onderweg naar Paige.' De adrenaline die Grayson naar Andersons kant van de tafel had gejaagd, begon snel af te nemen. *Ik moet haar in mijn armen voelen.* Hij moest dat beeld van Anderson die zich door zijn hoofd schoot zien uit te wissen. 'Tenzij ik hier moet blijven.'

'Nee,' zei Hyatt. 'We regelen het hier wel. Ga maar.' En met tegenzin voegde hij daaraan toe: 'Je hebt het goed gedaan, voor een jurist.'

Uit de mond van Hyatt was dat een enorm compliment. Maar toch nam Grayson daar geen genoegen mee. 'Als Paige haar mond niet had opengedaan, had je hier helemaal niets van afgeweten. Ze verdiende het niet zoals jullie haar gisteren hebben behandeld. En nu weet je dat ze gelijk had dat er politiemensen bij betrokken zijn.'

Hyatt rolde met zijn ogen. 'Ik zal haar een ondertekende excuusbrief sturen.'

'Doe dat.' Grayson duwde zichzelf overeind, maar zijn lichaam voelde onzeker aan. 'Ik ben zover.'

'Ik loop met je mee,' zei Stevie. 'Ik ga naar het ziekenhuis om te zien hoe het met JD gaat.'

'Ik breng je wel naar het kantoor van Reba, Grayson,' zei Joseph. 'Ik kom later terug om te helpen.'

Donderdag 7 april, 15.40 uur

Reba kwam overeind toen ze binnenkwamen. Ze keek verrast toen Clay hen volgde.

'Mijn persoonlijke beveiliging,' zei Daphne zacht. 'Ik hoop dat u het niet erg vindt.'

'Helemaal niet. Toen mijn vader nog in de politiek zat, had ik ook altijd mijn eigen beveiligers, dus ik ben het gewend.' Ze gebaarde naar de twee stoelen tegenover haar bureau. 'Ga zitten.'

Het doek gaat op, dacht Paige en ze vermande zich om de woorden uit te spreken die ze in de auto had gerepeteerd, want ze wist dat ze er een zure smaak van in haar mond zou krijgen. 'Ik wil graag mijn excuses aanbieden. We hebben Rex benaderd op basis van informatie die achteraf niet betrouwbaar bleek te zijn.'

Reba kneep haar ogen samen. 'Wat bedoel je?'

'Betsy Malone heeft ons verteld wat er de avond dat Crystal Jones werd vermoord is gebeurd op het landgoed van je ouders. We geloofden haar. Maar ze zei ook dat ze al een jaar clean was. We zijn erachter gekomen dat dat niet zo was. Ze heeft een overdosis genomen. Ze is dood.'

Paige bestudeerde Reba's gezicht en zag de schok in haar ogen. 'Dat is vreselijk. Ik mocht haar niet vanwege wat ze Rex heeft aangedaan, maar dit had ik haar ook niet toegewenst.'

'Dat weet ik. Maar als een getuige over één feit liegt, dan ga je vanzelf twijfelen aan de rest van het verhaal.' *Het spijt me zo, Betsy. Je hebt met ons gepraat en nu ben je dood.* 'We richten onze aandacht nu op andere personen. Mijn excuses voor het verdriet dat we je familie hebben berokkend.'

Dat Rex Crystal had vermoord was wat haar betreft niet langer een vaststaand feit. Maar dat de familie McCloud als geheel er op de een of andere manier verantwoordelijk voor was, wel.

De walgelijke excuses hadden het gewenste effect.

'Iedereen maakt fouten,' zei Reba grootmoedig. 'Jij hebt je verontschuldigd voor de jouwe.' Ze was er duidelijk van overtuigd dat Paige haar excuses had aangeboden om de weg vrij te maken voor haar eigen doelen. Voor Reba hoorde dit allemaal bij de dagelijkse zakenroutine. 'Nu die onaangenaamheid uit de weg is geruimd, hoe kan onze stichting u van dienst zijn, mevrouw Elkhart?'

'Ik ben bereid om Paige's onderneming te steunen,' antwoordde Daphne, 'maar ik zit met een paar vragen over hoe we haar vechtsportprogramma in de gemeenschap moeten plaatsen. We willen dat mensen met een handicap uit de lagere inkomensgroepen ervan profiteren. Degenen die gebaat zijn bij het zelfvertrouwen dat vechtsport genereert, maar de lessen niet kunnen betalen.'

'Samenwerking met scholen in de omgeving en met opleidingsprogramma's voor volwassenen zal een belangrijk onderdeel van de start van onze school zijn,' voegde Paige eraan toe. 'Ik heb gezien dat jullie dat met succes hebben toegepast bij de middenschool en ik wil graag de methodes die werken overnemen.'

'Ons MAC-programma,' zei Reba. 'De McCloud Alliance for Children heeft in de loop van zestien jaar honderdduizenden dollars gedoneerd aan tweehonderd scholen. Als je daar nog eens de steun bij optelt die we gaven aan individuele klassen en gezinnen, dan kom je uit op het dubbele van dat bedrag.'

'Heeft u de MAC-kinderen gevolgd?' vroeg Daphne. 'Misschien om te zien hoe het programma hun leven heeft beïnvloed?'

Reba keek geïntrigeerd. 'Nee, dat hebben we niet gedaan. Misschien hadden we dat wel moeten doen.'

'Ik zou dolgraag het materiaal willen zien dat u over het programma heeft.'

'Dan bent u hier aan het juiste adres,' zei Reba. 'Ik ben de historicus van de familie.' Ze stond op en pakte een ordner uit de kast. 'Dit zijn de spullen die we hebben gebruikt, de brieven die we naar de scholen stuurden en het boekhoudsysteem voor de donaties.'

'Mogen we aantekeningen maken?' vroeg Paige.

'Maar natuurlijk.' Reba wees naar een kleine tafel die aan de zijkant van het vertrek stond. 'Daar is het waarschijnlijk prettiger werken. Neem de tijd, mevrouw Holden.'

Het viel niet mee om de verbijsterde blik van voldoening van haar gezicht te houden. Paige nam de ordner mee naar de tafel en ging zo zitten dat Reba alleen haar rug kon zien. Ze pakte Josephs pen met de camera. Haar proeffoto's waren haarscherp geweest.

Terwijl Reba een groot aantal van de overige programma's van de stichting voor Daphne uit de doeken deed, keek Paige de papieren door terwijl ze voor de show aantekeningen maakte. De meeste documenten waren onbelangrijk, voornamelijk uitnodigingen en flyers met details over het programma zelf.

Toen stuitte ze op goud. Foto's. Een groepsfoto voor elk jaar dat het MAC-programma actief was. En achter elke foto zat een lijst met namen, scholen en huisadressen, en er werd precies aangegeven welk kind waar stond op de foto.

Ze nam een foto van elke foto en elk document en aarzelde even bij de een-na-laatste foto. Op de voorste rij stond een klein meisje met gouden krullen en een nieuwe blauwe jurk. Ze keek verdrietig. Gekweld zelfs.

Paige voelde een brok in haar keel. Crystal was als twintigjarige naar dat feest gegaan om een misdaad te plegen. Ze had iets gevonden waarmee ze iemand kon chanteren.

Paige ging naar het laatste jaar en liet de ordner vervolgens op tafel liggen. 'Ik heb wat we nodig hebben, mevrouw Elkhart. Wilt u dat ik buiten op u wacht?'

'Nee.' Daphne ging staan en stak haar hand uit naar Reba. 'Ik stel me graag garant voor een tafel bij het gala ten bate van onderzoek naar borstkanker. Over de overige mogelijkheden moet ik nog even nadenken. U hoort nog van me.'

'Dat zou geweldig zijn.' Reba liep met hen mee naar de receptie. 'Ik zal Ann uw adres geven, dan sturen we u de noodzakelijke papieren toe.'

'Als u de papieren naar mevrouw Holden stuurt, dan zorgt zij wel dat ik ze krijg.'

'Ik zal het adres van mijn werk even opschrijven,' zei Paige en ze pakte Josephs pen en haar notitieboekje. Ze schreef het adres van Clays kantoor op, scheurde de pagina uit het boekje en gaf die aan de receptioniste. Op dat moment ging achter haar de deur naar de hal open.

Daphne kwam onmiddellijk in beweging en plaatste zichzelf tussen Paige en de deur. Maar Clay was nog sneller en stond nu tussen Paige en Daphne. Hoewel hij niet zo groot was als Grayson, was hij toch breed genoeg om haar uitzicht te belemmeren.

Clay was het gewend om mensen te beschermen, maar dat Daphne zich tussen Paige en een mogelijke bedreiging had geplaatst gaf Paige een warm gevoel. Dit was een vrouw die een geweldige vriendin zou zijn. En niet alleen omdat ze een kast vol merkkleding had. Al kon dat uiteraard geen kwaad.

'Reba,' zei een mannenstem.

'Stuart,' antwoordde Reba warm.

Paige hoorde dat ze elkaar ter begroeiting op de wang zoenden en ontspande. Clay liet zijn alerte houding ook varen, maar slechts een beetje. De nieuwkomer was gewoon een klant.

'Hebben wij een afspraak?' vroeg Reba. 'Daar staat niets van in mijn agenda.'

'Vandaag niet. Ik ben hier om je zwager te spreken. Is hij er?'

'Hij is, eh, nog niet terug van de lunch. Je mag wel in zijn kantoor wachten. Maar eerst wil ik je voorstellen aan een van onze nieuwe donoren. Dit is Elizabeth Elkhart. Mevrouw Elkhart, dit is Stuart Lippman, een van de advocaten van de stichting.'

'Heel aangenaam kennis met u te maken,' zei Daphne zacht.

'We hebben veel waardering voor de gulheid van onze donoren. Ik hoop dat u ons gelukkig houdt,' voegde Stuart daar met een innemende glimlach aan toe. De deur ging opnieuw open.

'Stuart!' De begroeting werd op een lijzige, onduidelijke manier uitgesproken. 'Leuk je te zien.'

Paige kon van waar zij stond de alcohol ruiken. Het was alsof die vent er een bad in had genomen. Dit was Louis, de echtgenoot van Claire. Stiefvader van Rex McCloud.

Louis was de avond dat Crystal werd vermoord aanwezig geweest op het landgoed. En hij was gedurende de mac-periode oud genoeg om kleine meisjes aan te randen, terwijl Rex toen nog een kind was.

'Laten we naar je kantoor gaan, Louis,' zei Stuart. 'Dan kunnen we daar verder praten.'

'Waarover?' Er volgde een korte pauze. 'Rex heeft je gebeld, hè? De stomme klootzak. Nou, je kunt net zo goed weer weggaan. We geven geen cent meer uit voor die waardeloze zak.'

'Louis,' begon Reba en de gêne klonk door in haar stem. 'Laten we naar je kantoor gaan.'

'Het maakt allemaal niet uit. Claire en ik zijn het hierover eens. Bel haar maar als je me niet gelooft.'

'Laten we haar maar bellen,' suste Stuart. 'Laten we dit uit de wereld helpen.' De twee mannen liepen in de richting van de kantoren aan de andere kant van de receptiebalie. Paige boog zich naar rechts, net genoeg om langs Clay te kunnen kijken. De advocaat had zijn arm om Louis geslagen en duwde hem met zijn hand op de schouder van de grotere man vooruit, maar Louis bleef staan en draaide zich om.

Zijn blik ging snel van haar hoofd naar haar voeten en toen hun blikken elkaar kruisten zag ze verraste herkenning. *Hij heeft me gister-avond gezien toen we bij Rex waren geweest.* Louis nam haar van top tot teen op en hij keek uitdagend. Er liep een onaangename huivering over haar rug en toen wierp hij haar een nadrukkelijke knipoog toe. Ze was verrast en handelde in een opwelling toen ze met haar duim op het knopje van de pen drukte en een foto van Louis Delacorte nam.

En toen verdwenen Stuart en hij uit het zicht, een ongemakkelijke stilte achterlatend.

Reba schraapte haar keel. 'Het spijt me. Hij is, eh...'

'Elke familie heeft er wel een,' zei Daphne vriendelijk. 'Dank u voor uw tijd.'

'Dank u,' antwoordde Reba stijf. 'Ik verheug me erop u bij het be-nefietdiner te zien.' Nog steeds van haar stuk en nog steeds blozend deed Reba de deur open en liet hen uit.

22

Donderdag 7 april, 16.00 uur

'Gaat het?' vroeg Joseph.

Grayson verlegde zijn blik van het vastgelopen verkeer naar zijn broer. 'Nee. Ik had nooit eerder gezien dat iemand zich een kogel door zijn hoofd joeg.'

'Het is niet iets wat je gauw vergeet,' zei Joseph ernstig. 'Luister, als je Paige hebt opgehaald wil ik dat jullie naar mijn huis gaan om te slapen. Je loopt op je laatste benen. Ik slaap wel op de bank als je daar iets aan hebt.'

'Dat waardeer ik.' En dat was ook zo. Maar op dit moment had hij behoefte aan haar. Zo veel dat het hem eigenlijk angst zou moeten aanjagen. 'Maar ik denk niet dat ik zou kunnen "slapen" als ik wist dat jij op de bank lag.'

Joseph fronste zijn voorhoofd. 'Als ik zeg slapen, dan bedoel ik ook slapen. Je weet wel, remslaap en zo? Onder zeil?'

'O. Ik dacht dat je discreet probeerde te doen.' Hij keek weer door het raampje. 'Als ik Paige eenmaal voor mezelf heb, dan ga ik echt geen tijd verspillen aan remslaap.'

Joseph lachte en dat verraste hem. 'Je bent een lul dat je dat zo onder mijn neus wrijft.'

'Dat zou jij ook doen als de situatie omgekeerd was.'

'Reken maar.'

Graysons telefoon in zijn broekzak begon te zoemen. 'Stevie. Wat is er loos?'

'Op dit moment niets. Het gaat goed met JD. Lucy is bij hem en ze hebben hem overgeplaatst naar een privékamer om hem vannacht in de gaten te kunnen houden. Hij mag morgen naar huis.'

'Mooi zo. Ik heb naar Thornes kantoor gebeld, maar hij was er niet. Ik heb mijn mobiele nummer en dat van jou achtergelaten.'

'Ik heb hem al gesproken. Thorne kwam hier met Lucy. Ik heb hem verteld wat we willen hebben. Hij zei dat ik hem een paar uur moest geven en dat hij ons dan bij mij thuis komt opzoeken.'

'Waarom bij jou thuis?'

'Omdat ik deze week nog niet één keer een hele avond bij Cordelia ben geweest en Izzy een afspraakje heeft.'

'Dat zijn goede redenen. Ik neem dat het in orde is dat ik Paige meeneem?'

'Ik had niet verwacht dat je haar alleen zou laten.'

'En de hond?'

Stevie zuchtte. 'Als hij ook maar even zijn tanden in een stoelpoot zet, koop jij een nieuwe.'

'Afgesproken. Ik ga Paige ophalen en dan zie ik je over twee uur bij jou thuis.'

Joseph grijnsde. 'Daar ga je met je geen remslaap en onder zeil.'

'Ik kan een hoop doen in twee uur.' Grayson keek ongeduldig om zich heen. 'Wat is er toch met dat verkeer? Straks zijn ze al weg bij Reba voor we er zijn.'

'Bekijk het van de zonnige kant,' zei Joseph opgewekt. 'Er zitten twaalf porties van twee uur in een etmaal. Je krijgt morgen wel weer een kans.'

'Lul,' mopperde Grayson.

Donderdag 7 april, 16.05 uur

'Louis tegen Reba,' zei Clay terwijl ze wegreden bij het gebouw van de McClouds. 'Beter dan reality-tv. Een familiedrama pal voor onze neus.'

Daphne, die op de passagiersstoel zat, schudde huur hoofd. 'Dat is nog zacht uitgedrukt.'

'Hij heeft me gezien.' Paige was nog steeds een beetje verontrust. 'Louis, bedoel ik.'

'Ik weet het,' zei Clay. 'Ik zag hem knipogen. Ik mag die vent niet.'

'Ik ook niet,' zei Paige. 'Hij was de avond dat Crystal werd vermoord op het landgoed.'

'Nee maar, dat is interessant,' mompelde Daphne. 'Hij laat Rex blijkbaar aan zijn lot over.'

'Zonder advocaat die de kastanjes voor hem uit het vuur haalt is Rex misschien wat bereidwilliger,' hoopte Paige. 'Misschien dat hij nu iets meer kwijt wil over het familiedrama.'

'Vertel eens, wat heb je daarbinnen nou precies te pakken gekregen?' vroeg Daphne.

'Alles wat ik wilde hebben. Ik kan de foto's pas bekijken als we terug zijn bij Grayson thuis.' In de verwarring nadat JD was neergeschoten had ze haar laptop daar achtergelaten. 'Ik had een reservelaptop moeten pakken toen ik naar mijn appartement ging.'

'Je had wel wat anders aan je hoofd,' zei Daphne en dat was nog zacht uitgedrukt.

Paige was de bebloede gi die ze had gedragen op de avond dat Thea stierf tegengekomen in de doos waar ze hem had opgeborgen. Ze had hem vorige zomer willen weggooien, maar ze had er niet toe kunnen komen. Ze had het oude pak weggelegd en de nieuwe gi aangetrokken, die ze tot nu toe nog niet had kunnen dragen. Toen ze voor het eerst in negen maanden haar band omdeed, moest ze huilen. En toen had Daphne haar omhelsd en vervolgens hadden ze samen gehuild. En toen moesten ze hun make-up bijwerken.

'Dat was heel erg emotioneel,' stemde ze met zachte stem in. 'Clay, als je me terugbrengt naar het huis van Grayson, dan kan ik aan de slag.'

'En dan kan ik mijn auto ophalen,' zei Daphne. 'En dan naar huis en me weer in mezelf terugveranderen.'

'Het kan wel even duren voor we daar zijn.' Clay zat met zijn vingers op het stuur te trommelen. 'We zijn nog niet veel opgeschoten.'

'Paige, waarom probeer jij niet wat te sl–' Daphnes woorden gingen abrupt over in een gil toen er op de achterruit werd geklopt.

Paige liet haar vuisten, die ze had gebald en opgestoken, weer zakken toen ze Grayson buiten zag staan. Ze deed het portier van het slot. 'Je hebt ons de stuipen op het lijf gejaagd.'

Grayson stapte in en zwaaide naar Joseph, die in zijn auto zat en met een ongelukkige uitdrukking op zijn gezicht de andere kant op ging. 'Dat was niet mijn bedoeling. Ik zag jullie wegrijden en wilde jullie niet kwijtraken in het verkeer. Ik zei tegen Joseph dat hij moest stoppen zodat ik achter je aan kon.'

'Dat verklaart waarom hij zo boos kijkt,' zei Paige.

'Joseph is boos geboren. Ik bied hem later wel mijn verontschuldigingen aan.' Grayson leunde achterover en liet zijn hoofd op de rugleuning rusten. Toen pas zag Paige hoe bleek hij was.

En dat er bloed op zijn mouw zat. 'Ben je gewond?' vroeg ze terwijl ze haar best deed om kalm te blijven.

'Nee. Ik niet. Anderson.'

Daphne draaide zich om naar de achterbank. 'Wat heeft hij gedaan?'

'Zijn pistool in zijn mond gestoken en de trekker overgehaald.'

'O mijn god,' zeiden Paige en Daphne vol afschuw in koor.

'Waarom?' vroeg Clay kortaf.

'Hij heeft alles toegegeven, behalve dat hij heeft betaald voor die aanslag van gisteravond. Hij zei dat hij bij het regelen van die processen via een bemiddelaar werkte, iemand bij de firma van Bond. Hij heeft geen naam genoemd, hij bezwoer dat hij die niet wist. Ik zei tegen hem dat hij werd gefilmd, dat hij zou boeten voor wat hij allemaal had gedaan. Voor ik het wist had hij een pistool getrokken en zich een kogel door zijn hoofd gejaagd.'

'Voor hetzelfde geld had hij jou neergeschoten.' Paige hield hem stevig vast en drukte haar voorhoofd tegen zijn schouder. Hij was warm en stevig en hij ademde. Dat had ook anders kunnen zijn.

Hij sloeg zijn arm om haar heen en trok haar tegen zich aan. 'Dat had gekund. Maar dat deed hij niet.' Hij kuste haar op haar hoofd. 'Het is goed. Er is niets met me aan de hand.'

'Geloofde je hem?' vroeg Clay. 'Dat hij die aanslag niet heeft geregeld?'

'Ik weet het niet. Hij leek oprecht geschokt. Maar ik weet het niet.'

'Dat betekent dat degene die het wel heeft gedaan misschien nog ergens vrij rondloopt,' zei Daphne. 'Wat een zooitje.'

'Ergens? Waarschijnlijk bij de firma van Bond,' zei Grayson. 'We trekken iedereen na die daar werkt, maar het is een groot advocatenkantoor. Zes partners en een stuk of twintig beginnende advocaten.'

'Om nog maar te zwijgen van stagiairs, assistenten en administratief personeel.' Paige sloot verslagen haar ogen.

'Je kunt een olifant hapje voor hapje opeten,' zei Daphne vastberaden. 'We blijven kauwen tot we het bord leeg hebben.'

Stevie liet zichzelf door de voordeur binnen. Ze was doodmoe. In het grote geheel van zware dagen was dit wel een van de ergste. Haar huidige partner lag in het ziekenhuis, daar terechtgekomen dankzij haar vorige partner. Die al meer dan vijf jaar aan het moorden was.

En als klap op deze emotionele vuurpijl had Clay Maynard haar dekking gegeven toen ze achter Silas aan zat en had hij geduldig zonder iets te zeggen gewacht tot ze zichzelf weer onder controle had en haar tranen weggeveegd. Ze had zich in zijn armen willen storten. Ze had de indruk dat hij dat niet erg zou hebben gevonden.

De middag liep ten einde en haar woonkamer was vol schaduw. Het was stil in huis. Te stil. 'Izzy!' riep ze. 'Ik ben thuis.'

Stevie gooide haar tas op de eettafel. Hij gleed door en kwam tot stilstand naast een stapel post. Ze spreidde die met één vinger uit op zoek naar iets wat geen rekening was.

Ik moet me abonneren op een vrolijk tijdschrift. Met bloemen. Of beter nog, lingerie. Ze vertrok haar gezicht. Je hoefde geen psycholoog te zijn om te weten waar die gedachte door werd veroorzaakt. Ze maakte haar wapenkluis open en legde haar wapens, zowel haar dienstwapen als haar reservepistool, erin. Ze liet geen wapens rondslingeren in huis. Nooit. Ze deed de kluis dicht en draaide aan het cijferslot.

'Izzy!' Ze hoorde vaag geroezemoes van boven komen en liep op een holletje de trap op. De kamer van Cordelia was leeg. Het geroezemoes kwam van de tv in Izzy's kamer. Er was niemand.

Stevies hart begon te bonzen. Ze rende de trap af en stormde door de klapdeuren de keuken in. Izzy zat aan tafel met haar handen plat voor zich op het tafelkleed.

Haar zus draaide alleen haar hoofd en in haar ogen vol tranen stonden paniek en schuldgevoel te lezen. Zonder een woord te zeggen richtte ze haar blik op de hoek van het vertrek.

Daar zat Silas Dandridge in de schaduw met een pistool in zijn hand.

Hij had Cordelia op schoot en haar snikken werden gesmoord door de grote hand op haar mond.

De woorden kwamen al voor Stevie ze kon tegenhouden. 'Als je mijn kind iets aandoet, dan trek ik je kop van je romp. Laat haar gaan.'

'Dat kan ik niet,' zei Silas. 'Je moet me helpen.'

'Naar de verdommenis, ja.'

'Ga zitten, Stevie.' Hij duwde het pistool in Cordelia's zij en de ogen van haar lieveling werden groot van hernieuwde angst. 'Ik wil niemand iets aandoen. Ik heb je hulp nodig. Hij heeft Violet.'

'Het spijt me dat te horen.' Stevie dwong zichzelf haar stem kalm te laten klinken. Silas had een wilde blik in zijn ogen. Krankzinnig. Wanhopig. Ze dacht aan haar wapens achter slot en grendel. Ze dacht aan Grayson en Paige en Thorne. Die zouden hierheen komen. *Maar niet snel genoeg.*

'Ik zei, ga zitten, Stevie. Alsjeblieft.'

Om tijd te rekken gehoorzaamde Stevie.

'Leg je handen op tafel waar ik ze kan zien,' zei Silas en Stevie deed wat haar gezegd werd.

'Wie heeft Violet, Silas? Ik zal je helpen haar terug te krijgen.'

Hij schudde zijn hoofd. 'Dat is niet wat ik van je wil.'

'Wat dan wel?' vroeg ze met droge mond. Ze dwong zichzelf naar Silas' gezicht te blijven kijken. Als ze naar Cordelia keek, zou ze instorten. En dan waren ze allemaal dood.

'Leg je telefoon op tafel en schuif hem naar me toe. Ik zal Grayson een adres sms'en. Als hij reageert, dan breng je mij in de auto van je zus. Ik zal achter je zitten met je dochter op schoot en je zus op de vloer. Jij bindt ze allebei vast en stopt ze een prop in de mond. Als je het niet goed doet of iemand probeert om hulp te roepen of ervandoor te gaan, dan schiet ik. Izzy eerst.'

'Je lokt Grayson en Paige naar buiten zodat je ze kunt neerschieten.'

Zijn mond kreeg een bittere trek. 'Je telefoon, Stevie.'

'Silas, dit is zo verkeerd. Je weet dat dit verkeerd is.'

'Dat weet ik,' zei hij. 'Maar dat doet er niet meer toe.'

'Zou je mijn kind opofferen om dat van jou te redden? Echt waar?'

Hij klemde zijn kaken op elkaar. 'Zonder er ook maar een moment over na te hoeven denken. Nou, schuif je telefoon deze kant op.'

Donderdag 7 april, 16.45 uur

Paige deed Peabody achter in de zwarte Escalade en zwaaide naar de man op het dak van Graysons huis, die een geweer met telescoopvizier in zijn handen had. 'Wees voorzichtig daarboven.'

De politie had een voor iedereen zichtbare bewaker op het dak ge-plaatst. Dat was meer ter geruststelling van de buren, dacht Grayson, dan werkelijk noodzakelijk. Silas kwam niet terug.

Het huis was afgezet met geel lint. Een paar mensen van de TR waren er nog, samen met de man van het SWAT-team op het dak en een agent in uniform beneden. Het raam naast de voordeur was nog niet dichtgespijkerd, maar de agent verzekerde hem dat ze ervoor zou-den zorgen.

Grayson had het verzoek gekregen zijn eigen huis te verlaten. Er zouden geen twee uur volgen met Paige in zijn bed. Er zou niet eens sprake zijn van een vluggertje tegen de deur van de slaapkamer. *Shit.*

'Je hoeft niet zo opgewekt te doen,' mopperde hij. 'Dan moedig je ze alleen maar aan om nog langer te blijven.'

Paige gaf hem een meelevende kus op zijn lippen. 'Dat ze ons binnen hebben gelaten zodat jij je kon verkleden en ik Peabody kon halen, was alles wat we konden verwachten.'

Hij stapte in de SUV en sloeg met een klap het portier dicht. 'Dat weet ik. Maar dat wil nog niet zeggen dat ik het leuk vind.'

'Waar gaan we heen?'

'Naar Stevie. Dan zijn we wel vroeg, maar misschien treffen we Izzy nog voor ze naar haar afspraak gaat en dan kan ze iets te eten voor ons maken. Ze is zo maf als een deur, maar ze kan wel koken.'

'Ik wil haar bedanken voor de make-up.' Paige haalde haar laptop uit de nieuwe rugzak.

'Hoe kom je aan die rugzak?'

'Uit mijn flat.'

'Toen je je gi ging halen.' Die droeg ze nog steeds, met een felgroen T-shirt eronder om het kogelwerende vest te verbergen. 'Hij staat je verrekte goed.'

'Dank je. Het geeft een goed gevoel om hem weer aan te hebben. Ik heb nog een paar dingen ingepakt om later aan te trekken, maar ik heb zomaar wat dingen gepakt omdat ik bang was dat we te laat bij Reba zouden komen. Ik betwijfel of er twee dingen bij elkaar passen.'

'Dan draag je toch helemaal niets,' zei hij en ze grinnikte, een wel-kom geluid.

Ze stak Josephs camera-pen in een van de USB-poorten. 'Ik heb na-men en adressen van elk kind in het MAC-programma.'

'De groepsfoto's ook?'

'Ja.' Ze deed er het zwijgen toe terwijl ze werkte. 'Hè? Op elke groepsfoto staat een meisje met blonde krullen, net als Crystal Jones. Hoe waarschijnlijk is dat, statistisch gezien?'

'Elk jaar een blondje is niet zo vreemd. Maar dat ze krullen heeft ligt minder voor de hand.'

'Terwijl jij rijdt zal ik proberen deze mensen op te sporen nu ze volwassen zijn.'

'Blijf tegen me praten,' zei hij en ze keek hem vragend aan.

'Waarom?'

'Ik ben doodop en ik wil niet in slaap sukkelen. En ik hoor je graag praten.'

'Oké. Ik begin met de blonde meisjes en dan zoek ik later die andere kinderen wel. Het blondje uit 1984 was Dawn Porter.' Ze tikte wat in. 'Er zijn in het hele land meer dan honderd Dawn Porters. Kijken we naar het geboortejaar... dan blijven er drie over. Waarvan één die geboren is in Maryland.'

'Waar is ze nu?'

'Dat ben ik aan het zoeken.' Paige zweeg. 'Ze is dood.'

'Hoe? Ze moet nog tamelijk jong zijn. Nog geen veertig.'

'Ik zoek nu in de overlijdensaktes van de staat... Dawn Porters doodsoorzaak staat hier vermeld als zelfmoord.' Ze keek hem aan. 'Minder dan een maand na de moord op Crystal Jones.'

Er liep een koude rilling over zijn rug. 'Kan toeval zijn. Hoe heeft ze zelfmoord gepleegd?'

'Dat staat er niet bij. We zullen het autopsierapport bij de lijkschouwer moeten opvragen.'

'Trek nog een paar MAC-kinderen na. Eens zien wat dat ons brengt.'

'Kit Beechum, 1985.' Ze zuchtte. 'Zelfmoord, drie jaar geleden.'

Grayson werd misselijk. 'Dit is niet goed.'

'Nee, dat is het zeker niet. Geef me even. Ik wil uitzoeken of er artikelen zijn over haar dood.' Ze ging aan de slag en was toen een paar minuten stil.

'En?' vroeg hij ongeduldig.

'Kit had jarenlang een drugsprobleem, maar ze zag kans om af te kicken. Op een dag nam ze een overdosis. Haar familie en vrienden treurden om haar. Ze hadden gezien hoe hard ze haar best had gedaan om ervan af te komen. En ze was vrijwilligster. Net als Betsy Malone. Alleen werkte Kit met slachtoffers van seksueel geweld.'

'Dat betekent nog niet dat ze zelf ook slachtoffer was,' zei hij.

'Nee, maar het is niet goed. We zijn nu aanbeland bij 1986. Justine Rains.' Ze deed er deze keer langer het zwijgen toe. 'Justine was lastiger te vinden. Ze trouwde en is toen naar Texas verhuisd. Laat me even de overlijdensaktes bekijken.' Ze liet langzaam haar adem ontsnappen. 'Verdomme.'

'Is zij ook dood?'

'Ja, maar er is geen doodsoorzaak vermeld. Dat betekent meestal dat het een natuurlijke dood was.'

'Ze was jonger dan die eerste twee. Wat is de datum van overlijden?'

'Zes maanden na de dood van Crystal,' zei ze. 'Ik zal de krantenarchieven checken, misschien is er een necrologie. Ik vind het vreselijk, maar ik hoop dat het kanker was. Of dat ze door de bliksem is getroffen. Alles, als het maar niet door toedoen van een ander is.'

Hij wachtte en zijn hart klopte in zijn keel. 'Nou?'

'Justine is omgekomen bij een auto-ongeluk.'

'Dat is goed, toch? Ze heeft geen zelfmoord gepleegd.'

'Ze werd beschuldigd van rijden onder invloed.'

'Zeg alsjeblieft dat het om drank ging,' mompelde hij.

'Verdovende middelen. Dit is een stuk over het onderzoek, geen necrologie. Haar echtgenoot ontkende dat ze drugs gebruikte.' Ze aarzelde. 'Vooral omdat hun kind in de auto zat.'

'Nee. Niet ook het kind.'

'Jawel. Hij was pas zes. De onderzoekers kwamen erachter dat ze in haar late tienerjaren drugs had gebruikt. Haar vrienden zeiden dat ze "geplaagd werd door persoonlijk leed" maar daar nooit over sprak. De conclusie was dat een ongeluk de doodsoorzaak was, maar volgens het rapport was dat ongeluk een gevolg van Justines drugsgebruik.' Ze maakte een verstikt geluid. 'Ze heeft een andere auto geraakt met twee tieners die op weg waren naar het winkelcentrum. Die zijn ook omgekomen. Hier is nog een artikel met een follow-up.'

Ze maakte opnieuw dat verstikte geluid. 'Het wordt alleen maar erger. De echtgenoot van Justine werd aangeklaagd door de familie van de twee omgekomen tieners. Hij heeft zichzelf doodgeschoten.'

Hij kreeg plotseling het beeld van Charlie Anderson voor ogen. 'Ga naar het vierde jaar, 1987.'

Tegen de tijd dat Grayson voor de deur van Stevies huis stilhield, was Paige verdoofd. Hij draaide het contactsleuteltje om en ze bleven in stilte zitten.

'Acht vrouwen,' fluisterde ze. 'Allemaal dood. Zes door dezelfde drug.'

De andere twee waren een natuurlijke dood gestorven. Een aan kanker en de andere door een fataal auto-ongeluk toen ze vijftien was, een paar jaar voor de dood van Crystal. De overlijdensgevallen door de barbituraten begonnen met de moord op Crystal Jones.

'En we hebben nog acht jaargangen te gaan,' zei hij.

'Zeven om precies te zijn. We weten al dat Crystal Jones dood is. Waarom heeft niemand dit in de gaten gehad?' wilde ze woedend weten. 'Waarom heeft niemand het verband gezien?'

'Het is gebeurd in een periode van vijf jaar, schat. Over de hele staat verspreid.'

'En twee in andere staten. Wat wil je daarmee zeggen?'

'Ze waren MAC-kinderen toen ze twaalf waren. Ik zat op mijn twaalfde bij de padvinders. Niemand zou mij in verband brengen met kinderen van mijn groep als er zoiets gebeurde. En het heeft er veel van weg dat deze kinderen elkaar destijds helemaal niet kenden. Dat ze als volwassenen iets gemeen zouden hebben... Het was een perfect plan.'

'We moeten dit afmaken,' zei ze nadrukkelijk. 'We moeten de anderen vinden.'

'Niet hier.' Hij keek om zich heen. 'We kunnen hier niet zomaar buiten blijven zitten. Laten we naar binnen gaan. Dan kun jij verder met zoeken en bel ik Lucy Trask om haar om de autopsieverslagen te vragen.'

Paige hing haar rugzak aan één schouder. 'Grayson, Rex McCloud was dan misschien wel op het landgoed op de avond dat Crystal werd vermoord, maar hij was nog niet eens geboren toen het MAC-programma van start ging. Wat die meisjes ook is overkomen, Rex was daar niet bij betrokken.'

'Ik weet het. Ik weet niet goed meer wat ik van Rex moet denken. Daar kunnen we binnen over nadenken.'

Ze stapte uit, maakte de riem van Peabody vast aan zijn halsband en keek toen fronsend naar het donkere huis. 'Het lijkt wel of er niemand thuis is. We zijn vroeg. Misschien is Stevie nog niet terug.'

Grayson bleef staan, plotseling gespannen. 'Stevies auto staat daar en het minibusje ook, dus Izzy is er ook nog. Ik wil even de boel verkennen voor we naar binnen gaan.'

'Prima. Ga jij linksom, dan ga ik rechtsom.'

Het leek of hij aanstalten maakte om te protesteren, maar daar gaf ze hem de kans niet toe. Ze ging met Peabody op pad, Grayson de keus latend of hij met haar mee wilde lopen of de andere kant op zou gaan. Hij ging de andere kant op.

Er stond een motor achter het huis. Het motorblok was niet koud.

Grayson kwam van de andere kant en ze wees naar de motor. Hij schudde zijn hoofd. 'Niet van haar,' zei hij geluidloos. Hij wees naar de achterdeur. Er was een ruitje stuk. Paige sloop naar het keukenraam.

Shit. Stevie zat aan tafel met een doodsbleek gezicht en haar handen plat voor zich op het tafelkleed. Aan het einde van de tafel was nog een paar vrouwenhanden zichtbaar dat plat op tafel lag. En nauwelijks zichtbaar aan de linkerkant was een mannenvoet te zien die nerveus op en neer wipte.

Paige ging met haar rug tegen het huis staan. 'Silas,' zei ze geluidloos.

Grayson gluurde van zijn kant door het raam en deed even zijn ogen dicht. 'Hij heeft Cordelia,' zei hij eveneens geluidloos terug. Hij pakte zijn telefoon en begon te sms'en.

Ik ga naar voren en bel alarmnummer, las Paige. *Alleen iets doen als hij probeert weg te gaan. Oké?*

Ze keek hem aan. Knikte. Sms'te terug. *Ga niet dood.*

Een mondhoek ging grimmig omhoog toen hij het las. Toen was hij verdwenen, haar alleen achterlatend met Peabody. Paige liet de rugzak voorzichtig op de grond zakken en pakte toen de .357 uit haar broeksband en zette de veiligheidspal om. En wachtte.

Donderdag 7 april, 17.30 uur

Silas gluurde naar de telefoon van Stevie en probeerde Smith mentaal te dwingen te reageren. Hij had de aanklager een uur geleden een sms gestuurd. Waarom gaf Smith geen antwoord? Hij had het goede nummer. Dat kwam uit de adressenlijst van Stevie en hij had hetzelfde nummer de avond ervoor ook gebeld.

Hij bekeek de gesprekkenlijst van Stevie en fronste zijn voorhoofd. Grayson had de hele dag niet gebeld. Gezien wat er allemaal gebeurd was, was dat niet erg waarschijnlijk. Plotseling drong het tot hem door en hij gromde.

'Hij heeft een nieuwe telefoon. Een ander nummer.' Hij sprong overeind en sleurde Cordelia met zich mee. 'Klopt dat?' Stevie deinsde achteruit en daarmee had Silas zijn antwoord. 'Godverdomme. Je hebt tegen me gelogen.'

Hij rende naar de voordeur terwijl hij Cordelia stevig vasthield. Hij graaide autosleutels van het tafeltje en deed de voordeur open. En bleef stokstijf staan.

Grayson Smith stond voor hem en de loop van zijn pistool was op het hoofd van Silas gericht. 'Laat haar gaan, Silas. Anders schiet ik je voor je kop.'

Silas tilde het kind op, maar realiseerde zich toen dat ze niet groot genoeg was om zich achter te verschuilen.

Hij voelde een mes in zijn nek drukken. 'Laat haar los,' zei Stevie. Haar stem klonk kil en moordzuchtig.

Silas gooide Cordelia in de richting van Smith, draaide zich toen razendsnel om en greep Stevies pols beet. Hij had geweten dat haar blik op haar kind gericht zou zijn en niet op hem, waardoor hij de kans kreeg waar hij op wachtte. Hij kneep hard en draaide haar pols om tot het mes op de grond viel.

Silas drukte de loop van zijn pistool tegen haar slaap en sloeg zijn vrije arm om haar nek. Cordelia gilde. Grayson nam haar snel in zijn armen en draaide zijn lichaam zo dat hij het kind beschermde. Hij liep achteruit de stoep af met zijn ogen gericht op het pistool in Silas' hand.

'Vlucht,' wist Stevie uit te brengen. 'Verdomme, haal haar hier weg.'

Grayson sprintte ervandoor en verdween om de hoek van het huis. Silas besefte te laat wat hij had gedaan. *Dit was mijn kans. Ik had hem neer kunnen schieten. Ik heb mijn kans laten lopen.* Maar zijn automatismen hadden het overgenomen en hij had het onvergeeflijke gedaan. *Ik heb mijn eigen huid gered.*

Het was nog niet te laat. Het mocht niet te laat zijn. *Schiet op. Doe iets. Zoek hem. Maak het af.*

Grayson hield Cordelia dicht tegen zich aan gedrukt terwijl hij weg-rende van het huis. Ze was hysterisch en schopte en krabde naar hem. 'Stil maar, het komt goed. Het komt allemaal goed.' Maar dat was niet zo. Het zou misschien nooit meer goed komen met Stevies kind.

Izzy dook op. Ze kwam strompelend de hoek om. Ze was via de achterdeur ontsnapt.

Paige. Waar was ze? *In het huis.* Het leed geen twijfel dat Paige in het huis was.

Izzy huilde. 'Hij heeft haar. Stevie is nog steeds binnen.'

'Ga naar de buren. Ik heb het alarmnummer gebeld.' Grayson maak-te de armen van het kind los van zijn nek. 'Ga met tante Izzy mee. Ik zorg voor je mama. Rennen, Izzy.'

Izzy nam Cordelia van hem over en rende naar de buren, bonsde op de deur en werd naar binnen getrokken.

Grayson haalde diep adem en keek om zich heen. Hij hoorde sirenes in de verte. Hij rende terug naar de voorkant van het huis met zijn pistool in zijn hand. Silas was bezig Stevie naar de voordeur te duwen. Hij had nog steeds zijn arm om Stevies keel en hield zijn wapen tegen haar slaap gedrukt.

Toen Stevie Grayson zag, verslapte haar lichaam en haar ogen vul-den zich met tranen. 'Cordelia?'

'Ze is ongedeerd, Stevie.' Grayson kwam langzaam dichterbij. 'Ze is niet gewond.'

'Laat het pistool vallen, Grayson, anders vermoord ik haar,' beval Silas rustig. 'Ik heb niets meer te verliezen.'

Grayson stond even naar adem te snakken terwijl hij probeerde te bedenken wat hij moest doen.

'Je bent een goede schutter,' zei Silas. 'Ik ben sneller. Dat weet je. Ik wil haar niets aandoen.'

Grayson bukte zich en legde zijn wapen op de stoep van Stevies huis.

'Achteruit,' beval Silas. 'Nu.'

Grayson deed een stap achteruit en zag de verandering in Silas' ogen nog voor de man in actie kwam. Silas gaf Stevie zo'n harde duw dat ze viel en stil bleef liggen. Hij hief zijn pistool.

Hij mikt op mijn hoofd. Grayson stak zijn handen omhoog. 'Niet schieten, Silas. Geef me de kans om je te helpen.'

'Het spijt me,' zei Silas. 'Het spijt me oprecht.'

Toen boog Silas plotseling voorover en het wapen viel onschadelijk op de grond. Paige stond achter hem en hield zijn hand in een stevige greep terwijl ze uitdrukkingsloos naar zijn van pijn vertrokken gezicht keek. Ze duwde hem met zijn gezicht naar voren op de grond, boog zijn arm op zijn rug en liet zich zo op hem vallen dat haar knie in zijn nierstreek terechtkwam.

Silas worstelde verwoed om los te komen. 'Laat me gaan.' Hij bokte wild en slaagde erin Paige van zich af te werpen. Paige kwam tegen de muur terecht en gleed versuft op de grond.

Grayson sprong en drukte Silas tegen de grond toen die probeerde overeind te komen. 'Silas, hou op. Het is voorbij. Op deze manier krijg je je dochter niet terug.'

Maar Silas luisterde niet en vocht als een wild dier. *Waar blijft de politie, verdomme?*

Silas wist zich om te draaien, greep Grayson bij zijn keel en perste zijn vingers in zijn luchtpijp. Kokhalzend haalde Grayson uit en zijn vuist raakte Silas vol op de kaak, maar de man vertrok geen spier. Grayson raakte hem opnieuw en de greep van Silas verslapte, gevolgd door een kreet van pijn.

Peabody had zijn tanden diep in Silas' dijbeen gezet. Grayson draaide Silas' armen op diens rug en drukte zijn knie met kracht in zijn rug. Grayson zag vanuit zijn ooghoek zijn wapen liggen. Dat lag nog steeds op de stoep, maar buiten bereik.

'Peabody, vast,' zei Paige kalm van achter hen. 'Ik heb een pistool op je hoofd gericht, Silas,' voegde ze eraan toe en Grayson slaakte een schorre zucht. 'Ik zal niet aarzelen het te gebruiken.'

Silas staakte zijn verzet. 'Roep je hond terug,' eiste hij hees.

'Nog niet. Stevie, gaat het met je?'

'Jawel,' antwoordde Stevie buiten adem. Ze kwam dichterbij terwijl ze het wapen pakte dat Silas had laten vallen. Ze maakte de handboeien los van haar riem. 'Roep de hond terug, Paige.'

'Peabody, los,' zei Paige. Peabody gehoorzaamde en ging op zijn hoede naast Paige zitten. Paige verroerde geen vin en hield haar wapen op Silas' hoofd gericht.

Grayson hield met één hand de polsen van Silas vast en met de andere diens nek.

Stevie maakte niet bepaald zachtzinnig de handboeien vast aan de linkerpols van Silas. 'Wie heeft Violet?'

Buiten kwamen auto's met gillende banden tot stilstand, er gingen portieren open en sloegen weer dicht. Minstens drie auto's. Misschien nog wel meer.

Het was een van die momenten die Grayson zag aankomen maar niet in staat was te voorkomen. Stevies korte, zijdelingse blik naar de deur. Even een moment waarop hij zelf afgeleid was. En het plotselinge, maar nauwelijks merkbare spannen van Silas' spieren.

'Stev–' Grayson had haar naam nog maar voor de helft uitgesproken toen Silas met de kracht van een stier overeind kwam en op zijn knieën ging zitten. Grayson wierp zich naar voren en zijn vuist ramde voor de derde keer Silas' kaak. Silas viel achterover door de kracht van de klap en kwam toen overeind.

En Grayson verstijfde. Silas verplaatste zijn gewicht naar zijn ongedeerde been. Aan zijn linkerpols bungelden Stevies handboeien. In zijn rechterhand had hij een kleine revolver met korte loop.

Opnieuw staarde Grayson in de loop van Silas' wapen en zag hoe Silas de trekker begon over te halen. Toen klonken schoten. Pleisterwerk daalde neer op zijn hoofd.

Silas zakte op de vloer ineen. Zijn overhemd werd rood en er zat een gat in zijn voorhoofd. De angstaanjagende stilte die volgde werd doorbroken door de kreet: 'Politie. Laat je wapen vallen.'

Paige liet haar pistool zakken en staarde vol afschuw naar het gat in het hoofd van Silas. *Ik heb op zijn pols geschoten. Ik zweer dat ik hem alleen maar in zijn pols heb geschoten.*

Grayson. Hij was ongedeerd. Rauwe opluchting uitte zich in een gesmoorde kreet waardoor hij zich naar haar omdraaide. Hij keek haar aan met een blik die dof was van de shock.

'O, mijn god,' fluisterde Stevie. Ze hield haar wapen nog steeds gericht op de plek waar Silas had gestaan. 'Ik heb hem gedood.'

'Ik zei,' snauwde een vrouwenstem, 'laat je wapen vallen.'

De woorden kwamen uit de deuropening waar de rechercheurs Morton en Bashears in volle gevechtskleding stonden. Ze hadden allebei hun wapen getrokken en hielden dat op hen gericht.

Paige bukte zich langzaam en legde haar pistool op de vloer.

'Jij ook, Stevie,' zei Morton kortaf.

Stevie verroerde zich niet. Ze zat als verstijfd op haar knieën en staarde naar Silas.

'Stevie.' Grayson sprak zacht op kalme toon. Hij pakte haar wapen en legde het op de grond. Hield haar handen in de zijne. Maar ze keek niet naar hem. Ze keek naar geen van hen. Ze kon haar blik niet losmaken van haar dode ex-partner.

'Hij wilde je vermoorden,' fluisterde Stevie. 'Hij weigerde het op te geven.'

'Ik weet het,' zei Grayson zacht. 'Maar hij heeft me niet vermoord.'

'Hij zou Cordelia ook vermoorden. En Izzy ook.' Stevie krabbelde met een asgrauw gezicht overeind. 'Ik moet Cordelia zoeken.'

'Waar is het kind?' vroeg Bashears gespannen.

'Hiernaast.' Grayson kwam ook overeind. 'Samen met de zus van Stevie. We hebben ze naar buiten weten te krijgen.'

Stevie rende in de richting van de voordeur, maar Bashears hield haar tegen en hield haar vast bij haar schouders. 'Stevie, wacht.' Morton en hij gingen gevolgd door vier agenten de kamer in en Peabody kwam overeind en gromde dreigend.

'Hou je hond in bedwang,' snauwde Morton. 'Anders schiet ik hem neer.'

Dan ben jij de volgende, dacht Paige woedend maar ze beet op haar tong. 'Peabody, af,' zei ze, en Peabody gehoorzaamde. 'Zijn riem ligt in de keuken.'

'Ga hem halen,' droeg Bashears een van de agenten op. 'Paige, blijf daar staan.' Maar zijn toon was niet onvriendelijk, dus deed ze wat haar werd gevraagd.

Morton knielde naast Silas neer en voelde aan diens halsslagader. 'Dood.'

Bashears keek of Stevie gewond was. 'Heb je ergens pijn?'

'Haar pols,' zei Paige. 'Silas heeft hem omgedraaid om haar te ontwapenen.' Ze wees naar het slagersmes op de vloer. 'Hij had haar dochter.'

'Hij probeerde hen allebei als menselijk schild te gebruiken.' Grayson sprak vol verachting.

Bashears wierp een vuile blik op het lichaam van Silas. 'De ambulancebroeders staan buiten. Is er verder iemand gewond?'

'Alleen Silas,' mompelde Grayson. 'Godzijdank.'

De agent kwam terug met Peabody's riem en Paige maakte hem vast. Toen Peabody goed vastzat, richtte ze haar aandacht weer op Silas Dandridge. Er zat bloed op zijn arm, het meeste op zijn pols. *Daar heb ik hem geraakt.* Ze huiverde van opluchting. *Ik heb hem niet gedood.* Er zat nog meer bloed op zijn witte overhemd.

Silas was ook in zijn bovenlichaam geraakt. *Ik heb één keer geschoten. Stevie heeft één keer geschoten. Silas schoot in het wilde weg en raakte het plafond. Grayson had geen tijd om zijn wapen te pakken. Wie heeft hem dan in zijn hoofd geschoten?* 'Drie schoten,' zei Paige tegen Bashears. 'Bovenlichaam, pols, hoofd.'

Stevie leek zich te vermannen. Ze keek naar het lichaam van Silas. 'Ik heb hem in zijn borst geschoten.'

'Ik in zijn pols. Wie heeft die derde kogel afgevuurd?' vroeg Paige. 'Die in zijn hoofd?'

'Dat was ik,' antwoordde Morton. 'We ontruimen het vertrek. Dit is een plaats delict.'

Paige werd een beetje onpasselijk. Morton had zo moeten mikken dat Silas werd tegengehouden, niet vermoord. Ze moest hebben gezien dat Silas met zijn wapen liep te zwaaien en een snel besluit hebben genomen.

Snel, maar onherroepelijk. Silas was dood en hij was de enige die had geweten wie Violet had.

Silas had Ramon erin geluisd. Toch? Maar Morton had de leiding gehad over het onderzoek in Ramons zaak. Ze wierp een blik op Grayson en zag dat hij ook nadenkend naar Morton stond te kijken.

Waarom zou Morton Silas doelbewust hebben willen doden?

Het feit dat Silas schuldig is, wil nog niet zeggen dat Morton dat niet is.

Paige kwam in de verleiding om een enorme stap achteruit te doen, de kamer uit, weg van Morton. Maar ze hield stand. En hoopte dat ze het bij het verkeerde eind had, dat Morton hen alleen maar had willen redden en verder niets.

'Ik ga naar mijn dochter,' zei Stevie en ze liep weg bij Bashears. 'Daarna zal ik al jullie vragen beantwoorden.'

'Wacht,' zei Bashears. 'We hebben een uur geleden bericht gekregen van de politie in Toronto. Ze hebben Rose Dandridge in een hotelkamer gevonden. Er heeft een worsteling plaatsgevonden en ze is herhaaldelijk op haar hoofd geslagen en vervolgens verstikt. Violet was weg.'

Stevie stond te zwaaien op haar benen. 'Rose is dood?'

'Nee,' zei Bashears. 'Maar ze ligt wel in coma. We moeten Violet vinden.'

Stevie verbleekte. 'Dat moeten we zeker.'

'Vertel ons dan wat er is gebeurd. Dan kun je daarna naar Cordelia. Erewoord.'

'Hij was hier toen ik thuiskwam. Hij had Cordelia op schoot en Izzy zat aan tafel. Hij stuurde Grayson een sms met mijn telefoon om met mij af te spreken. Hij was van plan Grayson en Paige te vermoorden om Violet terug te krijgen. Hij werkte voor iemand die ze dood wilde hebben. Ik wist dat Grayson inmiddels een ander nummer had en dat hij de sms nooit zou krijgen. Ik probeerde tijd te rekken.'

'Hoe kwam het dan dat jullie hier waren?' vroeg Morton aan Grayson.

'We hadden afgesproken elkaar hier te treffen voor het eten. Mijn huis is een plaats delict.'

Grayson loog, dacht Paige. Hij zei geen woord over de praktijken van Anderson of van de regelaar die volgens hem voor het advocatenkantoor van Bond werkte. Of dat Thomas Thorne ook had moeten komen. *Grayson vertrouwde Bashears en Morton dus ook niet.*

'Dus,' drong Bashears aan, 'Silas had Cordelia en wat gebeurde er toen?'

'Grayson ging langs de voorkant,' zei Paige. 'En ik deed de achterdeur open en kreeg Izzy naar buiten. Ik zei tegen haar dat ze zich in veiligheid moest brengen en hulp moest halen. Stevie had het mes al gepakt en was achter Silas aan gegaan.' Ze schetste het verloop van de gebeurtenissen. 'En toen kwamen jullie opdagen.'

'En nu ga ik,' verklaarde Stevie. Ze wierp Bashears een waarschuwende blik toe.

Bashears stak een hand op. 'Wie heeft Violet?'

'Dat heeft hij niet gezegd,' antwoordde Stevie over haar schouder terwijl ze zich door de voordeur naar buiten haastte.

Bashears wees naar twee agenten. 'Loop met haar mee naar de buren. Een van jullie blijft bij haar, de ander brengt haar zus hierheen. Ze heet Izzy. Bedankt.'

Paige dacht aan haar rugzak en hoopte dat Izzy voldoende gekalmeerd was om eraan te denken dat Paige had gezegd dat ze de rugzak moest pakken toen Paige haar de keuken uit sleurde. Om de rugzak in veiligheid te brengen en hem niet in handen van de politie te laten vallen. *Zeker niet in die van Morton. Gewoon voor het geval dat.*

'Allejezus.' Hyatt kwam het huis binnen gestormd. 'Wat is hier gebeurd?' Hij keek ieder van het groepje indringend aan en begon toen alle vragen opnieuw te stellen.

Paige vroeg zich af wanneer ze mochten gaan. *Ik moet mijn rugzak terug hebben. Ik moet nog een stel* MAC-*meisjes opzoeken.*

'We moeten jullie wapens in beslag nemen,' zei Bashears toen al Hyatts vragen waren beantwoord. 'Voor de ballistische kenmerken.'

'Dat begrijp ik,' zei Paige. Het maakte niet uit. Ze had er nog meer.

Grayson knikte alleen maar. 'Jullie hebben onze verklaring. Wanneer mogen we weg?'

'Wanneer u maar wilt, meneer de officier,' zei Hyatt. 'Het staat u vrij om te gaan. Dat geldt ook voor u, mevrouw Holden. Maar aangezien u heeft geschoten, verzoeken we u wel u beschikbaar te houden voor verdere ondervraging.'

'Natuurlijk,' antwoordde Paige. 'Niet de stad verlaten, zeker?'

Hyatt boog even zijn kale hoofd. 'Daar komt het op neer. Waar verblijven jullie vannacht?'

'In mijn huis,' zei Grayson. 'Vooropgesteld dat we daar weer in mogen.'

'De technische recherche is zo goed als klaar.' Hyatt richtte zich tot Paige. 'Dat was een keurig schot, mevrouw Holden, precies in de pols van Dandridge.'

Ze kneep haar ogen samen, niet zeker of zijn compliment gemeend was. 'Dank u. Ik wilde hem niet doden. Ik wilde alleen niet dat hij ons vermoordde. En ik dacht dat u wel informatie van hem wilde hebben.'

Hyatt wierp een boze blik op het lichaam en keek toen over zijn schouder. 'Daar is het nu te laat voor.'

Paige had de indruk dat die opmerking gericht was aan rechercheur Morton, maar ze wist het niet zeker.

'Hoe gaat u de zoekactie naar Violet aanpakken?' vroeg Grayson.

'Nu Dandridge niet langer een bedreiging vormt, heeft het vinden van het kind onze hoogste prioriteit.' Hyatt keek naar Bashears. 'Jij gaat terug naar het huis van Silas. Er moet daar iets zijn, iets wat hem in verband brengt met degene die zijn kind heeft ontvoerd. Spoor dat op. We halen de FBI erbij en coördineren alles met de Canadezen.'

'Hoe zit het met de zus?' vroeg Morton. 'Die moeten we ook nog ondervragen.'

'Dat doe ik wel,' zei Hyatt. 'Bashears gaat naar het huis van Dandridge. Rechercheur Morton, wil je zo vriendelijk zijn om buiten bij de agenten te wachten tot er een supervisor komt die je naar het bureau kan begeleiden? Daar kun je dan de noodzakelijke formulieren in verband met het afvuren van je dienstwapen invullen. Zoals de regels voorschrijven,' voegde hij eraan toe.

Mortons gezicht verstrakte. 'Ja, meneer.' Ze marcheerde zonder een blik achterom te werpen Stevies huis uit.

Paige wist dat politieagenten korte tijd buiten dienst werden gesteld wanneer ze dodelijk geweld hadden gebruikt, dus Hyatts bevel kwam niet onverwacht. Paige bestudeerde het gezicht van de inspecteur om te zien of iets erop wees dat hij dacht dat Morton verkeerd had gehandeld bij de dood van Silas, maar ze zag niets.

Toen Morton en Bashears weg waren, hurkte Hyatt naast het lichaam van Silas, klopte op diens zakken en haalde twee mobiele telefoons tevoorschijn. De ene was een kaal model, de andere was een smartphone. Hyatt klapte het gewone mobieltje open. 'De gesprekkenlijst laat zien dat hij je oude mobiele nummer heeft gebeld, Grayson. Gisteravond.'

'De waarschuwing,' zei Grayson. 'Vlak voor de bom explodeerde.'

'Er is vanmorgen om elf uur tweeëndertig een telefoontje van een afgeschermd nummer binnengekomen op het andere mobieltje.'

'Tweeënhalf uur voor hij JD Fitzpatrick neerschoot,' zei Paige.

'En ook binnen het tijdsbestek waarin volgens de politie in Toronto de aanval op Rose heeft plaatsgevonden. Dit is waarschijnlijk het telefoontje van degene die Violet ontvoerd heeft om Silas te vertellen dat hij jullie moest vermoorden.' Hyatt staarde naar de telefoon en slaakte een diepe zucht. 'Een foto van Rose. Ze lijkt dood.' Hij bekeek het lichaam van Silas met een mengeling van medelijden en woede. 'Heel wat mannen zouden door het lint zijn gegaan.'

Een rauwe kreet achter hen deed hen allemaal omdraaien naar de voordeur. Daar stond Izzy met een hand voor haar mond geslagen en haar ogen vol afschuw opengesperd. 'O mijn god.'

Grayson sloeg een arm om Izzy's schouder en ging zo staan dat hij het zicht op Silas' lichaam blokkeerde. 'Heeft Stevie je niet verteld dat hij dood is?'

'Jawel.' Izzy hapte naar adem. 'Maar ik had nog nooit eerder een dode gezien.'

Hyatt kwam overeind. 'Laten we naar de keuken gaan. Ik moet je verklaring hebben.'

'Prima,' zei Izzy bevend. Ze liep op weg naar de keuken langs Paige. 'Grayson en jij moeten nog even bij Stevie langs voor jullie weggaan.'

'Doen we,' beloofde Paige, die haar begreep. Izzy had de rugzak bij Stevie achtergelaten.

Izzy nam Paige in een stevige omhelzing. 'Dank je,' fluisterde ze. 'Jullie twee hebben ons leven gered.'

'Jij bedankt voor de make-up. We staan quitte.'

Izzy lachte dunnetjes. Ze liep naar de keuken, maar draaide zich bij de klapdeuren met gefronste wenkbrauwen om. 'Hij zei dat hij jullie allebei voor middernacht moest ombrengen.'

'Wanneer heeft hij dat tegen je gezegd?' vroeg Hyatt.

'Toen we zaten te wachten tot Stevie thuiskwam. Hij was toen even een tijdje niet helemaal bij zinnen. Hij bleef maar iets mompelen over sherry. Hij gaf de sherry overal de schuld van. Zei dat hij zijn ziel had verkocht voor "die verrekte sherry".'

'Zijn dochter heette Cherri,' legde Grayson uit. 'Ze stierf op de dag dat Violet werd geboren. Zij was de moeder van Violet.'

Izzy knipperde met haar ogen. 'Dat verklaart een hoop, denk ik. Hij vloekte veel. Hij mocht Grayson ook niet. Hij bleef mompelen: 'Verrekte advocaat. Ik maak hem af.'" Ze keek Grayson verontrust aan. 'Hij had plannen met je. Zieke plannen.'

Paige, Grayson en Hyatt wisselden een blik.

'Wat voor zieke plannen?' vroeg Grayson.

Izzy trok een gezicht. 'Opensnijden, verminken... Bepaalde lichaamsdelen afsnijden en jou die op laten eten. Cordelia was zo vreselijk bang. Ik kan alleen maar hopen dat ze het meeste van wat hij zei niet heeft begrepen. Hij was ziek. En zo boos.'

'En heeft hij verder nog iets gezegd? Heeft hij me bij mijn naam genoemd?' drong Grayson aan.

'Nee. Hij noemde je alleen maar "die verrekte advocaat".' Haar ogen werden groot. 'Wacht eens. Hij had het niet over jou, hè? Dat klinkt logisch, want later zei hij tegen Stevie dat als ze meewerkte, hij jullie dood snel en pijnloos zou laten zijn.'

'Wat heeft hij verder nog gezegd?' vroeg Hyatt dringend.

'Alleen maar dat het hem speet, dat hij ons niets wilde doen. Toen kwam Stevie en werd hij een en al zakelijkheid.' Izzy slikte moeizaam. 'Ze vroeg hem of hij echt haar kind zou opofferen voor het zijne en hij zei: "Zonder erbij na te denken." Stevie wist dat er niet met hem te praten was.'

'Dus hield ze vol en wachtte op ons,' zei Grayson zacht. 'Arme Stevie.'

'Ja,' stemde Izzy in. 'Zij wist dat jullie onderweg waren, maar ik niet.' Ze deed haar ogen dicht. 'Ik dacht echt dat hij ons ging vermoorden. Ik dacht dat we eraan gingen. Als jullie twee niet waren gekomen... Ik geloof dat ik even moet gaan zitten, als je het niet erg vindt.'

Hyatt hield de keukendeur voor haar open en keek toe terwijl zij aan tafel ging zitten en er nieuwe tranen over haar wangen stroomden. 'We zijn dus echt op zoek naar een advocaat,' concludeerde hij. 'Anderson heeft daar in ieder geval niet over gelogen. Ergens trekt een advocaat aan alle touwtjes en hij had Silas in zijn macht. Als we af mogen gaan op de bankafschriften die we in het huis van Silas hebben aangetroffen, dan was Silas al jaren zijn huurmoordenaar. Gaan jullie nog naar Thorne om informatie te krijgen over de oude firma van Bond?'

'Het was de bedoeling dat hij hierheen kwam,' antwoordde Grayson. 'Ik zal hem bellen en een nieuwe afspraak maken. Als je ons niet meer nodig hebt, dan gaan we nog even langs Stevie en dan naar huis.'

Hyatt keek hem onderzoekend aan. 'Waar ga je werkelijk naartoe?' vroeg hij.

Grayson leek niet verrast. 'Het huis van mijn broer. Joseph Carter.'

'Prima. Ik moet schriftelijke verklaringen van jullie hebben, maar dat komt later wel. Bel me zodra je meer weet over die advocaat. Dat zou wel eens onze beste aanwijzing kunnen zijn om de dochter van Silas te vinden.'

'Ik bel je zodra we iets weten,' beloofde Grayson. 'Paige? Kom op.'

23

'Dat viel niet mee,' zei Paige toen ze wegreden met Peabody op de achterbank.

'Zeker niet.'

Ze hadden Stevie en Cordelia aangetroffen aan de keukentafel van hun buren. Stevie wiegde Cordelia, die zich aan haar vastklampte. Het gezicht van Stevie was vlekkerig en haar ogen dik.

Ze was opnieuw ingestort toen zij de keuken van de buren binnen kwamen en Grayson had haar meegenomen naar een andere kamer zodat ze samen konden treuren om de Silas die ze hadden gedacht te kennen.

Paige en Peabody waren bij Cordelia gebleven. Het meisje was weer in huilen uitgebarsten toen haar moeder begon te huilen. 'Ze aaide Peabody over zijn kop, net als ik doe wanneer ik gestrest ben,' zei Paige zacht.

'Het is een wonder dat je hond nog haar op zijn kop heeft,' zei Grayson verdrietig. 'Ik heb Stevie niet meer zo zien huilen sinds Paul stierf.' De aanblik van haar aangeslagen gezicht riep een herinnering bij hem op aan een andere dag, toen hij zo oud was als Cordelia. 'Zo keek mijn moeder ook toen ze de vader van dat slachtoffer met een honkbalknuppel had geslagen.' *Toen hij mij dreigde te vermoorden.* 'Het is bijna dertig jaar geleden en ik kan haar gezicht maar niet vergeten.'

Paige keek over haar schouder. 'Over je moeder gesproken... Die tv-ploeg bij Stevies huis heeft ons gefilmd toen we weggingen. We zijn straks weer het belangrijkste item en je wilt niet dat ze van Phin Radcliffe te horen krijgt dat we weer op het nippertje zijn ontsnapt. Je moet haar bellen.'

'Je hebt gelijk.' Hij gaf Paige zijn mobieltje en gaf haar het nummer van zijn moeder. 'Wil jij het even intoetsen?' Zijn moeder nam onmiddellijk op. 'Alles in orde met me,' zei hij voor ze iets kon zeggen. 'Ik leef nog, ik heb geen schrammetje. Mijn onderbroek is zelfs nog schoon.'

Zijn moeder lachte, maar er klonk een snik in door. 'Ik weet het. Ik heb Paige en jou zien weggaan bij het huis van Stevie. Je bent weer op het nieuws. Ik ben zo blij dat die man dood is. Allebei de mannen. Ik zag dat je baas, dat vreselijke ventje, zich door zijn hoofd heeft geschoten.'

'Dat klopt.'

'Dan is het voorbij.'

Het was niet voorbij, nog lang niet. Maar hij mocht doodvallen als hij haar dat zou vertellen. Dan zou ze zich alleen maar meer zorgen maken. 'Er zijn nog steeds een paar losse eindjes die moeten worden weggewerkt.'

'Nou, doe dat dan snel. Holly gaat naar het centrum en ze vroeg of Paige nog steeds komt.'

'Kan ze niet nog een week wachten voor ze gaat? We redden het niet om daar vanavond te zijn en ik maak me zorgen om die knapen die haar lastigvallen.'

'Ik ga vanavond met haar mee,' zei zijn moeder. 'Ik hou een oogje in het zeil.'

Grayson fronste zijn wenkbrauwen. 'Nou, als jij meegaat zit het wel goed, denk ik.'

'Ik zal een stevig koffertje meenemen,' zei ze droog. 'Ik hou van je, jongen.'

'Ik ook van jou.' Hij verbrak de verbinding, keek even naar Paige en zag dat ze zat te glimlachen. 'Wat?'

'Ik vind het leuk dat je tegen je moeder zegt dat je van haar houdt. Met al dit akelige gedoe is dat weer eens wat anders.'

'Dank je. En ook bedankt dat je daarbinnen Silas hebt ontwapend en mijn leven hebt gered.'

'Dan denk ik dat wij ook quitte staan.'

'Nee, want ik heb jou twee keer het leven gered. In de garage en gisteravond.'

Haar glimlach verflauwde. 'Laten we dan maar hopen dat we de stand nooit gelijk kunnen trekken. Toen al die schoten werden afgevuurd, dacht ik dat hij jou had geraakt.'

'Ik ook,' zei hij, terwijl zij zijn hand tegen haar wang legde en hem daar hield. Dat voelde goed. 'Ik ben blij dat de TR ons niet in ons huis wilde laten. Dan zouden we te laat zijn geweest. Stevie zou niet met hem hebben meegewerkt en dan zou hij hen allemaal hebben vermoord.'

'Ik weet het niet. Stevie lijkt keihard, maar zelfs zij heeft geen idee wat ze zou hebben gedaan als het verder was gegaan. Ze werkte aanvankelijk niet met hem mee omdat ze wist dat wij onderweg waren. Ze probeerde tijd te rekken.'

'In dat geval ben ik blij dat ze niet voor de keuze is komen te staan.'

'Ik ook.' Paige liet zijn hand los. 'Hyatt was kwaad op rechercheur Morton.'

'Ik weet het.' Hij fronste zijn voorhoofd. 'Morton had niet op het hoofd van Silas hoeven richten.'

'Het is mogelijk dat ze heeft gezien dat Silas zijn wapen op jou richtte en in een fractie van een seconde een beslissing moest nemen,' zei ze nadenkend. 'Maar...'

'Maar je twijfelt weer aan haar. Ik ook.'

'Ja. Ik bedoel, Silas werkte voor die advocaat die al die zaakjes regelt. Het lijkt logisch dat hij degene was die Ramon in de val heeft laten lopen. Maar Morton heeft iets waardoor ik haar niet vertrouw. Misschien is dat omdat ik haar niet mag. Ik weet het niet.'

'Ik denk dat Hyatt ook achterdocht heeft. Ik vraag me af wat IZ boven water heeft gekregen dat ze ons niet vertellen.'

'Precies. Al hebben wij ook onze geheimen. Ik had Hyatt bijna over de MAC-kinderen verteld, maar ik kon het gewoon niet.'

'Waarom niet?'

'Ik weet het niet. Ik denk dat een deel van mezelf dit onderzoek eigenhandig ten einde wil brengen, je weet wel, alles op een rijtje krijgen. Maar een ander deel vertrouwt Hyatt ook niet.' Ze boog zich voorover om haar laptop uit haar rugzak te pakken en keek hem toen zijdelings aan. 'Gaan we echt naar Joseph?'

'Nee. We gaan bij mijn moeder logeren. Zij kan in het grote huis slapen bij Jack en Katherine. Joseph heeft het daar beter beveiligd dan Fort Knox.'

'Vind ze het niet erg dat we Peabody bij ons hebben?'

'Als ze te horen krijgt dat de hond Silas heeft gebeten, dan gaat ze waarschijnlijk een kluif voor hem halen.'

'Hij heeft zich goed gehouden vandaag. En ik zou die trut van een Morton persoonlijk hebben neergeschoten als ze hem iets had gedaan.'

'Ik zou je geholpen hebben.' Zijn mobieltje begon te zoemen. 'Dit nummer ken ik niet.'

'De laatste keer dat je een nummer niet kende is het niet zo goed afgelopen.'

Dat was zacht uitgedrukt. 'Met Smith,' zei hij op zijn hoede.

'Met Thomas Thorne. Ik ben een paar straten van Stevies huis en het stikt hier van de politie. Wat is er in godsnaam aan de hand?'

'Silas Dandridge had Stevie, haar dochter en haar zus gegijzeld. Hij is dood.'

Thorne slaakte een vloek. 'Heeft Stevie dat moeten doen?'

'Nee. Ze heeft hem wel neergeschoten, maar het dodelijke schot is afgevuurd door een van de andere politiemensen. Ze is te zeer van haar stuk voor een bespreking met ons. Is er een andere plek waar we kunnen praten?'

'Kom naar mijn club, Sheidalin. Mijn kantoor is geluiddicht. Daar zal niemand ons storen.'

'Ben je meer te weten gekomen over Bonds voormalige advocatenkantoor?'

'Stel dat dat zo is, kan het je dan wat schelen hoe ik eraan gekomen ben?'

'Natuurlijk. Maar ik begin aardig goed te worden in het vergeten van dingen. Wie ben jij ook alweer?'

Thorne lachte, een bulderend geluid. 'Prima. Ik heb de lijst van huidige werknemers, inclusief dossiers en foto's. Kom naar Sheidalin, dan kunnen we alles bekijken.'

'Bedankt.' Grayson beëindigde het gesprek en keerde bij het volgende verkeerslicht. 'We gaan stappen.'

Paige keek naar haar gi. 'Ik zie eruit alsof ik me heb verkleed voor Halloween.'

'Als ik afga op wat ik over die tent heb gehoord, dan zul je beslist niet opvallen.' Hij wees naar de laptop. 'Je bent gestopt bij 1991. Waar is de rest van de vrouwen die MAC-meisjes zijn geweest?'

'Susan McFarland, 1991.' Een paar minuten later slaakte ze een zucht. 'Dood. Zelfmoord.'

'Ik bel Lucy Trask. Dan kun je haar de namen doorgeven van de autopsierapporten die we tot nu toe moeten hebben. Dan kan zij in ieder geval een begin maken. Ga door. Er zijn er nog maar zes over.'

Donderdag 7 april, 19.00 uur.

Silas was dood. Godverdomme.

Hij keek neer op Violet Dandridge, die nog steeds regelmatig ademde, diep in slaap. Hij kon haar nu doden, maar hij had geen idee wat Silas de politie had verteld voor hij werd neergeschoten. Als Silas namen had genoemd... *dan komen ze achter me aan. Ze kunnen al onderweg zijn. Ik moet iets hebben om te ruilen.* Een zevenjarige zou een heel goed ruilmiddel zijn.

Als het zover kwam, uiteraard. Als Silas zijn mond had gehouden, dan was er niets aan de hand.

Hij drukte op snelkeuzetoets 9 van zijn mobieltje. Hij zou de instellingen van de verkorte nummers moeten veranderen. Hij had Silas niet meer nodig, net zomin als Roscoe 'Jesse' James en Harlan Kapansky. Snelkeuzetoets 9 kon stijgen op de ladder. Misschien zelfs wel snelkeuzetoets 1 worden.

'Wat?'

'We zullen toch eens iets aan je telefoonetiquette moeten doen,' mompelde hij. 'Wat heeft Silas gezegd voor hij stierf?'

'Niets.'

'Fijn om te weten.' Heel fijn. Nu was zijn grootste zorg dat die openbaar aanklager en de privédetective dingen bleven opgraven die het beste maar begraven konden blijven.

'Behalve dat iemand zijn kind had ontvoerd. Was jij dat?'

Hij keek omlaag naar Violet. 'Dat gaat je niks aan. Ik heb een opdracht voor je.'

Er volgde een korte aarzeling. 'Ik heb gedaan wat je wilde.'

'En dat zul je ook blijven doen. Zo werkt het nu eenmaal. Silas had zijn Violet. Jij hebt je Christopher. Hij is... wat, twaalf inmiddels? Loopt hij nog met krukken? Triest, heel erg triest, doorrijden na een aanrijding,' zei hij spottend. 'Hebben ze degene die het heeft gedaan ooit te pakken gekregen?'

Er werd duidelijk hoorbaar geslikt. De toon werd er een van machteloze woede. 'Wat wil je dat ik doe?'

'Ik ben zo blij dat we elkaar begrijpen. Ik heb gemerkt dat mensen met een gezin zo voorspelbaar zijn. Grayson heeft een moeder. Bel me wanneer je haar in het vizier hebt.'

Donderdag 7 april, 19.45 uur

'Eentje,' zei Paige zacht. 'Er leeft er nog één. Van de zestien jaar, van de zestien meisjes.'

Ze stonden geparkeerd voor de club van Thorne en zaten verbijsterd in de auto. 'Wie is nog in leven?' vroeg Grayson.

'Ze heet Adele Shaffer, meisjesnaam Masterson. Ze is zes jaar geleden met Darren Shaffer getrouwd en ze hebben een dochtertje, Allison. Darren heeft voor een buitenlands bedrijf gewerkt, tot vorig jaar, toen zijn ze teruggekomen. Adele is de enige die nog over is.'

'Laten we die personeelslijst van het advocatenkantoor bij Thorne ophalen en dan gaan we haar zoeken. Haar waarschuwen. En erachter zien te komen wat er in vredesnaam gebeurd is toen ze twaalf was.'

'Wat doen we met Peabody?' vroeg Paige toen ze uitstapten.

'Kan hij tegen harde geluiden? Zoals het knallen van een zweep?'

Ze slingerde met grote ogen haar rugzak om. 'Voor zover ik weet wel.'

'Dan zit het wel goed.' Hij maakte de hondenriem vast aan Peabody's halsband. 'Kom mee.'

Het was donker in de club, de muziek oorverdovend en de uitsmijter enorm. Op zijn naamplaatje stond: MING. Hij liet hen binnen zonder haar gi of Peabody een blik waardig te keuren.

'Ze hebben tegen me gezegd dat jullie zouden komen,' zei Ming. 'Het kantoor van Thorne is de eerste deur aan de rechterkant.'

De deur van het kantoor ging open en Paige merkte dat ze haar hoofd in de nek moest leggen om naar boven te kijken. Thomas Thorne was nog groter dan de uitsmijter. Hij moest tegen de twee meter zijn en hij straalde een gevaarlijke seksualiteit uit. Het mocht een wonder heten dat hij niet werd vergezeld door een stuk of tien vrouwen die hun handen niet thuis konden houden.

Er was maar één vrouw bij hem en ze zat niet aan hem. Ze zat achter het toetsenbord van een computer en keek fronsend naar het scherm.

'Ik ben Thomas Thorne.' Hij schudde Paige de hand. 'Dit is mijn zakenpartner, Gwyn Weaver. Gwyn, officier van justitie Grayson Smith en privédetective Paige Holden.'

Gwyn was een kleine brunette die mooi zou zijn als ze niet zo boos keek. 'Aangenaam kennis te maken. Het zou nog aangenamer zijn als jullie erachter kunnen komen wat er niet deugt aan mijn spreadsheet.'

'Ga even wandelen,' zei Thorne tegen haar. 'Je komt er altijd achter wat er fout zit als je even hebt gewandeld.'

Gwyn sloeg haar ogen ten hemel. 'Dat is Thomas' manier om te zeggen dat ik moet opkrassen.' Ze liep het kantoor uit met de boze blik stevig op zijn plaats. Paige vroeg zich af of ze altijd kwaad keek.

Thorne deed de deur achter haar dicht. 'Het spijt me. Gwyn is de laatste tijd zichzelf niet.' Hij wees naar een tafeltje in de hoek van het vertrek. 'Laten we gaan zitten.'

'Heb je de lijst met personeel van Bonds advocatenkantoor?' vroeg Grayson.

'Ik zei toch dat ik die had.' Thorne bekeek Grayson met enige argwaan. 'Maar ik moet zeggen dat ik nogal verbaasd was toen Stevie me benaderde.'

'Hoe dat zo?' vroeg Grayson. De twee mannen, normaal gesproken tegenstanders in de rechtszaal, namen elkaar onderzoekend op. Paige wilde tegen ze snauwen dat ze moesten opschieten, maar besefte dat het voor Grayson niet zo eenvoudig was om een verdediger te vertrouwen, dus slikte ze haar ongeduld in.

'Ik was niet bijzonder verbaasd toen ik hoorde dat er bij het Openbaar Ministerie gesjoemeld werd,' zei Thorne. 'Ik heb me dat al een paar keer afgevraagd, maar ik kon het nooit bewijzen. En voor je het vraagt, ik zal nooit een proces manipuleren of onwettige middelen gebruiken om een cliënt te verdedigen.'

'Ik zou hier niet zijn als ik dacht dat je dat wel zou doen. Wat heeft je dan wel verbaasd?'

'Nou, om te beginnen, dat de firma van Bond ervan verdacht wordt erbij betrokken te zijn. Ze zijn een oud advocatenkantoor met een uitstekende reputatie. Maar ik was vooral verbaasd toen ik hoorde dat jij degene was die de informatie wilde hebben, Smith. Ik had verwacht dat je erop zou staan dat er een dwangbevel kwam.'

Grayson bloosde, maar hij wendde zijn blik niet af. 'Ik heb het volste recht om een personeelslijst met datum van indiensttreding op te vragen, maar er gaan mensen dood,' zei hij ruw. 'We kunnen ons geen uitstel veroorloven en we kunnen ons niet veroorloven dat deze firma te weten komt dat we hen onderzoeken. Nog niet. Stevie en ik hadden iemand nodig die zo vertrouwd zou worden door een werknemer van die firma dat hij de lijsten zou krijgen. We namen aan dat ze een andere verdediger wel zouden vertrouwen. We moesten in de eerste plaats iemand vinden van wie we wisten dat hij voor zich zou houden dat wij om die informatie hadden gevraagd. Stevie vertrouwt jou, dus doe ik dat ook. Voorlopig. Hiermee.'

Dit leek Thorne tevreden te stellen en hij schoof een map over tafel. 'Dit zijn de huidige personeelsleden van de firma van Bob Bond die daar ook al werkten ten tijde van de moord op Crystal Jones. Stevie zei dat je een man zoekt, dus ze zijn geselecteerd op geslacht.'

De map zat vol personeelsdossiers en foto's, allemaal van mannen.

'Bingo,' mompelde Paige. 'Ken je iemand van die mannen, Thorne?'

'Een van de partners. Hij is arrogant, maar een boef die zaken manipuleert? Ik zou zeggen van niet. Ik ken een paar van de junior partners. Ze wekken geen van allen de indruk crimineel te zijn.'

Paige begon met de foto's. Met de partners meegerekend en de junior partners, klerken, assistenten en administratief personeel waren het er tientallen. 'We gaan ervan uit dat degene die Sandoval heeft uitbetaald ongeveer 1 meter 83 is. Dat beperkt de lijst aanzienlijk.'

'De man die Sandoval heeft betaald is misschien niet de advocaat die we zoeken,' waarschuwde Grayson. 'Anderson zei dat hij waarschijnlijk een van Bonds strooplikkers was.'

'Dat was misschien ook zo,' zei Paige terwijl ze opkeek van de foto's. 'Maar hij was belangrijk genoeg om Sandoval te laten vermoorden omdat hij zijn foto had bewaard en Elena omdat ze hem had gestolen. Daarom betwijfel ik of het rommaar een strooplikker was.'

'Je kunt gelijk hebben,' zei Grayson. 'Het is in ieder geval een punt waar we kunnen beginnen.' Ze vergeleken de lengte van de advocaten met die van de man op de foto van Sandoval en reduceerden de stapel zo tot tien stuks. 'Ik wou dat hun handen ook op de foto's stonden. De man die Sandoval betaalde ging regelmatig naar de manicure.'

'En hij droeg een pinkring,' voegde Paige eraan toe. 'Toen in ieder geval. We hebben hier tien kandidaten. Met tien kunnen we wel iets. Hun achtergrond natrekken en zo.'

'Ik ga weer naar mijn bron bij de firma om navraag te doen naar die tien,' zei Thorne. 'Maar het is heel goed mogelijk dat degene die geregeld heeft dat die rechtszaken werden gemanipuleerd er niet meer werkt.'

'Dat beseffen we.' Paige dacht aan Violet. De advocaat die al die deals tussen Anderson en Bond had geregeld, had Silas gedwongen een groot aantal keren voor hem te moorden. *Hij wilde ons laten vermoorden omdat we te dichtbij kwamen.* Nu had die advocaat Violet in handen. *Violet kan wel al dood zijn.* 'We trekken die tien na en als dat niets oplevert, dan gaan we verder met de anderen die voor die firma werken.'

De deur van het kantoor ging open en een vrouw kwam naar binnen. Paige staarde openlijk naar haar. De vrouw droeg geen soepel vallende broek en elegante zijden blouse zoals Gwyn. Haar jurk, voor zover daar sprake van was, was van zwart leer. Haar blauwe ogen waren zwaar aangezet met zwarte mascara en haar rossige haar was doorspekt met paarse lokken.

Grayson knipperde met zijn ogen. 'Lucy? Ik had wel over deze plek gehoord, maar ik had niet verwacht jou hier te zien. Of dat je er zo bij zou lopen.'

'Ben jij de patholoog-anatoom?' vroeg Paige ongelovig. 'Lucy Trask?'

De vrouw knikte. 'Dat ben ik. Jij moet Paige zijn. Ik ben zo blij dat –'

'Wat doe je hier?' onderbrak Thorne haar. 'Waarom ben je niet bij JD in het ziekenhuis?'

'Omdat JD me heeft weggestuurd. Hij zei dat er te veel bacteriën in het ziekenhuis zijn en dat is niet goed voor de –' Lucy zweeg abrupt en rolde met haar ogen toen Thorne begon te grijnzen.

'Ja?' vroeg de grote man. 'Is er iets wat je met de rest van de klas wilt delen?'

'Het zou een geheim moeten zijn,' mopperde Lucy en haar wangen werden rood.

Grayson onderdrukte een glimlach. 'We zullen het niemand vertellen.'

'Geen woord,' beloofde Paige voor de tweede keer die dag.

'Ik beloof niks,' verklaarde Thorne. Toen werd hij weer ernstig. 'Hoe gaat het met JD?'

'Hij slaapt. Hij probeerde de macho uit te hangen en wou de pijnstiller die de verpleegster hem probeerde te laten innemen niet hebben. Ik beloofde dat ik weg zou gaan voor een paar bacterievrije uurtjes als hij die verrekte pil zou nemen, dus dat heeft hij uiteindelijk gedaan. Naar huis is verder weg dan hiernaartoe, dus blijf ik hier een paar uurtjes. Daarna ga ik terug en blijf ik stiekem aan zijn bed zitten.'

Ze wendde zich met een dankbare glimlach tot Paige. 'Zoals ik wilde zeggen, ik ben zo blij dat je hier bent. Ik wilde je persoonlijk bedanken. JD heeft me verteld hoe je hem vanmiddag hebt verzorgd. Hij heeft me een boodschap voor je meegegeven. Als het ongepast is, moet je hem de schuld maar geven en niet mij. Hij zei dat ik tegen je moest zeggen: "Als ik de jouwe mag zien, laat ik de mijne zien."'

Paige glimlachte. 'Hij bedoelt littekens. Ik heb er een op mijn schouder. Ik ben blij dat het goed met hem gaat.'

'Ik ook,' zei Lucy heftig. 'Hij maakt zich meer zorgen om Stevie.'

'Het komt wel goed met haar. Uiteindelijk.' Grayson zuchtte. 'Hoop ik. Ben je nog in de gelegenheid geweest om die autopsierapporten voor ons te bekijken?'

'Dat heb ik gedaan.' Lucy deed haar leren handtas open en haalde een cd tevoorschijn. 'Hier staat alles op. Het ziekenhuis heeft wifi, dus ik kon ze downloaden terwijl ik bij JD zat. Al je zelfmoordgevallen hadden barbituraten in hun bloed. Drie zijn opgehangen aangetroffen. De rest werd beschouwd als een opzettelijke overdosis.'

'Opgehangen, net als Sandoval?' vroeg Grayson.

'Nee. Sandoval is herhaaldelijk verstikt. Deze vrouwen zijn op geen enkele manier gemarteld. Alleen maar verdoofd en toen opgehangen.'

Thorne keek nadenkend. 'Kan het zijn dat erbij zitten die zichzelf hebben verdoofd en verhangen?'

'Mogelijk, maar niet waarschijnlijk. Ze waren waarschijnlijk al bewusteloos voor ze werden opgehangen of in ieder geval verdoofd genoeg om geen weerstand te bieden. Het wil er bij mij niet in dat de slachtoffers in staat waren op een kruk te gaan staan en zelf hun hoofd in de strop te steken.'

'Waarom is dat niet eerder opgevallen?' vroeg Paige. 'Waarom heeft niemand dit gezien?'

'Niemand was op zoek naar een patroon, maar barbituraten in dergelijke doses hadden alarmbellen moeten doen rinkelen.' Lucy zuchtte. 'De autopsies zijn allemaal uitgevoerd door dezelfde dokter en die is vorig jaar gestorven.'

'Dat spreekt vanzelf,' mompelde Paige.

'Ze nam ontslag als lijkschouwer, verhuisde naar New Orleans en werd serveerster. Een maand later kwam ze niet opdagen op haar werk. Ze troffen haar dood aan in haar auto, in haar eigen garage. Koolmonoxidevergiftiging. Na een week. Niemand had haar gemist.'

'Ik kan me dat nog wel herinneren,' zei Thorne. 'Je hebt toen vrij genomen om naar de begrafenis te gaan.'

'Mijn baas en ik zijn gegaan, uit respect. We waren de enige aanwezigen. Het was zo ontzettend triest. Niemand wist waarom ze zich van het leven had beroofd, al waren we niet vreselijk verrast. Ze was altijd al de somberste van ons allemaal geweest, altijd in gedachten verzonken. We dachten dat ze gewoon niet geschikt was voor het werk. Dat is niet iedereen.'

'Had zij ook barbituraten in haar bloed?' vroeg Grayson.

'Ja. Dat leek op dat moment niet zo vreemd. Veel mensen slikken slaapmiddelen voor ze op zo'n manier in hun auto stappen.'

'Ik zal contact opnemen met de politie van New Orleans om hun proces-verbaal op te vragen en dan kunnen we een onderzoek instellen,' zei Grayson. 'Als ze is betaald om de andere kant op te kijken toen ze hier werkte, dan hebben we een nieuw geldspoor om te volgen. In de tussentijd hebben we voor jou nog een paar verslagen om na te trekken.'

Lucy liet zich op de rand van de tafel zakken. 'Dat meen je niet.'

'Helaas wel.' Paige overhandigde haar een lijst met namen.

'Zijn erbij die het afgelopen jaar zijn gestorven?' vroeg ze.

'Nee.' Paige zag dat Lucy opgelucht haar schouders liet zakken.

'Dan hebben we in ieder geval niet te maken met nog een corrupte dokter. Waar gaat dit verdomme over?'

'Dat zou ik ook wel eens willen weten,' bromde Thorne. 'Ik dacht dat we op zoek waren naar gesjoemel bij het OM?'

'Dat zijn we ook,' zei Grayson. 'De bemiddelaar staat in verband met een meisje dat Crystal Jones heet. De man die veroordeeld is voor de moord op Crystal is Ramon Muñoz.'

'Zijn vrouw Elena is twee dagen geleden vermoord,' zei Lucy en Paige knikte.

'Elena en haar schoonmoeder hebben mij in de arm genomen om te bewijzen dat Ramon het niet heeft gedaan. Ramon werd verdedigd door Bob Bond, die zaakjes regelde met Charlie Anderson. Pas toen we Bond en Anderson verder gingen onderzoeken, kwamen we erachter dat ze een hele reeks mensen er net als Ramon in hadden geluisd. Anderson zei dat het meesterbrein bij de firma van Bond werkt en daarom zijn we hier – om uit te zoeken wie dat is.'

'En wat is er dan gebeurd met de dode vrouwen?' vroeg Lucy. 'Wat hebben die hiermee te maken?'

Paige slaakte een zucht. 'Ramon werd ervan beschuldigd dat hij een vrouw genaamd Crystal Jones had vermoord tijdens een feest dat werd gegeven door Rex McCloud. Ramon is onschuldig, dus namen we Rex onder de loep.'

'Logisch,' vond Thorne. 'De McClouds konden het zich goed veroorloven Bond te betalen om Rex' naam te zuiveren. Maar hoe zit het met die meisjes?'

'We zijn erachter gekomen,' zei Grayson, 'dat Crystal heeft deelgenomen aan een liefdadigheidsprogramma van de McClouds dat gericht was op twaalfjarigen vanuit de hele staat die uit probleemgezinnen kwamen met een laag inkomen. Alle dode meisjes hebben er deel van uitgemaakt, van 1984 tot het programma in '99 werd beëindigd.'

'Het programma liep zestien jaar,' zei Paige. 'En er is nog maar één van die kinderen over. De meesten zijn om het leven gekomen na de moord op Crystal. Er waren steeds slaapmiddelen in het spel. We hebben reden om aan te nemen dat Crystal die avond naar dat feest is gegaan om iemand te chanteren. We vroegen ons af wat een twaalfjarig meisje kon zijn overkomen dat ze acht jaar later kon gebruiken om een invloedrijke familie af te persen. Er is maar één verklaring mogelijk.'

Thornes gezicht was donker geworden van woede. 'Iemand heeft de meisjes aangerand op het landgoed van de McClouds.'

'O, nee,' fluisterde Lucy verbijsterd. Ze kreeg tranen in haar ogen. 'Twaalfjarige meisjes?'

'Wat heeft Silas hiermee te maken?' vroeg Thorne.

'Een van de mannen die onder ede hebben gelogen tijdens Ramons proces bewaarde bewijzen tegen de bemiddelaar, het "meesterbrein". Zaken die bewezen dat hij betaald was om Ramons alibi te ontkrachten. Elena kreeg dat bewijs te pakken en werd vermoord. Dezelfde dag nog is de man die had gelogen vermoord.'

'Sandoval,' zei Lucy.

'Ja,' zei Grayson. 'Door Silas Dandridge, Stevies partner vóór JD. Hij werkte al een paar jaar voor die bemiddelaar. Paige en ik kwamen dicht bij de waarheid omtrent de McClouds en Silas kreeg te horen dat hij ons moest vermoorden. Toen hij dat niet deed, heeft de bemiddelaar zijn dochtertje ontvoerd. Nu is Silas dood en niemand weet wie Violet heeft.'

'Dat is de reden dat we vanavond nog de personeelsgegevens van dat advocatenkantoor moesten hebben,' maakte Paige het verhaal af. 'Violet Dandridge heeft niet veel tijd meer. We hebben tien namen waar we wat mee kunnen. Ik begin met het natrekken van hun achtergrond.'

Grayson schudde zijn hoofd. 'Ik heb Hyatt beloofd dat ik het hem zou laten weten als we een lijst te pakken hadden. Hij schakelt de FBI in om te helpen bij het zoeken naar Violet. Misschien zit ze nog in Canada. De FBI heeft meer mankracht om die namen na te trekken. Als de tien die wij hebben niets opleveren, dan kunnen ze hun onderzoek veel sneller uitbreiden dan jij met je laptop.'

'Ben je van plan om die namen aan de FBI te geven?' vroeg Thorne somber.

'Ze zullen niet te weten komen hoe ik hem in handen heb gekregen,' beloofde Grayson. 'Dat ben ik al vergeten.'

Thornes gezicht verstrakte. 'Hoe oud is ze? Dat meisje?'

'Zeven,' zei Paige. Ze zag een spiertje bewegen in Thornes wang.

'Ga je gang dan maar,' antwoordde Thorne.

'Bedankt.' Grayson belde Hyatt met zijn mobieltje en gaf de tien namen aan hem door. Toen hij de verbinding verbrak, zuchtte hij. 'Het slechte nieuws is dat er nog steeds geen spoor van Violet is. Het goede nieuws is dat Rose Dandridge zojuist uit haar coma is ontwaakt. Ze hebben haar nog niets verteld over Silas en Violet. En ze hebben nog een slachtoffer van Silas gevonden.'

'Wie?' vroeg Paige.

'Herinner je je die motor nog die bij Stevie achter stond? Die was van een man die bewusteloos in een steegje bij zijn huis is aangetroffen. Silas heeft hem neergeslagen en toen zijn motor gestolen. De man is gelukkig buiten levensgevaar.' Grayson zuchtte nogmaals. 'Wat een ellende.'

'Dat kun je wel zeggen,' zei Lucy. 'Seriekinderverkrachters, moordenaars, sjoemelaars, een corrupte agent, zijn ontvoerde kind en een meesterbrein dat iedereen elimineert die te dicht bij de waarheid komt. Mijn hoofd loopt ervan om.'

'Welkom in onze wereld,' zei Grayson grimmig. 'Ben je nog in de gelegenheid geweest om naar het autopsierapport van Crystal Jones te kijken? Ik hoopte eigenlijk dat jij iets zou vinden wat de vorige lijkschouwer over het hoofd heeft gezien.'

'Niet echt, maar ik heb mijn laptop bij me. Ik zal de autopsie van Jones nog eens bekijken en de verslagen van de resterende vrouwen opvragen voor ik terugga naar JD in het ziekenhuis.'

Thorne keek peinzend. 'Stel dat de man die je zoekt niet op die lijst staat. Hoe vind je dan het vermiste kind?'

Grayson liet zijn adem ontsnappen. 'De bemiddelaar is betaald om Ramon de schuld te geven van de moord op Crystal. Dat betekent dat de bemiddelaar weet wie haar echt heeft vermoord. Crystal is daar naartoe gegaan om haar verkrachter af te persen.'

'En die heeft haar vermoord,' maakte Lucy het verhaal af. 'Heb je enig idee wie dat is geweest?'

Grayson haalde zijn schouders op. 'Mijn eerste ingeving is Louis Delacorte, de stiefvader van Rex McCloud. Hij heeft de juiste leeftijd en was de avond dat Crystal stierf op het landgoed. Hij woonde ten tijde van dat liefdadigheidsprogramma op het landgoed en hij heeft een geschiedenis van geweld. Hij voldoet aan het profiel in die zin dat hij overschaduwd wordt door zijn echtgenote. Passief en met de behoefte de baas te zijn over iemand. Maar het kan iedereen van de mensen zijn die al lange tijd in dienst zijn.'

'We weten dat het niet Rex was,' zei Paige. 'Die was zelf nog maar een baby. De senator heeft een paar jaar voor de moord een beroerte gehad. Hij was niet sterk genoeg om haar te kunnen vermoorden.'

'Dus wat nu?' vroeg Thorne.

Paige wreef over haar slapen. 'Adele Shaffer, de enige die nog over is. Zij kan ons vertellen wat er op het landgoed is voorgevallen toen ze twaalf was. Zij is de link met Crystals moordenaar.'

'Het komt steeds weer neer op het vinden van Crystals moordenaar,' zei Grayson vermoeid. 'Heb je het huidige adres van Adele?'

Paige knikte. 'Jazeker.'

'Laten we dan maar eens bij haar langsgaan.'

'Ik wil me eerst even omkleden. Dan gaan we. Bedankt, Thorne, Lucy.'

'Wees voorzichtig, jullie twee,' maande Thorne. 'Laat het ons weten als we iets kunnen doen.'

Grayson bracht de Escalade tot stilstand langs de stoep voor het huis van de familie Shaffer, een kleine eengezinswoning net buiten de stad.

'Er staat een houten hekje omheen,' mompelde Paige. 'Een echt, wit houten hek.'

'Ik vind het leuk.'

Ze keek hem verrast aan. 'En je herenhuis dan?'

'Dat vind ik ook leuk, maar dit is knusser.'

'Waarom heb je dan dat herenhuis gekocht en al die chique meubelen?'

'Dat heb ik niet gedaan. Dat heeft Katherine Carter gedaan. Het was een cadeau toen ik klaar was met mijn studie rechten.' Hij glimlachte bij de herinnering. 'Ze huilde toen ik mijn bul kreeg.'

'Je bent een gezegend mens,' zei Paige zacht.

'Ik weet het. En daar ben ik nog elke dag dankbaar voor. Maar ik vind jouw meubels ook leuk. Ik vind het leuk dat je grootvader ze heeft gemaakt. Het heeft... geschiedenis. Dat is goed. Kom, dan gaan we Adele zoeken.'

Toen ze aanklopten werd er opengedaan door een gejaagde man met een dreumes op zijn arm. Hij had wat eruitzag als gepureerde erwten in zijn haar. 'Meneer Shaffer?' vroeg Grayson.

'Ja. Wat moeten jullie?'

'We zouden graag uw vrouw, Adele, willen spreken. Is ze thuis?' *Bleekmiddel*, dacht Grayson. De geur prikte in zijn neus en zijn ogen begonnen ervan te tranen. 'Is ze thuis?'

'Nee,' zei Shaffer met een boze blik. 'Ze is weg.'

'Weg, waar naartoe, meneer?' vroeg Paige

'Ik weet het niet en het kan me niet schelen ook. Wie zijn jullie eigenlijk?'

'Ik ben Grayson Smith, ik werk voor het Openbaar Ministerie. Dit is mijn partner, Paige Holden. We moeten uw vrouw spreken. Het is belangrijk. Het kan zijn dat ze gevaar loopt.'

'Dat is haar eigen schuld. Neem me niet kwalijk, ik moet verder met mijn dochter te eten geven.'

'Wacht.' Er klonk urgentie door in Paige's stem. 'Hoelang is mevrouw Shaffer al weg?'

'Toen ik vandaag thuiskwam van mijn werk, was ze vertrokken.'

Shaffer keek nadenkend, alsof de woorden van Grayson nog maar net tot hem begonnen door te dringen. 'Wat moet het OM van haar? Wat heeft ze uitgespookt?'

'Voor zover we weten niets,' zei Grayson. 'Maar er kan haar iets zijn overkomen. Het zou kunnen dat ze in groot gevaar verkeert, meneer Shaffer. Dit is geen grap.'

'Ja, dat begrijp ik. Luister, mijn vrouw heeft een affaire. Ik heb haar de deur uit gezet.'

'O.' Grayson wist niet goed wat hij moest zeggen.

'Meneer Shaffer, waarom stinkt uw huis zo naar bleekmiddel?' vroeg Paige.

Shaffer kneep zijn ogen tot spleetjes. 'Haar minnaar heeft mijn hond vergiftigd en die heeft overal overgegeven. Ik krijg die geur niet weg. Vandaar het bleekmiddel, als u dat zo graag wilt weten.'

Grayson verstijfde. 'Uw hond is vergiftigd?'

'Ja. Haar liefje heeft haar vergiftigde chocolaatjes gestuurd.'

Betsy Malone had ook chocolaatjes gekregen. En nu was ze dood. 'Waren dat truffels?'

Shaffer keek verbijsterd. 'Ja, hoezo?'

'Meneer Shaffer,' vroeg hij, 'was uw vrouw bang voor iemand?'

Shaffer zweeg even. 'Ja. Ze zei dat iemand probeerde haar te vermoorden.'

'Zei ze dat het haar minnaar was?' drong Grayson aan.

'Nee. Ze ontkende dat ze een affaire had.' Hij slikte. 'Ze loog niet, hè?'

'Ik denk het niet, meneer,' zei Grayson.

'Heeft u de hele dag nog niets van uw vrouw gehoord?' vroeg Paige. 'Is dat normaal?'

'Nee. Ik had verwacht dat ze vanavond naar huis zou komen. Om Allie te zien.' Hij keek bang. 'Wat is hier allemaal aan de hand?'

'Daar proberen we nu juist achter te komen,' zei Grayson grimmig.

Donderdag 7 april, 19.30 uur

Violet Dandridge sliep nog steeds en ze was klein genoeg om gedragen te kunnen worden. Een draagbare verzekering was een mooi iets. Hij controleerde of hij zijn paspoorten bij zich had. Alle drie. Hij zou afhankelijk van wat er nu stond te gebeuren bepalen welke nationaliteit hij zou aannemen.

Hij keek opnieuw naar zijn mobiele telefoon, naar de foto van het 'laatste nieuws' die hem als een mokerslag had getroffen. *Adele Shaffer.* De politie was naar haar op zoek als 'iemand met belangrijke informatie'. Ze zouden niet zo in haar geïnteresseerd zijn als Smith en Holden het allemaal niet uitgepluisd hadden. En ze zouden het niet uitgepluisd kunnen hebben als Silas Dandridge gewoon zijn werk had gedaan.

Het was nu nog maar een kwestie van tijd voor ze erachter kwamen dat Adele dood was. Het was ook nog maar een kwestie van tijd voor iemand erachter kwam wat de McClouds hadden gedaan, als dat al niet het geval was. Wanneer dat gebeurde wilde hij ver, heel ver weg zijn.

Steve Pearson had het chartervliegtuig volgetankt en was klaar om te vertrekken. *Ik ga naar Toronto en daarna naar Frankfurt.* Hij vertrok zijn gezicht. Hij zou tweede klas moeten vliegen. Dan zou hij minder opvallen. Acht uur lang in een stoel in de tweede klas zou een marteling betekenen. Maar het was noodzakelijk.

Hij was van plan Violet in Toronto achter te laten. Tegen de tijd dat ze wakker was en men wist wie ze was en haar kon ondervragen, zou hij al lang en breed vertrokken zijn. Ze had zijn gezicht nooit gezien. Bovendien verhitte de moord op een kind de gemoederen van zowel de politie als het publiek. Dat risico wilde hij niet lopen.

Maar er bestond nog steeds een kans dat hij het onderzoek kon tegenhouden. Dat hij het spoor dat naar de McClouds liep kon onderbreken. Hij moest Smith en Holden tegenhouden, voor eens en altijd. Hij drukte snelkeuzetoets 9 in.

'Heb je haar?' vroeg hij zonder op een begroeting te wachten.

'Ik weet waar ze is.'

'Wanneer heb je haar in je macht?' vroeg hij kil.

'Mensen beginnen hier weg te gaan. Ze zou zich binnenkort moeten vertonen. Ik bel nog.'

'Doe dat.' *Ik moet een vliegtuig halen.*

'Ik hoop dat Rex met ons wil praten,' zei Paige terwijl ze vanuit de koffiebar naar het McCloud-gebouw aan de overkant van de straat keek. 'En ik hoop ook echt dat zijn grootouders niet met hem meekomen om ons weer de wind van voren te geven. Daar heb ik nu het geduld niet voor.'

Grayson ook niet. Hij zette twee koppen koffie op tafel en hield een stoel voor haar klaar. 'We weten nu in ieder geval dat Adele niet in het mortuarium ligt. Ze komt nergens voor in processen-verbaal van de politie en we hebben haar foto naar alle plaatselijke ziekenhuizen gestuurd. Hyatt heeft haar foto vrijgegeven voor het tv-journaal. Ik hoop in vredesnaam dat iemand haar heeft gezien.'

Ze vertrok haar gezicht toen ze ging zitten. 'Misschien kan Rex duidelijkheid scheppen over wat er met haar is gebeurd toen ze een MAC-kind was.'

Grayson liet zich op zijn stoel zakken. 'Ik hoop dat ik straks weer overeind kan komen.'

'Ik weet het,' zei ze zacht. 'Bij mij doet ook alles pijn. Silas was niet zachtzinnig.'

De klootzak had haar tegen de muur gesmeten. 'Als dit allemaal voorbij is,' beloofde Grayson, 'dan nemen we bij mij thuis een heet bad en dan zal ik je rug masseren.'

'Mmm. Ik word een beetje nerveus van dat chique meubilair van je, maar met die badkuip zou ik wel kunnen leren leven.'

'En met mij?' De woorden waren al uit zijn mond voor hij besefte dat hij ze ging zeggen. Het was veel te laat om ze nog terug te nemen. Niet dat hij dat wilde. Hij wilde haar in zijn leven. Maar het was veel te vroeg om dat te vragen. Behalve dat hij dat er nu zomaar uit gegooid had.

Haar ogen werden groot. 'Wat zei je precies?'

Hij werd gered door Rex die naar hun tafel kwam geslenterd. 'Wel wel, als we daar Batman en Robin niet hebben,' sneerde hij.

Paige sloeg haar ogen ten hemel. 'Ga zitten, Rex.'

Hij pakte een stoel, draaide die om en ging schrijlings zitten. Hij droeg nog steeds dezelfde kleren als de avond ervoor. Maar zijn houding was heel anders. Rex was bang. En boos.

'Bedankt voor het verlof, meneer de officier,' spotte hij. 'Het is altijd prettig om uit te gaan met de "brave" mensen van onze mooie stad.'

Grayson had gebeld met de reclassering en de coördinator gezegd dat hij Rex moest spreken op een plek buiten het bereik van diens enkelband. Hij wilde deze keer geen tussenkomst van de familie. Alleen Rex. *Misschien dat ik dit keer de waarheid te horen krijg*, hoopte hij.

'Wist je dat Betsy Malone dood is?' vroeg Paige zoals ze vooraf hadden afgesproken.

Er flikkerde iets in Rex' ogen. 'Ja,' zei hij zacht. 'Overdosis.'

'Dat wil iemand ons laten geloven,' zei Grayson. 'Ze is verdoofd.'

Rex ging rechtop zitten. 'En jullie denken dat ik dat heb gedaan?'

'Nee. Je draagt een enkelband. Je bent niet in de buurt van haar huis geweest.' Dat had hij de man van de reclassering gevraagd.

'Ik heb Crystal ook niet vermoord,' beweerde Rex. 'Je kunt niet bewijzen dat ik het heb gedaan.'

'Wie heeft haar volgens jou dan vermoord?' vroeg Paige. 'We weten dat het niet Ramon Muñoz is geweest. En ik weet inderdaad niet meer zo zeker of jij het bent geweest.'

Rex staarde haar lange tijd aan. 'Ik dacht dat Ramon het had gedaan. Echt waar. Ik weet niet wie het heeft gedaan en dat is de waarheid.'

'Rex, kun jij je een groep kinderen van het MAC-programma herinneren?' vroeg ze.

Dat Rex schrok was nauwelijks waarneembaar, maar Grayson zag het. Aan haar gezicht te zien, gold dat ook voor Paige. 'Crystal was een van die kinderen.'

Rex' mond viel open. 'O,' zei hij zo zacht dat het nauwelijks te horen was.

'Verklaart dat iets?' vroeg Grayson.

'Nee.' Maar dat was duidelijk een leugen.

'Oké. Wij zien het zo,' zei Paige. 'Iemand heeft die meisjes verkracht, jaar na jaar. Misschien werden ze bedreigd en waren ze te bang om het iemand te vertellen, maar wat de reden ook was, ze hebben het nooit verteld. Of misschien hebben ze dat wel geprobeerd, maar wilde niemand ze geloven. Tot Crystal. Ze kwam naar jouw feest om iemand te chanteren. Was jij dat?'

Rex keek haar met een kille blik aan. 'Je weet niet waar je het over hebt.'

'Ik weet dat ze dood zijn, Rex. De meesten zijn vermoord.'

Hij staarde haar aan. 'Wat?'

506

'Allemaal, op één na. Zestien jaar, vijftien dode vrouwen. De moorden begonnen na de dood van Crystal. Ik weet dat ze gevonden is met een briefje dat ondertekend was met *RM*. Ik weet dat je alibi vals was. En ik weet dat jij de klootzak van de familie bent,' besloot ze ruw.

Hij verbleekte. 'Probeer je mij de schuld te geven van die moorden?'

'Je kunt beter vragen of jouw familie probeert je die moorden in de schoenen te schuiven. Ze hebben zich van je afgekeerd, Rex. Ze laten jou overal voor opdraaien.'

Zijn ogen puilden uit. 'Ik heb helemaal niks gedaan, ik zweer het.'

'Ik geloof je,' zei ze zacht.

Hij kneep zijn ogen tot spleetjes. 'Waarom?'

'Omdat je te jong was om die meisjes iets te kunnen hebben aangedaan toen ze twaalf waren. Jij was pas veertien toen de laatste MAC-groep op het landgoed op bezoek kwam. Dat jij gechanteerd zou worden, slaat nergens op.' Paige boog zich naar hem toe. 'Wat is er die dag gebeurd, Rex? Toen je veertien was?'

Zijn mond vertrok. 'Waarom denk je dat er iets is gebeurd?'

'Omdat Betsy zei dat je voor die tijd probeerde de aandacht te krijgen van je grootouders. Dat ze trots op je zouden zijn. Na die dag raakte je betrokken bij vechtpartijen. Je sloeg helemaal los. Wat heb je gezien?' Toen hij niet reageerde, zuchtte ze zachtjes. 'Was het je stiefvader?'

'Het heeft geen enkele zin dat ik je dat vertel. Niemand zou het trouwens geloven.'

'Probeer het eens. Ik heb vandaag een heleboel ongelooflijke dingen gehoord. Het MAC-programma heeft gedurende je hele jeugd gelopen. Als je iets weet, vertel het ons dan alsjeblieft.'

Het bleef malen in Graysons hoofd. Er klopte iets niet. Toen zag hij het. Rex was in 1984, het eerste jaar van het MAC-programma, nog niets eens geboren. Zijn moeder was toen nog steeds getrouwd met de vader van Rex. 'Wanneer is je moeder met je stiefvader getrouwd, Rex?'

Paige's schouders spanden en Grayson wist dat zij het sommetje ook had gemaakt.

Rex keek vermoeid op. 'Toen ik drie was. Hoezo?'

'Omdat je stiefvader tijdens de eerste drie MAC-jaren dus niet op het landgoed kan zijn geweest,' zei Grayson. *De dader moet...* Hij schudde ongelovig zijn hoofd.

Rex' lichaam spande zich alsof hij een klap verwachtte. Uit zijn blik sprak woede, vermengd met schaamte. En dat was het moment dat Grayson wist dat hij het bij het rechte eind had. 'Het was je grootvader, nietwaar, Rex?'

Paige's ogen werden groot. 'De senator?' Ze dacht er even over na, toen knikte ze berustend.

Rex slikte moeizaam. 'Hij is een icoon. De held van de familie.'

'Als hij die meisjes seksueel mishandeld heeft, dan is hij een misdadiger,' zei Grayson vastberaden.

'Je zult het nooit kunnen bewijzen.' Rex liet zijn voorhoofd op de rugleuning van de stoel waar hij op zat rusten. 'Niemand zal je geloven. Hij is meneer Normen en Waarden. Liefhebbende echtgenoot.' Zijn mond vertrok. 'Goede vader. Fantastisch politicus.'

'Ik ben al heel lang openbaar aanklager, Rex. Ik weet dat verkrachters meestal niet in lange regenjassen rondlopen en hun potlood venten. Het zijn mensen die er gewoon uitzien. Een heleboel hebben een goede baan en dragen bij aan de gemeenschap. Daarom gaan er zo veel onopgemerkt – en ongestraft – door het leven. Verbaast het me dat je grootvader een verkrachter is? Een beetje. Hij past niet in het profiel en hij is al ouder. Ben ik geschokt? Ik wou dat het waar was.'

'Toen ik nog een kind was, vond ik hem een held. Ik dacht dat hij niets verkeerd kon doen.'

'Wat heb je gezien?' vroeg Paige. 'We moeten het weten. En jij moet het kwijt.'

'Hem.' Rex' adamsappel ging op en neer. 'Ze was bang. Ze verzette zich en hij sloeg haar. Hard. Ze probeerde te gillen en hij bedekte haar mond... en deed het met haar. Ze was nog zo klein.'

'Wat deed jij toen?' vroeg ze met dikke stem.

'Ik...' zei Rex met verwrongen gezicht. 'Niets. Ik deed helemaal niets. Ik ging ervandoor.'

Weglopen had een ongelooflijk schuldgevoel tot gevolg, dacht Grayson dof. *Ik was nog maar zeven. Rex was veertien. Was dat oud genoeg om ingrijpen van hem te verwachten?* Hij wou dat hij het antwoord op die vraag wist. 'En toen?' vroeg hij.

'De kinderen werden in onze limousine naar huis gebracht. Ze maakten meestal een paar trips, een paar kinderen per keer. Dan kregen ze ijsjes en goedkope plastic medailles,' zei hij bitter.

'Maar het meisje huilde,' zei Paige. 'Toen ze haar thuisbrachten moet iemand toch gezien hebben dat er iets niet in de haak was?'

'Hij zei tegen haar dat niemand haar zou geloven,' mompelde Rex. 'Hij zei dat hij ervoor zou zorgen dat haar ouders vermoord zouden worden als zij het zou vertellen. Hij zei dat als ze braaf was, hij haar ouders geld zou geven en dan konden ze eten kopen.'

'Je grootvader?' vroeg Grayson.

'Nee. De chauffeur. Hij is dood, dus je kunt het hem niet meer vragen. Maar ik heb hem gehoord. De oude man was klaar met dat meisje en liet haar daar huilend achter. Toen kwam de chauffeur binnen en maakte haar klaar om naar huis te gaan. Hij... maakte haar schoon. Hij zorgde dat niemand iets in de gaten zou hebben.'

Paige kon nauwelijks een woord uitbrengen. 'Wanneer is de chauffeur gestorven?'

'Kort nadat er een einde kwam aan die feestjes. Zelfmoord. Had een overdosis genomen.'

Grayson en Paige wisselden een blik van verstandhouding. 'Waar gebeurden die verkrachtingen?' vroeg Grayson.

'In mijn moeders oude slaapkamer. Die was behangen en ingericht als een meisjesdroom.'

Grayson vroeg zich af of de moeder van Rex ook was misbruikt in die kamer. Die onsmakelijke gedachte was iets voor later. 'Woonde je moeder destijds op het landgoed?'

'Nee. Ze zat de hele tijd in Europa. Als ze in de stad is, verblijft ze in een flat in het gebouw.' Hij knikte naar het McCloud-gebouw aan de andere kant van de straat. 'Maar hier is ze ook nooit.'

'Hoe kon het dat je hoorde wat de chauffeur zei?' vroeg Paige. 'Hoe kon je dat horen als je was weggelopen?'

'Ik ben later weggerend. Toen het gebeurde had ik me verstopt. Ik was eerst te geschokt om tevoorschijn te komen. Te bang.'

'Heb je het iemand verteld?' vroeg Grayson op vriendelijke toon.

'Mijn moeder. Ik heb haar de volgende dag gebeld. Ze zei dat het nooit was gebeurd. Ze zei dat als ik het iemand zou vertellen ze me voor leugenaar zou uitmaken en zeggen dat ik waanideeën had. En dat ze me zou wegsturen.'

'Volgens Betsy heeft ze dat sowieso gedaan,' zei Paige.

Rex haalde zijn schouders op. 'Ze kon me al niet uitstaan toen ik nog een kind was. Het maakt niet uit.'

'Jawel,' zei Paige vriendelijk. 'Het maakt wel uit, Rex.'

'Je zegt het maar. Nou, nu weten jullie het. Wat denk je daaraan te kunnen veranderen?'

'We gaan de enige vrouw zoeken die in leven is gebleven,' zei Grayson. 'En we gaan haar vragen haar verhaal te vertellen. Als ze dat doet, wil jij dan getuigen?'

Rex schudde zijn hoofd. 'Ik heb nog steeds een trust. Als ik mijn mond opendoe, draaien ze de geldkraan helemaal dicht.'

'Als ze in de gevangenis zitten, hebben ze geen controle meer over je geld,' zei Paige gefrustreerd.

Hij lachte hol. 'Je krijgt ze nooit achter de tralies. Zij zijn de Mc-Clouds. Ze kunnen doen en laten wat ze willen en ermee wegkomen ook. En als ik me aan hun regels hou, dan geldt dat ook voor mij.' Hij ging staan. 'Het is genoeg zo.'

'Nog één vraag,' zei Paige. 'Waarom zat je verstopt in je moeders oude slaapkamer? Beneden was een ijscofeestje gaande.'

'Ik mocht nooit naar die feestjes, ook niet toen ik nog klein was. Ik moest op mijn kamer blijven. Ik moest altijd op mijn kamer blijven, uit het zicht.'

Ze keek hem even alleen maar aan. 'Je had iets in die kamer verstopt. Wiet?'

'Spreek je uit ervaring?' sneerde hij.

Ze hapte niet. 'Een tienerknul hangt niet zonder goede reden rond in een kamer die is ingericht als een meisjesdroom. Ofwel je bent homo of je rookte. Of allebei.'

Zijn kaken bewogen. 'Pillen. Geen wiet. Ik had ze uit de badkamer van mijn moeder gepikt.'

'Waarom slikte je op je veertiende pillen?' vroeg Paige.

'Het feit dat een jongen spullen heeft wil nog niet zeggen dat hij iets waard is. Niemand moest me. Mijn moeder niet en mijn grootouders al helemaal niet.' Zijn mond vertrok. 'Want, zoals je zo adequaat hebt verwoord, ik was de klootzak van de familie. Al voor ik iets verkeerd had gedaan.'

Ze keken hem na terwijl hij met moeizame tred terugliep naar zijn gebouw.

'Ik zou geschokt moeten zijn, denk ik,' zei Paige. 'Maar om eerlijk te zijn, mijn eerste gedachte was niet "echt niet", mijn eerste gedachte was "waarom heb ik dit niet eerder gezien?"'

'Hier nog een. Misschien zagen we geen perverse man in de senator omdat hij zo oud is.'

'En Dianna is "zijn hart".' Ze rolde woedend met haar ogen. 'Ze moet het hebben geweten.'

'Daar twijfel ik geen moment aan. Maar wat ik niet begrijp is waarom. Waarom de MAC-kinderen? En zijn er nog meer slachtoffers? Het wordt al lastig genoeg om te bewijzen dat hij het heeft gedaan. Dat zij ervan afwist, wordt nog moeilijker aan te tonen.'

'Maar je gaat het wel proberen.' Het was geen vraag.

'Zeker weten,' zei hij grimmig.

'We weten nog steeds niet wie Crystal heeft vermoord.'

'Ja, maar we weten nu wel wie het meeste te verliezen had.' Grayson trok haar overeind. 'Laten we wat gaan eten en bedenken wat ons nu te doen staat.'

24

Donderdag 7 april, 23.10 uur

Paige keek op van haar aantekeningen toen Grayson binnenkwam door de voordeur van de woning van zijn moeder. Hij had de riem van Peabody in zijn ene hand en een plastic tas van de afhaalchinees in zijn andere. Hij klemde zijn mobieltje tussen zijn oor en schouder en duwde met zijn voet de deur achter zich dicht.

Paige stelde zich voor hoe het zou zijn om hem elke avond dit huiselijke ballet te zien uitvoeren. Hij zag dat ze naar hem keek. Hij hield haar blik gevangen en ze wist dat hij hetzelfde dacht.

Binnenkort. Binnenkort zouden ze met elkaar kunnen praten over een eventuele toekomst samen. Maar nu nog niet. Violet had niet veel tijd meer. Als ze nog leefde. En Adele werd ook nog steeds vermist.

En de senator was een kinderverkrachter. Hij was met zijn perverse gedrag de oorzaak van al deze ellende. Ze werd elke keer dat ze eraan dacht opnieuw woedend.

Grayson ging zitten terwijl hij nog steeds luisterde naar degene aan de andere kant van de lijn. Paige had te veel honger om beleefd te zijn en ze begon zonder hem. Ze zag hem zijn wenkbrauwen fronsen en ze hoopte dat het niet nog meer slecht nieuws was.

'Oké,' zei hij ten slotte. 'Weet je het zeker? Bedankt.'

Hij verbrak de verbinding en pakte de eetstokjes die ze hem aanbood. 'Wie was dat?' vroeg ze.

'Lucy. Ze heeft die andere namen nagetrokken. Er zijn er maar twee die een natuurlijke dood zijn gestorven. Ik heb het al aan Hyatt doorgegeven. We hebben nu officieel te maken met een seriemoordenaar.'

'Nog nieuws over Violet?'

'Nee, nog niet. Ze hebben de namen nagetrokken die wij hebben doorgegeven van Bonds firma. Dat heeft helemaal niets opgeleverd. Ze hebben nog wel een nieuwe aanwijzing van een kamermeisje van het hotel in Toronto, maar haar beschrijving is op z'n zachtst gezegd nogal vaag. Geef me even.' Hij at gestaag door tot zijn bord leeg was. 'Ik heb nog steeds honger, maar in ieder geval kan ik nu weer denken. Lucy heeft nog iets gevonden.'

Hij maakte nog een doos open en kieperde bami op zijn bord. 'Ze heeft de foto's bekeken van de wurgsporen op Crystals hals. Ze denkt dat bij degene die haar heeft gewurgd de ene hand zwakker was dan de andere. De afdrukken op haar hals zijn niet overal even diep.'

Paige glimlachte scherp. 'En onze goede vriend de slijmbal van een geperverteerde senator heeft in 2001 een lichte beroerte gehad. Zijn linkerhand was aangetast. Krijg nou wat. Hij heeft haar écht vermoord.' Toen fronste ze haar voorhoofd. 'Wacht even. De verwurging is niet de oorzaak van Crystals dood. Dat waren de steekwonden.'

'Dat brengt me op het andere dat Lucy te zeggen had. De foto's van de autopsie tonen wonden die misschien niet door een en dezelfde persoon zijn gemaakt. De hoek waaronder ze zijn toegebracht verschilt te veel.'

Paige beet op haar lip. 'Dus Crystal is door twéé mensen vermoord?'

'Dat weet ik niet. Lucy denkt dat de eerste figuur heeft geprobeerd haar te wurgen en haar daarna misschien één keer heeft gestoken. De tweede persoon heeft dieper gestoken en dat was de fatale wond.'

'Shit. Dit verandert alles.'

'Niet echt. Als de hand van McCloud te zwak was om Crystal te vermoorden, dan heeft iemand hem geholpen om het karwei af te maken. Net zoals die chauffeur hem heeft geholpen om al die meisjes te bedreigen zodat ze hun mond hielden.'

'Maar de chauffeur was al jaren voor de moord op Crystal dood,' zei Paige, die de logica probeerde in te zien. 'Hij moet nog een andere helper hebben gehad, iemand die sterk genoeg was om al die MAC-slachtoffers op te hangen nadat ze waren verdoofd.' Ze schudde haar hoofd terwijl ze de woede weer voelde opborrelen. 'Hij heeft ze verkracht en ze vervolgens jaren later opgespoord en vermoord. De hel is nog niet heet genoeg voor hem.'

'Mee eens,' zei Grayson nors. 'Maar het beste wat ik kan bereiken is de doodstraf door een injectie in zijn arm.'

'We zullen hem eerst te pakken moeten zien te krijgen. We weten in ieder geval waar de senator uithangt. We moeten zijn hulpje en de bemiddelaar zien te identificeren. En we moeten Violet en Adele vinden.'

'De bemiddelaar heeft Violet en de senator weet wie hij is. Maar we kunnen de senator niet oppakken voor iemand aangifte doet.'

'Adele,' zei Paige. 'Als de senator al die andere MAC-vrouwen heeft vermoord en als Adele niet zomaar is weggelopen van huis, dan heeft de senator haar of hij weet waar ze is.'

'Toch kunnen we hem niet oppakken. We hebben geen lichaam, het enige bewijs dat we hebben is het verhaal van Rex en hij heeft al gezegd dat hij dat niet in de rechtszaal zal herhalen. Afgezien daarvan hebben we niets dan alleen heel erg indirect bewijs. Hier krijgen we niet eens een voorgeleiding mee rond.'

'Ik kan wel janken,' zei Paige gefrustreerd. 'Dit begint op een gigantische vicieuze cirkel te lijken.'

'Ik weet het. Ik ben zo langzamerhand wel aan een beetje goed nieuws toe.'

'Ik heb nieuws, min of meer goed. Herinner je je rechercheur Perkins nog? Hij heeft mijn verklaring opgenomen bij de eerste hulp na het gedoe in de parkeergarage. Hij belde me toen jij weg was. Hij heeft de identiteit van die aanvaller in de garage achterhaald. Ze hebben DNA gevonden op jouw koffertje.'

'Nou, wie is het?' vroeg Grayson heftig en zijn handen balden zich al tot vuisten.

'Hij heet Roscoe "Jesse" James. Hij is een beroepsvechter. Of liever gezegd, was.'

'Is hij dood?'

'Dat weet Perkins niet. James is dinsdag na zijn gevecht verdwenen. Hij is voor het laatst gezien in zijn favoriete bar. Op de bewakingsvideo zit hij naast een man die Silas geweest zou kunnen zijn. Die vent heeft iets in Roscoe's drankje gedaan en zei later dat hij hem wel een lift naar huis zou geven. Roscoe's auto staat nog steeds op de parkeerplaats – hij is nooit thuisgekomen.'

'Heeft Silas hem vermoord?'

'Perkins zei dat ze de auto's die zijn aangetroffen in de garage van Silas gaan controleren. Er zat een hoop bloed in de bestelwagen. Zelfde bloedgroep als het bloed dat ze in het bos bij het verpleeghuis hebben gevonden, dus dat moet dat van Kapansky zijn. Het is nog afwachten of ze het bloed van James ook kunnen vinden.'

'Als ik hem niet met mijn eigen ogen in actie had gezien, dan zou ik nog steeds moeite hebben om te geloven dat hij dat allemaal gedaan heeft.' Graysons telefoon ging over en hij keek wie het was. 'Het is mijn moeder.'

'Bedank haar voor het gebruik van haar huis,' zei Paige.

'Doe ik.' Hij drukte op de groene knop. 'Hoi, mam.' Hij fronste zijn voorhoofd. 'Ben je op een veilige plek? Ik heb die auto pas na laten kijken. Het had niet mogen gebeuren dat hij zomaar afsloeg... Wat moet je dáár nou?' Hij slaakte een zucht. 'De navigatie heeft alleen nut als je hem aanzet, mam.'

Plotseling trok alle kleur uit zijn gezicht en Paige's hart begon te bonzen. Hij sprong overeind en zijn gezicht was een en al blinde woede. 'Wie ben je? ... Ja,' zei hij kortaf. 'Ik begrijp het.'

Hij legde zonder iets te zien de telefoon op tafel.

Paniek greep haar bij de keel. 'Wat? Wat is er gebeurd?'

'Hij heeft mijn moeder,' zei hij toonloos. 'En Holly. Eerst zei ze dat ze autopech had. Toen zei ze: "Ik hou van je, Tony." Toen ik klein was en we ons schuilhielden...' Zijn stem brak. 'Als ze me ooit Tony zou noemen, dan moest ik er zo snel mogelijk vandoor gaan.'

Paige hield haar toon kalm. Hij had er niets aan als zij hysterisch werd. 'En toen?'

'Degene die haar te pakken heeft, wist dat ze me een boodschap gaf. Hij sloeg haar. Hard. Toen kwam hij aan de telefoon en zei dat als ik haar leven wilde redden, ik samen met jou moest komen. Geen politie.'

Paige dwong zichzelf adem te halen. 'We moeten Joseph bellen.'

Grayson kwam overeind. 'Ik bel hem onderweg wel. Jij blijft hier.'

'Nee. Dat kun je niet van me vragen. Ik kom toch achter je aan.'

'Hij wil ons allebei dood hebben. Ik wil niet dat hij jou te pakken krijgt.'

Hem proberen tegen te houden was absoluut zinloos, maar ze liet hem niet alleen in een hinderlaag lopen. Ze slingerde haar rugzak om haar schouder. 'Hij mag jou ook niet te pakken krijgen.'

Hij klemde zijn kaken op elkaar. 'Kom mee dan. Ik heb geen tijd voor discussie.'

Ze greep de riem van Peabody en samen liepen ze achter hem aan naar buiten.

Paige belde zowel Joseph als Clay. Beide mannen overlegden terwijl ze vanuit verschillende richtingen kwamen aangereden en planden hun gezamenlijke aanval. Grayson had het gaspedaal tot op de bodem ingedrukt en mompelde onverstaanbaar. Hij bad. Paige begon ook te bidden.

Maar ze had ook haar laptop opengeklapt, want iets omhanden hebben voorkwam dat ze gek werd. 'Je moeder is slim. Ze zal doen wat nodig is om Holly in veiligheid te brengen.'

'Daar ben ik juist zo bang voor,' zei hij met schorre stem.

Ze had geen woorden die hem konden troosten, dus legde ze haar hand op zijn schouder terwijl ze de bebouwde kom achter zich lieten. Ze waren ergens in de buurt van het vliegveld. Ze hoorde een vliegtuig de landing inzetten. 'Die bemiddelaar stond niet op de lijst van tien die we Hyatt hebben gegeven.'

'Wat maakt dat nu nog uit? Hij heeft mijn moeder.'

Zijn stem was vervuld van pijn en haar hart brak. Maar ze mocht hem nu niet de moed laten verliezen.

'Het maakt wat uit omdat wie hij ís zal bepalen hoe we hem uitschakelen. Als hij een scherpschutter is, dan moeten we dat weten. Als hij zo'n verrekte kooivechter is of een explosievenexpert, dan moeten we dat ook weten. Het leven van je moeder en dat van Holly hangen ervan af. En dat van Joseph en van Clay, om nog maar te zwijgen over dat van ons. Dus beheers je en denk na.'

'Oké. Ik denk na.' Hij haalde een keer diep adem, en toen nog een keer. 'Misschien was hij niet de man op de foto. Misschien was de man die Sandoval uitbetaalde een handlanger en hebben we spoken nagejaagd.'

'Misschien. Maar waarom zou Sandoval hem dan hebben bewaard? En waarom is hij er dan om vermoord? Misschien werkt die regelaar gewoon niet meer voor het advocatenkantoor.' Ze opende een nieuw zoekvenster en tikte de naam van het kantoor met het woord 'voormalig' in. Dat leverde pagina's resultaten op die niets te betekenen hadden.

Paige rammelde nerveus op het toetsenbord. Haar duim veegde over het touchpad en het scherm schakelde naar foto's die ze eerder had zitten bekijken – de foto's van de groepsfoto's van het MAC-programma die ze met Josephs camera-pen had gemaakt. Ze stond op het punt terug te gaan naar haar zoekscherm toen haar vingers plotseling bij een sprankje licht bleven hangen.

Ze had de laatste foto die ze had genomen voor zich. Een mannenhand rustte op de schouder van een andere man. De hand was gemanicuurd. De juiste vorm en de juiste afmeting. 'O mijn god.'

'Wat?' snauwde Grayson. 'Wát?'

'Toen ik vanmiddag weer naar Reba ging, kwam de stiefvader van Rex net binnen toen wij weggingen. Er was een advocaat die hem wilde spreken, de advocaat van de stichting. Maar hij was daar omdat hij was gebeld door Rex. Ik maakte een foto van de stiefvader omdat hij naar me knipoogde toen ze wegliepen. In een reflex. Maar ik heb de hand van de advocaat.'

Zijn kin kwam omhoog. 'Gemanicuurd?'

'Ja. En een pinkring met een diamant.'

'Hoe heette hij, Paige?' vroeg hij dringend.

'Ik zit te denken, verdomme,' snauwde ze. 'Stuart. Reba noemde hem Stuart.'

Grayson verstijfde. 'Lippman? Stu Lippman?'

'Ja. Ken je hem?'

'Hij assisteerde Bond tijdens het Muñoz-proces. Waar is zijn kantoor?'

Paige typte Lippmans naam in het zoekscherm. 'In het McCloud-gebouw. Daar is ook zijn appartement. Het is een van de penthouses. We zijn daar geweest, Grayson. Verdomme.'

'Het raam. Herinner je je dat raam? Dat kapot was?'

'Je zei een hoge bal. Of een grote vogel.'

'Of een door Silas afgevuurde kogel. Silas heeft geprobeerd hem te vermoorden.'

'Dus heeft hij de vrouw van Silas mishandeld en zijn dochter ontvoerd. Maar in Toronto? Hoe kan dat?'

'Met een privéjet ben je er in minder dan een uur. We kunnen vluchtplannen en alle papieren natrekken. Later. We zijn er bijna.' Zijn handen omklemden het stuurwiel. 'Hij gaat proberen ons te vermoorden.'

'Dat weet ik. Ik heb mijn Glock en mijn .357 in mijn schoen. Heb jij jouw wapen?'

'Bashears heeft hem ingenomen, maar Joseph heeft me er een van hem gegeven. Een negen-millimeter Beretta.'

'Dertien patronen. Samen hebben we aardig wat vuurkracht. Als we ons kunnen verspreiden, net als bij Silas van voren en van achteren aanvallen... Misschien lukt het.'

'Hij is kleiner dan Silas. Ik weet niet of hij gevechtstraining heeft gehad.'

'Met zulke handen? Dat betwijfel ik. Als je achter hem kunt komen, dan kunnen we hem te grazen nemen. Maar dood hem niet.' Ze stopte de laptop weg en controleerde haar wapens. 'Als iedereen in veiligheid is, dan mag je hem doden.'

'Bel Joseph en Clay en vertel hun wat we weten.' Hij aarzelde. 'En Hyatt.'

Ze keek hem verbaasd aan. 'Wat?'

'We doen wat Lippman wil om tijd te rekken tot Clay en Joseph zover zijn,' zei hij grimmig. 'Maar als wij vieren falen, dan moeten de anderen nog steeds worden bevrijd. Hyatt kan een ploeg naar het appartement van Lippman sturen. Misschien houdt hij mijn moeder en Holly daar gevangen. Violet misschien ook wel.'

Donderdag 7 april, 23.50 uur

Grayson minderde vaart toen hij de plek naderde waar zijn moeder had gezegd dat hij moest zijn. De dichtstbijzijnde bebouwing was anderhalve kilometer terug. Er waren heel veel bomen. Veel plekken om je te verstoppen.

'Daar staat haar auto.' Hij parkeerde achter de auto en liet zijn koplampen het interieur verlichten. De auto was leeg. Hij drukte op het knopje van de kofferbak op zijn moeders reservesleutel en zijn schouders ontspanden. Hij was bang en tegelijkertijd hoopvol gestemd geweest. Hoopvol dat ze in de auto zouden zitten. Bang dat hij ze daar dood zou aantreffen. Hij keek omlaag. 'Het interieur en de kofferbak zijn leeg.'

Paige had zich zoals afgesproken op de vloer van de Escalade laten zakken. Ze wilden niet dat Lippman – als hij degene was die op hen wachtte – wist dat zij was meegekomen. Ze hoopten dat dat hun kansen zou vergroten om hem bij verrassing te overmeesteren. Dat hoopten ze.

'We dachten ook niet dat ze hier zouden zijn.' Ze klonk kalm, beheerst. Zo keek ze ook.

'We hebben net duidelijk gemaakt dat we hier zijn,' zei hij bitter. Nu hij hier was, zette hij vraagtekens bij de wijsheid van het plan dat eigenlijk geen plan was. Hij had er niet echt goed over nagedacht. Hij had alleen maar gereageerd. *Ik word de dood van ons allemaal.* 'We hadden net zo goed met de cavalerie kunnen komen.'

'We wisten dat we op een hinderlaag afgingen,' zei ze, nog steeds beheerst. 'We zijn hierheen gekomen om het spelletje mee te spelen. Om tijd te winnen voor Holly en je moeder. En Violet. We lokken hem uit zijn tent.'

Hij knikte. 'En dan gaat hij eraan.'

'Op dit moment is hij in zijn eentje en wij met z'n tweeën. Over tien minuten zijn Joseph en Clay hier en dan zijn we met z'n vieren. Dat vind ik een betere verhouding. Vooral omdat we niet eens zeker weten of je moeder en Holly hier in de buurt zijn. Hij kan ze wel ergens anders gevangenhouden.'

'Ik begin er wat meer begrip voor te krijgen wanneer een dader ter verdediging aanvoert dat hij niet meer wist wat hij deed,' mompelde hij. Ze zouden op hulp moeten wachten. Maar in tien minuten kon er veel gebeuren. *Hij kon ze wel iets aandoen.* En toen bleef Graysons hart stilstaan en was zijn beslissing genomen.

'Het is Holly.' Ze verscheen aan de rand van de bomen en strompelde het licht van zijn koplampen binnen. Haar handen waren op haar rug gebonden en haar ogen waren groot van angst. De tranen stroomden over haar wangen. 'Er loopt een man achter haar. Ik kan zijn gezicht niet zien. Klootzak.'

'Doe de koplampen uit,' zei Paige. 'Je verblindt haar waarschijnlijk.'

Hij deed de lichten en de binnenverlichting uit. 'Ik leid zijn aandacht af, neem jij hem te pakken?'

'Hij heeft je al gezien, dus het zal wel moeten. Als je naar hum toe loopt, hou je lichaam dan gedraaid. Met die schouders van jou lijk je wel de zijkant van een schuur.'

'Ik draag mijn kogelvrije vest,' zei hij, meer om zichzelf gerust te stellen.

'Dat biedt maar beperkte bescherming. Als hij te dichtbij komt kun je nog de klos zijn. Peabody en ik maken een omtrekkende beweging. Pakken hem van achteren. Net als Silas. Oké?'

Hij had niet meer aan de hond gedacht. 'Oké. Ga niet dood.'

Ze keek hem met een grimmige uitdrukking aan. 'Dat geldt ook voor jou.'

Hij liet zich uit de Escalade glijden en draaide zijn lichaam zijwaarts. Hij hoorde Paige het portier aan haar kant opendoen op hetzelfde moment dat hij het zijne sloot. Goed getimed. *Laat dat zo blijven, alsjeblieft.*

'Laat haar gaan,' riep Grayson in de duisternis. Hij kon Holly niet meer zien. Ze was weer tussen de bomen getrokken. 'Zij is niet degene die je wilt. Dat ben ik.'

'Dus je wilt een deal sluiten?' riep een man. Het was de man aan de telefoon. *Die mijn moeder geslagen heeft.*

Grayson kon zich de stem van Stuart Lippman niet herinneren. Maar dat deed er op dit moment niet toe. 'Ja, ik wil een deal sluiten. Mijn zus en mijn moeder in ruil voor mij.'

'Ik moet die vrouw ook hebben. Holden.'

'Ze is eerder vandaag gewond geraakt,' improviseerde Grayson. 'Ik moest haar naar de spoedeisende hulp brengen. Silas heeft haar een hersenschudding bezorgd voor zij hem kon neerschieten. Ze houden haar vannacht daar.'

'Je liegt.'

'Bel dan naar het ziekenhuis en vraag het. Op dit moment ben ik alleen.' Hij liep in de richting van de bomen, zijn lichaam nog steeds een beetje gedraaid. Hij zorgde ervoor dat hij zo naderde dat degene die Holly vasthield naar hem moest kijken en niet in de richting waar Paige en Peabody renden. Met haar zwarte kleding en zwarte haar ging ze helemaal op in haar omgeving. Hij kon hen al niet meer zien. 'Holly, het komt allemaal goed.'

'Doe geen beloften die je niet kunt waarmaken, Smith. Ik moet Holden ook hebben.'

Grayson kon Holly's angstige gejammer horen. *Alleen al daarvoor ga je eraan.*

'Als je Holden wilt hebben, dan zul je haar zelf in het ziekenhuis moeten gaan halen,' zei Grayson ruw. 'Ze weet trouwens toch niks. Ze wil zo graag detective worden. Ze kan prima vechten en is geweldig in bed, maar er zit niet veel in die bovenkamer. Als je begrijpt wat ik bedoel.'

'Ze heeft genoeg in haar bovenkamer om Adele Shaffer op te sporen.'

'Wie?'

'Speel geen spelletjes, meneer de officier. Je laat haar foto overal op tv zien. Ze is een "belangrijke getuige".'

'Daar weet ik helemaal niets van. Ik ben druk geweest met het zoeken naar de moordenaar van Crystal Jones zodat ik ervoor kan zorgen dat Ramon Muñoz wordt vrijgelaten.'

Grayson wachtte op een antwoord, maar toen dat niet kwam, begon hij langzaam in de richting van de bomenrand te bewegen. Hij stak zijn hand onder zijn jasje om Josephs pistool te pakken dat achter zijn broeksband gestoken zat.

Toen zag hij hen, Lippman en Holly. Lippman hield haar dicht tegen zich aan en had zijn pistool tegen haar hoofd gedrukt. Grayson werd overvallen door een kille woede. Toen zag hij de glinstering van metaal, te laat. Hij hoorde het schot op hetzelfde moment dat alle lucht uit zijn longen werd geperst en de inslag op zijn borst was veel pijnlijker dan woensdagavond toen het na de ontploffing van de bom stukken auto op zijn rug regende.

Hij wankelde achteruit en hoorde Holly's gil van ontzetting.

'Grayson!' Holly rukte zich los, maar struikelde toen Lippman haar tegenhield.

Lippmans wapen was nog steeds op Grayson gericht en de uitdrukking op zijn gezicht veranderde in een oogwenk van tevreden naar geschokt toen Grayson overeind krabbelde en zich vervolgens op één knie liet zakken.

Hij dacht dat ik dood zou zijn. Het spijt me, knul. Vandaag niet. Hij had Josephs pistool laten vallen en graaide er nu naar, bracht hem omhoog en richtte op Lippmans hoofd. Maar als hij miste, zou hij Holly raken. Een fractie van een seconde voor hij de trekker overhaalde, hoorde hij een diep gegrom.

Peabody. De hond kwam tussen de bomen aan de rechterkant vandaan en sprong. Lippmans schreeuw verscheurde de nacht. Peabody sleurde hem achterover, zijn tanden diep in Lippmans arm. Die was niet langer in staat om het pistool vast te houden en liet hem vallen terwijl hij vloekend naar de hond schopte.

Holly rukte zich weer los en Grayson rende naar haar toe, maar zag pas dat Lippman in zijn jaszak graaide toen het te laat was.

Reserve. Lippman had een reservewapen in zijn zak. *O, god.*

'Holly,' riep Grayson. 'Ga–'

Paige doemde plotseling op, sprong en wierp zich op Holly op het moment dat Lippman opnieuw vuurde. Twee keer. In Paige's rug. Het lichaam van Paige schokte en toen bleef ze roerloos liggen.

Grayson keek vol afschuw toe. 'Néé.' Hij richtte op Lippmans borst, schoot drie keer, en Lippman sloeg als een blok tegen de grond. Grayson rende naar Paige, liet zich naast haar op zijn knieën vallen en nam haar voorzichtig in zijn armen. *Wees niet dood.* 'Paige.'

'Ik ben niet dood.' Paige rolde zich om en keek achter zich, Glock in haar hand, en kwam met zo'n vloeiende beweging overeind dat Grayson opnieuw alleen maar ademloos kon toekijken. Hij huiverde van opluchting terwijl Holly nog steeds stond te snikken. Ze ademde nog. Ze ademden allemaal nog.

'Gaat het? Gaat het met jullie allebei?' wilde Grayson weten.

'Dat joeg alle lucht uit me.' Paige rende naar Lippman die, hoewel bewusteloos, ook nog steeds ademde. Ze pakte allebei zijn wapens en deed ze in haar zak. 'Peabody, los.' De hond gehoorzaamde en ging zitten, klaar voor haar volgende commando. 'Brave hond. Heel brave hond.'

Grayson nam Holly in zijn armen. 'Ben je gewond? Waar ben je gewond?'

'Judy,' huilde ze. 'De mevrouw heeft Judy. Ze zal haar vermoorden. Ik probeerde te vluchten. Ze zal haar doodmaken.'

Grayson en Paige keken elkaar verbijsterd aan. 'Welke vrouw?' wilde Grayson weten.

'Ze zei dat ze van de politie was. Ze had een penning. Ze zei dat je gewond was en dat we mee moesten komen. Toen bond ze ons vast. Judy moest in de kofferbak. Toen kwam die man. Hij zei dat ze Judy zouden vermoorden als ik probeerde te vluchten. Ze gaat haar doodmaken. Het is allemaal mijn schuld.'

Graysons hart sloeg opnieuw over. 'Morton.'

'Waarschijnlijk wel.' Paige knielde naast Holly en streek haar zachtjes over haar gezicht. 'Schat, dit is niet jouw schuld. Echt niet. Maar er ligt niemand in de kofferbak van Judy's auto. We hebben gekeken.'

Holly schudde haar hoofd. 'Niet in Judy's auto. Een blauwe auto. De auto van de politiemevrouw. Daargi–'

Opnieuw doorboorde het geluid van een schot de stilte en opnieuw doken ze plat op de grond. Grayson steunde op zijn armen omdat hij

Holly niet wilde pletten. Hij draaide zijn hoofd om en zag Paige's ziedende blik.

'Wel godverdomme,' siste ze. 'Wat is dat nou weer?'

Grayson kwam woedend overeind. 'Shit. Godverdegodver. Morton flikt het weer.'

Lippman ademde niet meer. Er zat nu ook een kogel in zijn hoofd. Grayson hoorde iemand door het bos rennen en Paige en hij sprongen overeind, klaar om de achtervolging in te zetten.

Maar het gebrul van een motor deed hen stoppen. Ze keken naar de weg, waar ze de Escalade achter Judy's verlaten auto hadden geparkeerd. Vanuit de tegenovergestelde richting naderde een kleine zwarte Mercedes. Die bleef even staan bij hun geparkeerde auto en er klonken vier schoten voor de auto ervandoor ging in de richting vanwaaruit zij waren gekomen.

Grayson keek naar Holly. 'Zei je dat de auto van de politiemevrouw blauw was?'

Ze knikte onzeker. 'Blauw. M-met witte strepen.'

De zwarte Mercedes moest dus wel de auto van Lippman zijn.

Paige was naar de Escalade gerend. 'Ze heeft de banden lekgeschoten,' riep ze. 'Twee van onze auto en twee van die van je moeder.'

'De Mercedes was Lippmans auto,' riep hij terug. 'Morton heeft haar auto hier achtergelaten.' Hij kreeg plotseling weer hoop. 'Holly zegt dat mijn moeder in de kofferbak van Mortons blauwe auto ligt.'

'Ik ga hem wel zoeken. Roep jij hulp in.'

Grayson haalde met trillende handen zijn mobieltje tevoorschijn. Hij belde het alarmnummer en vervolgens Joseph. 'Ik heb Holly. Mijn moeder wordt nog vermist. Een zwarte Mercedes coupé komt jouw kant uit. Hou die auto tegen. Rechercheur Morton zit achter het stuur.'

'Die detective die Silas heeft doodgeschoten?' vroeg Joseph.

'Ja. Ze was hier om Stuart Lippman te helpen.'

'De bemiddelaar. Je hebt hem.'

'Ja, maar Morton heeft hem ook vermoord. Hebben we Violet al?'

'Nee.'

'Verdomme. Kom zo snel als je kunt hierheen. Ik ga mijn moeder zoeken.' Hij hing op en keek toen naar Holly, die extreem wit zag. Hij dwong zichzelf tot een glimlach en probeerde zijn stem positief te laten klinken. Voor Holly. 'We vinden mijn moeder wel. Ze is taaier dan je denkt.'

Holly huiverde. 'De politiemevrouw zei dat ze ons niet zou vermoorden. En toen kwam híj.'

'Ik weet het.' Hij droeg haar naar een plek vanwaar ze Lippmans lichaam niet meer kon zien. 'Ik moet je nu een paar minuten alleen laten om mijn moeder te gaan zoeken. Ik heb geen mes bij me om je los te snijden, maar Paige wel.' Hij keek achterom. Paige was nergens te zien.

'Grayson!' De kreet kwam van de andere kant van de heuvel. *Paige.*

Hij kwam overeind en zijn knieën knikten toen hij haar tussen de bomen door aan zag komen. Aan haar rechterkant liep Peabody, die haar bewaakte. Leunend tegen haar linkerkant liep een lange vrouw met rood haar met stijve passen en zachtjes zwaaiend.

Grayson had nog nooit zo'n fraai schouwspel gezien als dat. Hij rende naar zijn moeder en ze klampte zich aan hem vast in een omhelzing die hem deed kreunen van pijn. Als Lippmans schoten zijn ribben niet hadden gebroken, dan had zijn moeder dat zo-even wel gedaan.

Ze was gaan huilen en haar lichaam schokte. 'Je zei dat het voorbij was,' zei ze beschuldigend.

'Eerlijk is eerlijk, ik zei dat er nog een paar losse eindjes waren. Het spijt me. Het spijt me zo.'

'Ze lag in de kofferbak van Morton, net zoals je had gezegd, Holly,' zei Paige, die naast Holly knielde en haar touwen begon door te zagen met een gemeen uitziend knipmes. 'Ik heb de kofferbak met dit mes opengewrikt.'

Holly knikte, ze zag nog steeds doodsbleek. 'Dat is een heel groot mes, Paige.'

Paige vouwde het mes dicht en gaf het aan haar. 'Het is van jou. Ik zal je leren hoe je ermee om moet gaan.'

Holly knikte onzeker. 'Oké. Maar ik wil het nooit hoeven gebruiken. Nooit.'

Paige omhelsde haar stevig. 'Dat is de bedoeling, Holly. Dat is altijd de bedoeling.'

De cavalerie was gearriveerd, dacht Paige een paar minuten later. Politieauto's en ambulances. Arrestatieteams in gevechtstenue. En ten slotte Hyatt zelf. 'Iedereen ongedeerd?'

Judy zat op de grond en hield Holly in haar armen. 'Alleen builen en blauwe plekken,' zei Judy.

Grayson sloeg zijn arm om Paige's middel en vertrok zijn gezicht. 'Overal blauwe plekken.'

Hyatt keek omlaag naar het lichaam van Lippman. 'Wie heeft hem neergeschoten?'

'De schoten in de borst komen van mij,' zei Grayson.

'Mooi dicht bij elkaar,' complimenteerde Hyatt hem.

'Hij schoot eerst Paige en mij neer.' Grayson voelde aan het gat in zijn overhemd en wierp zijn moeder een bemoedigende glimlach toe toen zij een angstig geluid maakte.

'Hij heeft mij in de rug geraakt,' zei Paige. 'En dat doet verdomd veel pijn.'

Hyatts mondhoeken gingen omhoog. 'Ik weet het. Maar het doet heel wat meer pijn zonder die kevlar.'

Paige rolde met haar schouders. 'Ja, dat weet ik ook. De kogel in zijn hoofd komt van Morton.'

De glimlach van Hyatt verdween. 'Juist. We hebben rechercheur Morton gearresteerd. De heren Maynard en Carter waren blijkbaar tegelijkertijd ter plaatse en hebben hun auto dwars op de weg gezet. Ze hebben rechercheur Morton vastgehouden tot wij er waren. Ze had de dochter van Dandridge in de kofferbak van haar auto. Het kind leeft nog. Ze is zwaar verdoofd, maar ze leeft. Zo te zien is ze ongedeerd.'

Paige liet haar schouders zakken. 'Goddank.'

'De Mercedes was de auto van Lippman,' zei Grayson. 'Morton wist misschien niet dat Violet in de kofferbak lag.'

'Maar toch is ze een kreng,' zei Holly koppig.

'Dat klopt,' stemde Hyatt in. 'Willen jullie alsjeblieft met me meekomen? Jullie allemaal. Ik zal ervoor zorgen dat jullie medische verzorging krijgen voor al die builen en blauwe plekken.'

Hij liet hen plaatsnemen op de achterbank van twee politieauto's, Paige, Peabody en Grayson in de ene en Judy en Holly in de andere. Peabody nam het grootste deel van de achterbank in beslag, dus Paige zat noodgedwongen bijna bij Grayson op schoot. Ze legde haar hoofd op zijn schouder en stond zichzelf toe te ontspannen.

'Niet veel in de bovenkamer, hè?' vroeg ze plagend. 'Ik zou me beledigd moeten voelen.'

Hij lachte zachtjes. 'Ik raakte in paniek. Ik gebruikte de grofste leugen die ik kon bedenken.

Ze deed haar hoofd omhoog en fluisterde in zijn oor. 'Dus dat geweldig in bed was ook een leugen?'

'Dat was waar.' Hij slaakte een gepijnigde zucht. 'Mijn hart stond stil toen hij jou neerschoot.'

'Het mijne ook,' bekende ze. 'Het gebeurde allemaal veel te snel en Peabody en ik konden niet voorkomen dat hij jou neerschoot.'

'Dat zit wel goed. Jij hebt Holly het leven gered. Dank je,' zei hij vurig.

Ze kwamen bij een bocht in de weg waar een kleine zwarte Mercedes stond, naast de auto's van Joseph en Clay, drie ambulances en een stuk of wat politieauto's.

De lijkwagen was nog niet gearriveerd. Paige was opgelucht dat ze er maar één nodig hadden.

'Onderzoek hen even,' droeg Hyatt het ambulancepersoneel op toen ze eenmaal uit de politiewagens waren geklauterd. 'Ik wil zeker weten dat alles in orde is.' Hij wendde zich tot Grayson en Paige. 'We hebben mevrouw Shaffer gevonden.'

'Adele?' vroeg Grayson. 'Waar is ze?'

'In het ziekenhuis. Ene dokter Burke zag haar foto en belde de tiplijn. Ze heeft haar vanmorgen behandeld voor zware steekwonden en ze wisten niet wie ze was. De agent die als eerste ter plaatse was zei dat de steekpartij kort voor negen uur had plaatsgevonden. Een getuige zag een auto wegrijden en vond mevrouw Shaffer in een steegje in de buurt van Patterson Park.'

'Senator McCloud,' zei Paige grimmig. 'Hij zat achter al die MAC-vrouwen aan.'

'Hij zal worden ondervraagd,' zei Hyatt, 'maar helaas heeft hij een waterdicht alibi. Hij was vanmorgen de belangrijkste spreker tijdens het ontbijt van de Rotary Club.'

'Lippman kan het hebben gedaan,' peinsde Grayson, 'maar dat zou krap geweest zijn. Het zou bijna ondoenlijk zijn geweest om van Patterson Park naar het vliegveld te rijden, naar Toronto te vliegen en Violet te ontvoeren, zelfs met een privévliegtuig. Heeft Adele een signalement gegeven?'

'Ze is nog niet bij bewustzijn. Er zit een agent bij haar deur, dus wanneer degene die geprobeerd heeft haar te vermoorden beseft dat het niet is gelukt, kan hij het geen tweede keer proberen. Meneer Smith, uw huis is niet langer een plaats delict. Het raam is gerepareerd.

Als u bent onderzocht, dan kunt u naar huis. We nemen morgen uw verklaring wel af.' Hyatt knikte formeel en liep vervolgens naar de politieauto waar Morton werd vastgehouden.

Grayson ging zachtjes met zijn vingers over Paige's rug en fronste zijn wenkbrauwen toen ze haar gezicht van pijn vertrok. 'Je moet ook worden onderzocht.'

'Niets aan de hand,' hield Paige vol. 'Wat ik nodig heb, is een warm bad.'

'Dat kan geregeld worden. Ik hoop dat iemand ons een lift kan geven.' Ze liepen naar de anderen toe. Joseph en Clay waren bij Judy en Holly gaan staan. 'Joseph, Morton heeft je banden lekgeschoten. We moeten een lift hebben.'

'Ik breng je waar je maar wilt zijn,' zei Joseph. Hij keek naar Paige en zijn blik was diep en intens terwijl hij zijn zus stevig in zijn armen hield. 'Holly heeft verteld wat er is gebeurd. Dat jij je boven op haar hebt geworpen toen Lippman schoot. Je hebt haar leven gered. Dat zullen we nooit vergeten.'

Judy sloeg haar armen om Paige heen. 'Dank je.'

Paige klopte haar gegeneerd op de rug. 'Grayson heeft mij gered. Ik moest de stand gelijktrekken.'

'Is het nu echt voorbij?' vroeg Judy. 'Zeg alsjeblieft ja.'

'Nog niet,' antwoordde Grayson. 'We moeten nog een paar slechteriken te pakken zien te krijgen. En nog belangrijker, ik moet de veroordeling van Ramon laten terugdraaien. Dat verzoek zal ik meteen morgenochtend indienen.'

'Nadat je hebt geslapen,' zei Joseph. 'Laat me jullie nu eerst maar naar huis brengen.'

'En Peabody?' vroeg Paige.

'Die heeft Holly ook gered. Het kan me niets schelen, ook al gromt hij de rest van zijn leven naar me.'

25

Grayson werd wakker met de aanblik van een zachte, warme vrouw die naar hem opkeek en hij vroeg zich of het allemaal nog beter kon worden dan dit. Hij had haar 's nachts één keer genomen, hard en snel en wanhopig. Hij wilde haar weer, maar nu langzaam. Hij wilde treuzelen. Genieten. 'Goeiemorgen.'

Ze lag half op hem en half naast hem en ze had haar kin op zijn schouder gelegd. 'Hoe voel je je?'

'Gekneusd, maar ik overleef het wel. Hoelang ben je al wakker?'

'Ongeveer een uur. Ik heb liggen denken.'

'O, nee toch,' plaagde hij, maar hij werd weer ernstig toen ze niet moest lachen. 'Waarover?'

'Het zal na al die tijd lastig worden om te bewijzen dat de senator schuldig is aan seksueel misbruik en moord. Hij zal met een alibi komen en dat zal zo'n beetje waterdicht zijn. Dat kan hij zich veroorloven.'

'Waarschijnlijk. Maar ik heb eerder cold cases gedaan met Hyatts team. Je moet de moed nog niet opgeven.'

'Voor een aanklacht wegens moord heb je een motief nodig en dat heb je alleen als je kunt bewijzen wat hij al die kleine meisjes heeft aangedaan. Als Adele niet in leven blijft, dan heb je niet eens een eiser. En ook al doet ze wel aangifte, dan is het nog zijn woord tegen het hare.

'Verkrachting van een minderjarige is moeilijk om te vervolgen,' gaf hij toe. 'Het bewijs in de zaak van de moord op Crystal Jones is allemaal indirect. Dat geldt nog sterker voor de moord op de andere vrouwen. Maar dat zal me er niet van weerhouden om het te proberen.'

'Dat weet ik.' Ze gaf hem een kus op zijn kaak en zuchtte. 'Gisteravond toen jij eten was gaan halen, was ik met iets begonnen. Ik ben daar vanochtend in mijn hoofd mee verdergegaan.'

Hij ging overeind zitten en schoof een kussen achter zijn hoofd. 'Oké. Laat maar horen.'

'Het MAC-programma heeft zestien jaar gelopen. Dat is een lange periode om er elk jaar mee weg te komen dat een meisje lang genoeg verstek laat gaan bij het ijscofeestje om te worden verkracht.'

'Je gaat ervan uit dat het elk jaar gebeurde.'

'Ze zijn allemaal dood,' zei ze.

'Dat is zo.'

'We weten dat de chauffeur van de McClouds op de hoogte was. Hij bracht de kinderen thuis. Waarschijnlijk bracht hij het slachtoffertje als laatste naar huis. Als de kinderen in groepjes werden weggebracht, dan kan niemand geweten hebben waar alle kinderen op een bepaald moment waren. Bovendien, ze waren nog maar twaalf. En Dianna McCloud moet het gewoon geweten hebben. Zij trad elk jaar op als chaperonne.'

'Ik vind het gemakkelijker te geloven dat ze er wel van op de hoogte was dan dat ze van niets wist.'

'Ik heb een tijdlijn gemaakt op basis van wat ik allemaal over de McClouds heb gelezen,' zei Paige. 'Dianna trouwde met de senator toen Claire, de moeder van Rex, nog een klein meisje was − negen of daaromtrent. Claire ging het huis uit toen ze trouwde en Rex kreeg. Dat was in 1984.'

'Het eerste jaar van het MAC-programma.'

'Het stopte in '99, het jaar dat Reba voor het Vredeskorps naar Kameroen ging.'

Ze liet haar woorden bezinken en hij keek fronsend naar haar omlaag. 'Je wilt toch zeker niet beweren dat Dianna de meisjes daar... expres naartoe haalde?'

'Denk eens aan wat Rex zei dat zijn moeders reactie was toen hij haar vertelde wat hij had gezien. Claire zei dat het nooit was gebeurd. Dat als hij zijn mond opendeed zij zou zeggen dat hij aan waandenkbeelden leed en hem zou laten opnemen. Dat is een merkwaardige reactie, vind je niet? Tenzij zij het zelf gewend was geraakt te ontkennen wat haar was overkomen.'

'Dat heb ik me ook afgevraagd,' gaf Grayson toe, 'toen Rex zei dat zijn grootvader de meisjes meenam naar de oude slaapkamer van zijn moeder, die hij in precies dezelfde staat had gehouden als toen Claire daar nog sliep. Roze, een meisjesdroom.'

'Precies. Dus als we aannemen dat de senator één dochter misbruikte, waarom zou hij dan niet ook de andere hebben misbruikt toen die oud genoeg was, vooral omdat de oudste de deur uit ging?'

'Dat is het gebruikelijke patroon... Dus jij wilt zeggen dat Dianna wilde voorkomen dat de senator met zijn vingers aan Reba zat en hem daarom andere kleine meisjes bracht? Als een soort offerande?'

'Het is een mogelijkheid,' zei Paige verdedigend.

'Dat is wel een hoop speculatie,' merkte hij op vriendelijke toon op. 'Het kan best zo gebeurd zijn, maar de McClouds zullen ongetwijfeld beweren dat we het maar uit ons duim zuigen.'

'Als we wisten wat de senator deed, dan zouden we de familie tegen elkaar kunnen uitspelen.'

'Dat lukt alleen op tv. Maar er is één ding dat me dwarszit.'

Ze tilde haar hoofd op en keek hem vragend aan. 'Eentje maar?'

Hij glimlachte even. 'Brittany Jones. We zouden nooit het verband hebben gelegd met het MAC-programma als ze ons die medaille niet had gegeven.'

'Ze wilde dat wij het wisten. Misschien zocht ze gerechtigheid voor Crystal.'

'Waarom heeft ze het dan niet gewoon verteld? Waarom gaf ze ons die bankafschriften? Ze liet er geen misverstand over bestaan dat Crystal een dief was, op zoek naar buit. Waarom heeft Brittany met Lippman gebeld, de man die naar ik aanneem Kapansky heeft betaald om ons op te blazen?'

'Als we haar zouden vinden, dan konden we het vragen.'

'Als we haar vinden, dan krijgt ze een aanklacht aan haar kont wegens samenzwering tot moord,' zei hij zuur. 'Ze heeft me een sleutel van een bankkluis gegeven. Waarom?'

'Waarom kleden we ons niet aan, dan gaan we naar de bank en zoeken het uit.' Ze maakte aanstalten om uit bed te stappen, maar hij trok haar een beetje dichter tegen zich aan.

'Omdat ik daar eerst een gerechtelijk bevel voor moet hebben en omdat ik je nog niet los wil laten. Laten we nog een paar minuten blijven liggen.'

Ze liet zich tegen hem aan zakken. 'Ik vind dat we dat wel hebben verdiend.'

Hij vond dat hij heel wat meer had verdiend en beelden van treuzelen en genieten speelden door zijn hoofd. Maar eerst... 'Ik moet het ergens met je over hebben. Dat geheim van mij dat niet zo geheim was. Dat zal in de openbaarheid komen en dat zal niet leuk zijn.'

'Ben je bang voor niet leuk?'

'Nee,' zei hij en hij merkte dat dat waar was. 'Maar ik weet niet of jij dat bent.'

'Kun je me dat echt vragen na alles wat we hebben meegemaakt? Denk je dat ik bang ben voor een beetje slechte publiciteit?'

'Anderson zei dat als het hof erachter zou komen, ik niet meer als openbaar aanklager zou kunnen optreden – dat er dan te veel sprake zou zijn van belangenverstrengeling.'

'Anderson was een misdadiger.'

'Maar hij zou wel eens gelijk kunnen hebben. Het zou kunnen dat ik mijn carrière moet opgeven.'

'Dat zou balen zijn. Maar je zou het wel redden. Dan vind je wel een andere manier om op te komen voor de slachtoffers.'

'Je klinkt zo zeker.'

'Dat is wie je bent. Je baan is alleen maar een middel om je doel te bereiken. Als jij je verhaal wilt vertellen, doe dat dan. Ik steun je. Maar als je vindt dat het niemand iets aangaat, hou dan je mond.'

'Ik wil niet dat iemand denkt dat ze me in hun macht hebben.'

'Grayson, jij klopte aan bij Rex in de wetenschap dat Anderson je geheim zou onthullen. Je bent de confrontatie met Rex aangegaan terwijl je ook gewoon had kunnen weglopen.'

'Nee, ik had niet kunnen weglopen. Dat zou verkeerd zijn geweest.'

'Dat bedoel ik.' Ze boog zich over hem heen en ging met haar mond over zijn lippen. 'Ik denk dat je te veel denkt.'

Hij ging met zijn hand over haar heup. 'Ik heb vanmorgen ook liggen denken.'

'O, nee toch,' plaagde ze.

'O, jazeker. Over dat ik eerder zo gehaast deed.'

Haar ogen werden zo mogelijk nog donkerder. 'Ik vond het lekker. Maar als je denkt dat het beter kan...'

De katachtige uitdaging in haar stem deed zijn bloed sneller stromen. Hij stak zijn hand naar haar uit en drukte zacht zijn mond op de hare, waardoor ze begon te spinnen. Toen ze hem beet wilde pakken, hield hij haar tegen, vlocht zijn vingers in de hare en draaide haar op haar rug.

'Doet dat pijn?' fluisterde hij. 'Je rug?'

'Niet genoeg om je te laten ophouden. Laat me je beetpakken.'

Er ging een huivering door hem heen. 'Nog niet. Ik wil je hebben.'

'Je hebt me.' Ze drukte haar heupen tegen hem aan. 'Grayson, alsjeblieft, schiet op.'

'Nee. Vanmorgen niet. Ik wil je hebben. Helemaal.' Hij liet zijn hoofd naar haar borst zakken en haar zucht veranderde in zacht gekreun. 'Elke centimeter van je.'

Hij treuzelde en hij genoot en ze snakte naar adem. Toen ze hem aanspoorde op te schieten, ging hij nog langzamer te werk tot hij haar zover had dat ze smeekte. Hij kuste zich een weg langs haar lichaam en weer terug terwijl hij zich afvroeg of hij daar ooit genoeg van zou krijgen.

'Alsjeblieft.' Haar gefluister had een hese klank gekregen. 'Alsjeblieft, ik wil –'

Hij gleed in haar en haar ogen vielen dicht. 'Dit?'

'Jou, ik wil jou hebben, wie je ook wilt zijn.'

'Kijk me aan.' Ze deed haar ogen open en hij wist precies wat hij wilde zijn. 'De jouwe.' Hij hield haar blik gevangen en begon te bewegen. 'Ik wil de jouwe zijn.'

Hij vlocht hun vingers weer in elkaar en keek naar elke flikkering in haar ogen, elke beet op haar lip. Hij begon sneller te stoten tot ze kronkelde, tot ze haar rug spande als een boog en haar lichaam het zijne greep in één lange, langzame, prachtige siddering terwijl ze klaarkwam, hem met zich meesleurend.

Het was als een stille aardbeving, anders dan hij ooit had meegemaakt. Anders dan hij tot nu toe met haar had beleefd. Hij hing boven haar, zwaar ademend, en keek in haar ogen terwijl haar lichaam langzaam verslapte als warm geworden was. Hij kon geen woorden vinden, dus kuste hij haar en wist dat hij zich dit moment altijd zou herinneren. Toen hij zijn hoofd optilde, zag hij dat de tranen over haar wangen liepen. 'Heb ik je pijn gedaan?'

'Nee,' fluisterde ze. 'Het is gewoon... zo... groot.'

Op elk ander moment had hij waarschijnlijk een grapje gemaakt. Maar niet nu. Hij begreep precies wat ze bedoelde. Dit was heilig. 'Ik weet het.'

Hij rolde hen beiden op hun zij en hield haar net zo stevig vastgeklemd als zij hem. Minuten verstreken en hij wilde haar niet laten gaan, maar de rinkelende telefoon kwam tussenbeide.

Grayson stak zijn hand uit, al wilde hij eigenlijk niet bewegen. 'Hallo?' Het kwam er nors uit.

'Goedemorgen, meneer Smith.'

Grayson sloeg zijn ogen ten hemel. 'Goedemorgen, inspecteur Hyatt.'

'Mevrouw Shaffer is bij bewustzijn. We mogen vijf minuten met haar praten. Hoe snel kunt u bij het ziekenhuis zijn?'

Hij was in één klap alert. 'Dertig minuten of minder.'

'Dan wacht ik tot u er bent.'

'Wat is er?' vroeg Paige.

'Adele is bijgekomen.' Grayson dwong zichzelf uit bed te stappen, keek uit het raam en stuurde in stilte een bedankje aan het adres van zijn broer. Ergens tijdens de vroege uurtjes was de Escalade langs zijn stoep opgedoken. 'We hebben een halfuur om ons aan te kleden, de hond uit te laten en naar het ziekenhuis te rijden.'

Vrijdag 8 april, 09.45 uur

Adele Shaffer lag op de intensive care en Darren zat naast haar bed. Adele staarde naar de muur, haar gezicht zo wit als het laken. Darren ging staan toen Paige, Grayson en Hyatt binnenkwamen.

'Mevrouw Shaffer?' zei Hyatt. 'Ik ben inspecteur Peter Hyatt van de afdeling Moordzaken. Dit is hoofdofficier van justitie Grayson Smith, en zijn partner Paige Holden. Zij doen onderzoek naar het MAC-programma. En naar de McClouds.'

Grayson gaf Paige de stoel en hurkte naast het bed zodat zijn ogen op gelijke hoogte waren met die van Adele. 'Hoi,' groette hij met een glimlach. 'We hebben je hulp nodig. Je man zei dat je dacht dat iemand je probeerde te vermoorden. Je had gelijk.'

Adeles ogen werden eventjes groot, alsof dat alle energie was die ze nog had.

'Het MAC-programma heeft zestien jaar gedraaid,' zei Paige. 'Elk jaar zat er een meisje van twaalf tussen met blonde krullen, net als jij had. Van die zestien vrouwen ben jij de enige die nog in leven is.' Achter haar hapte Darren Shaffer naar adem.

Adele sloot haar ogen. 'Ze zeiden dat niemand me zou geloven,' wist ze uit te brengen.

'Wij wel,' zei Grayson. 'Dat beloof ik je. Vertel ons alsjeblieft wat er is gebeurd.'

'Ze zeiden dat ze mijn familie zouden vermoorden.' Er biggelde een traan over Adeles wang en Paige depte hem op met een tissue. 'Ik had geen vader. Mijn moeder was altijd stoned. Maar ik had drie jongere broertjes en ik wilde niet dat hun iets overkwam. Ze zeiden dat ze ons geld zouden geven voor eten. Ik wilde niet dat mijn broertjes zouden omkomen van de honger. Daarom heb ik mijn mond gehouden.'

'Het is nu tijd om het te vertellen,' zei Paige. 'Je was in 1994 een MAC-kind. Je was twaalf.'

'Ik dacht dat het de mooiste dag van mijn leven was,' fluisterde ze. 'Ze gaven me een nieuwe jurk. We kregen ijs en zo veel te eten. Toen begonnen de kinderen van de andere scholen naar huis te gaan. Een paar tegelijk. Ik was de enige die nog over was. Ze vroeg of ik het boven wilde zien.'

'Wie is "ze", mevrouw Shaffer?' vroeg Hyatt zacht.

'Mevrouw McCloud. Zijn vróúw.' Ze probeerde het woord uit te spugen, maar ze was te zwak. Toch was haar bedoeling duidelijk. 'De kamer was roze. Ik heb nu een hekel aan roze.' Ze slikte. 'En toen kwam híj binnen. De senator.' Er biggelde opnieuw een traan over haar wang en opnieuw veegde Paige hem weg.

'Het spijt me, mevrouw Shaffer,' zei Hyatt, 'maar we moeten u vragen precies te vertellen wat hij deed.'

'Ik wilde er nooit meer aan denken. Maar ik ben het nooit vergeten. Hij duwde mijn jurk omhoog...' Ze begon zachtjes te huilen. 'Hij verkrachtte me. Ik probeerde me te verzetten, maar hij was te groot. Hij drukte me neer. Hield zijn hand op mijn mond. Ik dacht dat ik doodging. Dat wilde ik ook.'

Paige nam haar hand in de hare. 'Het spijt me, Adele. We vinden het vreselijk dat dit je is overkomen. Maar probeer ons alsjeblieft te vertellen wat er daarna gebeurde.'

'Hij bedankte me. Ook dat ben ik nooit vergeten. Hij bedankte me. Alsof ik een keuze had. Hij liet me daar huilend achter. Toen kwam er een man binnen. Hij was degene die me van huis had opgehaald. Hij... waste me. Tegen die tijd was ik te bang om me te verroeren. Hij was degene die tegen me zei wat er zou gebeuren als ik het vertelde. Toen stopte hij de doos met de medaille in mijn hand, nam me mee naar beneden en zette me in de auto. Zíj kwam ook mee.'

'Bedoel je mevrouw McCloud?' vroeg Paige op zachte toon.

'Ja. Ze liet me chocola eten. Daar kreeg ik slaap van.'

'Ze heeft je verdovende middelen gegeven,' zei Grayson.

'O,' zei Darren vol afschuw. 'Daarom ging je zo uit je dak toen die chocolaatjes dinsdag bij ons huis waren bezorgd.'

Nieuwe tranen stroomden over haar wangen. 'Ik dacht dat ik gek aan het worden was.'

Paige streek Adeles haar van haar natte wangen en droogde haar tranen. 'Dat was je niet. Dus mevrouw McCloud dwong je de chocola te eten. En toen?'

'Toen de auto in de buurt van mijn huis kwam, stopten ze. Ik was zo groggy dat ik niet wakker kon worden. Zij duwde me uit de auto en ik viel in de modder. Ik werd later wakker en het was al donker en ik had het koud. Ik ging naar huis. Mijn moeder had me niet eens gemist. Mijn jurk was verpest, dus die heb ik verbrand.'

'Waarom heb je me dit nooit verteld?' vroeg Darren.

Adele bleef naar de muur kijken. 'Ik... ik raakte ervan in de war. Ik moest naar een psychiatrisch ziekenhuis. Ik wilde niet dat je dat wist. Ik wilde niet dat je wist dat ik gek was. Dat je dacht dat ik Allie iets zou aandoen. Ik ben dinsdag naar mijn psychiater gegaan. Daarna ben ik gaan winkelen. Dat is echt waar.'

'Het spijt me, schat,' zei Darren gekweld. 'Ik begreep het niet.'

'Dat weet ik. Maar ik hoopte dat je zo veel van me hield dat het niet uit zou maken.'

'Mevrouw Shaffer, wie heeft u dit aangedaan?' vroeg Grayson. 'Door wie bent u neergestoken?'

'Door mevrouw McCloud.'

Paige snakte verrast naar adem. 'Mevróúw McCloud?'

'U bent neergestoken door de vróúw van de senator?' vroeg Grayson voor alle duidelijkheid.

'Ja,' fluisterde Adele. 'Ik vroeg haar waarom... Ik zei tegen haar dat ik een leven had. Ze zei dat dat nu juist het probleem was.'

'Was u met de auto?' vroeg Hyatt.

'Ik had hem in het steegje geparkeerd. Zij nam hem mee. Liet me achter in de modder. Wéér.'

De verpleegster schraapte haar keel. 'Uw vijf minuten zijn om. U moet gaan.'

'Dank je, Adele,' zei Paige. 'Ik weet dat dit heel moeilijk was.'

'Ze zullen het ontkennen,' fluisterde ze vermoeid. 'Ik heb geen bewijzen.'

'Daar werken we aan,' zei Hyatt. 'Concentreert u zich maar op beter worden.' Hij gaf Darren Shaffer een visitekaartje. 'Dit is mijn rechtstreekse nummer. Het nummer van assistent-hoofdofficier van justitie Smith staat achterop. Neem alstublieft contact met ons op als u zich nog iets herinnert. We houden u op de hoogte van de vorderingen van het onderzoek.'

Paige liep achter Grayson en Hyatt aan de gang op, leunde tegen de muur en dwong zichzelf diep adem te halen. 'Mevróúw McCloud heeft haar neergestoken? Ik besefte wel dat ze van het misbruik moest hebben afgeweten, maar... waarom? Waarom zou Dianna McCloud proberen Adele te vermoorden? En wil dat zeggen dat ze de anderen ook heeft vermoord?'

'Goede vragen, mevrouw Holden,' zei Hyatt.

'Heel goede vragen,' stemde Grayson in. 'We gingen ervan uit dat degene die de kinderen had verkracht ook degene was die ze toen ze volwassen waren heeft vermoord. Nu moeten we die misdaden los van elkaar zien. De senator is verantwoordelijk voor het seksuele misbruik – dat weten we. Het verhaal van Adele komt overeen met dat van Rex McCloud, maar ik kan de senator nog niet oppakken voor verhoor. We moeten harde bewijzen hebben over dat misbruik. Op dit moment is het nog zijn woord tegen het hare.'

'Het is niet erg waarschijnlijk dat je nog fysiek bewijs vindt van de verkrachting,' waarschuwde Hyatt. 'Het is zestien jaar geleden dat mevrouw Shaffer is aangerand.'

Grayson keek bedenkelijk. 'Ik weet het. Maar ik wil geen slapende honden wakker maken, want we moeten die moorden ook opnieuw bekijken. We hebben indirect bewijs dat de senator Crystal heeft vermoord. Daar is niets aan veranderd.'

'Je bedoelt die ongelijke sporen van verwurging om haar nek,' zei Hyatt. 'En het feit dat senator McCloud een verzwakte hand heeft.'

Grayson knikte. 'Ja. En het feit dat er bij Crystal sprake was van twee moordenaars. De senator heeft haar gewurgd en de tweede persoon heeft haar gestoken. We hebben steeds aangenomen dat de senator bij de andere slachtoffers ook hulp nodig heeft gehad. Maar nu... De betrokkenheid van mevrouw McCloud verandert de zaken nogal. Zij is misschien degene geweest die Crystal heeft neergestoken. Zij kan alle MAC-slachtoffers hebben vermoord, maar dat geldt ook voor de senator.'

'Of ze hebben het samen gedaan,' mompelde Paige. 'Lekker stel.'

'Maar Dianna heeft misschien toch hulp nodig gehad om de slacht-offers op te hangen nadat ze waren verdoofd en ik ben er niet zo zeker van dat de senator dat gedaan kan hebben. We weten wel dat ze ge-probeerd heeft Adele te vermoorden, dus ik denk dat we daar moeten beginnen. De eerste stap is fysiek bewijs verzamelen over de poging tot moord. Dan kunnen we een huiszoekingsbevel vragen voor het huis van de McClouds om te zien of we iets kunnen vinden wat met de rest in verband staat. Tot die tijd mogen ze niet vermoeden dat we ze verdenken, anders vernietigen ze misschien het bewijs dat er nog is.'

'De auto van Adele,' zei Paige. 'Als mevrouw McCloud haar heeft neergestoken en met de auto is weggereden, dan vinden we daar mis-schien vingerafdrukken op of bloed. Of misschien heeft ze Adeles tas bewaard.'

'Dat zou genoeg zijn voor een huiszoekingsbevel voor de flat van de McClouds. Als we de juiste rechter treffen, dan kunnen we mis-schien ook op het landgoed zoeken.' Grayson knikte naar Paige. 'Je had gelijk.'

'Waarover?' vroeg Hyatt.

'Paige dacht dat mevrouw McCloud betrokken was bij het misbruik van de MAC-kinderen toen de meisjes twaalf waren. Maar ik denk niet dat iemand van ons vermoedde dat de vrouw van de senator ook nog een moordenares was.'

'Poging tot moord.' Hyatt fronste.

Grayson haalde zijn schouders op. 'Ze gaf Adele toen ze twaalf was een chocolaatje waar ze verdoofd van raakte. Zo is de hond van de Shaffers ook vergiftigd en zo is Betsy Malone gestorven.'

Hyatt leek onder de indruk. 'Heel goed, meneer de officier. Ik stuur mijn mensen op pad om die auto te vinden. Hou me op de hoogte.'

'Heb je nog even voor we weggaan?' vroeg Paige Grayson toen Hyatt vertrokken was. Ze liep naar de verpleegstersbalie. 'Ik wil graag weten hoe het met een bepaalde patiënt gaat. Logan Booker?'

'Wat is uw relatie tot de patiënt?' vroeg de verpleegster.

'Ik ben zijn buurvrouw,' zei Paige. Ze wees naar Grayson. 'Hij heeft zijn leven gered.'

De verpleegster glimlachte. 'Juist. Logan ligt op deze afdeling. Hij is stabiel.'

'Ik heb gehoord dat de dokters erin zijn geslaagd zijn been te redden.' Paige hield haar adem in.

'Tot nu toe gaat het goed. Zijn tante uit Philadelphia is overgekomen om voor hem te zorgen en om haar zus te begraven.'

'Logans moeder,' zei Paige binnensmonds. 'Arme Logan.'

'Ik weet het. Zijn tante zei dat hij bij haar komt wonen zodra hij vervoerd mag worden. Ze lijkt een aardige vrouw. U mag wel bij hem op bezoek als u dat wilt.'

Paige keek even naar Grayson. 'Hebben we daar tijd voor?'

'Natuurlijk. Kom op.' Maar hij bleef bezorgd kijkend staan waar hij stond.

'Wat is er?' vroeg ze.

'Ik moet Ramon Muñoz spreken. Ik heb het steeds maar uitgesteld,' gaf hij toe. 'Ik weet niet wat ik moet zeggen om het allemaal weer goed te maken. Maar ik moet hem spreken. Vandaag.'

Ze aaide hem over zijn wang om haar woorden te verzachten. 'Je kunt het niet goedmaken, Grayson. Hij is zijn moeder kwijt, zijn vrouw en zes jaar van zijn leven. Dat kun je hem niet teruggeven. Je kunt hem alleen genoegdoening geven door ervoor te zorgen dat de McClouds en Morton de maximale straf krijgen. Dat is wat je het beste kunt.'

Hij haalde diep adem en legde zijn gezicht in haar handpalm. 'Jij gaat mee.'

Dat was geen vraag. 'Probeer me maar eens tegen te houden. Kom, dan gaan we eerst naar Logan. Dan naar Ramon.'

Vrijdag 8 april, 10.35 uur

'Jij kunt er niets aan doen,' zei Grayson zacht terwijl ze in de Escalade stapten en hun gordels vastmaakten. Ze kwamen net terug van Logan en nu was het de beurt aan Grayson om te troosten.

'Dat weet ik,' fluisterde Paige. 'Maar hij leek zo... gebroken.'

'Hij was nog verward door de verdoving. Maar hij zal zijn been niet kwijtraken.'

'Dat bedoel ik niet. Zijn ogen zijn leeg.'

'Hij verkeert in shock, schat. Hij zal het moeilijk krijgen. Maar zijn tante lijkt sterk.'

Ze knikte. 'Aardig ook. En ze heeft connecties. Ze zal hem kunnen helpen.'

De tante van Logan werkte bij de technische recherche van het politiekorps van Philadelphia. Ze vertelde hun dat ze verlof had genomen om voor hem te kunnen zorgen. Ze had al contact opgenomen met iemand van slachtofferhulp bij haar in de buurt. Logan zou alle hulp krijgen die hij nodig had. Toen had ze hen apart genomen en gevraagd wat nu het werkelijke verhaal was. De politie was nogal vaag geweest over de schutter die haar zus had gedood en haar neef ernstig had verwond.

Grayson was alle geheimzinnigheid beu, dus vertelde hij haar wat ze wisten.

'Het is waarschijnlijk maar goed dat Silas dood is,' mompelde Paige terwijl hij de auto startte. 'De tante van Logan hield haar woede aardig onder controle toen je haar vertelde dat een ex-politieman haar zus had vermoord, maar als blikken werkelijk konden doden... Nou ja, er zouden een heleboel mensen in de rij staan om Silas aan te pakken.'

'Silas zou nog geen dag hebben overleefd in de gevangenis. Ik hoop alleen dat geen van zijn slachtoffers zich tegen Rose en Violet keert. Je weet wel, het gezin straffen voor de zonden van de vader.'

'Ik weet wat je bedoelt.' Ze glimlachte hem flauw toe. 'En? Waar nu naartoe?'

'North Branch.' De gevangenis waar Ramon Muñoz zat. 'Dat is een dikke tweeënhalf uur rijden.'

'Moet ik het invoeren in de navigatie?'

'Nee, ik ben daar al heel vaak geweest. Ik weet de weg.' Ze waren bijna op de snelweg toen zijn mobieltje afging. 'Met Smith.'

'Daphne hier.' Ze sprak weer op die lijzige manier waarvan hij zich niet had gerealiseerd dat hij er zo op gesteld was geraakt. 'Ik heb een gerechtelijk bevel voor het kluisje van de gezusters Jones.'

Hij had haar onderweg naar het ziekenhuis gebeld met het verzoek of ze het bevelschrift wilde aanvragen, maar was erachter gekomen dat ze dat de avond ervoor al had gedaan. 'Weet Hyatt dat?'

'Ja. Ik heb hem gebeld. Hij ziet je daar binnen een halfuur samen met de TR. O, en Yates wil je zo snel mogelijk zien. Hij heeft een boodschap ingesproken op mijn voicemail omdat hij je nieuwe nummer niet heeft.'

Jeff Yates, uitvoerend hoofdofficier van justitie, was de baas van Charlie Anderson. 'Dat is snel. Ik heb hem gisteravond toen ik eindelijk thuis was een mail gestuurd en hem om een gesprek gevraagd om te bekijken hoe we het vonnis van Ramon Muñoz kunnen herroepen.'

'Zoiets vermoedde ik al. Het is maar dat je het weet, maar ik hoorde dat ze je terug willen hebben bij Moordzaken. De hel is al losgebarsten wat betreft beroepen in alle zaken waar Anderson, Dandridge of Morton mee te maken heeft gehad.'

Dat was geen verrassing. 'Zulk nieuws gaat als een lopend vuurtje door advocatenland.'

'Dat kun je wel zeggen. De eerste stapel beroepsschriften is ingediend door Thomas Thorne.'

Tot zijn eigen verbazing grinnikte Grayson. 'Dat zou niet grappig moeten zijn, maar dat is het wel.'

'Wanneer je weer terug bent zul je daar wel anders over denken. Heb je al een pleidooi voor Muñoz opgesteld?'

'Nee. Ik probeerde vanmorgen in de server te komen, maar ik mag nog steeds niet in het systeem.'

'Ik zal ermee beginnen, dan heb je iets voor Yates.'

'Je bent geweldig.'

'Alsof ik dat niet weet. O, voor ik het vergeet, je vroeg of ik een dwangbevel wilde regelen voor Brittany's bankrekening, die ene waar ze jou die afschriften van heeft gegeven. Ik heb het hier en ik heb namens jou de bank gebeld. Er werd elke maand duizend dollar naar overgemaakt van de rekening van Aristotle Finch uit Hagerstown in Maryland. Hij is een halfjaar geleden overleden.'

'Dat is dus de reden dat de geldbron opdroogde,' zei Grayson. 'Brittany was door haar geld heen.'

'Dat zou de reden kunnen zijn waarom ze jullie daar bij het verpleeghuis uitleverde aan Lippman.'

'O, ik hoop toch zo dat we haar snel vinden,' verzuchtte hij. 'Dank je wel, Daphne, voor alles.' Hij verbrak de verbinding en wendde zich tot Paige. 'Ik vergeet Ramon echt niet.'

'Ik heb het gehoord. Bankkluis, een vergadering om de invrijheidstelling van Ramon te bespreken en Brittany is een hebzuchtige trut.'

Hij glimlachte. 'Dat laatste wist je al. Als deze bijeenkomst verloopt zoals ik hoop, dan heb ik iets concreets om Ramon te vertellen. Dat doe ik liever dan ernaartoe gaan met alleen maar excuses.'

'Ik denk dat Ramon dat ook liever heeft. Wil je dat ik de bank van Brittany in de navigatie invoer?'

'Als je dat zou willen doen. Laten we maar eens gaan kijken wat Brittany te verbergen had.'

Vrijdag 8 april, 10.35 uur

De inspecteur en zijn mensen waren weg en Adele had zich niet verroerd. Haar hoofd was nog steeds afgewend en ze staarde nog steeds naar de muur. Ze had pijn, elke zenuw stond in brand. Maar ze leefde.

En ze was niet gek.

Darren zat in de stoel achter haar. Zwijgend. De seconden tikten voorbij en regen zich aaneen tot minuten. Ze vroeg zich af waarom hij daar nog steeds zat.

Toen hoorde ze een geluid. Gesnuif en toen een snik. Hij zat te huilen. Adele dacht niet dat ze hem in al die jaren dat ze getrouwd waren ooit had zien huilen. Ze draaide langzaam haar hoofd om, net ver genoeg om hem uit haar ooghoek te kunnen zien.

Ze zei niets, wachtte alleen maar. Hij zat voorovergebogen op de stoel met zijn ellebogen op zijn knieën en zijn handen voor zijn gezicht geslagen terwijl zijn schouders schokten. Adele haalde diep adem. Dat brandde. En liet haar adem weer ontsnappen. Ze stak haar hand uit en raakte met een vingertop even zijn elleboog aan.

'Sst,' zei ze. 'Het is goed.'

Hij keek op met een gekwelde blik in zijn ogen. 'Waarom heb je het me nooit verteld?'

'Ik... schaamde me. Ik dacht... dat niemand me zou willen. Ik was beschadigd.'

'Adele.' Hij slikte een paar keer terwijl hij zichzelf probeerde te beheersen. 'Je bent niet beschadigd. Je bent perfect. Dat ben je altijd geweest.'

'Je kende me toen niet.'

'Nee, dat is zo. Je hebt nooit iets over je familie gezegd. Toen we elkaar net hadden ontmoet vroeg ik naar je familie en je zei dat je niemand had.'

'Omdat dat zo is.'

'Maar je vertelde de inspecteur dat je drie broers had. Een moeder.'

'Weg. Allemaal weg.'

Hij fronste zijn voorhoofd. 'Dood?'

'Ja. Drank en drugs. Schotwonden. Rijden onder invloed. Tegen de tijd dat ik achttien was, waren ze allemaal dood en was ik helemaal alleen. Mijn jongste broertje heeft het nog het langst volgehouden. Hij had me beloofd dat hij zich geen problemen op de hals zou halen en van de drugs af zou blijven. Op een dag kwam ik thuis van mijn werk en daar lag hij, dood. Doodgeschoten. Een drugsdeal die verkeerd was gelopen. Hij had vanuit ons appartement gedeald. Ik was al sinds de senator bang voor mijn schaduw en ik was altijd op mijn hoede, maar toen ik Andy zo aantrof, draaide ik helemaal door.'

Zijn ogen hadden zich gevuld met medelijden; toen ze de senator noemde veranderde dat medelijden in blinde woede. 'En toen werd je opgenomen in de psychiatrische inrichting.'

Ze vertrok haar gezicht. 'Ja. Daar heb ik dokter Theopolis ontmoet. De man die ik dinsdag ben gaan opzoeken. Het begon beter met me te gaan. Ik kreeg een baan, maakte vrienden. Ontmoette jou.'

De woede in zijn ogen ebde weg en hij pakte voorzichtig haar hand. 'Als je me over de senator had verteld, dan had ik je geloofd. En ik zou nooit, echt nooit, denken dat je beschadigd was. Het spijt me, Adele. Het spijt me zo dat ik je niet geloofde toen je zei dat je was gaan winkelen. Maar je gedroeg je zo vreemd en... nou, ik was altijd bang dat je op een dag wakker zou worden en tot de conclusie zou komen dat je een vergissing begaan had. Dat je niet met mij had moeten trouwen.'

'Waarom zou ik dat denken? Alleen omdat je eerste vrouw bij je is weggegaan?'

Hij deed een poging tot een scheve glimlach. 'Ik denk dat ik beschadigd was.'

'Ik was van plan het je te vertellen,' fluisterde ze. 'Maar ik moest erachter zien te komen wie achter me aan zat. Ik ben naar een privédetective gegaan.'

'Dat weet ik. Je vriendin Krissy heeft de politie gebeld toen ze je foto op het nieuws zag. Ze heeft hun verteld dat je naar die detective was gestapt om bewijzen te verzamelen voor een scheiding.'

'Nee, niet voor een scheiding. Dat heb ik alleen maar tegen Krissy gezegd. Ik nam die detective in de arm om me te helpen uit te zoeken wie me probeerde te vermoorden. Ik moest zeker weten dat ik niet gek was en dat moest ik jou kunnen bewijzen. Anders zou ik jou de munitie geven om tegen me te gebruiken. Om Allie van me af te nemen. Je zou nooit willen geloven dat ik geen verhouding had.'

'Wat moet ik doen?' zei hij. 'Wat moet ik doen om ervoor te zorgen dat je weer van me houdt?'

'Niets. Ik heb steeds van je gehouden.'

Hij slikte moeizaam. 'Ik hou van je, Adele. Ik kan je niet beloven dat ik nooit meer zo'n eikel zal zijn, want ik doe soms stomme dingen, maar ik beloof je wel dat ik nooit bij je wegga.'

'Stel dat ze McCloud arresteren, wat dan?'

Zijn gezicht verstrakte. 'Dan moet je getuigen. Ik zal steeds bij je zijn. Je zult het hem betaald zetten. Ik hoop alleen dat ik zijn gezicht kan zien zonder erop te timmeren.'

'Dan zal iedereen het weten,' fluisterde ze. 'Op een dag zal Allie het ook weten.'

'Je hebt helemaal niets misdaan, Adele,' zei hij heftig. 'Je was het slachtoffer. En er is niets, helemaal niets waar je je voor hoeft te schamen. Allie zal horen dat haar moeder het heeft overleefd en gerechtigheid heeft gekregen voor zichzelf en de vijftien anderen die hij heeft verkracht.'

'Oké. Ik doe het. Alles goed met ons?'

'Meer dan goed. Je bent in leven.'

'En niet gek,' mompelde ze.

Hij lachte, een waterig geluid. 'En morgen komt Rusty naar huis.'

Ze slaagde erin te grinniken, ook al deed dat pijn in haar borst. 'Die krijgt geen chocola meer.'

Vrijdag 8 april, 11.10 uur

Hyatt en Drew Peterson van de TR zaten maar een paar minuten achter hen, dus ze hoefden niet lang te wachten in de hal van de bank.

'Heb je de sleutel?' vroeg Hyatt.

Grayson stak hem omhoog. 'Hier in mijn hand.'

De bankdirecteur bestudeerde het dwangbevel en leidde hen vervolgens naar de kluis. Hij haalde de lade tevoorschijn en zette die op tafel. Grayson stak de sleutel erin en draaide hem om. Hij deed het scharnierende deksel langzaam omhoog. In de la lag een grote bruine envelop.

Drew maakte hem met gehandschoende handen open en fronste zijn voorhoofd.

'Wat is het?' vroeg Hyatt.

Drew keek bevreemd op. 'Het is blauwe stof.'

Paige hielde de envelop schuin om erin te kunnen kijken en haar mond viel open. 'O mijn god,' zei ze ademloos. Ze keek naar Grayson. 'Het is de jurk van Crystal, de jurk die ze aanhad op de dag van het ijscofeestje van mac. Weet je nog dat de bibliothecaresse zei dat hij blauw was? Dat is de jurk.'

'Wilt u ons alstublieft even alleen laten?' vroeg Hyatt aan de bank-directeur. Toen de man vertrokken was, keek hij naar Drew. 'Bekijk de jurk eens goed.'

Drew pakte een UV-lamp uit zijn gereedschapskoffer en ging er-mee heen en weer voor de opening van de envelop. De stof erin lichtte op.

'Ik zie geen bloedspatten,' zei Drew. 'Het is waarschijnlijk sperma. We zullen het dna van het sperma onderzoeken en zien of we er haar, huid of iets anders wat van Crystal is geweest op kunnen vinden.'

'Ik kan niet bevatten dat ze hem heeft bewaard,' zei Hyatt. 'Hoe heeft ze daar zelfs maar aan kunnen denken?'

'Nadat ze was verkracht? Wie zal het zeggen?' Paige haalde haar schouders op. 'Maar zes jaar later was ze van plan om de McClouds te chanteren. Dít is de reden waarom ze is vermoord.'

'Ze heeft gedreigd ze aan de schandpaal te nagelen,' bromde Gray-son. 'Dit is de reden dat ze naar het feest is gegaan. Ze moet ze verteld hebben dat ze bewijzen had. Is haar zus aan deze la geweest?'

'Ja,' bevestigde Hyatt. 'De directeur zei dat ze zes jaar geleden hier is geweest. Sindsdien is ze niet meer terug geweest.'

'Ze wist van de jurk, dus wist ze ook van de verkrachting,' zei Gray-son. 'Brittany wilde dat wíj achter het mac-gedoe kwamen.'

'Waarom heeft ze het niet gewoon zelf bij de politie gemeld?' vroeg Drew.

'Omdat als wíj erachter kwamen, dat de McClouds in de schijn-werpers zou zetten,' antwoordde Grayson. 'Er zou een schandaal ontstaan en de senator en zijn vrouw zouden alles in het werk stellen om dat te voorkomen.'

'En dan zou zíj ze chanteren,' ging Paige verder. 'Wanneer ze eenmaal in verband zouden worden gebracht met het misbruik van zestien meisjes, dan zat ze goed. Dan zou ze het grote geld binnenhalen.'

'Alleen wist ze niet dat ze, afgezien van Adele, allemaal dood waren,' voegde Grayson eraan toe.

'Waarom heeft ze jullie de sleutel gegeven?' vroeg Drew.

'Ik denk dat ze bang was geworden omdat we bijna werden opgeblazen,' zei Grayson. 'Als we deze jurk vonden en de McClouds aan de kaak zouden stellen in plaats van ze er alleen maar mee in verband te brengen...'

'Dan zou de aandacht van haar worden afgeleid.' Hyatt keek grimmig. 'Als we haar vinden, dan zal ze erachter komen wat aandacht werkelijk wil zeggen. Laten we dit voorlopig eerst maar eens onderzoeken, Peterson. Ik wil zo snel als maar enigszins mogelijk is de resultaten hebben. Ik wil dat die zak van een McCloud peentjes zweet als ik hem eenmaal op het bureau heb.'

'Komt voor elkaar,' zei Drew. 'Ik moet wel vergelijkingsmateriaal hebben.'

'Daar zorg ik voor,' beloofde Hyatt.

Toen ze het bankgebouw uit liepen, hield Hyatt zijn wijsvinger omhoog om hen tegen te houden. 'Uitstekend,' sprak hij in zijn mobieltje. 'Hou ze allebei in de gaten.' Hij hing op en wendde zich tot Grayson en Paige.

'Wat hebben jullie gevonden?' vroeg Grayson.

'Adeles auto staat bij het vliegveld. Raad eens wie op de bewakingsvideo uit de auto stapt?'

Grayson hart begon sneller te kloppen. 'Dianna McCloud?'

Hyatts kale hoofd knikte voldaan één keer. 'Inderdaad. Ik heb re chercheur Perkins op het moment dat we bij Adele in het ziekenhuis weggingen een huiszoekingsbevel laten opstellen. Het is inmiddels getekend en Perkins en zijn team zijn onderweg om de verblijfplaatsen van de McClouds te doorzoeken.'

'Het appartement én het landgoed?' vroeg Paige gretig.

'Aangezien het landgoed de plek is waar het eerste misdrijf heeft plaatsgevonden, ja, het landgoed ook. Ik hou u op de hoogte, meneer Smith.'

Grayson keek hoe Hyatt wegbeende en draaide zich toen met een glimlach op zijn gezicht naar Paige.

'Met Adele als ooggetuige en het DNA op de jurk kunnen we Mc-Cloud opbergen wegens verkrachting en zijn vrouw voor medeplichtigheid. Dan, met een beetje geluk, krijgen we ze zover dat ze zich wat betreft die moorden tegen elkaar keren.'

Paige glimlachte terug. 'Net als in een tv-serie. Alleen ziet de aanklager er in het echt een stuk lekkerder uit.'

26

Cumberland, Maryland,
vrijdag 8 april, 16.00 uur

Grayson maakte het identiteitskaartje vast aan zijn revers. Hij was gedurende zijn loopbaan als openbaar aanklager al heel vaak in de North Branch Correctional Institution geweest. Elke keer was belangrijk geweest. Elke keer was hij een stap dichter bij gerechtigheid voor een slachtoffer gekomen.

Maar vandaag... Hij was nog nooit zo met lood in zijn schoenen naar een bespreking gegaan.

'Rustig maar,' fluisterde Paige. 'Het is wat het is.' Ze maakte haar kaartje vast aan haar blouse. 'Ik voel me tien kilo lichter.'

'Dat verbaast me niks,' zei Grayson. 'Dat is ongeveer de hoeveelheid ijzer die je bij de bewaker hebt moeten achterlaten toen je werd ontwapend.' De bewaker had steeds verbaasder gekeken naarmate ze meer wapens op de stapel legde.

'Ik voel me op dit moment heel erg kwetsbaar,' zei ze.

Ik heb het gevoel dat ik moet overgeven, dacht hij.

Ze werden naar een kleine vergaderruimte gebracht, waar een man in een oranje overall op hen wachtte. Hij zat rustig naar het tafelblad te staren met zijn geboeide handen gevouwen voor zich.

'Ramon,' begon Paige zacht, 'Ik ben Paige Holden. Ik was een vriendin van Elena.'

Ramon keek op en Grayson moest zijn uiterste best doen om niet achteruit te deinzen. Ramons gezicht was gehavend, oude bloeduitstortingen waren geel en vaag geworden. Door nieuwe zwellingen zat één oog bijna dicht. Bijna. Maar niet dicht genoeg om de doffe blik van de man te verbergen.

Ramons ogen waren leeg. Dood. Behalve dat hij zijn hoofd optilde was aan niets te zien dat hij had gehoord dat Paige iets had gezegd.

Dit waren de ogen van een man die het had opgegeven. Een man uit wie alle hoop was geslagen. Een man die het niet meer kon schelen.

Jij hebt hem daar gestopt, Smith. Jij hebt dit gedaan.

Nee. Ik deed mijn plicht. Ik deed mijn werk. Hij slikte moeizaam. *Ik heb mijn werk te goed gedaan.*

Paige ging aan tafel zitten en wierp een dwingende blik op de stoel naast zich. Grayson begreep de hint en ging naast haar zitten. Er blonk heel even iets van haat in Ramons ogen.

Hij weet nog wie ik ben. Hoe zou hij dat kunnen vergeten?

Grayson kon geen woord uitbrengen. Stilte vulde het vertrek en toen begon Paige voor hem te praten.

'Zoals ik al zei, ik ben Paige, dit is Grayson Smith van het Openbaar Ministerie. Gecondoleerd met het verlies van Elena en Maria. Het waren goede mensen.'

'Cipier,' zei Ramon zonder de minste intonatie. 'Breng me terug naar mijn cel.'

'Néé,' riep Paige toen Ramon overeind kwam. 'Wacht. Alsjeblieft. Ik was bij Elena toen ze stierf. Ik weet wat er is gebeurd. Ramon, ze hield van je toen ze doodging.'

'Nee. Ze hield niet van me.'

'Ze is met Denny Sandoval naar bed gegaan. Voor jou. Om bewijs van jouw onschuld te pakken te krijgen. Dat heeft ze gevonden, Ramon. Ze heeft bewijzen gevonden dat je alibi klopte. En dat werd haar dood.'

Ramons lichaam verstijfde. 'Dat geloof ik niet.'

'Het is waar,' zei Grayson rustig. 'Er was geknoeid met het bewijs dat tijdens het proces werd aangevoerd. Er zijn getuigen betaald om te liegen. Je bent erin geluisd om de schuld van de moord op Crystal Jones te krijgen. Dat weten we nu.'

'Elena was bij Sandoval om bij zijn computer te kunnen, Ramon,' zei Paige dringend. 'Ze heeft foto's gevonden die bewijzen dat jij de avond van de moord in die bar zat. Die ook aantonen dat Sandoval betaald werd. Hij is inmiddels dood.'

'Dat weet ik,' mompelde Ramon. Zijn blik bleef leeg. Hij stond nog steeds, roerloos. 'Ik heb het op televisie gezien. Hij heeft zelfmoord gepleegd nadat hij Elena had vermoord.'

'Nee,' zei Paige. 'Dat klopt niet. Hij is vermoord door de man die zijn stilzwijgen had gekocht. Die het hele toneelstuk in elkaar heeft gezet. Zijn naam was Stuart Lippman en hij werkte voor jouw advocaat. Ze waren allebei corrupt.'

'Bob Bond,' zei Ramon.

'Ook dood,' zei Paige. 'Net als Lippman. Ze hebben andere mensen ook de schuld in de schoenen geschoven van misdaden die ze niet hadden begaan. Ze werden betaald door de families van de werkelijke daders. Dat weten we nu.'

Ramon ging langzaam weer zitten. 'Dankzij Elena?'

Paige knikte. 'Dankzij Elena. Ze stond aan het begin van een enorme kettingreactie waardoor de corruptie van strafpleiters en een heleboel andere mensen aan het licht kwam. Haar moeder en zij hebben mij in de arm genomen om je te helpen. Ik ben privédetective. Ze geloofden in je onschuld. Elena heeft er altijd in geloofd. Ze heeft ook altijd van je gehouden. Ik was bij haar toen ze stierf en dat waren haar laatste woorden. Ik moest haar beloven dat ik dat tegen je zou zeggen. Dus hier ben ik. Je vrouw heeft haar leven gegeven voor jou.'

Ramon deed zijn ogen dicht en de handen die hij gevouwen voor zich hield, balden zich tot vuisten. 'Wie heeft haar vermoord?'

'Een ex-politieman die bij Lippman op de loonlijst stond.'

Ramon verstijfde opnieuw. 'Silas Dandridge.'

Grayson knipperde verrast met zijn ogen. 'Hoe ken jij Dandridge?' vroeg hij.

'Hij kwam in de bar,' zei Ramon wezenloos. 'Dat vertelden mijn broers. Nadat ik was gearresteerd kwam hij maandenlang naar de bar en bleef daar zitten. Alleen maar zitten. En kijken.'

'Om iedereen te intimideren die er zelfs maar over dacht om de waarheid te vertellen,' zei Grayson.

'Waarom hebben ze dat tegen niemand gezegd?' vroeg Paige.

'Wie moesten ze dat vertellen?' vroeg Ramon. 'De politie? Nee. Maar het was geen geheim. Iedereen kende Silas Dandridge.'

'Hij is dood,' zei Grayson en voor het eerst verscheen er leven in Ramons ogen.

Heel even flakkerde er woede en haat en toen was de emotie weer verdwenen. 'Mooi.'

'Jorge Delgado is ook dood,' vulde Paige aan.

Ramon snoof. 'Laat hem maar rotten in de hel.'

Paige knikte. 'Ik kan me voorstellen dat je er zo over denkt.'

Ramon wees met zijn kin in de richting van Grayson. 'Hij kan wat mij betreft ook rotten in de hel.'

Paige haalde diep adem. 'Het heeft hem bijna het leven gekost om te proberen jouw onschuld aan te tonen. Mij ook.'

'Alsof dat wat uitmaakt.'

'Voor mij wel,' zei Paige, duidelijk geërgerd. 'Er is op me geschoten, ik ben neergestoken en bijna opgeblazen. Dat allemaal sinds dinsdag.'

Ramon keek haar aan en stak zijn geboeide handen in de lucht. 'Neem me niet kwalijk dat ik niet applaudisseer.'

'Ik verwacht geen applaus,' zei ze scherp. Toen zuchtte ze. 'Ik verwacht helemaal niets van je, Ramon. Dat is niet de reden dat ik dit allemaal heb gedaan. Ik heb het gedaan voor je moeder. Voor Elena. Want ze hielden van je. Meneer Smith heeft het gedaan omdat hij inzag dat zijn proces gemanipuleerd was. Dat je geen eerlijk proces hebt gehad.'

'En dat je überhaupt nooit aangeklaagd had mogen worden,' zei Grayson.

Ramon sloot zijn ogen. 'Het doet er niet toe.'

'Wat doet er niet toe?' vroeg Grayson.

'Niks.'

'Voor ik hierheen kwam heb ik een gesprek gehad met uitvoerend hoofdofficier van justitie Yates. In het licht van hetgeen we nu weten, vragen we herziening van het vonnis aan om je veroordeling terug te draaien. Je strafblad wordt gewist. Dan ben je vrij.'

Ramon ging staan. 'Cipier. Breng me terug naar mijn cel.'

Paige ging ook staan. 'Heb je dat gehoord? Dan ben je vrij.'

'Het doet er niet toe. Elena is er niet meer. Mijn moeder, dood. Mijn leven, weg. Zelfs als ik hier wegkom, ben ik niet vrij.' Hij schuifelde naar de deur omdat ook zijn enkels geboeid waren. Hij draaide zich een halve slag terwijl hij wachtte tot de bewaker de deur opendeed en Grayson zag de tranen over zijn wangen lopen.

Het deed er te veel toe.

'Meneer Muñoz,' zei Grayson. 'Ik heb mijn werk gedaan voor Crystal Jones, het slachtoffer van een gewelddadige dood. Ik heb u naar mijn beste vermogen vervolgd om gerechtigheid voor haar te bewerkstelligen.'

'En nu wil je mijn vergiffenis,' zei Ramon bitter.

'Nee. Ik wil dat u weet dat ik degenen die op wat voor manier dan ook verantwoordelijk zijn voor de dood van uw vrouw net zo... fanatiek zal vervolgen als ik u heb gedaan. Elena zal recht worden gedaan.'

Ramon knikte, één keer. 'Bedankt. Voor mijn Elena. Maar wat mij betreft kun je nog steeds rotten in de hel.'

De cipier deed de deur open en Ramon schuifelde naar buiten. Grayson en Paige staarden hem na. 'Dit is niet hoe ik me dit gesprek had voorgesteld,' zei Paige.

'Had je verwacht dat hij dankbaar zou zijn? Hij is alles kwijt. Jij bent degene die zei dat ik dit niet kon goedmaken en dat kun jij ook niet. We kunnen alleen maar opkomen voor de slachtoffers.'

Ze keek hem aan. 'Hoe ben je zo wijs geworden?'

'Ik heb naar jou geluisterd. Kom, dan gaan we naar huis.'

Baltimore, vrijdag 8 april, 19.45 uur

'Huis' bleek het landhuis van de Carters. Toen ze met Peabody op sleeptouw naar de voordeur liepen, deed Paige haar best om niet met open mond te staren, maar dat was bijna onmogelijk, dus gaf ze haar pogingen op. Het huis zag eruit als iets uit een film.

Ze werden begroet door Katherine, die Paige onmiddellijk in haar armen nam. 'We zijn zo blij dat je er bent.' Ze kneep tot Paige naar adem snakte en Peabody heel zacht begon te grommen.

'Je smoort haar, Katherine,' zei Grayson vriendelijk terwijl hij de riem uit Paige's handen nam. 'En je maakt Peabody van streek.'

Katherine liet haar met een ademloos lachje los uit haar omhelzing. 'Dus dit is de beroemde Peabody. Ik heb iets voor hem, als dat mag.' Ze haalde uit haar zak een hondenkoekje tevoorschijn dat zo groot was als Graysons hand. 'Brian heeft het gebakken, bij wijze van dank.'

'Als Brian het gebakken heeft, dan moet het wel goed zijn,' zei Paige. 'Ik denk dat ik beter kan wachten tot we thuis zijn voor ik het hem geef. Anders zit straks je hele huis onder de kruimels.'

'Daar zijn stofzuigers voor,' zei Katherine. 'Peabody is een held. Holly en Joseph hebben ons verteld wat er gisteravond allemaal is gebeurd. Wat je voor mijn dochter hebt gedaan... Nu krijg ik een brok in mijn keel. Dank je, Paige, dat je Holly het leven hebt gered.'

'Het was... Graag gedaan.'

'Mijn kinderen raken niet uitgepraat over je. Kom erbij zitten terwijl ik verderga met koken.' Ze nam Paige stevig bij de arm en voerde haar weg.

Paige keek hulpeloos achterom. Grayson grijnsde alleen maar en liep achter hen aan.

Brian en Lisa waren al in de keuken en één vleug deed Paige watertanden. 'Ik geloof dat we vergeten hebben te lunchen,' zei Paige.

Lisa wees naar een kruk aan de eetbar. 'Ga zitten, Brian heeft hapjes gemaakt.'

Paige gehoorzaamde en kreeg iets te eten waarvan ze de naam niet kon uitspreken en wat eigenlijk op een zilveren schaaltje opgediend hoorde te worden door een kelner in smoking. 'Waar is Holly?'

Lisa en haar moeder keken elkaar even ongerust aan. 'Holly heeft vannacht niet zo goed geslapen.'

'Dat verbaast me niets,' zei Paige. 'Ik maakte me zorgen om haar. Het was een heel intense ervaring. En ze heeft gezien dat Lippman werd gedood. Dat zal ze niet snel vergeten.'

'Ik weet het,' beaamde Katherine nuchter. 'We hebben vanmorgen vroeg contact opgenomen met een therapeut. Holly gaat morgen voor het eerst naar hem toe. Ze wil graag dat jij er ook bij bent, Paige, als je dat niet erg vindt. Ze zei dat jij zou weten hoe ze zich voelt.'

Paige fronste haar voorhoofd. 'Dat is ook zo en natuurlijk ga ik mee. Maar hoe weet Holly wat ik heb meegemaakt?'

'Ik denk niet dat ze weet dat jij je vriendin hebt zien sterven,' zei Lisa. 'Ik denk dat ze gewoon weet dat je het begrijpt. Je zorgt ervoor dat ze zich beter voelt.'

'Zeg maar waar en hoe laat. Ik zal er zijn.'

Grayson leunde tegen de bar en zijn been raakte het hare. 'Waar is Holly nu dan? En mijn moeder? En Jack?'

Katherine zuchtte. 'Om een uur of vijf vanmorgen kwam Holly tot de conclusie dat ze een hond als Peabody moest hebben. Jack en Judy zijn met haar naar de dierenwinkel.'

Paige trok een gezicht. 'Ze zal bij de dierenwinkel geen hond als Peabody vinden.'

'We denken niet dat ze een waakhond bedoelt,' zei Brian. 'We denken dat ze gewoon een rottweiler bedoelt.'

'We dachten dat jij haar beter kon helpen er een te vinden,' zei Katherine. 'Als je het niet erg vindt. Een waakhond, bedoelen we. Het zou mij ook een veilig gevoel geven – zeker met die knullen bij het opvangcentrum. Ik wil dat Holly onafhankelijk is. Een leven heeft. Maar ik blijf haar moeder.'

'In de periode dat ik te bang was om alleen te zijn, betekende Peabody voor mij een wereld van verschil.' Paige krabde hem achter zijn oren. 'Als je wilt, dan kan ik mijn vriendin in Minnesota wel bellen, degene die Peabody getraind heeft. Ik weet zeker dat Brie het geweldig zal vinden om een hond voor Holly te vinden.'

'Als jij het regelt, dan betaal ik de vliegtickets,' opperde Katherine. 'We kunnen er een weekend van maken. Meidendingen doen.' Ze trok een wenkbrauw op. 'Kennismaken met jouw familie. Aangezien je verkering hebt met die knul van ons, snap je.'

Grayson keek pijnlijk getroffen. 'Geen familie, Katherine.'

'Wat? Niemand?' Katherine beet op haar lip. 'Het spijt me, Paige.'

'Geen probleem,' zei Paige geruststellend. 'Mijn grootouders zijn dood, maar ik heb een massa vrienden die dolblij zullen zijn om kennis met jullie te maken.'

'Mag ik ook mee?' vroeg Grayson.

'Natuurlijk. Dan kan Olivia je leren kennen en dan kan ze ophouden zich zorgen over me te maken.'

Grayson deed zijn mond open om nog iets te zeggen, maar bedacht zich toen zijn telefoon overging. 'Smith.' Hij luisterde en zei toen: 'Dat is nogal een vangst. Jammer dat ik er niet bij ben geweest.' Hij grijnsde. 'Nu, op dit moment? Bedankt.' Hij hing op. 'Dat was Hyatt. Hij zei dat we het journaal moesten aanzetten.'

Brian richtte een afstandsbediening die op de bar lag naar de andere kant van de keuken en er gleed een televisie tevoorschijn. Een seconde later zagen ze Phin Radcliffe voor het politiebureau staan. Er kwam een politieauto aangereden en een man werd niet al te zachtzinnig van de achterbank geholpen. De camera zoomde in op een rood aangelopen Jim McCloud. Met handboeien om.

'Dát,' zei Paige, 'is nou een bevredigend schouwspel.'

'Het zou nog mooier zijn als hij een oranje overall aanhad,' mompelde Grayson.

'Binnenkort. Daar ga jij voor zorgen.'

Op het scherm liep Radcliffe zo dichtbij als de rechercheurs hem toestonden met de senator mee. 'Meneer McCloud,' riep Radcliffe. 'Waar wordt u van beschuldigd?'

McCloud negeerde hem.

'We horen dat u verdacht wordt van moord,' zei Radcliffe, 'en van twee gevallen van verkrachting. Mevrouw McCloud is al aangeklaagd wegens poging tot moord op Adele Shaffer, de moord op Betsy Mallone en wegens medeplichtigheid aan het beramen van verkrachtingen. Dat zijn ernstige beschuldigingen.'

McCloud bleef plotseling staan en keek recht in de camera. 'Dat is allemaal verzonnen,' antwoordde hij gladjes. 'Het komt allemaal voort uit Adele Shaffers verwrongen brein. We zullen bewijzen dat deze aantijgingen nergens op zijn gebaseerd en we zullen de jongedame helpen de juiste psychiatrische hulp te vinden.'

McCloud werd weggevoerd, de trap op en het politiebureau in, wat Radcliffe de gelegenheid gaf om uit te weiden over het leven en de carrière van senator Jim McCloud.

'Zet maar uit,' zei Grayson. 'Ze zijn nog bezig met het doorzoeken van het landgoed, maar raad eens wat ze achter in de bureaula van de senator hebben gevonden? Het tasje van Crystal.'

'Yes!' De voldoening die Paige voelde vertienvoudigde. 'Hij is erbij.'

'Haar mobieltje zat erin – een prepaid. Daarom vonden we geen telefoongegevens op haar naam. Er zaten ook creditcards in, lippenstift en een busje pepperspray.'

Paige knikte. 'Zei ik toch.'

'Ja, dat klopt.' Grayson draaide zich om toen de voordeur openging en er nieuwe stemmen door het huis klonken. 'Kom mee. Ik wil je voorstellen aan Jack. Je zult hem geweldig vinden.'

27

Niet zonder mij beginnen. Alsjeblieft. Paige klopte zachtjes op de deur van verhoorkamer 6. Grayson deed open en ze zag opgelucht dat ze hadden gewacht. Grayson had het grootste deel van de dag op het bureau gezeten om met Hyatt het bewijsmateriaal door te nemen dat ze bij de huiszoekingen bij de McClouds hadden gevonden. Paige voelde zich opgewonden bij het vooruitzicht van wat hun te wachten stond. Ze zouden de hiaten invullen. En dan zou het afgelopen zijn met Mc-Cloud.

'Ik ben zo snel mogelijk gekomen.' Holly en zij waren net bij de therapeut naar buiten gestapt toen Grayson haar een sms stuurde met de mededeling dat ze zo snel mogelijk naar het bureau moest komen. 'Je moeder en Katherine hebben me afgezet en zijn toen Holly naar huis gaan brengen.'

'Hoe gaat het met haar?'

'Nog steeds bang. Dat zal nog wel even zo blijven. Maar ik geloof dat die therapeut wel helpt. Ze gaat er woensdag weer heen. Ik ga mee.'

'Neem me niet kwalijk dat ik jullie onderbreek voor zoiets alledaags als een verhoor,' zei Hyatt sarcastisch. Hij stond aan de observatiekant van de confrontatiespiegel, samen met Stevie, die er afgetobd, maar alert uitzag.

Deze afsluiting moet haar goeddoen, dacht Paige. Daphne en Lucy Trask stonden aan weerszijden naast Stevie.

De rechercheurs Bashears en Perkins wachtten aan een kant van het vertrek terwijl uitvoerend hoofdofficier van justitie Jeff Yates tegen de muur aan de andere kant geleund stond.

Aan de andere kant van de spiegel zat een man in een pak naast een ziedende voormalig senator.

Paige moest erom glimlachen. 'Sorry.'

'Hij zit je te stangen, Paige,' zei Daphne. 'We zijn er allemaal nog maar net. Zijne koninklijke perversheid is nog maar net hiernaartoe overgebracht. Ik stel voor dat we hem nog even laten sudderen.'

'We hebben nog iemand die je wel zult willen zien,' zei Bashears.

'Brittany Jones?' vroeg Paige.

'Niemand minder,' zei Bashears. 'We hebben haar vriendje Mal gevolgd naar een hotel ergens aan het Eriemeer. Ze zat daar met haar zoontje.'

'En een tas vol geld,' voegde Perkins eraan toe. 'Ze had haar rekening geplunderd waar vlak voor jullie auto de lucht in ging vijfentwintig-duizend dollar op was gestort.'

'Ze zit in verhoorkamer twee,' zei Grayson. 'Helaas al compleet met advocaat. We gaan haar ondervragen zodra we klaar zijn met de Mc-Clouds.'

'Hoe zit het met het DNA op de jurk?' vroeg Paige.

Op de gezichten in het vertrek verscheen een tevreden glimlach.

'Het komt dus overeen,' zei Paige.

'Dat klopt,' antwoordde Hyatt. 'Mensen, het doek gaat op. Grayson?'

'Ik moet gaan,' zei Grayson. 'Wens me succes.' Hyatt en hij liepen de kamer uit en gingen via een deur in de hal de verhoorkamer binnen.

'Senator,' zei Hyatt.

'Dit is schandalig,' barstte McCloud uit.

'Senator,' maande de man in het pak. 'Niets zeggen.'

'Ik heb geen behoefte aan "niets zeggen". Ik ben op alle punten onschuldig.'

'Dan hoeft dit niet lang te duren,' zei Grayson. 'Vertel eens over MAC.'

'Dat was een liefdadigheidsprogramma van mijn vrouw. Een van haar knuffelprojecten.' De senator wuifde laatdunkend met zijn goede hand. 'Scholen met weinig geld en arme kinderen kregen geld. Einde verhaal.'

Grayson knikte. 'En ze kwamen naar uw landgoed om ijs te eten.'

'Eén keer per jaar. Het duurde een eeuwigheid voor al die ijsvlekken weer uit de bekleding waren.'

Hyatt schudde zijn hoofd. 'Kinderen zijn zulke knoeipotten.'

'Adele Shaffer was een van die kinderen,' zei Grayson.

'Ze is een misleide jonge vrouw. Ze moet hulp hebben.'

Graysons wenkbrauw ging omhoog. 'Uw vrouw heeft haar neergestoken.'

'Nee. De jongedame vergist zich.'

'Ik vrees van niet,' zei Hyatt. 'We hebben een video waarop te zien is dat uw vrouw in de auto van mevrouw Shaffer rijdt. We hebben een mes met een paarlemoeren heft gevonden in de kofferbak van mevrouw McCloud. Het bloed dat erop zit is afkomstig van Adele.'

McCloud leek geschokt. 'U liegt.'

'Nee.' Hyatt hield de man een plastic bewijszak met het mes voor. 'De vingerafdrukken van Dianna zitten op het mes, in het bloed. Zij heeft het gedaan.'

'Ze...' McCloud schudde opnieuw verbijsterd zijn hoofd. 'Ik weet niet wat ik moet zeggen. Ze moet hulp krijgen.'

'Dat dacht ik ook,' zei Hyatt. 'Dus, terug naar Crystal Jones. Hoe hebt u haar ontmoet?'

'Ik heb haar nooit ontmoet.'

'Echt niet?' vroeg Grayson. 'Ze was een van die liefdadigheidskinderen die op uw landgoed zijn geweest.'

'Mijn vrouw zorgde voor die kinderen. Ik had er niets mee te maken.'

'Dat is niet wat Adele Shaffer beweert,' zei Grayson kalm.

'En ik zei al dat ze misleid is.'

'Dus u heeft Adele niet verkracht in de voormalige slaapkamer van uw dochter Claire?' vroeg Hyatt.

'Nee.' Het gezicht van de senator liep rood aan en de advocaat probeerde hem te kalmeren.

'En Crystal Jones?' vroeg Hyatt.

'Ik heb niemand verkracht! Dit kost u uw baan, inspecteur.'

'Op de meeste dagen zou ik zeggen dat u hem mag hebben,' zei Hyatt. 'Maar vandaag geniet ik van mijn werk. We hebben de telefoon van Crystal aangetroffen in de handtas die ze die avond bij zich had.' Hij gooide het tasje, verpakt in een doorzichtige plastic zak voor bewijsmateriaal, op tafel. 'We hebben haar tasje in uw bureau gevonden, senator.'

McCloud aarzelde. 'Dat heb ik daar niet neergelegd.'

Hyatt haalde zijn schouders op. 'Uw vingerafdrukken zitten erop. En ook op het busje pepperspray dat in de tas zat.'

'Senator,' maande de advocaat zacht, maar de senator wuifde hem weg.

'Nee, ik kan het uitleggen. Ik heb haar inderdaad die avond ontmoet. Ze kwam naar het feest van mijn kleinzoon en ze zwierf heel erg dronken door het huis. Ik heb haar door de bewaking naar buiten laten begeleiden. Ik vond later haar tas en heb die weggelegd met de bedoeling aan mijn kleinzoon te vragen hem aan haar terug te geven. Mijn vingerafdrukken zitten op de inhoud, omdat ik naar een identiteitsbewijs zocht. Ik ben bang dat het tasje me gewoon ontschoten is.'

'Is dat zo?' vroeg Grayson serieus. 'Interessant, want Crystal had nauwelijks alcohol in haar bloed. Ze was niet dronken.'

'Ze gedroeg zich anders wel zo,' hield de senator vol.

'We hebben de sms'jes weten te achterhalen die ze vlak voor ze stierf heeft verstuurd,' zei Hyatt nu kortaf. 'Naar het nummer van uw mobieltje. Het is al uw nummer sinds lang voor de moord plaatsvond. Dat heb ik gecontroleerd. We hebben geen telefoongegevens van Crystal kunnen vinden omdat het een prepaid was. En we hebben die van u uiteraard niet gecontroleerd omdat we dachten dat ze het afspraakje van Rex was. We wisten niet dat ze in werkelijkheid was gekomen om ú te spreken.'

McCloud tierde. 'Niet waar. Ik kende die vrouw niet. Ik had haar voor die avond nog nooit gezien.'

Grayson nam het papier op dat voor hem lag. 'De dag voor het feest stuurt ze een sms waarin ze zegt dat ze u wil zien, dat uw macht een "afrodisiacum" is. U sms't terug: "Niet als mijn vrouw in de buurt is." Dan stuurt ze op de avond van het feest weer een bericht. "Klop, klop, ik ben hier. Rex denkt dat ik voor hem kom, maar ik wil jou." U sms't terug: "Kom om middernacht naar me toe in de tuinschuur."'

McClouds gezicht leek uit steen gehouwen. 'Ik heb die sms'jes niet gestuurd.'

'Dus u hebt Crystal die avond niet in de tuinschuur ontmoet?' vroeg Hyatt.

'Nee!'

'En u hebt die avond geen seks met haar gehad?' drong Grayson aan.

'Nee! Ik heb nooit seks gehad met die vrouw,' verklaarde hij.

Beroemde laatste woorden, dacht Paige en ze hield haar adem in. *Dit is het. Ze hebben hem.*

'Nooit?' vroeg Hyatt kalm.

'Nee, nooit!'

'Juist,' zei Grayson. 'Wat is dit dan?' Hij vouwde de blauwe jurk uit, die werd beschermd door een plastic zak.

'Ik heb geen idee. Dit is belachelijk. Ik ga hier weg.' Hij kwam overeind.

Hyatt was in een oogwenk uit zijn stoel en drukte hem weer omlaag. 'Ik dacht het niet, senator.'

'Ik denk eerlijk gezegd dat u een heel lange tijd gaat blijven,' voegde Grayson eraan toe. 'Deze jurk was van Crystal Jones. We hebben hem gevonden in haar bankkluis. Er zitten huidcellen aan de binnenkant die overeenkomen met haar DNA.'

'En?' vroeg McCloud vijandig. 'Het is een jurk.'

'Het is een speciale jurk,' zei Grayson. Hij wees. 'Ziet u deze vlek? Dat is sperma.'

McCloud verbleekte. 'Dit is walgelijk.'

'Ja, dat is het zeker.' Grayson legde een foto van Crystal toen ze twaalf was op de jurk. Zijn uitdrukking werd donker. 'Het ís walgelijk. Het is ook van u. U heeft dit kind verkracht.'

McClouds mond ging open, maar er kwam geen geluid uit.

Hyatt boog zich over McCloud en fluisterde dreigend in zijn oor. 'En toen vermoordde u haar omdat ze dreigde u te chanteren.'

'Ik heb haar niet vermoord.'

'U hebt haar verstikt,' zei Hyatt. 'En toen heeft u haar doodgestoken.'

'Nee! Ik heb haar niet gestoken,' barstte McCloud uit. 'Ik heb haar gewurgd. Maar ik heb haar niet gestoken.'

Zijn advocaat sloot zijn ogen. 'Jim, alsjeblieft. Hou je mond.'

'Er namen zestien meisjes deel aan het MAC-programma,' drong Hyatt aan. 'U heeft ze allemaal verkracht.'

'En toen heeft u ze vermoord,' vervolgde Grayson op kille toon. 'U hebt ze allemaal vermoord, op Adele Shaffer na.'

McClouds ogen werden groot. 'Nee. Ik heb die anderen niet vermoord. Dat heb ik niet gedaan.'

Grayson boog zich voorover. 'Waarom zijn ze dan dood?'

Uit de ogen van McCloud straalde paniek. 'Ik weet het niet. Ik weet het niet. Keith, haal me hier weg.'

'Dat kan ik niet,' zei de advocaat. 'Ik had je gezegd dat je je mond moest houden. Je luistert nooit.'

'Waarom?' vroeg Grayson. 'Waarom heeft u het gedaan? Waarom heeft u al die meisjes verkracht?'

McCloud schudde zijn hoofd, eindelijk tot zwijgen gebracht.

Grayson stond op en raapte het bewijsmateriaal bij elkaar. 'Dat geeft niet. We hebben genoeg.'

De ondervraging van Dianna McCloud verliep een stuk eenvoudiger. Hyatt en Grayson traden opnieuw gezamenlijk op, maar deze keer kozen ze voor een andere benadering. Tussen de spullen van mevrouw McCloud hadden ze foto's aangetroffen die een hoop verklaarden. De eerste was een foto van een MAC-groep die in 1984 was gemaakt.

Stuart Lippman stond op de achterste rij. Er waren nog andere foto's – Stuart bij de diploma-uitreiking van zijn middelbare school, bij zijn afstuderen, in de rechtszaal aan de tafel van de verdediging. Hij was haar project geweest.

En zijn dood was bij haar heel hard aangekomen.

Ze hadden een heleboel interessante dingen gevonden in het appartement van Stuart. Een daarvan was een laptop die van Denny Sandoval was geweest. Daar stonden de originele bestanden op die Elena had gekopieerd en gestolen. Stuart Lippman bleek degene te zijn die Sandoval had vermoord. Ervan uitgaande dat hij Bob Bond ook had vermoord, was dat niet zo'n enorme stap. Veel van de overleden MAC-vrouwen waren op eenzelfde manier opgehangen. Dat Lippman hen ook had vermoord, lag voor de hand, zeker gezien de nauwe band die hij had met mevrouw McCloud.

Nu moesten ze dat allemaal nog zien te bewijzen.

Toen Grayson en Hyatt verhoorkamer 4 binnenstapten, keek ze met rode, gezwollen ogen op. 'Ga weg,' zei ze met schorre stem.

Ze maakte geen gebruik van haar recht op een advocaat, aangezien de enige advocaat die ze had vertrouwd nu dood was. In haar bloeddoorlopen ogen las Grayson puur verdriet en de wetenschap dat het feit dat Adele het had overleefd en haar beschuldiging had geuit, haar eigen lot bezegelde. Hij zag ook dat het Dianna allemaal niets meer kon schelen.

'Het spijt me, mevrouw,' zei Hyatt. 'We moeten praten.'

'Ik wil niet met je praten.'

'U hield van Stuart,' zei Grayson, haar negerend.

Ze begon opnieuw te huilen.

Dat negeerde Grayson ook. 'Hij was de enige buiten uw directe familie die een appartement had in het penthouse.'

Ze keek verrast op. 'Hij was een deel van de familie. Mijn deel.'

'Hij was een MAC-kind.'

Ze knikte onzeker. 'Hij was zo'n kleine gentleman toen hij die dag op het landgoed kwam. Hij gedroeg zich zo veel beter dan dat snotjong van Claire. Stuart was dol op me. Ik was een betere moeder voor hem dan die hoer bij wie hij woonde.' Ze depte haar ogen. 'Ik zorgde voor hem. En hij zorgde voor mij.'

'Vertelt u eens over die MAC-kinderen,' zei Grayson. 'Waarom bent u met die liefdadigheid begonnen?'

'Ik wilde kinderen helpen.'

'Maar uw echtgenoot niet.' Grayson liet zijn stem zakken tot een vertrouwelijke toon. 'Hij hield van kleine meisjes. U hoeft niet bang te zijn dat u ons zijn geheimen verklapt. Hij heeft het al verteld. Hij zei dat hij dol was op Reba.'

Ze keek ongemakkelijk. 'Natuurlijk was hij dat. Hij is haar vader.'

'Nee. Hij hield niet van haar zoals het hoort. Hij wilde Reba. Net zoals hij Claire wilde.' Het was een gok, maar Grayson hoopte op haar reactie. Hij werd niet teleurgesteld.

Haar gezicht verwrong zich tot een grimas. 'Ja, dat klopt. Dat haatte ik aan hem.'

'Wist u dat hij Claire misbruikte?' vroeg Grayson.

Dianna knikte aarzelend.

'Heeft u geprobeerd hem tegen te houden?' vroeg Hyatt.

Ze keek verward op. 'Ze was niet mijn dochter, dat was niet aan mij.'

Grayson wilde ook een grimas trekken, maar hij hield zijn uitdrukking neutraal. 'Maar Reba is wel uw dochter.'

'Ja. Ik moest haar beschermen. Dat doe je voor je kinderen.'

'Claire ging het huis uit,' zei Grayson met de theorie van Paige in gedachten. 'En toen liet uw echtgenoot zijn oog op Reba vallen.'

'Ik moest haar beschermen,' antwoordde Dianna defensief.

'Dus toen gaf u hem die andere meisjes? De MAC-meisjes.'

'Ja.' Dianna zei het op een manier alsof dat volstrekt logisch was. 'Het was niet zo dat zij...'

'Dat zij wat, mevrouw McCloud?' vroeg Grayson. 'Het was niet zo dat zij wát?'

Dianna haalde haar schouders op. 'Ertoe deden. Als je kijkt uit wat voor gezinnen ze kwamen, was het slechts een kwestie van tijd tot íémand het met hen deed. Ik moest mijn dochter beschermen.'

Hyatt haalde diep adem en Grayson wist dat de inspecteur worstelde om zijn woede in toom te houden. 'Waarom heeft u Crystal Jones vermoord?' vroeg Hyatt.

'Ze probeerde ons te kwetsen. Ze was van plan ons te chanteren.'

'Dus sprak uw echtgenoot met haar af in de schuur en probeerde haar te wurgen,' zei Grayson. 'Maar hij heeft haar niet vermoord.'

'Het geeft niet,' zei Hyatt. 'Hij heeft al bekend. Hij zei dat hij haar alleen heeft verwurgd.'

Dianna sloeg haar ogen ten hemel. 'Hij maakte er een knoeiboel van. Toen hij de schuur uit kwam ben ik naar binnen gegaan. Het meisje leefde nog.'

'Dus toen heeft u haar doodgestoken.'

Ze zei niets, maar haar gezicht sprak boekdelen. Ze had het beslist gedaan.

'Hoe wist u dat ze Crystal was?' vroeg Grayson. 'Ze had tegen Rex gezegd dat ze Amber heette om naar zijn feestje te mogen.'

Dianna keek geringschattend. 'Ze had tegen mijn man ook gezegd dat ze Amber heette, elke keer dat ze probeerde hem te verleiden. Mijn echtgenoot is een idioot die denkt met zijn... jeweetwel.'

'Dus uw man kende Crystal al voor de avond van het feest?' vroeg Hyatt.

'Ja. Ze was aanwezig bij een gastcollege dat hij gaf op de universiteit van Rex. Ze kreeg op de een of andere manier het mobiele nummer van Jim te pakken, waarschijnlijk via Rex. Ze begon hem te sms'en. Stuurde naaktfoto's van zichzelf. Vertelde hem hoe opgewonden ze raakte van politici. Ik heb de berichten gezien – ik controleer altijd zijn telefoon. Ik wilde weten wie die sloerie was. Dus toen heb ik de universiteit gebeld en de studentenlijst geraadpleegd. De studenten moesten hun identiteitskaart laten zien om aanwezig te mogen zijn bij de gastcolleges, vanwege extra beveiliging en zo. Er stond geen Amber op die lijst. Ik kreeg argwaan en ben met de professor gaan praten. Hij herinnerde zich dat ze probeerde aan te pappen met Jim, maar dat ze later haar aandacht verlegde naar Rex. De professor vertelde me dat ze Crystal Jones heette.'

'Herkende u die naam?' vroeg Grayson.

'Natuurlijk. Ik heb een fotografisch geheugen. Ik wist wie ze was en ik heb Jim gewaarschuwd. Maar voor ik het wist had ze zich door list en bedrog toegang verschaft tot ons landgoed. Ik ben Jim die avond naar de schuur gevolgd. Hij wist wie ze was en wat ze wilde. Hij vermoordde haar, althans hij dacht dat hij dat had gedaan. Ik probeerde haar dood te steken, maar ik wist niet waar ik haar moest raken.'

'Dus toen heeft u de enige persoon die u kon vertrouwen erbij geroepen,' zei Grayson. 'Stuart.'

'Hij kwam meteen. Hij wist dat we de schade moesten zien te beperken. Hij maakte mijn werk af en bedacht toen het plan om de tuinman de schuld in de schoenen te schuiven.'

'Hoe zit het met die andere MAC-vrouwen?' vroeg Hyatt.

'We hadden een kwetsbare plek. Dat moest ik verhelpen. Het was slechts een kwestie van tijd voor een van de anderen op hetzelfde idee zou komen als Crystal.'

'Dus heeft u ze opgespoord en hen vermoord,' zei Hyatt.

'Ja, uiteraard,' antwoordde Dianna. 'Ik heb het geregeld. Ik stuurde ze chocola. Ze vielen in slaap en gingen dood.'

'Waarom heeft u ze opgehangen?' vroeg Grayson.

Ze fronste haar voorhoofd. 'Dat heb ik niet gedaan.'

'Iemand heeft dat gedaan,' zei Grayson. 'Een flink aantal van hen werd hangend gevonden.'

Dianna snakte even naar adem. 'O. Dat heeft hij gedaan. Voor mij.'

'Wie?' vroeg Hyatt.

'Stuart. Hij heeft dat voor me geregeld. Daar had hij het over. Hij zei een paar dagen geleden dat ik ze niet allemaal had vermoord en dat hij het had moeten regelen. Dat bedoelde hij dus.' Haar gezicht kreeg een bijna... eerbiedige uitdrukking. 'Dat heeft hij voor mij gedaan.'

Grayson en Hyatt lieten haar in zichzelf pratend achter.

In de observatieruimte stonden de anderen nog steeds door de spiegel naar Dianna McCloud te staren.

'O mijn god,' zei Paige. 'Ze is... Wat is ze? Gek of kwaadaardig?'

'Voldoende bij haar verstand om terecht te staan,' antwoordde Daphne. 'Dat is wat mij betreft het enige wat telt.'

Grayson wreef over zijn voorhoofd. 'Twee binnen, nog één te gaan. Ik heb een flink aantal vragen voor Brittany Jones.' Hij keek in de richting van uitvoerend hoofdofficier Yates. 'We hebben haar in de tang. Ik ben niet van plan haar een deal aan te bieden.'

'Dat had ik ook niet verwacht,' zei Yates. 'Veel geluk daarbinnen.'

Brittany keek op toen Grayson en Hyatt binnenkwamen. Haar blik werd gesloten en ze kreeg een koppige uitdrukking op haar gezicht. Haar advocaat stelde zichzelf voor en verklaarde dat zijn cliënt niet bereid was vragen te beantwoorden.

'Ik ben inspecteur Hyatt.' Hij sprak tegen Brittany en negeerde de advocaat. Hij wees naar Grayson. 'Hem ken je denk ik al.'

Brittany wendde haar gezicht af. 'Ik praat niet met jullie.'

Grayson ging op de stoel zitten die het dichtst bij Brittany stond. 'Dan mag je even naar ons luisteren. Je wordt aangeklaagd wegens afpersing en samenzwering tot moord. Dat ik het beoogde slachtoffer was, maakt me behoorlijk kwaad.'

'Ik heb het niet gedaan.'

'Je hebt je vriendin aan de balie van het verpleeghuis aan het lijntje gehouden,' verklaarde Grayson. 'Je wist dat we daar zouden zijn. Je hebt die informatie aan Stuart Lippman verkocht, die op zijn beurt Harlan Kapansky in de arm heeft genomen om een bom onder mijn auto te plaatsen.'

'Dat kun je niet bewijzen,' zei Brittany hooghartig.

'Brittany, hou je mond,' maande haar advocaat.

'We hebben alle telefoongesprekken van Stuart Lippman nagetrokken,' zei Hyatt. 'Binnenkomend en uitgaand. Woensdagavond om 18.18 uur kreeg hij een telefoontje vanuit een telefooncel bij een tankstation even buiten Harrisburg, Pennsylvania. Op de bewakingsvideo van dat tankstation is te zien dat jij, Brittany, precies op dat tijdstip een telefoontje pleegt. Een paar uur later maakte Stuart vijfentwintigduizend dollar over naar jouw bankrekening.' Hyatts glimlach was kil. 'Dus je ziet, mevrouw Jones, we kunnen het wel degelijk bewijzen.'

Het was nog een heel gedoe geweest om de bewakingsvideo van het tankstation te pakken te krijgen. Maar toen Grayson de verbijsterde uitdrukking op Brittany's gezicht zag, was het de moeite meer dan waard geweest.

Haar advocaat en zij overlegden fluisterend. Toen hief haar advocaat zijn hoofd op. 'Zij heeft u die jurk gegeven. Zonder die jurk zou u de senator nooit te pakken hebben gekregen.'

Dat was waarschijnlijk waar, dacht Grayson. Toch haalde hij nonchalant zijn schouders op. 'Het is leuk dat we die jurk hebben, maar ik had hem niet nodig. We hebben een ooggetuige. De senator heeft zich schuldig gemaakt aan verkrachting, Brittany heeft zich schuldig gemaakt aan een poging tot moord. Ze zijn allebei schuldig.'

'De senator heeft ook gemoord,' zei Brittany met een woedende blik in haar ogen. 'Hij heeft mijn zus verkracht en haar toen vermoord.'

Haar advocaat stak zijn hand op. 'Kunnen we een deal sluiten?'

'Hoezo?' vroeg Grayson. 'Ze heeft niets te bieden. Ik heb alles en iedereen die ik nodig heb. Ze zitten gevangen of ze zijn dood.'

Brittany kneep haar ogen tot spleetjes. 'Nee, dat is niet zo, anders was je hier niet. Wat wil je?'

Grayson kon ternauwernood voorkomen dat hij met zijn ogen knipperde. Ze had hem goed ingeschat toen Paige en hij bij haar op bezoek waren en ze zijn sympathie had gewekt door over haar zoon te zeggen: 'Ik ben alles wat hij heeft.' Ze zou gehakt maken van een jury. Het enige wat ze hoefde te doen was één jurylid ervan overtuigen dat ze niet wist wat Lippman van plan was en dan zou hij met een jury zitten die niet unaniem was. En dan zou ze vrijuit gaan. Dat mocht hij niet laten gebeuren.

Ze had geprobeerd hem te vermoorden. *Ze had geprobeerd Paige te vermoorden.* Blinde woede borrelde in hem op en daarmee ook de vastbeslotenheid dat deze vrouw voor lange tijd achter de tralies zou belanden.

'Ik wil een volledige bekentenis,' zei hij emotieloos. 'Met alle bijzonderheden.'

De ogen van de advocaat werden groot. 'U wilt dat ze schuld bekent?' Hij kwam overeind. 'Nee. Beslist niet. Kom mee, Brittany.'

Brittany ging staan. Grayson bleef roerloos zitten en keek haar alleen maar aan. 'Je hebt een zoon.'

Brittany verstijfde en haar woede werd zichtbaar in haar ogen. 'Waag het niet een vinger uit te steken naar mijn zoon.'

'Je zoon is onder de hoede van pleegzorg,' zei Grayson. 'Er zal goed voor hem worden gezorgd. De vraag is, zie je hem nog voor hij van school af is? Zie je hem ooit nog terug?'

Ze verbleekte. 'Wat bedoel je?' Haar advocaat trok aan haar arm en zei dat ze moest meekomen, maar ze schudde hem van zich af. 'Wat bedoel je?' vroeg ze nogmaals.

'Als je een volledige schuldbekentenis aflegt, dan zal ik de aanbeveling doen dat je je straf hier in Baltimore uitzit. Doe je dat niet, dan zal ik alles doen wat in mijn macht ligt om ervoor te zorgen dat je zo ver mogelijk hiervandaan wordt opgesloten. Zo ver dat niemand bereid zal zijn hem ooit op bezoekdagen te komen brengen.'

Ze liet zich bevend weer op haar stoel zakken. 'Dat kun je niet doen.'

Graysons gezicht verstrakte. 'Moet jij eens opletten.'

Haar advocaat greep haar stevig bij de arm. 'We moeten onze kans in de rechtszaal grijpen. Kom mee.' Hij trok haar overeind en ze strompelde nog steeds doodsbleek naar de deur.

'De maximumstraf voor poging tot moord met voorbedachten rade is levenslang, Brittany,' zei Grayson. 'Misschien kan de pleegmoeder van de kleine Caleb maar beter tegen hem zeggen dat zijn moeder is overleden. Dat is beter dan te weten dat zijn moeder in de gevangenis wegrot. De rest van haar leven.'

Ze draaide zich om en zag eruit alsof ze flauw zou vallen. 'Vuile klootzak.'

Grayson haalde zijn schouders op. 'Wat wordt het, Brittany? Dit aanbod vervalt zodra je die deur door gaat. Denk goed na.'

Ze sloot haar ogen. 'Ik heb je die jurk gegeven.'

'En daar dank ik je voor. Maar ik heb zomaar het vermoeden dat je dat meer deed voor je eigen gezondheid dan voor de mijne.'

Ze deed haar ogen open en Grayson wist dat hij gewonnen had. 'Val dood, jij,' fluisterde ze.

Hij duwde een notitieblok over de tafel. 'Aan het werk. Ik heb niet de hele dag.'

Ze ging langzaam zitten. 'Wat wil je weten?'

'Waarom ging Crystal naar dat feest?' vroeg Grayson. 'Waarom heeft ze de senator niet gewoon een e-mail gestuurd met haar eisen?'

'Omdat ze zijn gezicht wilde zien wanneer ze hem confronteerde. Hij had haar verkrácht. Ze wilde hem laten weten dat zij gewonnen had. Psychiaters noemen dat verwerking,' voegde ze er bitter aan toe.

Dat kon hij begrijpen. 'Waarom heb je je zoon op St. Leo gedaan?'

'Dat wilde Crystal. De dag van het feest... Ze was vreselijk opge-wonden. Ze was erachter gekomen dat de senator een gastcollege gaf op de universiteit. Ze moest betalen om erbij te kunnen zijn, maar ze zei dat het dat waard was. Het was een investering in onze toekomst. Ze ging erheen en had een ontmoeting met hem, met de senator. Ze zei dat ze doodsbang en opgewonden tegelijk was. Ze zou hem laten boeten voor wat hij haar had aangedaan. Ze had niet verwacht dat Rex ook bij dat college zou zijn. Dat was de reden dat de senator dat gastcollege gaf. Omdat zijn kleinzoon in de klas zat.'

Brittany schudde haar hoofd. 'Ze haatte Rex. Ze kon zich hem nog herinneren van die dag. Van toen ze twaalf was. Ze zag hem in zijn chique schooluniform. Van St. Leo. Ze probeerde die dag met hem te praten. Ze had een nieuwe jurk en ze was er zo trots op. Maar ze hoorde dat hij hen achter hun rug uitlachte vanwege hun uitverkoop-kleding. Ze was zo gekwetst. En toen verkrachtte die ouwe pedofiel haar.' Ze zweeg terwijl ze haar best deed om te slikken.

'Crystal ging meteen naar bed toen ze thuiskwam. Ze rolde zich helemaal op, als een foetus. Ik vroeg haar wat er aan de hand was, maar dat wilde ze niet zeggen. Ze huilde alleen maar. Ze vertelde het pas toen ze erachter kwam dat ik zwanger was van Caleb. Toen zei ze dat ze een plan had. Dat ze eindelijk zouden boeten. Ze vertelde me het hele verhaal. En ze zei dat ze alles zou pakken wat de McClouds be-zaten. Dat haar neef of nicht ook dat uniform van die privéschool zou dragen. Van St. Leo. Dat ze dezelfde voorrechten zouden hebben die de McClouds hun kinderen gaven. En Rex.'

Ze slaakte een zucht. 'Toen ze was vermoord, wist ik wie het gedaan had. Ik wist dat het de senator was. Maar Lippman kwam langs en bood me geld aan. Vijftigduizend dollar als ik mijn mond zou houden. Ik nam het aan. Maar ik kon mezelf er niet toe brengen om het uit te geven. Het was... smerig. Er kleefde haar bloed aan.'

Dat ons bloed aan het geld kleefde heeft je er niet van weerhouden om óns aan Lippman uit te leveren, dacht Grayson. 'En daarom heb je hem op St. Leo gedaan.'

'Ja. Want dat was wat zij wilde. En tegen die tijd wilde ik hetzelfde. Ik wilde het beste van het beste voor mijn zoon. Net als de familie McCloud. Dat was Calebs recht.'

'Hoe kwam ze aan het telefoonnummer van de senator?' vroeg Hyatt.

'Ze ging met Rex naar bed. Ze wachtte tot hij stoned was en in slaap viel. Toen keek ze in de adressenlijst van zijn telefoon. En toen begon ze haar campagne, flirten, verleiden. McCloud moet er op de een of andere manier achter zijn gekomen. Dus heeft hij haar vermoord.'

'Waarom heeft ze de jurk bewaard?' vroeg Grayson.

'Dat vroeg ik haar ook toen ze me zes jaar geleden haar plan vertelde. Ze zei dat de senator haar in 1998 had verkracht. In dat jaar had de tv het voortdurend over dat schandaal met de president. Die stagiaire in het Witte Huis had haar jurk bewaard. Die jurk was ook blauw. Crystal dacht dat zij hem op een dag ook zou kunnen gebruiken. Toen ze dood was, durfde ik dat niet. Ik wist dat Crystal door McCloud vermoord was. Ik was bang dat ze mij ook zouden vermoorden en ik had Caleb om voor te zorgen. Maar toen had ik plotseling geld nodig omdat Crystals oude klant stierf – degene van de bankafschriften die ik jullie heb gegeven.'

'Je hebt hem nooit verteld dat ze dood was,' zei Hyatt.

Ze haalde haar schouders op. 'Als hij zo stom was om de kranten niet te lezen...'

'Dus hij ging dood, waardoor jij zonder inkomen zat,' zei Grayson.

'Ja. Dus toen wist ik dat ik de McClouds moest chanteren. Maar toen werd die vrouw, Muñoz, vermoord en toen die bareigenaar, Sandoval. Ik wist dat het met Crystal te maken had. Ik wist dat jullie zouden komen. Ik bedacht dat ik jullie genoeg zou geven om de McClouds te verdenken. Dan kon ik er meer uit halen. Ze zouden me toch niet durven vermoorden als het onderzoek naar de moord op Crystal heropend werd. Ze zouden niet willen dat de politie het verband zag. De rest hebben jullie zelf achterhaald.'

'Je zult een verklaring moeten afleggen in de rechtszaal,' zei Grayson.

'Zorg je dat ik een cel in Baltimore krijg?'

'Als dat menselijkerwijs mogelijk is. Dat beloof ik.' Grayson ging staan, plotseling ongelooflijk moe. 'Je wordt nu gearresteerd en geboekt. Morgen voor je voorgeleiding praten we verder.'

Hyatt en hij kwamen nogmaals terug bij de groep in de observatieruimte. 'Ik geloof dat we klaar zijn.'

Hyatt keek gemelijk. 'Ik moet over een halfuur de commissaris nog bijpraten. Is er nog iets wat ik moet weten? Nog losse eindjes die voor verrassingen kunnen zorgen?'

Iedereen in het vertrek keek elkaar aan en schudde vervolgens het hoofd.

'Ik geloof dat we alles rond hebben over de slachtoffers,' zei Grayson.

'Ik denk dat Dianna aan de top van de ranglijst staat,' zei Paige. 'Ze heeft Crystal en Betsy Malone vermoord en ze heeft geprobeerd Adele Shaffer te doden. Ze heeft ook tien van de overige MAC-vrouwen vermoord. Bovendien heeft ze seksueel misbruik van een minderjarige mogelijk gemaakt, zestien keer.'

'De senator is schuldig aan zestien gevallen van seksueel misbruik van een minderjarige, plus misbruik van zijn eigen dochter,' zei Grayson. 'En hij heeft geprobeerd Crystal te vermoorden.'

'Silas heeft Elena doodgeschoten,' ging Paige verder. 'Jorge Delgado, Harlan Kapansky en de moeder van Logan. Lippman heeft Sandoval en Bob Bond om het leven gebracht.' Ze sloeg haar ogen ten hemel. 'En hij heeft alle MAC-slachtoffers "afgehandeld" wanneer Dianna er niet in slaagde hen te vermoorden.'

'Silas heeft vóór Elena nog een heleboel mensen vermoord,' zei Stevie. 'We moeten alle wapens nog natrekken die we in zijn kluis hebben gevonden.'

'Daar kan ik misschien bij helpen,' zei Jeff Yates van achter uit de groep. 'De hoofdofficier van justitie heeft vandaag een e-mail gekregen, verzonden via Lippmans account. Het is een gedetailleerde lijst van zijn "medewerkers", zoals hij ze noemde. In sommige gevallen gaat het om politiemensen, andere zijn voormalige gevangenen. IZ heeft de lijst. Het zal tijd kosten om al die informatie door te nemen en aanklachten te formuleren. Maar Silas stond op zijn lijst. Net als Elizabeth Morton. Hij maakte gebruik van intimidatie en bedreigde hun gezinnen om ze in het gareel te houden. Morton probeerde op een bepaald moment ermee te stoppen en toen heeft Lippman haar kind door een auto laten scheppen. Haar zoon loopt nu, jaren later, nog steeds op krukken.'

'O mijn god,' riep Daphne vol afschuw uit. 'Wat een monster.'

'Dat was hij zeker,' zei Yates. 'Maar wel een die zijn zaken goed voor elkaar had. Hij hield een rooster bij van al zijn "medewerkers" en de karweitjes die ze deden. Ik vermoed dat je een hoop zaken kunt sluiten, Hyatt.'

'Dat is dan de goede kant van de zaak, denk ik,' mompelde Hyatt. 'Staan er nog meer van mijn mensen op die lijst?'

'Niet dat ik heb gezien,' zei Yates vriendelijk.

Stevie fronste haar voorhoofd. 'Maar Morton heeft Silas gedood. Waarom?'

'Zelfbescherming,' antwoordde Yates. 'Lippman schrijft in de brief die bij de lijst zat dat alle medewerkers op de hoogte waren van het bestaan van die lijst en dat die, als hij ooit vermoord zou worden of onder verdachte omstandigheden zou komen te overlijden, naar de hoofdofficier van justitie zou worden gestuurd. Ik weet niet wie hem heeft verstuurd, maar Lippman heeft die taak aan iemand toevertrouwd. Door ervoor te zorgen dat iedereen wist dat hij op die lijst stond, voorkwam hij dat iemand het in zijn hoofd zou halen om hem te vermoorden.'

'Maar dat heeft Silas donderdagochtend wel geprobeerd,' zei Grayson. 'Hij heeft het raam van Lippmans flat aan diggelen geschoten.'

'Jij had hem gezien,' zei Paige. 'Toen je Logan redde. Misschien dacht hij dat het een kwestie van tijd zou zijn voor je erachter zou komen wie hij was. Hij had niets meer te verliezen.'

'En met Lippman dood zou zijn gezin in veiligheid zijn,' merkte Daphne op. 'Anders dan de zoon van Morton.'

'Dat Morton Lippman heeft doodgeschoten lijkt nu heel wat logischer,' zei Paige. 'En dat ze Graysons moeder expres heeft achtergelaten zodat we haar konden vinden. Ze wilde niet voor Stuart werken.'

'Dat zal in haar voordeel spreken,' zei Yates. 'Maar ze zal toch voor een flinke tijd de gevangenis in draaien.'

'Wacht,' onderbrak Lucy Trask hen. 'Ik heb misschien nog een dode voor jullie.'

'Wie?' zuchtte Grayson.

'Volgens een voorlopige identificatie via zijn tatoeages gaat het om Roscoe James.'

'De kooivechter.' Paige raakte even haar hals aan, waar de hechtingen begonnen te genezen. 'Hij probeerde mijn keel door te snijden in de parkeergarage.'

'Zijn eigen keel is wel doorgesneden,' zei Lucy. 'Hij had ook een hoog gehalte aan rohypnol in zijn bloed. Hij is in de rivier gesmeten en vanmorgen ergens aangespoeld.'

'Silas heeft hem vermoord,' wist rechercheur Perkins. 'Ik heb hem op de bewakingsvideo gezien van de bar waar Roscoe's auto stond.'

'Geweldig,' mopperde Hyatt. 'Laat iemand dit allemaal opschrijven en het naar mij mailen. Ik kan de helft van de lijst nog niet onthouden.' Hij liep met grote passen naar de deur en draaide zich toen om. 'Prima werk. Van jullie allemaal.'

Stevie staarde naar de deur toen hij die achter zich had dichtgedaan. 'Wauw. Hij is bijna aardig.'

Grayson bestudeerde haar gezicht. 'Hoe gaat het echt met je?'

'Beter,' zei Stevie, maar haar ogen verrieden de waarheid. 'Cordelia is nog steeds getraumatiseerd.'

'Dan geldt dat ook voor jou.' Daphne omhelsde haar even. 'Als onze kinderen lijden, dan lijden wij ook.' Ze keek naar Paige. 'Wanneer gaan we nou die school van jou openen?'

Paige knipperde met haar ogen. 'Wat? Echt waar?'

'Ja. Laten we volgende week een keer gaan lunchen, dan kunnen we wat cijfers doornemen.'

'Mag Cordelia op jouw school komen?' vroeg Stevie. 'Ik denk dat ze wel wat zelfvertrouwen kan gebruiken.'

'Cordelia moet een hond hebben,' zei Paige terwijl de drie vrouwen samen wegliepen.

Stevies stem klonk vanuit de gang. 'Honden kwijlen.'

Bashears en Perkins gingen weg om mevrouw McCloud terug te brengen naar haar cel en Grayson en Yates bleven alleen achter.

'Is er verder nog iets van je dienst?' vroeg Grayson.

'Ja,' zei Yates. 'Ik zoek iemand die Andersons plaats in kan nemen. Ik heb je samenvattingen gelezen en ik heb je bezig gezien in de rechtszaal. Je staat inmiddels al een tijdje op de lijst voor een promotie. Ik heb je vandaag daarbinnen samen met Hyatt bezig gezien. Jullie twee werken goed samen.' Hij haalde zijn schouders op. 'Er zijn er niet veel die goed kunnen samenwerken met Peter Hyatt.'

Graysons hart begon sneller te kloppen. 'Hij is nog niet zo kwaad. Er zit een hart onder al die spieren en een goed verstand in die kale kop.'

Yates glimlachte. 'Als je de baan wilt hebben, dan krijg je hem. Het is een promotie, dus je krijgt een groter kantoor. Niet heel veel meer geld. Je voert nog steeds processen, maar je krijgt meer administratie. Dat is het nadeel. Meer werk voor niet veel meer poen.'

Grayson stond op het punt om ja te zeggen. Maar... 'Er is iets wat ik je eerst wil vertellen.' Hij deed Yates de waarheid over zijn vader uit de doeken. 'Anderson dreigde het openbaar te maken als ik de zaak-Muñoz niet liet vallen.'

Yates had aandachtig geluisterd, zonder een reactie te vertonen, maar nu stond hij zachtjes te vloeken. 'In de eerste plaats, wie je vader is doet er niet toe. In de tweede plaats, als je naar mij toe was gekomen, dan had ik Anderson voor mijn rekening genomen. Gezien de omstandigheden begrijp ik dat je dat niet hebt gedaan. Maar doe het niet nog een keer. In de derde plaats, dit sterkt me alleen maar in mijn mening dat ik de juiste keuze maak. Iemand anders zou misschien een stap terug hebben gedaan. Dat heb je niet gedaan. Echte integriteit is onbetaalbaar.'

'Paige zei ook al iets dergelijks,' mompelde hij.

'In dat geval zou ik maar naar haar luisteren. Vandaag is het zaterdag. Wanneer kun je beginnen?'

'Ik zal er maandagochtend zijn.'

'Mooi.' Yates schudde hem de hand. 'Gefeliciteerd met de promotie en hoewel ik nooit gedacht had dat ik Hyatt nog eens zou citeren: prima werk.'

'Jeff, wacht even,' zei Grayson toen Yates de deur opendeed. 'Wie krijgt straks mijn huidige baan?'

'Wie vind je dat die zou moeten krijgen?'

'Daphne Montgomery. Ze is verbazingwekkend.'

Yates knikte. 'Ik zal je aanbeveling in overweging nemen. Geniet van wat er nog over is van het weekend.'

Grayson deed zijn ogen dicht en haalde even diep adem. Toen hij ze weer opendeed zag hij Paige tegen de deurpost geleund staan. 'Ik dacht dat je met de meiden mee was,' zei hij.

'Je bent mijn lift naar huis.'

Hij kon aan haar gezicht zien dat ze had gehoord wat er was gezegd. 'Denk je dat ik de juiste beslissing heb genomen?'

'Ik vond jouw aanbeveling van Daphne verbazingwekkend. Dus wat is nu je nieuwe titel?'

'Senior assistent-hoofdofficier van justitie.'

Paige lachte. 'Zolang ik je in bed niet zo hoef te noemen is er niets aan de hand.'

Hij sloeg zijn arm om haar heen. 'Eerlijk gezegd dacht ik meer in termen van "Schat, o schat, neem me." Je had beloofd dat je dat zou zeggen als dit allemaal achter de rug was.'

'En ik hou me aan mijn beloften. Ik heb ook mijn integriteit. Kunnen we nu naar huis?'

Zijn hart sloeg over toen hij haar 'naar huis' hoorde zeggen. 'Absoluut.'

Dankwoord

Dank aan al mijn vrienden voor de niet-aflatende stroom aan informatie!

Danny Agan, voor het beantwoorden van al mijn vragen op politiegebied.

Shannon Aviles voor de Spaanse uitdrukkingen.

Marc Conterato voor zijn hulp bij het realistischer maken van de verwondingen van mijn personages.

Kay Conterato voor de voortdurende toevoer van interessante artikelen en feiten en omdat ze me in contact brengt met de mensen die zij ontmoet. Ik doe op die manier allerlei ideeën op!

Sonie Lasker voor de vechtscènes en voor het feit dat ze me kennis heeft laten maken met karate.

Dank aan Claire Zion, Vicki Mellor en Robin Rue – jullie steun heeft meer voor me betekend dan jullie ooit zullen beseffen.

En tot slot dank aan al mijn lieve vrienden voor jullie genegenheid en voortdurende aanmoedigingen. Ik ben dol op jullie.